郑玉巧育儿经

婴儿卷

郑玉巧 著

二十一世纪出版社
21st Century Publishing House

图书在版编目（CIP）数据

郑玉巧育儿经·婴儿卷 / 郑玉巧著.
—南昌：二十一世纪出版社，2008.9（2008.11重印）
ISBN 978-7-5391-4239-5

Ⅰ.郑… Ⅱ.郑… Ⅲ.婴儿—哺育—基本知识 Ⅳ.TS976.31

中国版本图书馆CIP数据核字（2008）第079867号

郑玉巧育儿经·婴儿卷　郑玉巧　著

责任编辑	孙淑慧　杨　华
特约编辑	林　云
版式设计	杨晓君
美术编辑	胡小梅
排版制作	敖鑫富
出版发行	二十一世纪出版社（江西省南昌市子安路75号　330009） www.21cccc.com　cc21@163.net
出 版 人	张秋林
经　　销	新华书店
印　　刷	江西华奥印务有限责任公司
版　　次	2008年9月第1版　2008年11月第2次印刷
开　　本	720mm×960mm　1/16
印　　张	27.75
字　　数	600千
书　　号	ISBN 978-7-5391-4239-5
定　　价	49.80元

如发现印装质量问题，请寄本社图书发行公司调换，服务热线：0791-6524997

我能不能写一本中国的育儿经？

郑玉巧

1

弟妹田甜是专栏作家，她为这本书起了书名《郑玉巧育儿经》，并要我写一篇重点介绍自己的前言。我真不知从何写起。我只会写专业的东西，从来没有写过自己。田甜说，现在的育儿书多了，只是看育儿知识，妈妈们可以随便挑一本。但你的这本书很独特，你的书有人文关怀，有最先进的预防医学和全科医学理念，有更深的东西，有医学的光辉。这些词都是她问我一些专业问题后总结出来的。她是文学硕士，曾经当过《中国妇女》杂志记者，《妈咪宝贝》杂志第一任主笔，是我这本书的文学统筹。田甜说："你最想说什么就写什么，说真事，说真话。"

2

人们都说我有20年从医经验，可是20年只是一个数字，不会使所有的新医生都变成一个好医生。1979年，我考上了承德医学院，那时叫承德医学专科学校，入学后才知道校名变迁好几次，但根基是一所严格的军医学院，很艰苦时曾用民用剪刀给战士做手术。当时2%的大学生录取率，学习风气可以说是"玩命"。主修课29门，是用3年的时间学习5年大本的课程。教生物化学的倪教授对我100分的生化考试成绩赞叹不已，告诉我学

校就要改大本，有带研究生的资格，希望能带我继续攻读基础医学。但是一场严重的胸膜炎和家境贫寒让我永远失去了机会。

毕业考试前一次临床实习，我正在产科老师身后观摩吸宫术，眼前一阵发黑，扑到了老师身上。当我醒来时，已经躺在结核病房。同学们告诉我，我由于超高热已经昏睡了2天2夜。63天的住院使我失去了参加毕业考试的资格，我的同学，也是我的老乡高晓丽为我奔走相告，总算允许我参加毕业考试，但内科和外科的临床考试必须都是优秀才能毕业。我变得焦躁不安，心里还有另一重大压力。我家5个兄弟姐妹，我是家里第一个考上大学的，紧接着两个弟弟也相继离家读书，生活艰难，我每月的生活费才8元。11次的胸穿非常痛苦，我的老师们给我治病，很奇怪这么不好治，也找不到结核菌。我体会到他们在全心全意治病，但完全不了解我的内心：我不敢告诉父母得病，只偷偷告诉大姐，她给我寄来30元钱，同学们也为我捐献了一些钱，因为我的病特别需要营养。

我朦朦胧胧感觉到，我更需要心理的帮助和支持，病才有可能好得更快。我很孤独，希望医生像亲人一样。以后的行医生涯中，一面对病人我总能想到当时的自己，能够更多地站在患者的立场，更多地考虑患者的感受。这或许是我赢得患儿和家属信赖的原因之一吧。所以，我从来不歧视来自农

村的、家境贫穷的、身上脏分分的病人。我在人民医院内科进修，突然有一个女人认出我，我已经不记得她了。她招呼过来一个大姑娘，对姑娘说："这可是你的救命恩人哪！"又对我说："你还记得你抢救过一个抽风很厉害的女婴，住在412床，就是她，现在考上了北大附中，当时我们都担心影响智力。"我渐渐想起，她是一个病毒性脑炎患儿的妈妈，当时哭得乱作一团。我全力抢救，告诉他们大部分预后是好的，不要放弃抢救的信心。我亲眼看到许多我帮助过的人以后很有出息。

3

1982年我如期毕业了，家里不仅没有钱供我继续学习，还需要我回到原籍，帮家里一把。我放弃了更好的单位，分配到秦皇岛市妇幼医院妇产科。那时医院少、医生少，病人相对多，工作强度很大。印象中除了吃饭睡觉，一天到晚都在做手术，一个妇产科医生和一个外科医生差不多。但是，我们辛辛苦苦接下的孩子，却不一定能幸福地随妈妈出院，这给我很大的震动。那时全国都没有新生儿科，孕妇生下不好的孩子，妇产科大夫解决不了问题，请儿科医生会诊，有时儿科医生也并不尽心。有一次决定放弃抢救一个危重新生儿，这个孩子还有最后一口气，就被放在洗手的水泥台上，我亲眼看着孩子死去，心里很难受，饭都吃不下去。回到家里眼前一直是这个孩子，现在还能想起孩子当时的样子。正值医院要成立儿科，1984年我实现了做儿科医生的愿望。我画了一张自画像，一手托着腮帮，一手拿着听诊器，旁边写着：怎样才能做个好医生呢？我

的爱人现在还常常为此和我开玩笑，笑我的幼稚。

那时没有工作量统计，我总是向其他医生要病人。别人管三四张床，我却管十几张。我知道只有多管多看病人才能积累丰富的临床经验。常常是下午2点接夜班，到第二天中午12点才下班。赶上人员紧张，连续几天不离病房，抓点空就看专业书。因为有妇产科临床经验，我看孩子时总能想到妈妈，询问怀孕过程、胎儿异常、妈妈的乳房问题、喂养问题，最后把孩子的病落实到妈妈的喂养上，不仅仅是给孩子开方子了事，而是力求对新生儿、婴儿的治疗效果显著。

4

因为业务好，我主管儿科危重症病房长达两年之久。当你选择了做医生，就意味着选择了艰辛，因为医生的手中握着人最宝贵的生命，急重症病房更是这样。记得有一位肺出血的出生才七八天的新生儿，因硬肿症合并呼吸窘迫综合征，存活的希望微乎其微。妈妈绝望了，在旁边哭得死去活来。当时没有新生儿呼吸机，我只能以手动人工呼吸维持幼小的生命。到了下班时间，我不放心转给值班大夫，就24小时守着，三天没有回家，连续28小时没有合眼。孩子奇迹般活了下来。这个抢救病例曾经报到省里。这样的例子不知有多少。

我做医生是越做越穷，患者的一分钱我都不忍心收，他们遭遇不幸已经够痛苦的了，还要花比他们收入高得多的医疗费用。如果我们这些做医生的再向他们伸手，就是昧了良心。不让他们"花钱买罪受"，"花钱买脸色"，也不需要他们"花钱买平

安"，"花钱买放心"，而是用我们的爱心真正担负起做医生的责任。我们不吃他们的，不拿他们的，就是不想让那些患者雪上加霜；如果我们能伸出一双同情之手，尽可能帮助那些贫困的病人，为他们节约哪怕是一分钱，他们也会感受到安慰。

王尔是我的小病人，患的是白血病。孩子的父母都是山民，家中有个盲奶奶，爸爸因急性虹膜睫状体炎，只有0.01的视力。如此困苦的生活，孩子却偏偏得了这种"喝血吃钱"的病。正赶上春节前夕，我把大姐送给女儿的新衣服给她，又带了些年货。这让淳朴的老乡感动得泣不成声。经多方努力，还是没有留住孩子的生命，失去孩子的父母没有一声埋怨，还忍着巨大的悲痛和我握手道别，感谢我全力以赴的抢救。只因为我对他们真诚。20年来，我常常处于这种既欣慰又悲伤的境地。其实，人们都是相互宽容的，只要你尽职尽责，多做哪怕一点点，就没有众多的医疗纠纷。我从医20多年没有一次医疗纠纷，为什么？患者挑的不仅是医疗技术，我的脾气也不是很好，爱急，医疗过程也不可能都顺利，也没有一个医生能挽救所有患儿的生命。患者和家属可以不懂一点医疗技术，但他们懂得大夫是不是真诚，是不是用心。

5

如何用最简单的治疗方法解决患儿病痛，尽可能缩短病程，让患儿尽快痊愈出院，我终于找到了一条途径：

1. 为每个患儿进行个体化治疗。同样的病存在着千差万别，我从来不是记住几个常用的"方子"来套病人，每个人、每一次治疗方案都要辨症施治。我进修时还见过这样的医院，刻好几个"协定处方"印章，一样的病就是一样的处方印上去，我非常反对这种做法。

2. 药物治疗并不是最重要的，更不是唯一的。比如婴幼儿腹泻，最重要的治疗方法不是药物，而是妈妈在饮食和生活上的护理。

3. 无药的处方（也称为医生的嘱咐）是在任何疾病治疗中都不可忽视的。比如一个复感儿，医生必须向妈妈询问各方面的问题，和父母认真讨论科学的护理方法，来达到预防复感的目的。

4. 永远把患儿视为正常的孩子，只是暂时出现了某些问题，需要医生用最简便易行的方法帮助孩子度过小小的危机，而医生多采取的方法应该最大限度地减少对孩子健康的伤害。比如选择药物时决不忽视它的副作用。

5. 站在患儿和父母的立场上，时时为他们着想。比如不管他们是否贫穷，都为他们节约每一分钱。不怕有人笑话，我处方才几元几角，像没见过世面的乡下郎中，不怕有人笑话我医嘱中用的方法土。

6. 不只是解救病人眼前的痛苦，更重要的是为病人一生的健康负责。比如我基本上不给婴幼儿用高级广普抗菌素。我会想，以后他再得病还能用什么药。

有时候我开一张处方才两块多钱，我也不是不知道新推出了什么药，也不仅仅是为患者省钱。我要对得起我的职业，要对得起患者。我知道，对患者夸大病情，判断保守，用药面面俱到是比较保险，这样的医生好当。判断一个病人的病简单，而判断一个人没病，需要更深厚的功力，需要更高的责任心。我不希望我眼里只有病，没有人，把人与人的关系简单到病与病的关系。我没有用什么灵丹妙药。比如婴儿感染性腹泻，好多大夫都开微生态调节剂和抗菌素。我就不怕费事，反复嘱咐两种药错开4小时服用，还同时给妈妈通俗地讲清道理：微生态调节剂和抗菌素不能同时服用，抗菌素可杀灭微生态调节剂中的微生物，所以同时服用就没效果。抗菌素杀灭肠道内致病菌，微生态调节剂调整肠道内有益正常菌群，腹泻就能治好。所以服同样的药，病可以好得不一样。

药不是万能的，有时候人不是被病打倒的，而是被心理恐惧打倒。医生的水平有高低。水平高的医生规避药物的副作用，舒解患者的恐惧和忧虑，配合患者的生活、工作、饮食、运动，让患者自身发挥作用，对抗疾病，这就是以人为本，不以病为本。这也是世界上最先进的医学模式。最近我进修获得了"国际NLP（身心语法程式学）及格执行师"资格。我暗暗惊喜在看病中做了许多关怀病人心理的工作，虽然没有完整的体系和技巧。

6

我喜欢尝试新的领域。新生儿医疗保障水平代表一个国家的医疗保障水平。以前我国新生儿都是妇产科捎带管，后来新生儿作为一个独立的学科分出来。当时我的孩子3岁，能够放手了，我被医院派去进修，回来后承担新生儿工作。我做了4年的新生儿科医生，和产科有密切的接触。这些刚刚离开母体的新生儿，尽管他们不能诉说，但却能舒心地笑、打喷嚏、搓鼻子、抹脸、吃手指、撒欢、发出各种各样的哭声，向我们传达复杂的信息。他们具有令人难以置信的听、看、嗅、说等能力，我把孩子们的哭当做语言，和他们对话。后来《婴儿在说话——23种哭法破译》一文在杂志上刊登后，接受了中央台"半边天"栏目主持人的访谈，后来要做专题节目，可惜因为没有新生儿几十种哭的音像资料，没能完成录制。

1997，医院成立内科，像我这么大岁数改专业的医生绝无仅有，医生这一行越老越是宝，很少改专业。我当时反复考虑过，觉得儿科比较熟了，做下去总是有重复的感觉。我看到许多妇产科合并内科疾病病人在我们医院和综合医院转来转去，没有人做这一块。通过几年的进修和实习，我成了一名内科医生，主攻心血管、内分泌、妇产科合并内科疾病。妊高症与女性高血压发病关系的科研课题获奖，论文发表在《高血压杂志》上。我发现有些媒体特别欢迎我，封我为"全科医生"，因为读者问题是不分科的，不单是孩子问题，自己的、老公的、老人的都问。中国在大众科普医学、全科医学、预防医学、健康医学这些领域比较缺乏人才，需要大大发展。我常常用DOCTOR一词给自己鼓励：医生为什么和博士是一个词呢？就是说医生应该什么都学。有点时间我就用来看专业书，很少聊天。

在医学上有所建树一定是沉下心来钻一门，然后才是围绕着这一门，涉猎广博的知识和边缘科学；写书，也要老老实实，尽量写精一点、专一点。

7

我很少有休息时间，有太多的人找我看病。以前朋友到我家，奇怪孩子有屎有尿叫爸爸，要吃要喝也找爸爸，有陌生的客人来，孩子总是依偎在爸爸的怀里。这也难怪，我很少有时间陪孩子，有时刚推门进屋，还没把书包放下，就接到电话，不是到医院就是到家里看病。每次孩子不让我走，我都对她说小妹妹或小弟弟生病了，妈妈要过去给他治病。孩子小的时候，曾问过我："妈妈，你为什么有那么多孩子，别的妈妈为什么只有一个孩子？"现在女儿刚上高中，成绩一直名列前茅，但她发誓将来一定不学医。她还不能理解医学，只是看到我的辛苦，希望未来的工作比我轻松。

我的女儿非常给我争面子，上小学前，一次也没带到医院打过针，吃过药，邻居总是羡慕地说，妈妈是儿科大夫就是好。为此，我们医院的人都喜欢让我给她们的孩子看病。不仅如此，我们兄弟姐妹的5个孩子都是我母亲带大的，看病我全包了。我妈妈带孩子比较粗、比较自然，孩子们几乎没有上过医院，个个茁壮健康。我是这样认为的：除了先天性疾病外，小儿本身没有病，病都是养育不当造成的。无药而治是治疗的最高境界。我的秘密就是护理做得好。

人们常说"医不治己"，医生见的病多，容易过度担心，比如过分消毒，反而使自己孩子对环境的适应力下降。医生用药方便，容易经常用药，用贵药好药，而我一般不对孩子采取强烈的药物干预，主要加强他自身的抵抗力。同事的孩子小洋洋，从生下来不断在我们医院看病，是个小病篓子。4岁和父母到英国，10年后回国，却是一个体质非常健壮的小伙子。他妈妈介绍，英国医生很少给孩子用抗菌素，孩子感冒了，可以一粒药都不开，但是医生会不厌其烦地打电话，指导护理，追踪病情。孩子在英国10年吃的药远远没有在国内的4年多，英国是一个医疗福利

国家，药可以敞开吃。但英国人考评一个好大夫的标准是用药少，所以英国在减少滥用抗菌素、医源性疾病方面在世界上是做得最好的。

我最小的侄子，就是田甜的儿子，除了预防针，从来没有打针输液，偶染小病，我土法偏方食疗一起上，手到病除。因此，田甜非常赞赏我的治疗和育儿理念。她说你有这么好的理念，有丰富的临床经验，有那么多的人信任你，为什么不写一些大众看得懂，能指导爸爸妈妈们的通俗文章。从此我开始为杂志写育儿和健康的科普文章。

8

我在《中国妇女》《大众健康》《妈妈宝宝》《父母必读》《亲子》《母子健康》《健康博览》等杂志上发表医学科普文章，还担任回答读者问题的咨询专家。后来《健康之友》《好日子》《女性大世界》《中国化妆品》等时尚杂志也约我写女性和家庭健康的科普稿件。读者群不断扩大，接到很远的电话，新疆的、江西的、安徽的、云南的、北京的，甚至亲自到医院找我为他们的孩子看病，写信、电话咨询的读者络绎不绝。网络媒体兴起，我在"乐友网"和"妈妈宝宝网"做健康咨询专家近3年，我回答了上万名咨询者的问题，还有来自美国、澳大利亚、日本、加拿大及台湾、香港的咨询，他们咨询的大多数是医院医生没有时间解释的问题。有一个在美国的中国留学生习惯性流产，在美国就医非常困难。她给我发E-mail达一年之久，往返数十封邮件。最后在我的指导下成功怀孕，生下孩子。她希望我收费，但我告诉她，网站和我是免费提供这项服

务的。还有一个嫁给日本人的中国妈妈，很不适应日本育儿方式，语言交流困难，孩子营养不良，我给她很细致的调理方法。

这些工作使我感到，他们更多需要的是以疾病为中心的科普书以外的东西。为了回答他们的问题，我不但浏览了大量的专业书，还迫使我学习了许多相关的其他学科专业知识和现代生活消费知识。比如很多咨询预防接种的问题，我经常向保健科的同行请教；婴儿皮肤、牙、耳鼻喉科的问题，也逼自己大量看书和请教同行。许多专业书摆满了我的案头。市场上流行的纸尿裤、学步车、浴床、婴儿护肤品、婴儿化妆品，还有形形色色的婴儿食品、保健品、OTC药品的商品名，读者和网友都会问到。我不知道的，就请他们寄来或复述说明书上的关键内容，我再查资料，问专家。就连上商场、看电视、看杂志都留心此类产品和广告。

9

我也购买了一些权威的育儿书。73万字的美国《斯波克育儿经》诞生于1946年，是育儿的经典之作。但它毕竟是西方的养育方式，与我国的文化和养育有很大的差异，它不能完全解决中国人的育儿问题。比如西式辅食、独立睡眠、全职妈妈、多子女、西式月子、产后复原、心理救助、社区医生、交通休假方式、问题家庭等，与中国国情相差很远。现在有一种风气，对外国的育儿书、育儿产品、育儿方式盲目推崇，不顾实际情况。育儿是一门科学，不是赶时髦。比如我在新生儿病房时，北方冬天比较冷，新生儿硬肿症发病率比较高，尤其早产儿硬肿症，死亡率很高。这个病在西方已经绝迹，专业书和《斯波克育儿经》里根本找不到。1993年，我作为项目完成人，通过一系列干预措施，找到了降低新生儿硬肿症发病率和死亡率的有效方法。论文发表于《新生儿科杂志》上。美国医学会对此非常重视，发来邀请函请我参加国际新生儿学术会议。当时我出不起路费，最终没能参加。得到荣誉固然重要，但更重要的是我们找到并教给父母一套完整的护理措施，能预防和治愈这个病。对没有条件的家庭，我还有更"土"的办法，没有写到论文里去，美国人更不知道。没有取暖设备，也不能保证新生儿环境温度的，我让产妇和婆婆各做一条宽腰棉裤，把新生儿日夜放在腹前保温。这比建议安暖气、电热器、放在保温箱里实际得多。有些城市妈妈认为这些离她们太远，其实不然。现在保暖条件好了，新生儿硬肿症在中国也很少了，但妈妈和老人的育儿传统还在延续，冬天由于过度保暖，导致蒙被综合症、复感、高热惊厥等频繁发生，表现不同，实质是一样的。这些《斯波克育儿经》里也找不到。育儿是离不开文化和民族背景的。

我常想：能否做这样的工作，为养育孩子的父母写一本我们中国的育儿经？我有这份责任感，中国的名医数不胜数，我还是下定决心要这样做，这个决心是那些信任我、喜欢我看病的孩子们给的，是那些不辞辛苦、远道而来带孩子找我看病的父母们给的，是众多读过我的科普文章的读者给的，是网上上万名向我咨询问题的网友们给的。我是大众的医生，大众的科普作者，是接受大众咨询的医生。1967年，日本松田道雄先生的《育儿百科》问世，30多年过去了，一直是日本权威的育儿书。和斯波克博士不同，松田道雄当时只是一位普普通通的社区医生，但并不妨碍他写一本好书。我尊敬那些在基础医学领域有重大建树，或者在临床医学领域掌握高精尖技术的同行，命运没有给我这样的机会，我就把我的普通、细致、丰富、实用的育儿和家庭保健知识，贡献给更多的中国父母。我总是从小事干起，比如我即将完成的第二本书，是从几万条咨询中总结出来的怀孕阶段最集中又总是反复被提起的问题。当我做这些事的时候，我很满足。

10

60多万字，只写0－12月的婴儿养育，有小题大做之嫌。但这60多万字，不是我硬凑的，实在有说不完的话。这本书的初稿是我用了半年多的时间完成的，每天10多个小时，我几乎不是在写作，而是在和爸爸妈妈们交谈，谈他们的孩子。他们的每一个困惑，

我都想认认真真地回答，把我20年积累的经验告诉他们。不但告诉他们是怎么回事，还要告诉他们怎么做，还要告诉他们为什么，还要告诉他们如何做得更好。不但告诉他们实实在在的育儿方法，还要让他们树立一种正确的育儿理念，让这种理念贯穿养育孩子的全过程，让中国的父母更轻松、更自然、更健康地养育他们的孩子。

这就是我从医20年真实的过去，真实的心路历程，以及写这本书的内心冲动和默默无闻的笔耕过程。中国的新爸爸妈妈们，我的读者朋友们，你们看完这本书，当会给我一个客观的评价。作为一个儿科医生，我只能说自己尽力了，把爱心和医学献给了宝宝，献给了新爸爸妈妈。衷心感谢你们阅读这本书，不足之处请指正。谢谢。

2007年9月于北京

目　录

第一章
新生儿期

（诞生—28天）

儿科是"哑科"，儿童不会叙述病史；

新生儿科是"哑哑科"；

哭是新生儿与人交流的唯一语言；

爸爸妈妈是新生儿最可靠的代言人；

遗憾的是，他们也弄不清，刚出生的宝

宝在哭什么。

第1节 新生儿概念

1. 新生儿

从娩出到诞生后28天的婴儿，叫新生儿。诞生至28天这段时间，称新生儿期。新生儿期时间跨度不大，却是儿童发育的第一个重要阶段。

宝宝/郑果

2. 新生儿分类

根据分娩时的孕龄	可把新生儿分为足月儿（胎龄满37周，不满42周）、早产儿（胎龄满28周，不满37周）、过期产儿（胎龄满42周以上）。
根据体重值	可把新生儿分为正常体重儿（体重大于等于2500克，小于4000克）、低体重儿（体重小于2500克）、巨大儿（体重大于等于4000克）。
根据体重与孕龄的关系	可把新生儿分为适于胎龄儿（胎龄与体重相符）、小于胎龄儿（体重小于相应的胎龄）、大于胎龄儿（体重大于相应的胎龄）。
根据诞生后的时间	可把新生儿分为早期新生儿（诞生一周以内的新生儿）、晚期新生儿（出生第2周到第4周末）。
根据诞生后的健康状况	可把新生儿分为健康新生儿（无任何危象的新生儿）、高危新生儿（出现危象或可能发生危重情况的新生儿）。

不同类型的新生儿，在护理、喂养、疾病防治等方面，有着不同的特点和要求。知道了您的宝宝属于哪一类新生儿，就可以按照不同的要求，来呵护宝宝的稚嫩生命，让新生儿宝宝健康成长。

第2节 新生儿体格标准

3. 身长标准

新生儿诞生时的平均身长为50厘米，男、女婴有0.2-0.5厘米的差别。正常新生儿之间，身长也略有差异，但差异很小。

4. 体重标准

新生儿诞生时平均体重为3-3.3千克。最新统计表明，新生儿平均体重已达3.5千克，目前还有继续增长趋势，巨大儿出生率同样有所提高。

5. 头围标准

新生儿诞生时平均头围在33-35厘米之间。由于新生儿平均体重在增加，平均头围也相应增加，最新统计显示，新生儿平均头围已达35厘米。

第3节 新生儿生理特点

6. 呼吸特点：

什么样的频率才正常？

新生儿肋间肌薄弱，呼吸主要靠膈肌的升降；呼吸运动比较浅表，但呼吸频率较快，每分钟约40次。出生后头两周呼吸频率波动较大，这是新生儿正常的生理现象，新手爸爸妈妈不要紧张。如果你的新生儿宝宝，每分钟呼吸次数超过了80次，或者少于20次，就应引起重视了，应及时去看医生。

7. 循环特点：

心脏杂音和心率不齐都有道理

诞生后最初几天，宝宝心脏有杂音，这完全有可能是新生儿动脉导管暂时没有关闭，血液流动发出声音，父母不要大惊失色，联想到先心病。

新生儿血液多集中于躯干，四肢血液较少，所以宝宝四肢容易发冷，血管末梢容易出现青紫，因此要注意给宝宝肢体保温。

新生儿心率波动范围较大，生后24小时内，心率可能会在每分钟85次–145次之间波动；生后一周内，可在每分钟100次–175次之间波动；生后2周至4周内，可在每分钟115–190次之间波动。许多新手爸妈常常因为宝宝脉跳快慢不均而心急火燎，这是不了解新生儿心率特点造成的。现在应该轻松了吧！

8. 睡眠特点：

天知道我一天应该睡多长！

"这是我们新生儿的第一个权利"

有一种约定俗成的说法，说新生儿每天应该睡上20个小时。这种说法让许多新手爸妈焦躁不安，因为他们的宝宝，大多睡不了这么长的时间，甚至刚出生3天的新生儿，白天大部分时间，都在很有精神地凝望这个新奇的世界。

实际上，只要宝宝吃饱了，环境舒服了，他就会睡得很香甜，统计资料显示的新生儿平均睡眠时间，只是一个参考，宝宝比平均

宝宝/多多
出生不久的新生宝宝凝视着这个崭新的世界。新生宝宝有着令父母惊奇的视、听、闻、味觉能力。

值多几个小时或少几个小时，都是正常的，不必烦恼。

整个新生儿期睡眠时间都一样吗？

不是的，早期新生儿睡眠时间相对长一些，每天可达20小时以上；晚期新生儿睡眠时间有所减少，每天约在16–18小时左右。日龄增加，睡眠时间减少。

早期新生儿睡眠时间大多不分昼夜，而晚期新生儿如果妈妈有意在后半夜推迟喂奶，一次睡眠时间可延长到五六个小时。但新生儿糖源储备少，延长喂奶间隔，容易导致低血糖，所以新生儿期，喂奶间隔最好不要超过4小时。

采取什么样的睡姿更安全呢？

在新生儿护理理论与实践中，目前广泛接受的观点是：新生儿采取仰卧位睡姿最合适。俯卧睡姿可以在新生儿觉醒状态下，

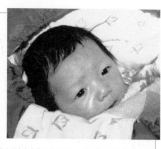

宝宝/郑果
在安静状态觉醒时，新生儿能注视妈妈，专心听妈妈说话，眼睛能够睁得很大，明亮发光。但是，这种状态是很短暂的。如果出生几天，醒着的时候就静静地凝视着爸爸妈妈，那样子，那眼神和爸爸小时候一模一样。长大了却越发像妈妈，几乎找不到爸爸的影子。新生儿生下来大多像爸爸或爷爷，告诉他是爸爸的孩子。人类的确聪明。

有妈妈看护方可尝试，以促进大脑发育，锻炼胸式呼吸。侧卧睡姿很容易转变成俯卧睡姿，如无人呵护，极易造成新生儿猝死，酿成不幸。

新生儿仰卧溢乳时，应迅速把宝宝变为侧卧，并轻拍其背，避免奶液呛入气管。新生儿不能自己单独睡眠，要与妈妈同睡，以降低新生儿猝死发生率。

美国研究人员指出，护士之所以采取侧卧位安排新生儿睡眠，原因在于她们担心仰卧位可能导致婴儿发生呕吐和误吸。但是，最新资料显示，侧卧位并不稳定，

而且仰卧位时的呕吐和误吸，也不是婴儿猝死的原因。因此美国专家们强烈呼吁，公共卫生署颁布的新版手册，不应将侧卧位列为安全体位。

9. 泌尿特点：

关爱无名英雄

排尿是本体反射，小小的新生儿宝宝可不会有意识地控制，有尿就排。排尿的自控能力，要靠爸爸妈妈训练，和宝宝年岁的增加，逐渐形成并最终具有。

新生儿膀胱小，肾脏功能尚不成熟，每天排尿次数多，尿量小。正常新生儿每天排尿20次左右，有的宝宝甚至半小时或十几分钟就尿一次。奶液较稀，排尿量、次就较多；奶液较稠，排尿量、次就较少。新生儿宝宝白天醒着的时间较长，吃奶次数也多，所以排尿量、次也较夜间多些。

新生儿尿液的正常颜色应该是呈微黄色，一般不染尿布，容易洗净。如果尿液较黄，染尿布，不易洗净，就要做尿液检查，看是否有过多的尿胆素排出，以便确定胆红素代谢是否异常。

新生儿肾脏功能还远不成熟，排出钠的能力低（1岁以内的小儿都是这样），所以母乳喂养的妈妈，要适当减少自身盐的摄入量。

新生儿肾脏的浓缩功能也相对不足，喂养时如果乳汁较浓，就可能导致新生儿血液中尿素氮含量增高。尿素氮是人体内有毒物

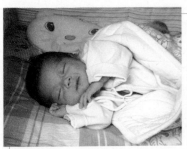

宝宝/赵心悦
我们通常让新生宝宝仰卧。因为仰卧睡眠安全性比较好，不容易出现窒息。但侧卧或俯卧睡眠时宝宝会感到安稳，而仰卧睡眠时宝宝安全感较差。

质，对新生儿来说，危害更大。人工喂养时，特别要注意，奶液不要配制过浓。

新生儿肾功能不足，还造成血氯和乳酸较高。人工喂养的新生儿，血磷和尿磷均较高，易产生钙磷比例失调，形成低血钙。为什么牛乳钙含量比母乳高，但牛乳喂养的宝宝，却比母乳喂养的宝宝更容易缺钙，原因就在这里。

10. 体温特点：

注意硬肿症和脱水热

母体宫内体温明显高于一般室内温度，所以新生儿娩出后体温都要下降，然后再逐渐回升，并在出生后24小时内，达到或超过36℃。

为新生儿保温的5个理由

·新生儿体温调节中枢功能尚未发育完善；

·按公斤体重计算体表面积，新生儿体表面积是成人的两倍甚至还要超过。小生命的散热面积大，很容易散热；

·脂肪组织有隔热作用，新生儿皮下脂肪薄，明显少于成人，容易丢失热量；

·新生儿体态姿势特殊，裸露面积大，散热量增加；

·新生儿寒冷时无颤抖反应，消耗的热量由棕色脂肪产生。但新生儿体内棕色脂肪分布有限，过度寒冷不能满足产热需要，容易引起皮下棕色脂肪硬肿。这就是新生儿寒冷损伤，也称新生儿硬肿症。

保温过度也有危害

新生儿最适宜的环境温度称为中性温度。当环境温度低于或高于中性温度时，宝宝机体可通过调节来增加产热或散热，维持正常体温。当环境温度的改变，在程度上超过了新生儿机体调节的能力，就会造成新生儿体温过低或过高。过低会出现新生儿硬肿症，而过高则会出现脱水热。环境温度过高时，新生儿通过增加皮肤水分蒸发而散热。

当水分蒸发过度，体内有效血循环不足时，新生儿就会发生高热，这就是新生儿脱水热。

11. 血液特点：
与"大江截流"时间有关

新生儿血容量与脐带结扎时间有关，如果胎儿娩出5分钟后结扎脐带，那么新生儿血容量就可从每公斤78毫升，增加到每公斤126毫升。

新生儿的血象也与脐带结扎时间有关。迟结扎的新生儿，血红蛋白和红细胞均较高。胎儿的白细胞，在出生后前3天比较高，可达18×10^9/L左右（一万八千）。出生5天后，就降到正常婴儿的水平了。有新手爸爸妈妈说他们的宝宝出生两天了，血象（白细胞）将近20×10^9/L（两万），心里非常着急。其实这是正常的。

12. 胃肠特点：
对蛋白质和脂肪的消化能力较淀粉强

新生儿消化道面积相对较大，肌层薄，能够适应较大量流质食物的消化吸收。新生儿出生后，吞咽功能就已发育完善，即生下来就会吃，妈妈只需准备充足的乳汁就可以了。

新生儿咽–食管的括约肌，在吞咽时还不会关闭，食管不蠕动，食管下部的括约肌也不关闭，这就是新生儿吃奶后容易溢乳的原因。

新生儿消化道能分泌足够的消化酶。凝乳酶帮助蛋白质的消化吸收，解脂酶帮助脂肪消化吸收。母乳中的脂肪，新生儿能消化85–90%，相对高于对牛乳脂肪的消化能力。

新生儿胰淀粉酶少，所以对淀粉食物的消化能力，还是比较弱的。只有到了4个月大的时候，淀粉酶才开始逐渐达到成人的水

宝宝/张淳然
典型的侧卧睡姿。新生宝宝自己侧卧很容易变成俯卧，存在一定危险。所以当让宝宝采取侧卧睡姿时，妈妈要看护在宝宝身边。

平。新手妈妈往往有个误解，认为奶类含脂肪蛋白质多，不好消化，而淀粉类食物容易消化。所以当宝宝出现消化不良时，就不敢喂奶了，而给喂米汤。这是不对的。婴儿对蛋白质和脂肪的消化能力，几乎比成人还要强。

新生儿肠壁有较大的通透性，利于初乳中免疫球蛋白的吸收。所以母乳喂养的宝宝，血液中免疫球蛋白的浓度，较牛乳喂养的要高，这是母乳喂养的最大好处。同样是因为新生儿肠道通透性大，母乳以外的蛋白质通过肠壁，容易产生过敏反应，如牛乳、豆乳等的蛋白质过敏反应。这再次体现了母乳喂养的优势。

胎便

新生儿会在出生后的12个小时内，首次排出墨绿色大便，这是胎儿在子宫内形成的排泄物，称为胎便。胎便可排两三天，以后逐渐过渡到正常新生儿大便。如果新生儿出生后24小时内没有排出胎便，就要及时看医生，排除肠道畸形的可能。

正常的新生儿大便，呈金黄色，黏稠、均匀、颗粒小，无特殊臭味。母乳喂养的新生儿，每天大便4–6次；人工喂养的每天约1–2次。

13. 体态姿势特点：
对外界刺激反应泛化

新生儿神经系统发育尚不完善，对外界刺激的反应是泛化的，缺乏定位性。妈妈们

宝宝/刘晨歌

生后即有吸吮能力，会吸吮自己的小手，但还不会把手指伸开吸吮手指，是吸吮整个拳头。让新生儿的肢体自由活动，可促进呼吸和身体运动能力的发育。所以不要把身体和腿包裹得紧紧的，更不要捆上。

会发现，新生儿宝宝的身体某个部位受到刺激时，全身都会发出动作。清醒状态下，新生儿总是双拳紧握，四肢屈曲，显出警觉的样子；受到声响刺激，四肢会突然由屈变直，出现抖动。妈妈会认为宝宝受了惊吓，其实这不过是宝宝对刺激的泛化反应，不必紧张。

新生儿颈、肩、胸、背部肌肉尚不发达，不能支撑脊柱和头部，所以新手爸爸妈妈不能竖着抱新生儿宝宝，必须用手把宝宝的头、背、臀部几点固定好，否则会造成脊柱损伤。这也是减少宝宝溢乳的有效方法。

第4节 新生儿主要指标测量方法

14. 身高测量方法

测量新生儿身高，必须由两个人进行。一人用手固定好宝宝的膝关节、髋关节和头部，另一人用皮尺测量，从宝宝头顶部的最高点，至足跟部的最高点。测量出的数值，即为宝宝身高。

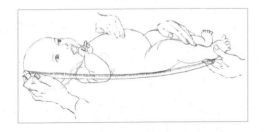

15. 头围测量方法

用软皮尺测量，从眉弓开始绕过两耳

上缘和枕后，回到起始点，周长数值即宝宝头围。

16. 胸围测量方法

软皮尺经过宝宝两乳头，平行绕一周，数值即胸围。

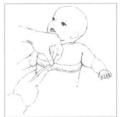

17. 腹围测量方法

软皮尺经过宝宝肚脐上方边缘，平行绕一周，数值即腹围。

18. 前囟测量方法

新生儿前囟呈菱形，测量时，要分别测出菱形两对边垂直线的长度。比如一垂直线长为2厘米，另一垂直线长为1.5厘米，那么宝宝的前囟数值就是$2×1.5$厘米^2。

19. 眼距测量方法

用软皮尺小心测量宝宝两眼内眦之间的距离，数值即为眼距。

20. 眼裂测量方法

用软皮尺小心测量宝宝眼外眦到眼内眦的距离，数值即为眼裂。

21. 耳位测量方法

宝宝耳上缘水平线，与眼外眦水平线之间的距离。如果耳上缘水平线高于眼外眦水平线，宝宝就是高耳位，反之则是低耳位。

第5节 新生儿生长发育规律

22. 面对指标烦恼多：
父母应该提高认识的科学性

现在新手爸爸妈妈们都知道不少的医学常识，再加上爱子心切，宝宝生长发育的实际状况，与平均指标稍有出入，就会觉得不对劲儿，焦躁不安。因此有必要比较全面地探讨一下新生儿体重、身高、头围、前囟的发育规律，提高新手爸爸妈妈认识的科学性。

23. 体重发育规律

新生儿体重的发育，不是孤立的，与许多因素有关。新生儿出生1个月内，一般来说体重增加1千克是正常的。

出满月时，体重达到多少是正常的？

这与婴儿出生时的体重密切相关。出生体重越大，满月后体重相对越大；出生体重越小，满月后体重相对越小。

婴儿体重标准值的计算公式是：

出生体重（千克）+月龄×70%。

但这仅是一个平均值，实际上出生体重大的婴儿，满月时的体重，往往超过平均值很多。

有的新生儿，出生后的前几天里，体重不但没有增加，反而减少了。这又是为什么呢？在后面的有关章节，我将展开论述新生儿生理性体重下降的问题。

新生儿体重，平均每天可增加30-40克，平均每周可增加200-300克。这种按正态分布计算出来的平均值，代表的是新生儿整体普遍情况，每个个体只要在正态数值范围内，或接近这个范围，就都应算是正常的。体重指标是这样，其他指标也是这样，新手爸爸妈妈们千万不要为这些微小的差异而着急。

在这里，我想告诉新手爸爸妈妈们，科学育儿不是咬住数字不放，不是照本宣科，而是树立正确的育儿理念，科学看待数值指标，理解宝宝生长发育的规律。

24. 身高发育规律

新生儿出生时的平均身高是50厘米，个体差异的平均值在0.3-0.5厘米之间，男、女新生儿平均有0.5厘米的差异。

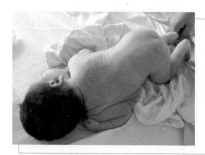

宝宝瓜瓜 俯卧位在新生儿觉醒状态下，有妈妈看护方可尝试。

宝宝/韩盛泉
宝宝出生14天。新生儿的视、听、昧、嗅觉和运动能力早在胎儿期就开始发育。看，这不已经把小手伸出来，嘴角微动，像要和爸爸妈妈说话。父母要抓住机会和宝宝"说话"。

新生儿满月前后，身高增加多少，才算正常？平均值是增加3-5厘米。新生儿出生时的身高与遗传关系不大，但进入婴幼儿时期，身高增长的个体差异性就表现出来了。

遗传、营养、环境、疾病、运动等因素都与身高有着密切的关系。实际上，现在的孩子由于生活、医疗、保健水平的提高，身高确实在不断提高，但个体差异性还是明显存在的。在以后章节中，我将具体讲述身高发育的差异性。

25. 头围发育规律

新生儿头围的平均值是34厘米。头围的增长速度，在出生后头半年比较快，但总的变量还是比较小的，从新生儿到成人，头围相差也就是从十几厘米到二十厘米。

满月前后，宝宝的头围比刚出生时也就增长两三厘米。如果测量方法不对，数值不准确，误以为宝宝头围过大或过小，会给新手爸爸妈妈带来不小的麻烦。

头围增长是否正常，反映着大脑发育是否正常。小头畸形、脑积水都会影响宝宝的智力发育。所以尽管头围增长速度不快，变化不大，也要认真对待。

爸爸妈妈们遇到的宝宝头围问题，一般都是测量不准造成的。最好请有专业知识的医护人员来测量，数值准确，才能正确分析。

26. 前囟发育规律

新手爸爸妈妈们和祖辈们都认为，宝宝的囟门是命门，不允许碰，碰了囟门就会使宝宝变哑。上述说法没有科学根据，是明显不对的。新生儿前囟门的斜径平均是2.5厘米，也有个体差异。但宝宝前囟门如果小于1厘米，或大于3厘米，就应引起重视，因为前囟门过小常见于小头畸形，前囟门过大常见于脑积水、佝偻病、呆小病。

家长把头围、囟门视为脑部发育的象征，非常重视，这固然是件好事，但面对体检数值，往往会因为一点点的差异引起焦急，是完全没有必要的。本来孩子并没有什么病，却因为一次测量结果而担心，为孩子做没有必要的检查和治疗，这就过度了。

第6节 新生儿特有生理现象

27. 溢乳

新生儿胃体呈水平位，胃容量小，胃入口

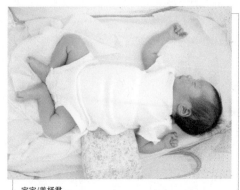

宝宝/姜杯君
新生宝宝喜欢这样的睡姿，像个小青蛙。妈妈千万不要捆住宝宝的小胳膊小腿。

宝宝/郑果
　　果果不但喜欢趴着,还喜欢侧卧着,总之,果果醒着和睡着都是采取自由的体位,父母从不干预,这或许是果果运动能力发育好的缘故吧。果果这张特写尽管很大,还是透着新生儿的稚气。

处喷门括约肌松弛,而出口处幽门肌肉却相对紧张,进入胃内的奶汁,不易通过紧张的幽门进入肠道,却容易通过松弛的喷门返流回食道,溢入口中,并从小嘴巴里流出来。另外,新生儿消化道神经调节功能尚未完善,这也是造成奶汁返流的原因。6种方法可有效减少溢乳:

　　·喂奶前换尿布,喂奶后就不用换了,避免引发溢乳;

　　·喂奶后竖着抱宝宝,轻拍其背,直到打嗝,再缓缓放下;

　　·喂奶后发现宝宝尿了,拉了,也不要换尿布,待宝宝熟睡后再轻轻更换;

　　·如宝宝吃奶急,要适当控制一下;如奶水比较冲,妈妈要用手指轻轻夹住乳晕后部,保证奶水缓缓流出;

　　·要让宝宝含住乳晕,以免吸入过多空气,更要避免宝宝吸空乳头;

　　·使用奶瓶时,要让奶汁充满奶嘴,以免宝宝吸入空气。

　　生理性溢乳不需要治疗,只要注意护理,一般随着月龄的增加,都会慢慢减轻直至消失。

28. 上皮珠、马牙和螳螂嘴

　　有的新生儿口腔硬腭上,可见一些白色小珠,医学上称为上皮珠。上皮珠是细胞脱落不完全所致,对宝宝没有任何影响,几天

后就会自行消失,不必处理。有一种错误的观念,认为上皮珠要用干净的白布蹭掉。这是很危险的,因为新生儿口腔黏膜非常娇嫩,即使是轻轻摩擦,也会使黏膜受损,引起细菌感染,严重者可引起新生儿败血症。

　　新生儿齿龈上也可能有白色小珠,看起来像刚刚萌出的牙齿,有的就像小马驹口中的小牙齿,这种现象俗称"马牙"。新生儿口腔内两颊部,会堆积一小堆脂肪垫,俗称"螳螂嘴"。和上皮珠一样,马牙、螳螂嘴也不需要处理,它们会自行消失的。

29. 乳房增大、乳头凹陷

　　不论男婴还是女婴,出生3-5天后,都会出现乳腺肿胀的生理现象。触感上有蚕豆或山楂大小的硬结,轻轻挤压,可有乳汁流出。新生儿乳房增大,是胎儿期母体雌激素影响的结果,一般2-3周内即可自行消退。新生儿乳房肿胀,千万不要挤压,如果不慎把乳头挤破,会带进细菌,造成乳腺红肿、发炎,严重的甚至可能引发败血症。如果是女婴,挤压造成乳腺发炎,使部分乳腺管堵塞,成年后会影响乳汁分泌。

　　有一种错误的习惯做法,那就是发现新生女婴乳头凹陷时,就挤捏,以为这样就能

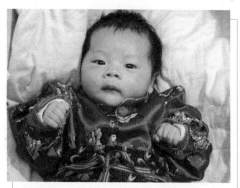
宝宝/尚潘柔美
　　美美外婆是位教师,非常喜欢服装设计,美美几乎没买过衣服,全是外婆做的具有民族特色的宝宝装。

保证其成年后顺利育子哺乳。挤捏新生儿乳头，不但不能纠正乳头凹陷，还会引发新生儿乳腺炎。明确讲，新生儿乳头凹陷不需要处理。

30. 暂时性黄疸

也称新生儿生理性黄疸。在多年的医学实践中，我认为"暂时性黄疸"比"生理性黄疸"在概念上要准确一些。因为在许多情况下，新生儿生理性黄疸和病理性黄疸难以鉴别开来，极易造成把"病理性黄疸"当成生理性黄疸的误诊。使用"暂时性黄疸"或"发育过程中的黄疸"，相对来说比较准确。

新生儿出生72小时后，可能出现暂时性黄疸。这是因新生儿胆红素代谢的特殊性引起的黄疸，属于正常生理现象。足月儿血清胆红素一般不超过12毫克/分升，出生后一周左右出现暂时性黄疸，发生率为50%左右。早产儿血清胆红素一般不超过15毫克/分升，暂时性黄疸发生率在80%左右，出生7-10天后自然消退。

新生儿暂时性黄疸不表现为任何异常，因此不需要治疗，可适当喂葡萄糖水。但对暂时性黄疸的进展程度和严重程度，要注意监测，尤其是早产儿。大多数坐月子的家庭，室内光线都比较暗，常挂有颜色的窗帘，这很容易忽视新生儿皮肤黄疸。正确的做法是，每天在自然光线下，查看孩子的皮肤颜色。

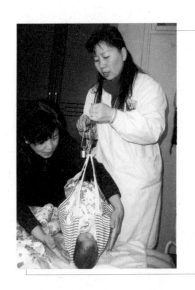

31. 生理性体重降低（塌水膘）

新生儿出生后的最初几天，睡眠时间长，吸吮力弱，吃奶时间和次数少，肺和皮肤蒸发大量水分，大小便排泄量也相对多，再加上妈妈开始时乳汁分泌量少，所以新生儿在出生后的头几天，体重不增加，甚至下降，是正常的生理现象，俗称"塌水膘"，新手妈妈不必着急。在随后的日子里，新生儿体重会迅速增长。

32. 生理性脱皮

新生儿出生后两周左右，出现脱皮现象，这让不少妈妈着急。好好的宝宝，一夜之间稚嫩的皮肤开始爆皮，紧接着就开始脱皮，漂亮的宝宝好像涂了一层糨糊，干裂开来。妈妈急着向医生询问，有的干脆抱孩子到医院。殊不知，这是新生儿正常的生理现象。

新生儿皮肤的最外层表皮，不断新陈代谢，旧的上皮细胞脱落，新的上皮细胞生成。出生时附着在新生儿皮肤上的胎脂，随着上皮细胞的脱落而脱落，这就形成了新生儿生理性脱皮的现象。

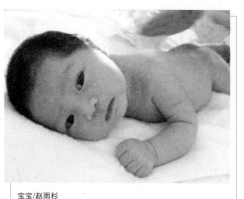

宝宝/赵雨杉

妈妈说这是宝宝出生十多天的时候拍摄的，刚刚给她洗完澡，让她趴在床上练习抬头，宝宝好像在说："妈妈，我正在努力呢！"

33. 生理性脱发

有些新生儿在出生后几周内出现脱发，多数是隐袭性脱发，即原本浓密黑亮的头发，逐渐变得棉细、色淡、稀疏；极少数是突发性脱发——几乎一夜之间就脱发了。新生儿生理性脱发，大多数会逐渐复原，属正常现象，妈妈不要着急。目前医学界对新生儿生理性脱发，还没有清晰的解释。

34. 正常啼哭

新生儿的语言就是啼哭，所表达的意思大致是："妈妈听听吧，我多健康！"医学上称这种啼哭为运动性啼哭，哭声抑扬顿挫，不刺耳，声音响亮，节奏感强，常常无泪液流出，每日一般4~5次，每次时间较短，累计可达2小时，无伴随症状，不影响饮食、睡眠、玩耍正常。如果妈妈轻轻触摸宝宝，宝宝会发出微笑；如果把宝宝的小手放在其腹部轻轻摇两下，宝宝会安静下来。当宝宝出现这样的啼哭时，妈妈最好不要打断宝宝，让宝宝和你"说"一会儿，这是很好的亲子交流。（详见102条"新生儿'说的能力'"。）

35. 笑

新生儿的笑，往往出现在睡眠中，微微

地笑，或只是嘴角向上翘一下。新生儿清醒时，不易发笑，也不易被逗笑。长期以来人们都据此认为，新生儿的笑并无明确意义。

我认为新生儿的笑有一定意义。妈妈在护理新生儿时，已经体会到，宝宝吃饱后舒适地睡去，睡眠中常会出现微笑，甚至能笑出声来。有时在清醒状态下，宝宝看到妈妈的脸，也会出现笑的表情。当妈妈对着宝宝笑时，宝宝的脸会出现欢欣的样子；当妈妈变得严肃时，宝宝会瞪着眼睛，一眨不眨地望着妈妈，好像要哭了；当看到奶瓶时，宝宝的表情会很愉悦……这些都说明，新生儿的笑是有意义的。当新生儿的身体处于最佳状态时，出现笑的时候就多些；当新生儿身体不舒服时，笑的时候就少，甚至会皱眉，严重时就哭闹、呻吟。新生儿有自己的喜怒哀乐，妈妈可通过宝宝的表情，初步判断宝宝的健康状况。

36. 先锋头（产瘤）

经产道分娩的新生儿，刚刚出生时，头上可能会有一个大包，头形就像个橄榄，医生们称之为"先锋头"，也叫产瘤。出现这种情况，主要是因为生产过程中，胎儿头部受到产道的外力挤压，引起头皮水肿、瘀血、

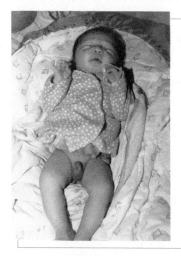

宝宝/郑果

婴儿的拥抱反射，先是四肢张开，然后上肢迅速屈曲抱在胸前，妈妈打开包被、有响声、强光、触及等都会引起这个动作。如果一侧臂丛神经损伤、锁骨骨折，患侧拥抱反射就会消失。

充血，颅骨出现部分重叠，头部高而尖，像个"先锋"。

剖腹产的新生儿，头部比较圆，没有明显的变形，所以就不存在先锋头了。

产瘤是正常的生理现象，出生后数天就会慢慢转变过来。要注意产瘤与头颅血肿的区别。头颅血肿是生产过程中，胎儿受外力挤压，致使头部血管破裂，出血所致。头颅血肿较大时，要做冷敷，医生会根据情况，决定是否要把出血抽出。如果出血较多，身体在吸收这些出血时，会释放更多的胆红素，从而加重新生儿暂时性黄疸的程度，这时就要抽出了。

宝宝/娇娇
宝宝喜欢这样趴在妈妈身上吃奶，吃累了就会停下来休息一会，如果妈妈不刺激宝宝，宝宝可能就这样睡着了。但如果他没吃抱，把他抱离乳头，他会醒来继续要奶吃。当宝宝边吃边玩或吃饱时，会把小手伸到嘴里连同妈妈的乳头一起吸吮，这可不是因为妈妈的奶水不足。

37. 呼吸时快时慢

新生儿胸腔小，气体交换量少，主要靠呼吸次数的增加，维持气体交换。新生儿正常的呼吸频率是每分钟40~50次。新生儿中枢神经系统的发育，还不成熟，呼吸节律有

宝宝/娇娇
新生儿的颈背部肌肉尚未发育完善，脊柱第一个生理弯曲还没有形成，所以一定要托住孩子的头部和脊椎。奶奶这样抱着比较累，最好用手掌托住宝宝头部，手腕托住颈部，前臂托住胸腰部，另一只手托住臀部和下肢。

时会不规则，特别是在睡梦中，会出现呼吸快慢不均、屏气等现象，这些都是正常的。

38. 抖动

新生儿会出现下颌或肢体抖动的现象，新手妈妈常常认为这是"抽风"，这就小题大

做了。新生儿神经发育尚未完善，对外界的刺激容易做出泛化反应。当新生儿听到外来的声响时，往往是全身抖动，四肢伸开，成拥抱状，这就是对刺激的泛化反应。

新生儿对刺激还缺乏定向力，不能分辨出刺激的来源。妈妈可以试一下，轻轻碰触宝宝任何一个部位，宝宝的反应几乎都是一样的——四肢伸开，并很快向躯体屈曲。下颌抖动也是泛化反应的表现，不是抽搐，妈妈大可不必紧张。

39. 面部表情出怪相

新生儿会出现一些令妈妈难以理解的怪表情，如皱眉、咧嘴、空吸吮、咂嘴、屈鼻等，新手妈妈没有经验，会认为这是宝宝"有问题"，其实这是新生儿的正常表情，与疾病无关。当孩子长时间重复出现一种表情动作时，就应该及时看医生了，以排除抽搐的可能。

40. 挣劲

新手妈妈常常问医生，宝宝总是使劲，尤其是快睡醒时，有时憋得满脸通红，是不是宝宝哪里不舒服呀？宝宝没有不舒服，相反，他很舒服。新生儿憋红脸，那是在伸懒腰，是活动筋骨的一种运动，妈妈不要大惊小怪。把宝宝紧紧抱住，不让孩子使劲，或带着孩子到医院，都是没有必要的。

41. 惊吓

新生儿神经系统的发育尚未完善，神经管还没有被完全包裹住，当外界有刺激时，新生儿会突然一惊，或者哭闹。妈妈们为了避免宝宝受到"惊吓"，多把新生儿的肢体包裹上，使其睡得安稳些。但要注意，长期包裹孩子，不利于孩子的生长；当宝宝醒来时，就应该打开包裹；一定不要"蜡烛包"——把宝宝包裹得直挺挺的，就像蜡烛一样。"蜡烛包"对新生儿的发育是有害的。

42. 打嗝

新生儿吃得急或吃得哪里不对时，就会持续地打嗝。有效的解决办法是，妈妈用中指弹击宝宝足底，令其啼哭数声，哭声停止后，打嗝也就随之停止了。如果没有停止，可以重复上述方法。

弹击足底抑制打嗝的办法，在操作中常常失败，原因往往是妈妈心疼孩子，不舍得用力，宝宝哭的程度和时间都不够。宝宝哭上几声，比宝宝持续打嗝要好受得多。新生儿的哭，有利于锻炼身体，想想看，如果助产士不拍打新生儿的足底，不刺激新生儿大声地哭，新生儿的肺脏就不可能完全张开，就不会有充分的气体交换，就可能出现湿肺的病变。所以说，当宝宝打嗝时，弹击宝宝足底，使小家伙放声大哭，不仅抑制了打嗝，还锻炼了身体，有百利而无一害，妈妈放心去做吧。

宝宝/孙一中

宝宝出生刚刚18天，俯卧位时已经能把头抬起来了。新生儿的潜能是巨大的。

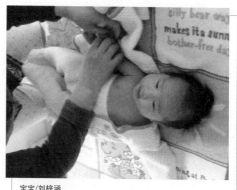

宝宝/刘梓涵

给宝宝脱衣服、洗澡、换尿布，他都高兴。新生宝宝饿了就哭，吃饱了就睡，醒了有人陪着就高兴。总之，只要他舒舒服服就不闹人，醒着的时候最喜欢有人"折腾"他。

43. 皮肤红斑

新生儿出生头几天，可能出现皮肤红斑。红斑的形状不一，大小不等，颜色鲜红，分布全身，以头面部和躯干为主。新生儿有不适感，但一般几天后即可消失，很少超过一周。个别新生儿出现红斑时，还伴有脱皮现象。

新生儿红斑的产生原因，医学上目前还不能解释清楚。有学者认为，新生儿红斑是新生儿出生后，受光、空气、温度等环境影响和机械刺激而产生的，比如新生儿洗澡后，红斑可加重。不管学理上还有什么争论，有一点是明确而一致的：新生儿红斑对健康没有任何威胁，不用处理，自行消退。

44. 鼻塞、打喷嚏

新生儿鼻黏膜发达，毛细血管扩张且鼻道狭窄。有分泌物时，新生儿都会出现鼻塞。新手爸爸妈妈要学会为宝宝清理鼻道。（详见88条"鼻腔护理"。）新生儿洗澡或换尿布时，受凉就会打喷嚏。这是身体的自我保护，不一定就是感冒。

45. 出汗

新生儿手心、脚心极易出汗，睡觉时头

部也微微出汗。因为新生儿中枢神经系统发育尚未完善，体温调节功能差，易受外界环境的影响。当周围环境温度较高时，婴儿会通过皮肤蒸发水分和出汗来散热。所以，妈妈们要注意居室的温度和空气的流通，要给宝宝补充足够的水分。

46. 发稀和枕秃

新生儿的头发质量，与妈妈孕期营养有极大的关系。进入婴幼儿时期，宝宝的头发质量开始与家族遗传关系密切。

新生儿枕秃，并不是新生儿缺钙的特有体征，枕头较硬、缺铁性贫血、其他营养不良性疾病，都可导致枕秃。

第7节 新生儿的几个特殊现象

新生儿的一些现象之所以说特殊，是因为有的现象看似正常，其实异常；有的看似异常，其实正常；有的介于正常和异常之间，很难区分。更加特殊的是，上述三种情况，又相互重叠，互相转化，连医护人员都难下

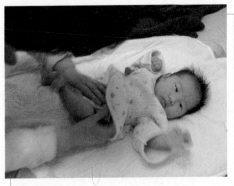

宝宝/尚潘柔美
美美出生26天，正在打哈欠。新生儿有安静睡眠、活动睡眠、安静觉醒、活动觉醒、哭和瞌睡六种状态。在活动觉醒状态，面部和肢体活动都增加，如果此时是宝宝向妈妈发出的某种信号，如我要吃了，而妈妈没有及时响应，宝宝就会开始哭。

结论。

爸爸妈妈面对宝宝的"特殊现象"，都希望得到医生明确的诊断或答复，医生们也希望能这样，但实际上难以做到，因为人类医学还不能清楚地认识那些"特殊现象"。

许多爸爸妈妈于是开始为宝宝多方求医问药，花费许多金钱，自己身心交瘁，宝宝于事无补。

我绞尽脑汁，想把这方面的问题详细写一写，如果能为新手爸爸妈妈解决了实际问题，我将倍感欣慰！

47. 生男生女

看起来这不是什么问题，可对某些人来说，这就是最大的问题了。有的新妈妈患产后抑郁症，唯一的诱因，就是宝宝的性别"错"了。

我曾为一位新妈妈治疗产后抑郁症，她严重到了要自杀的程度。整天不说一句话，也不照看孩子。经过耐心开导，仔细询问，了解到她丈夫已经是三代单传了，生男孩是他们梦寐以求的，可偏偏生了个女孩。

这位新妈妈在我们悉心照料下，很快康复了。但由于"生男生女"问题，导致妈妈患上产后抑郁症的现象，仍大量存在着。我想告诉天下父母们，生男生女是人类生育的自然选择，对父母来说，重要的是保证生育一个身心健康的宝宝。

48. Rh血型

许多文化程度比较高的准爸爸准妈妈，他们看到某些医学著作介绍的"Rh溶血问题"，都很紧张，担心未来自己的宝宝患可怕的溶血症。

这种担心是完全没有必要的。我国人口中，Rh血型呈阳性的占绝大多数（99.6%）；西方白种人中，Rh血型呈阳性的占85%。相比较而言可以看出，我国人口Rh溶血症发生率极低，所以医院没有把Rh血型检查作为产前常规检查项目。如果孕妇有自然流产、早产、

宝宝/刘梓涵

给宝宝脱衣服、洗澡、换尿布，他都高兴。新生宝宝饿了就哭，吃饱了就睡，醒了有人陪着就高兴。总之，只要他舒舒服服就不闹人，醒着的时候最喜欢有人"折腾"他。

死胎、死产的病史，才做Rh血型检查。

一般情况下，国内医院只把ABO血型作为常规检查项目，预防新生儿溶血症。在这个问题上，准爸爸妈妈们尽管放心，轻松愉快地准备迎接新生命的到来吧！

49. 紫绀

新生儿紫绀多是病理性的，不属于正常生理现象。但正常新生儿，常常因为各种各样的原因，表现为局部青紫。

·发生在口唇、手足及甲床下的紫绀，多是由于手足外露受凉、受压、多血（脐带结扎延迟）等引起的；

·剧烈哭闹、屏气发作、食管反流等引起的呼吸短暂停歇，可引发全身紫绀；

·还有一种紫绀，与生产过程中新生儿受到外力损伤有关，如产程过长，胎儿受压时间长，出现先锋头、先锋臀、先锋足，其特点是先锋处有受压痕迹，并伴有局部青紫水肿，可能还伴有出血点。

·助产士挤压新生儿口中的羊水，可能用力猛了点，新生儿面部出现青紫，也可能伴有出血点；

·有的新生儿娩出后哭声很小或不哭，助产士就拍打新生儿足底部或背部，刺激新生儿啼哭，这也可能造成某个部位的青紫和皮肤出血点。

·有的护士在给新生儿按脚印、系手条时，也会造成新生儿局部青紫或出现出血点。

这些情况，有时被医护人员忽视了，有时不敢和新手爸爸妈妈们说明原委，怕对方不理解，找麻烦，有意回避，结果就成了问题。新妈妈很是着急，以为宝宝得了什么大病。

我就经常遇到这样的咨询，也在门诊工作中遇到这样的新手爸爸妈妈。在我做了分析和解释后，他们还疑虑重重，一直等到宝宝的青紫自然消退，才真正放心。有的爸爸妈妈太心急了，给新生儿宝宝抽血化验，甚至住院治疗。经济上受损失，宝宝身心上受痛苦。

暂时性的紫绀不是疾病，新手爸爸妈妈不必为此着急，紫绀会自然消退的。

50. 皮肤色变

刚出生的宝宝，真可以称为"变色龙"：新生儿变动体位，皮肤颜色出现界线分明的不同变化。当新生儿左侧卧位时，右侧上部皮肤呈现少血的苍白色，左侧下部皮肤呈现多血的鲜红色，也可能是紫红色。当向相反的方向变换体位时，皮肤颜色也会变换过来。这就是医学上称的皮肤变色。

新生儿皮肤变色，可能是因为新生儿受重力影响，造成血管舒张、收缩功能暂时性失调。这不是疾病，一般在出生三周后，宝宝就不"变色"了。

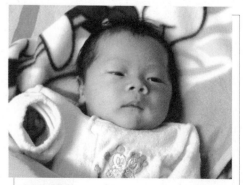

宝宝/尚潘柔美

宝宝处于瞌睡状态。

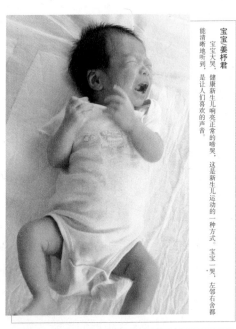

宝宝·姜杼君
宝宝大哭，健康新生儿响亮正常的啼哭，这是新生儿运动的一种方式，宝宝一哭，左邻右舍都能清晰地听到，是让人们喜欢的声音。

51. 眼白出血

头位顺产的新生儿，由于娩出时受到妈妈产道的挤压，视网膜和眼结合膜会发生少量出血，俗称眼白出血。新手爸爸妈妈看到宝宝眼白出血，不要惊慌，不必治疗，几天以后宝宝自然就好了。

52. 喉鸣

有的新生儿，出生后喘气不大正常，呼噜呼噜的。仔细倾听，宝宝吸气时，喉中伴有笛音那样的高调音，呼气时就听不见了。宝宝哭闹、急着吃奶时，高调音明显，睡着后就减轻了。这就是新生儿宝宝正常的喉鸣，也称喉喘鸣。

新生儿喉鸣，在刚生下来时还不明显，生后数周变得越发明显。这主要是新生儿喉软骨发育还不够完善，喉软骨软化造成的，一般在6月龄到周岁期间自行消失。新手妈妈往往以为这是宝宝喉咙有痰，有的甚至猜测是否得了气管炎、肺炎。这是完全没有必要的。

如果宝宝喉鸣比较严重，持续时间也比较长，应该怀疑患有佝偻病，如确诊就应给予抗佝偻病的治疗。

53. 脐疝

新生儿脐带脱落后，由于腹压的作用，脐带残端逐渐增大，腹腔中的液体，肠管或大网膜进入脐带残端，形成脐疝。民间称"气肚脐"。

新生儿哭闹、排便时，腹压增高，脐疝增大；睡眠安静时，脐疝减小，甚至看不见。一般在1～2岁时自愈，无需治疗。

特大脐疝属于疾病范畴，需要手术治疗。发生疝嵌，需要紧急手术治疗，不可有半点拖延。

54. 新生儿多动

了解"小儿多动症"的人不少，但"新生儿多动"很少有人提及，于是造成这样的事实：面对新生儿多动，妈妈不知道是怎么回事，求医问药，烦恼多多。

什么是新生儿多动呢？属于正常现象，还是异常现象？

·宝宝吃奶也不安静，吃吃停停，把乳头吐出来，头转向一边，过一会儿再吃，妈妈要管他，他会闹，结果把吃进去的奶又吐出来了。

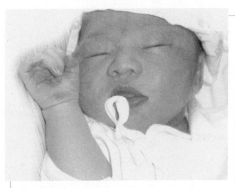

宝宝/瀚文
宝宝小嘴已经开始向上翘，这预示着宝宝就要醒来了，处于活动睡眠状态。活动睡眠状态时，宝宝会偶尔睁开眼睛，呼吸也显得不很均匀，面部常出现可笑的表情，如吸吮、咀嚼、微笑、皱眉等，肢体和整个身体有小的活动。

·睡眠不安宁，各种动作多多，睡觉都不闲着。最让妈妈疲劳的是宝宝睡眠昼夜颠倒，白天还能睡上两觉，黑天却玩个不停，能连续睡一个小时不醒、不闹，妈妈就很满意了。

·遇激惹，会突然大声哭闹，身体微微颤抖，无论如何也哄不好——吃奶？不要！妈妈抱？没用！拉了？尿了？尿布干爽爽！渴了？不给奶瓶还好，奶瓶送到嘴边，呵，哭得更厉害了！急得妈妈满头大汗……

这种状态，就是新生儿多动，算不上什么病态，可能是由于新生儿对养育环境不适应造成的。如准妈妈孕期精神过度紧张，情绪波动较大，易使宝宝出生后和妈妈关系不协调；如妈妈有产后抑郁症，保姆带孩子，宝宝听不到宫内熟悉的妈妈心跳的声音，心情烦躁不安。不要以为新生儿就没有情感！

有窒息史或神经系统损伤性疾病的新生儿，更易出现多动，这种多动可称为"小小脑轻微障碍综合征"。

正确处理新生儿多动的办法，其实很简单：把宝宝的两只小手放在胸前，并轻轻摇晃。不要过分哄，更不能急躁，要静静地安慰。

55. 红色尿

刚出生几天的新生儿，排出了像血一样的尿，这可急坏了初为人母的妈妈。这是怎么回事呢？原来新生儿白细胞分解较多，造成尿酸盐排泄增多，而刚出生不久的宝宝，尿液又不多，很浓，所以有点像血了。这不是病态，几天后会自行消失。

56. 鞘膜积液

新生儿先天性鞘膜积液，常常发生在新生儿晚期，以后逐渐增大并被发现，多为单侧，不伴腹股沟疝，一般数月后就能自愈。

57. 隐睾

大多数足月新生儿，出生时睾丸就已经

下降到阴囊中了，如果还没降到阴囊中，妈妈注意多观察几天，可能就会发现降到了。如果挺长一段时间了还没下降，就要及时看医生，以免影响了宝宝睾丸的发育，伤及以后的生育能力。

第8节 新生儿喂养方法·母乳喂养

58. 新生儿刚出生是否立即哺乳？

现代医学主张，新生儿刚出生就应该立即哺乳。这有5点根据：

·科学研究显示，出生后立即和妈妈皮肤相接触的新生儿，约有88%能够在20分钟后，顺利找到妈妈的乳头，并正确吸吮母乳。而生后没有立即接触妈妈皮肤和乳头的新生儿，日后能够吸吮母乳的只有约20%，其中还包括吸吮姿势不正确，甚至吸吮困难的新生儿。

·早吸吮，进行早期母子皮肤接触，有利于新生儿智力发育。

·早吸吮，早哺乳，可防止新生儿低血糖，降低脑缺氧发生率。

·早吸吮，可促进母体催乳素增加20倍以上。

·早吸吮，可刺激子宫，加快子宫收缩，对防止产后出血有一定的意义。

世界卫生组织（WTO）在母乳喂养条例

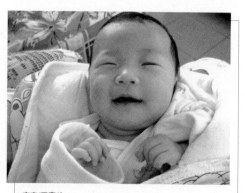

宝宝/王嘉屹
妈妈说这是宝宝最开心、最顽皮的笑。

中明确规定，新生儿出生后，应立即放在母亲胸部，进行皮肤接触，并帮助新生儿吸吮乳头，不能少于30分钟，除非产妇有严重疾病。我国的母婴权益保护法也有同样的规定。可见新生儿出生后立即哺乳是很重要的，新手妈妈一定要重视这个问题。

59. 母乳喂养8大好处

母乳喂养的好处，新手妈妈们一定已经了解许多，但可能还不全面。我在这里概括了8点好处，希望能让妈妈们有个全面、清晰的认识。

①母乳蛋白质中，乳蛋白和酪蛋白的比例，最适合新生儿和早产儿的需要，保证氨基酸完全代谢，不至于积累过多的苯丙氨酸和酪氨酸。

②母乳中，半光氨酸和氨基牛磺酸的成分都较高，有利于新生儿脑生长，促进智力发育。

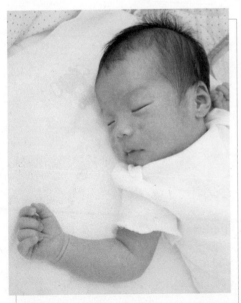

宝宝/姜杯君
　宝宝处于安静睡眠状态。因为新生儿一天大约有20个小时左右处于睡眠状态，形态各异，动作多多，总是处于活动睡眠和安静睡眠交替两种状态，所以我选择了较多的宝宝睡眠图片。

③母乳中未饱和脂肪酸含量较高，且易吸收，钙磷比例适宜，糖类以乳糖为主，有利于钙质吸收，总渗透压不高，不易引起坏死性小肠结肠炎。

④母乳能增强新生儿抗病能力，初乳和过度乳中含有丰富的分泌型IgA，能增强新生儿呼吸道抵抗力。母乳中溶菌素高，巨噬细胞多，可以直接灭菌。乳糖有助于乳酸杆菌、双歧杆菌生长，乳铁蛋白含量也多，能够有效地抑制大肠杆菌的生长和活性，保护肠黏膜，使黏膜免受细菌侵犯，增强胃肠道的抵抗力。

⑤增强母婴感情，使新生儿得到更多的母爱，增加安全感，有利于成年后建立良好的人际关系。

⑥ 研究表明，吃母乳的新生儿，成年以后患心血管疾病、糖尿病的几率，要比未吃母乳者少得多。

⑦ 母乳喂养可加快妈妈产后康复，减少子宫出血、子宫及卵巢恶性肿瘤的发生几率。

⑧ 母乳喂养在方法上简洁、方便、及时，奶水温度适宜，减少了细菌感染的可能。

60. 拒绝母乳喂养的新手妈妈，你丢掉了什么？

许多新手妈妈为了保持体形，就拒绝母乳喂养。这是非常可怕的选择，因为这样的选择也许得到了体形，但丢掉的东西真是太多了。现在，我们一起来看看，拒绝母乳喂养，丢掉了什么。

新生儿丢掉了最完美的食物

为什么说母乳是新生儿最完美的食物？因为母乳含有宝宝出生后4~6个月所需要的全部营养！这是让人难以置信的，但千真万确：

① 含有婴儿最适合的蛋白质和脂肪，且比量最为妥当；

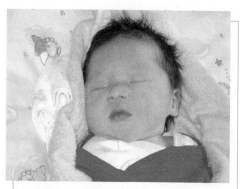

宝宝/马诗童
宝宝处于安静睡眠状态。

菌生长。吃母乳的婴儿，比吃配方奶的婴儿少有腹泻、呼吸道感染及中耳炎发生。即便感染了，继续吃母乳的婴儿，比停止吃母乳的婴儿，恢复要快许多。所以婴儿腹泻时，无须停止哺育母乳。

宝宝到了两三岁时，吃母乳仍有预防感染、恢复健康的功效。英国和荷兰的一项研究发现，婴儿时期喝母乳者，步入中年后，心血管与血糖的健康情况都比较好！哺育母乳，不仅对婴幼儿时期宝宝的健康至关重要，而且将影响他一生的健康。

世界其他国家的有效资讯

美国小儿科医学会发表的一项声明认为，哺育母乳可减少婴儿慢性病的发生。出生头6个月完全吃母乳的婴儿，较少出现过敏现象。过早让婴儿接触牛奶蛋白，会引起自体免疫反应，造成日后儿童型糖尿病。周岁以内，母乳都应该是孩子主要的营养来源。声明还指出，母乳哺育可帮助母婴建立一种更亲密互爱的关系，能帮助产后止血，让母亲较早恢复正常身材。声明披露的一项研究发现，哺育母乳甚至能降低母亲在停经前，发生乳腺癌或卵巢癌的可能性。

位于美国纽约的罗切斯特大学（University of Rochester）小儿科研究人员表示，补足早产儿脑部发育，一个最简单的方法就是让

②与其他各种乳汁相比，母乳的乳糖含量较多，而这正是婴儿急需的；

③母乳有足够的维生素供应，婴儿不需额外添加；

④母乳中铁质含量并不多，但婴儿吸收、利用率却较高，所以母乳喂养的婴儿，少有缺铁性贫血出现；

⑤即使是在炎热而干燥的天气条件下，母乳也能供给婴儿足够的水分；

⑥母乳中盐、钙、磷的含量，都非常"正确"；

⑦母乳中含有一种称为"脂肪酶"的特别酵素，能帮助婴儿消化脂肪。

新生儿丢掉了最完美的免疫药物

研究显示，吃母乳的婴儿比较少感染，这是因为母乳洁净，没有细菌污染。同时，母乳含有抗菌素，能使婴儿免于感染：

①杀细菌的活白血球；

②对抗很多常见感染的抗体，可以保护婴儿直到他自己能产生抗体为止。如果母亲感染了疾病，屏蔽这种感染的抗体，很快就会出现在母亲的乳汁中，这真是奇迹；

③母乳含有比较多的有效因子，促进婴儿肠道中乳酸杆菌的增长，抑制造成腹泻的有害细菌繁殖。

④乳汁中的乳铁蛋白，可抑制有害细

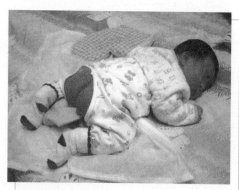

宝宝/张惠超
宝宝处于安静睡眠状态。

宝宝/张惠超
宝宝处于安静睡眠状态。

早产儿吃母乳，因为母乳中含有大量的"长链不饱和脂肪酸"（Long Chain Unsaturated Fatty Acid, LCPUFAS）。这些脂肪酸对婴儿脑部神经与脑细胞的发育都极为重要。研究人员表示，哺育母乳的早产儿，比人工喂养的早产儿，脑功能发育更为快速，更为成熟，对弥补早产儿的"先天不足"具有良好作用。以往研究也发现，哺育母乳的早产儿，比人工喂养的早产儿，成年后平均IQ更高，视力也更健康。

英国和荷兰的医学家研究证明（Archive of Disease in Childhood 2000;82:248-252）：母乳喂养儿步入中年后，心血管与血糖的健康状况，都比非母乳喂养儿好。研究者调查了625位1943年到1946年间出生的中年人，其中有完全喝母乳者和部分喝牛乳者。发现喝母乳者的胰岛素情况比较健康（这是糖尿病早期评估指征），喝牛乳者的胆固醇情况较差，预示他们将来发生心血管疾病的可能性比较高。虽然研究还有许多变因未加考量，但也能说明，哺育母乳不仅对婴幼儿时期的宝宝健康十分重要，而且将影响他们一生的健康。

61. 初乳最为珍贵

初乳是指新生儿出生后7天以内所吃的母乳。

常言"初乳滴滴赛珍珠"，以此形容初乳的珍贵。初乳除了含有一般母乳的营养成分外，更含有抵抗多种疾病的抗体、补体、免疫球蛋白、噬菌酶、吞噬细胞、微量元素，且含量相当高。这些免疫球蛋白对提高新生儿抵抗力，促进新生儿健康发育，有着非常重要的作用。初乳中还含有保护肠道黏膜的抗体，能防止肠道疾病。初乳中蛋白质含量高，热量高，容易消化和吸收。初乳还有刺激肠蠕动作用，可加速胎便排除，加快肝肠循环，减轻新生儿生理性黄疸。

总之，初乳优点多多，一定要珍惜。尤其是产后头几天的初乳，免疫抗体含量最高，千万不要废弃。

62. 母乳的保护

吃避孕药会减少母乳的分泌，也影响母乳的品质。放置节育环，对母乳也有类似的影响。

哺乳的妈妈，如果因为健康原因而要服药，一定要告诉医生，你是一个正在哺乳的妈妈，以便医生开具不会影响妈妈泌乳的药物。

妈妈体内要有足够的水分来制造奶水，所以每天至少要喝6-8杯开水（约1200-1600毫升），以没有口渴感为准。妈妈排尿少且颜色深黄，表明体内水分不足。喝什么水最好

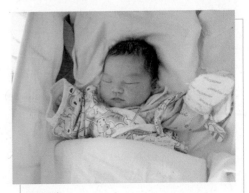

宝宝/文嘉
宝宝处于安静睡眠状态。

呢？白开水和不加糖的果汁是最好的。

营养不良会导致精神紧张、身体疲劳，影响母乳供应。可用六小餐来代替三大餐，多吃新鲜的水果、肉、蛋、奶、鱼和坚果，避免吃没有多少营养的饼干、糖果之类的食物。

63. 奶水少怎么办？

·勤喂是一种好办法。试着抽出24—48小时的时间（如您的奶水实在太少了，可抽出更长的时间），什么事也不要做，专心喂奶和休息，且每次喂都尽可能让宝宝吃的时间长一些。爱困的婴儿，需要妈妈不时把他轻轻唤醒，鼓励他吃奶。

·两种乳都要喂。这样不仅保证宝宝获得充足的母乳，同时也充分、均衡地刺激了母乳的分泌。

·换边喂。每次喂奶，换边约2-3次，这样既可引起婴儿吸奶的兴趣，又可同时刺激两乳奶水分泌，保证婴儿吃到充足的母乳。一般都是婴儿在一边吃10分钟，换边后再吃上2-3分钟。妈妈一定要在每次喂奶时都换边。

·只让宝宝吸妈妈的乳头。母乳喂养宝宝，一定只让宝宝吸吮妈妈的乳头，不要再让他吸奶瓶或安慰奶嘴，以免他吸惯了奶嘴，反而不要妈妈的乳头了。如果要给宝宝补充一些其他食物，试着用汤匙。

·坚持只喂母乳。避免所有的辅食、开水和果汁，坚持只喂母乳，这样就可刺激母乳分泌，当婴儿的需要量增加时，母乳也会更加丰富。

·妈妈饮食平衡。尽可能吃各种营养成分不同的天然食物；每次喂奶前，试着喝一杯水或果汁。

·充分休息与放松。充分休息与放松，很快就会使母乳分泌量增多。和宝宝一起睡个午觉，洗个暖水澡，听听轻松的音乐，做做轻缓的运动等等，都有利于奶水的增加。

64. 母乳喂养11大难题——实例解决方案

实例一：喂母乳的姿势

问题：刚开始喂奶的新妈妈，往往是累得一身汗，胳膊酸了，脖子僵了，乳儿却因不能舒服地吃奶而哭闹。

正确的喂奶姿势是，妈妈一只手托住乳儿的臀部，另一只手肘部托住乳儿的头颈部，乳儿的上身躺在妈妈的前臂上，这是乳儿吃奶最感舒服的姿势。

错误纠正：有的妈妈恰恰相反，乳儿越是衔不住乳头，妈妈越是把宝宝的头部往乳房上靠，结果乳儿鼻子被堵住了，不能出气，就无法吃奶。一定要让宝宝仰着头吃奶（就是让乳儿下颌贴乳房，前额和鼻部尽量远离乳房），这样宝宝食道伸直了，不但容易吸吮，也有利于呼吸，还有利于牙颌骨的发育，避免出现"兜齿"。

实例二：宝宝衔不住乳头怎么办？

问题：妈妈乳头过小、过短，都会使宝宝衔不住乳头，造成喂奶困难。宝宝衔了放，放了衔，重复几次，就开始烦躁、哭闹、打挺。妈妈急，乳儿哭，母子都累得筋疲力尽。

① 每天用食指、中指、拇指三个手指捏起乳头，向外牵拉，每一下至少坚持拉一秒，每次拉30下左右，每天拉至少四次，在喂奶前拉更好；

② 用吸奶器吸引乳头，每次吸住奶头约半分钟，连续5-10次，每天至少重复两遍；

③ 让大一点的孩子帮助吸吮乳头，也可让爱人帮助；

④ 喂奶时用中指和食指轻轻夹住乳晕上方，使乳头尽量突出，也防止乳房堵住宝宝鼻孔。

宝宝/孙一中
宝宝处于安静觉醒状态。

实例三：孩子咬破乳头怎么办？

问题：常常有哺乳的妈妈，乳头被乳儿咬破了，皲裂感染，乳儿吸吮时，妈妈剧烈疼痛，甚至会并发乳腺炎。有的妈妈只好恨下心来，给宝宝断奶，但看到宝宝瘦了，心里又难受。

原因：宝宝咬破妈妈的乳头，不是宝宝"心狠"，而是妈妈喂哺方法不对。妈妈没有让乳儿完全含住乳头，只是浅浅地"叼"着乳头，为了吃到奶，乳儿就试图用牙床咬住乳头，久而久之，妈妈的乳头就被磨破了。这样一来，妈妈在喂奶时，因为乳头疼痛，本能地向后躲，宝宝含的乳头就更少，不得不用牙床紧紧咬住乳头，牵拉乳头，从而再次损伤了乳头，形成恶性循环。

明白了这个道理，妈妈就要让宝宝完全含住奶头。一定要让宝宝把乳晕尽量含入口中，而不单单是乳头！

健康护理：妈妈每次喂奶后，挤少许奶水涂于乳头上，保护乳头，不要马上把乳头盖上，让乳头风干约15分钟。也不要用毛巾用力擦乳头，以免擦伤。不要穿太紧或质地太硬的内衣。戴比较宽松的乳罩，如果乳罩摩擦皲裂的乳头而发生疼痛，可在乳头上套一个小的滤茶器，就能有效减轻疼痛。用清水轻轻洗或用流动水冲洗乳头最好。若有皲裂，及时治疗。

实例四：乳头错觉

问题：宝宝出生后，妈妈暂时没有母乳，只能用奶瓶喂奶；当妈妈下奶了，改成母乳喂

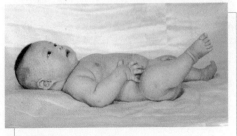

宝宝/马诗童
宝宝处于活动觉醒状态。

养时，宝宝因不适应而拒绝吃妈妈的奶。相反的现象也不少。这就是乳头错觉。

一定要做两手准备。宝宝出生后，无论有母乳还是没有母乳，都要让宝宝吸吮妈妈的乳头，穿插着给宝宝用奶瓶喂水，使宝宝既能吃妈妈的奶，也能在不得已暂停母乳时，接受奶瓶喂奶。一定从一开始就做好准备，宝宝才能适应不同的喂养方式，以免给喂养带来烦恼。

实例五：乳冲和乳少

问题：乳少是个问题，新手妈妈们很能理解；乳冲也是个问题，就不好理解了：难道奶水多反倒成了问题？是的，而且问题还不小呢。

①妈妈乳少，很容易发现。喂奶前乳房无涨感，无喷乳反射，宝宝吃奶周期短，生长发育慢，大便少等。

在"奶水少怎么办"中，乳少的问题得到了充分的讨论，这里就不再重复了。

②妈妈乳冲，就不容易被发现了。妈妈奶水很好，乳儿也没有什么不适，大小便都正常，生长发育也正常。可就是每当给宝宝喂奶，宝宝就打挺、哭闹，刚把奶头衔入口中，很快就吐出来，甚至拒绝吃奶。奶水向外喷出，甚至喷宝宝一脸。当宝宝吸吮时，吞咽很急，一口接不上一口，很易呛奶。这就是奶冲造成的。

解决乳冲的有效办法，是剪刀式喂哺。妈妈一手的食指和中指做成剪刀样，夹住乳头，让乳汁缓慢流出。生活中少喝汤，适当减少乳汁分泌。有医生建议喂奶前先把乳汁挤出一些，以减轻乳涨。我不赞成这样的做法，因为挤出去的"前奶"，含有丰富的蛋白质和免疫物质等营养成分，"后奶"的脂肪含量较多。若每次都是挤出"前奶"的话，宝宝就多吃了脂肪，少吃了蛋白质等其他营养成分，造成营养不均衡。

实例六：每天哺乳次数

原则：按需哺乳。新生儿出生后1-2周内，吃奶次数比较多，有的一天可达十几次，即使是后半夜，吃得也比较频繁。到了3-4周，吃奶次数明显下降，每天也就7-8次，后半夜往往就一觉睡过去了，5-6个小时不吃奶。

宝宝/王震坤
处于活动觉醒状态。宝宝正在和爸爸交流，对爸爸说话作出回应。

宝宝每天吃奶的量次不是一成不变的，今天也许多些，明天也许少些。只要没有其他异常，妈妈就不要着急。习俗上讲"小儿猫一天狗一天"，有一定道理。即使是刚刚出生的宝宝，也知道饱饿，什么时候该吃奶，宝宝会用自己的方式告诉妈妈的。妈妈要清楚乳汁是否足够喂哺孩子，如果乳汁不足，再频繁的喂哺，宝宝也不会吃饱。

特别值得注意的是，不要孩子一哭就喂，因为孩子哭并不都是饥饿的信号，还可能有别的原因，要注意区别。

① 新生儿睡眠时间比较长，尤其是出生两周以内的新生儿，除了吃奶，几乎所有的时间都在睡觉，有的甚至一次睡眠时间超过四五个小时。是叫醒吃奶，还是自然醒来？当然要叫醒宝宝吃奶！

早产或体重低的新生儿，觉醒能力差，如果一直让宝宝睡下去，有可能发生低血糖。所以，如果宝宝睡眠时间超过了3小时仍然不醒，那就要叫醒喂奶。如果宝宝不吃奶，就要看看宝宝是否有其他异常情况，是否有病。

如果是在后半夜，就不要主动叫醒宝宝了，除非连续睡眠时间超过了6小时。

②宝宝睡眠时间很短，十几分钟就醒，是不是一醒就喂呢？如果偶尔一两次，妈妈就不要介意；如果很频繁，就要寻找原因，是否奶水不足，是否消化不良等等，及时解决。

实例七：母乳喂养的新生儿用喂水吗？

问题：许多人都认为，无论是牛乳喂养，还是母乳喂养，新生儿都需要喂水。这种看似正确的观点和做法，实际上是错误的。

正确选择：联合国儿童基金会新近提出的"母乳喂养新观点"认为，一般情况下，母乳喂养的婴儿，在4个月内不必增加任何食物和饮料，包括水。

母乳含有婴儿从出生到6月龄所需要的蛋白质、脂肪、乳糖、维生素、水分、铁、钙、磷等全部营养物质和微量元素。母乳的主要成分是水，这些水分能够满足婴儿新陈代谢的全部需要，不需额外喂水。

额外喂水，可能会增加婴儿心脏与消化道的负担，不利于婴儿的生长发育。

但在特殊情况下，如高烧、腹泻，或服用某些药物、天气炎热、婴儿出汗多，就需要额外喂些温开水，以补充体内水分的不足。

实例八：吃吃停停

问题：3个月以内的婴儿，吃奶时总是吃吃停停，吃不到3、5分钟，就睡着了；睡眠时间又不长，半小时1小时又醒了。

原因：①妈妈乳量不够，婴儿吃吃睡睡，睡睡吃吃。②人工喂养的婴儿，由于橡皮奶头过硬或奶洞过小，婴儿吸吮时用力过度，容易疲劳，吃着吃着就累了，一累就睡，睡一会儿还饿。

① 妈妈奶量不足，喂哺时要用手轻挤乳房，帮助乳汁分泌，婴儿吸吮就不大费力气了。两侧乳房轮流哺乳，每次15-20分钟。也可以先喂母乳，然后再补充代乳品如牛奶等。要注意，代乳品的温度、甜度应与母乳尽量一致，奶嘴的柔软度也应与母亲的乳头相似，使婴儿难以辨别，否则婴儿会拒绝食用。

② 人工喂养婴儿，确定奶嘴洞口大小适中的办法，一般是把奶瓶倒过来，奶液能一滴一滴迅速滴出。另外，喂哺时要让奶液充满奶嘴，不要一半是奶液一半是空气，这样容易使婴儿吸进空气，引起打嗝，同时造成吸吮疲劳。

效果观察：无论母乳喂养或人工喂养，婴儿吃奶后能安睡2-3小时，就表示正常。如果母乳充足，婴儿却吃吃睡睡，妈妈可轻捏宝宝耳垂或轻弹足心，叫醒喂奶。

实例九：新生儿不吃妈妈乳头

问题：宝宝刚出生的时候，妈妈没能及时给宝宝喂上母乳，而是先用奶瓶喂了配方奶，那么宝宝很快（一般也就3天左右）就适应奶瓶和配方奶了，让他换吃母乳，反倒不适应了。

新生儿刚从母腹出来，最初半小时是很关键的。尽快把小生命放入母亲的怀抱，让宝宝听到妈妈的心跳，感受妈妈的体温和熟悉的气味，宝宝就会感到莫大安慰，会产生再度与妈妈结为一体的心理渴望。这时妈妈把乳房给宝宝，小家伙一定会拼命地吸吮。虽然妈妈的奶汁可能还没准备好，只是少许稀清的初乳，但宝宝最需要的还不是乳汁，而是妈妈的乳房！

开始喂了配方奶，一旦妈妈能喂母乳了，就一定想尽办法让宝宝吃母乳。一开始宝宝会哭，等着配方奶的到来，这时妈妈就要狠狠心，坚持不再喂牛奶。一次吃不多没关系，多吃几次，只要妈妈坚持，宝宝很快就会适应母乳的。

实例十：喂奶后妈妈不要倒头就睡

问题：新手妈妈经过分娩、产后护理婴儿的劳累，身心疲惫不堪。喂完奶后，妈妈倒头就睡，这是常见的现象。但新生儿的食道入口贲门肌发育还不完善，很松弛，而胃的出口幽门很容易发生痉挛，加上食道短，喝下的奶，很容易反流出来，出现溢乳。当新生儿仰卧时，反流物呛入气管，极易造成窒息，甚至猝死。新手妈妈喂完奶倒头就睡，危险就在这里。

无论什么时候，喂奶后，都要竖着抱起孩子并轻拍背部，孩子打嗝后再缓缓放下，观察几分钟，如果宝宝睡得很安稳，妈妈或爸爸再躺下睡觉。夜晚睡觉时，要开一盏光线暗些的小灯，一旦孩子溢乳，能及时发现，及时处理。

实例十一：母乳怎样能多些？

问题：许多新妈妈感到困惑不解：怎么知道宝宝能否得到足够的奶水？自己会不会有足够的奶水喂宝宝？

妈妈奶水的多少，是由婴儿吸吮的程度决定的。宝宝吸吮妈妈的乳头，就刺激妈妈体内泌乳激素和催乳素的分泌（这两种荷尔蒙由脑下垂体分泌）。婴儿越吸，妈妈越有荷尔蒙、蛋白质的产生。

假如宝宝需要的奶量，超过了妈妈当下的生产量，宝宝自然会吃得频繁些，努力吸吮会使妈妈产生更多的奶水。哺乳一段时间以后，母乳产量就可以和宝宝的需求量大致平衡了。

65. 宝宝"粮袋"的5个问题

① 乳头凹陷——"妈妈，我解不开粮袋啦！"

纠正乳头凹陷简便易行的方法有3个：

· 让丈夫帮着把凹陷的乳头吸出来，并把奶水挤空（挤出的奶水给孩子吃），然后接着让丈夫吸吮凹陷的乳头。每天做4次，每次约3—5分钟。

· 使用吸奶器抽吸，每次1分钟，每天4次。

· 妈妈一手托住乳房下方，另一只手的食指、中指和拇指捏住凹陷的乳头，向外牵拉，拉到长位，坚持约30秒。重复牵拉数次，做满10分钟。每天进行4次，共做满40分钟。请注意，纠正乳头凹陷的同时，必须坚持给孩子喂奶，以免回奶。

② 乳头皲裂——"妈妈，我不忍心你的伤痛啊！"

防止乳头皲裂，最简便的办法就是让乳儿完全含住奶头。如果皲裂处有感染迹象，要涂用红霉素等抗菌素软膏，也可涂龙胆紫，但孩子吃奶前要把药物洗干净。

③ 乳头湿疹——"妈妈，你乳头刺痒，我也内疚啊！"

妈妈漏奶，常用厚毛巾垫在乳房上，避

宝宝/娇娇

新生儿除了吃奶，大部分时间都处于睡眠状态。无论妈妈给宝宝包裹得多严，宝宝总是会把小手拿出来。这时期的宝宝总是握紧拳头，大拇指在四指内；一旦进入深睡眠，拳头会散开，大拇指也会拿出来。新生儿深睡眠时间并不长。

免弄湿衣服。毛巾始终是潮湿的，里面温度又高，久而久之，乳头就发生了湿疹。

乳头湿疹不易根治，可反复发生，长期不愈，并有恶变的可能。

正确的做法是：妈妈漏奶时，不要制止；喂一侧奶时，另一侧奶也同时露出来，自行流出乳汁。

乳罩下垫一块纱布，勤更换，并定时露出乳房，风干乳头。

也可在乳头上涂抹鞣酸软膏或凡士林，使乳汁不易侵袭乳头，防止乳头湿疹。一旦患了乳头湿疹，要及时治疗，可使用皮炎平软膏或肤轻松软膏涂抹患处。

④ 乳腺炎——"妈妈，这下我可没法儿吃奶啦！"

有一位新手妈妈，万里之外，在网上向我咨询，真是痛苦不堪：短短28天月子中，她竟患了4次乳腺炎，坚持哺乳到最后，还是无奈地断奶，乳腺切开引流脓汁。我为她感到难过，也意识到告诉妈妈们预防乳腺炎的极端重要性。

乳腺炎是哺乳期妈妈最常见的疾病。预防乳腺炎的发生，有9个注意事项：

·避免乳头皲裂；

·不要长时间压迫乳房，睡觉时要仰卧；

·一定要定时排空乳房，不要攒奶；

·有乳核时要及时揉开，也可用硫酸美湿敷或热敷；

·保持心情愉快，不要着急上火；

·乳房疼痛时及时看医生；

·母乳喂养不是按时喂哺，而是按需喂哺，宝宝饿了就喂，奶胀了就喂；吃不了，就要挤出；

·晚上，宝宝会较长时间不吃奶，妈妈一定要定时起来挤奶，消除乳胀。很多新手妈妈，都是一夜之间患上乳腺炎的；

·乳头有感染趋势时，及时使用抗菌素。一旦发生乳腺炎，要及时静脉注射抗菌素，以免形成化脓性乳腺炎。若已发展到了化脓性乳腺炎，就要及时切开引流；

宝宝/郑果
妈妈刚刚喂完奶，果果很满足，已经开始瞌睡了。

·切莫忘记，乳腺炎发病很快，预防最重要。

⑤ 体重——"妈妈，我还没吃够！"

新生儿宝宝每天换下6~8次很湿的尿片，排大便2~5次，每周平均增加200~300克体重，满月时体重增加到4500克上下，这是新生儿发育的平均指标。在这个指标上下浮动，只要新生儿是健康的，发育就属于基本正常。

大部分新生儿出生后体重都会减轻，而体重增加的计算方法，是从新生儿体重最低点算起的，而不是从出生体重算起。许多新生儿，出生近两周，才恢复到出生时的体重，这是正常的。

新生儿24小时内，须喂奶8~12次，或每隔2~3小时喂一次，这也是平均情况。有些新生儿吃的次数多，有些次数少，只要宝宝看起来肤色健康，皮肤、肌肉有弹性，长胖了，长高了，机警有活力，就是喂养良好的宝宝。

第9节 新生儿喂养方法·人工喂养

66. 不宜母乳喂养的情况

哪些宝宝不宜吃母乳

妈妈用甘甜的乳汁哺育自己的宝宝是再寻常不过的事了，但是，有些时候，妈妈不得不

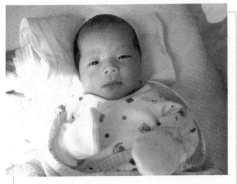

宝宝/陶禹熹
宝宝总是挥舞着小手，有时会把自己的小脸蛋抓出一道道红印，有时会出血。妈妈非常心疼，就给宝宝戴上一个小手套。宝宝戴上小手套会影响手的活动和手、脑的发育，修剪好宝宝的指甲就可以解决问题。

放弃用母乳喂养宝宝。妈妈不要为此而感到遗憾，尽管不能吃妈妈的奶，还有琳琅满目的配方奶，一样能让您的宝宝健康成长起来。

氨基酸代谢异常

氨基酸代谢异常主要侵犯神经系统，是小儿智力发育落后的重要原因。据估计，在严重智力低下的病人中，约10%与氨基酸代谢异常有关。在人群中的总发病率是万分之一到五千分之一。由于氨基酸代谢异常所引起的疾病，已经发现的病种达到70种以上。苯酮尿症就是其中的一种，是这70多种氨基酸代谢异常中比较常见的氨基酸代谢疾病。

氨基酸代谢异常的早期筛查

先天性氨基酸代谢异常的患儿在出生时基本上是正常的。所以，早期诊断有赖于对新生儿进行群体普查。在未开奶前做出了诊断，就可以通过饮食治疗，减轻患儿脑损伤的程度。当苯酮尿症的典型症状出现，诊断并不困难，但已经为时过晚，已失去预防脑损伤的时机，必须强调症状前的诊断，即在宫内或新生儿出生后早期确诊。我国一些城市已经开展了对全部新生儿进行苯酮尿症的筛查，及时发现所有的带病婴儿。如果未能做出早期诊断，一旦出现临床症状，患儿脑损伤已经难以逆转，智力落后。

苯酮尿症（PKU）

PKU是氨基酸代谢异常引起的一种疾病。属常染色体隐性遗传病。是体内缺少苯丙氨酸羟化酶，不能使苯丙氨酸转化为酪氨酸，而造成苯丙氨酸在体内的堆积，严重的可干扰脑组织代谢，造成功能障碍，以致这类患儿生后常表现为智能障碍。

苯酮尿症的一般表现

婴儿出生时正常，生后数月内可能出现呕吐、易激惹、生长迟缓等现象。未经治疗的患儿，在生后4～9个月开始有明显的智力发育迟缓，语言发育障碍。约60%属于重症低下。IQ低于50，只有1～4%未经治疗的PKU患儿IQ大于89。可见PKU的早期诊断是何等的重要。有25%的患儿有癫痫发作。约有90%患儿生后皮肤和毛发逐渐变为浅淡色，皮肤干燥，常有湿疹。

苯酮尿症特殊的体征

气味异常，尿、汗液有发霉味；皮肤异常，主要是湿疹；毛发异常，毛发颜色浅淡。脑CT检查可见弥漫性脑皮质萎缩。

苯酮尿症的治疗

主要是饮食治疗，需要使用特制的低苯丙氨酸治疗食品。因此一旦确定诊断，患儿就应避免苯丙氨酸饮食的摄入，虽然母乳中苯丙

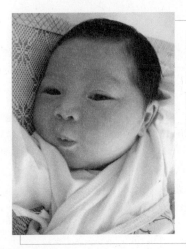

宝宝/赵雨杉
沫沫是宝宝的乳名，小家伙两眼凝视着，小嘴紧收着。当新生儿听到声响或看到新奇的东西时，会一动不动地听着，很快就又会手足蹈起来。新生儿的觉醒时间不长，父母要充分利用这一时刻，和宝宝进行交流、游戏，开发婴儿潜能。

氨酸的含量较牛奶明显为低（每100毫升人乳中含苯丙氨酸约40毫克。每30毫升牛奶含苯丙氨酸约50毫克）。但这些婴儿还是最好不吃母乳或仅吃少量母乳为宜，平时应摄入不含苯丙氨酸的特制奶粉或低苯丙氨酸的水解蛋白质，再辅以奶糕及米粉、蔬菜等，并应经常检测婴儿血中苯丙氨酸的浓度。

苯酮尿症的预后

通过饮食治疗，部分症状可以逆转，如癫痫得到控制，毛发和皮肤由浅变为天然色。特殊气味消失，行为也可好转。但是，有一点是难以改进的，那就是智力问题。必须早期诊断，早期治疗，才能预防智力低下的发生。在症状出现之前治疗，可使智力发育接近正常。生后6个月开始治疗者，大部分患儿将会智力低下。4~5岁以后开始治疗者，可能减轻癫痫发作和行为异常，但对已经存在的智力障碍则难以改进。

乳糖不耐受综合征

乳糖不耐受综合征患儿由于体内乳糖酶的缺乏导致乳糖不能被人体消化吸收，临床常表现为婴儿吃了母乳或牛乳后出现腹泻，由于长期腹泻不仅直接影响到婴儿的生长发育，而且可造成免疫力的低下引发反复感染，对于这部分患特殊疾病的婴儿也应暂停母乳或其他奶制品的喂养，而代之以不含乳糖的配方奶粉或大豆配奶。

乳糖不耐受综合征属先天性糖类代谢异常。先天性糖类代谢异常还包括葡萄糖–半乳糖吸收不良症，半乳糖代谢缺陷等。

乳糖不耐受综合征可分为三型：家族性乳糖不耐受症，极少见；先天性乳糖不耐受症；迟发型乳糖不耐受症。

先天性乳糖不耐受症于喂奶后即出现严重腹泻、腹胀，常见呕吐。食物中去除奶类后症状即消失。迟发型症状于出生后几年出现症状。

婴儿出生时正常，症状仅发生于喂奶以

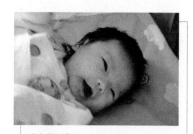

宝宝/吴玉成
宝宝还没满月，已经能认识妈妈的脸，看到妈妈就表情多多。你看，他的小嘴张着，露出欢快的笑容。

后。由于母乳中乳糖含量高于牛乳，因此，母乳喂养时，症状常较牛乳喂养者为重。出现呕吐、拒食、不安、腹泻等。严重者出现肌张力低下、黄疸、肝脾肿大。如果继续摄入乳糖，可出现肝硬化、低血糖等。伴有营养不良，可在新生儿期出现白内障。体格发育和智力发育障碍也渐明显。

母乳性黄疸

曾经有位母亲被医生确诊为母乳性黄疸，固而停了母乳，但是将近一个星期宝宝都不好好吃牛乳，看到宝宝一天天消瘦下去，妈妈焦急万分。然而实际上，母乳性黄疸，停母乳只是短期间的，一般是48小时左右之后，就可恢复母乳喂养，如果恢复母乳喂养后，黄疸再次加重，可再停喂1、2天。经过2、3次这样的过程，宝宝就不会因为吃母乳而出现黄疸了。可以继续母乳喂养了。

哪些妈妈不宜给宝宝喂母乳

由于妈妈的问题，不能给宝宝喂母乳的病种虽然比较多，但如果妈妈在不宜哺乳宝宝的情况下，硬是给宝宝喂哺，则不但对宝宝可能造成伤害，也会给妈妈带来伤害，还可能会使妈妈失去健康，甚至是生命。坚持母乳喂养的前提应该是妈妈的身体健康，如果出现以下情况，妈妈就应该暂时或完全停止母乳喂养。

传染性疾病

当妈妈患有某些传染性疾病时不宜母乳喂养。以防传染给宝宝。

当妈妈患有结核病时

当妈妈患有肺结核时不宜母乳喂养。尤其是结核病活动期，痰菌培养呈阳性时，更不宜母乳喂养。

当妈妈患有肝炎时

当妈妈患有肝炎时不宜母乳喂养，包括无症状的HbsAgh和HbeAg双阳性的母亲也不宜母乳喂养。

代谢疾病

当妈妈患有某些代谢性疾病时不宜母乳喂养。

当妈妈患甲状腺功能亢进时

当妈妈患有甲状腺功能亢进并正处服药期间，不宜母乳喂养，以免引起宝宝的甲状腺病变。

当妈妈患有甲状腺功能减退时

当妈妈患有甲状腺功能减退需要终身服用甲状腺素药物时不宜母乳喂养，以免引起乳儿的甲状腺病变。

当妈妈患有糖尿病时

当妈妈患有糖尿病正在接受药物治疗时，不宜母乳喂养。糖尿病的妈妈，可根据医生的诊断决定是否可以哺乳。一般情况下，能够

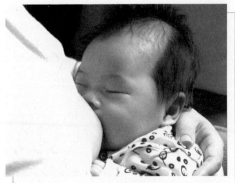

宝宝/尚潘柔美

让宝宝的头顶倾向妈妈的前方，宝宝的面部对着妈妈的面部，宝宝的眼光刚好与妈妈的眼光对视，下颌贴妈妈乳房正下方。这样，宝宝不但吃奶的姿势很舒展，还能看着妈妈的脸。宝宝的头部抬高约45度。常见的错误喂奶姿势是，宝宝头顶朝妈妈腋下一侧，把宝宝横抱在胸前。应该是向斜前方抱。

分娩的妈妈就能够哺乳，但更要注意营养和休息，根据身体情况适当缩短母乳喂养的时间，尽量坚持到宝宝4个月以后为宜。患糖尿病的乳母，在饮食和胰岛素治疗期间，不宜母乳喂养。否则易诱发糖尿病酮症酸中毒，甚至昏迷，殃及宝宝健康，应该等到病情稳定、停止服用抗糖尿病药物后方可恢复母乳喂养。

肾脏疾患

当妈妈患有某些肾脏疾病时不宜母乳喂养。

肾炎、肾病

患有肾炎、肾病的新手妈妈，因要限制食物中蛋白质的摄入，必然导致乳汁中蛋白质含量减少。而宝宝吃妈妈的奶，又使妈妈消耗掉更多的蛋白质，这就给妈妈的健康带来了更大的威胁。另一方面，由于乳汁中蛋白质含量低，对宝宝的健康也不利。所以妈妈在患病期间应该停止母乳喂养。

心脏病

当妈妈患有某些心脏疾病时不宜母乳喂养。

风湿性心脏病、先天性心脏病等心脏疾病并有心脏功能低下者

心功能Ⅲ级以上者不宜母乳喂养，按心脏功能情况，安排渐进式活动计划（由护士提供全面生活护理，逐渐转为本人自理生活项目）。

其他类疾病

服用哺乳期禁忌药物

母亲服用哺乳期禁忌使用药物，要停止哺乳；服用哺乳期慎用药物，要暂停哺乳，或错开药物影响高峰时间，再行哺乳。

急性或严重感染性疾病

患急性感染性疾病的母亲，如肺炎、严重的感冒等。往往需用多量的抗生素药物，应暂停授乳数天，以防药物通过乳汁危及乳

儿。妈妈感冒发烧不得不服用药物时，可等病愈停药后再喂。但应注意每天按喂哺时间把奶挤出，保证每天泌乳在3次以上。挤出的母乳也不要再喂给宝宝吃，以免其中的药物成份给宝宝带来不良影响。乳母发热时，乳汁浓缩，可使乳儿发生消化不良，此时最好暂停授乳几天。但仍需按时挤出乳液，以防病愈后无奶。若仍想喂母乳，应缩短哺喂时间，多给乳儿喝点水。

乳头疾病

当妈妈患有严重乳头皲裂和乳腺炎等乳腺疾病时，根据医生指导，可暂停母乳喂养，及时治疗，以免加重病情。但一定要把母乳挤出，用滴管或勺子喂哺宝宝，尽量不用奶瓶，以避免宝宝产生乳头错觉，但是如果使用仿照妈妈乳头形状制作的仿生奶嘴，可减少乳头错觉的发生。

孕期或产后有严重并发症

母亲在孕期或产后患有严重的并发症，需要进行治疗，或体弱需要恢复时，妈妈可暂不喂母乳，但要定时挤奶，保持乳汁分泌，以便病愈后再母乳喂养。

红斑狼疮

妈妈患有系统性红斑狼疮时，不宜母乳喂养。这是因为，患有红斑狼疮的产妇，需要激素和免疫抑制剂等药物治疗。这些药物对宝宝是有危害的。

精神疾病

妈妈患有严重的精神病，如癫痫病，喂奶时癫痫发作会伤及乳儿，同时所服的药物如苯妥英纳等容易进入乳汁，可引起乳儿虚脱、嗜睡、全身瘀斑等不良反应，故不宜母乳喂养。

恶性肿瘤（略）

爱滋病

妈妈患有艾滋病时，不宜母乳喂养。并分别于生后1月、4月和6月时给宝宝做艾滋

病毒培养或血清HIV—RNA水平测定，以确诊是否感染艾滋病毒，以便及早采取防治措施。

67. 牛乳与母乳成分比较

成分	单位	牛乳 (100毫升)	母乳 (100毫升)
热量	卡(cal)	66	68
水分	克(g)	87.5	87.5
乳糖	克(g)	4.8	7.5
脂肪	克(g)	3.5	3.5
蛋白质	克(g)	3.5	1.2
脂肪酶		较少	较多
矿物质	克(g)	0.7	0.2
维生素D	国际单位(IU)	0.3-4	0.4-10
饱和脂肪酸	%	65	55
不饱和脂肪酸	%	35	45
胆固醇	毫克(mg)	280-300	300-600
无机盐	克(g)	0.7	0.2
钙	毫克(mg)	125	33
磷	毫克(mg)	99	15
铁	毫克(mg)	0.15	0.21

注：此表参考了金汉珍等主编的《实用新生儿学》（人民卫生出版社出版）的有关内容

从表中可以看出，母乳中的乳糖、脂肪酶、维生素D、不饱和脂肪酸、铁、胆固醇的含量，均高于牛乳，且钙磷比例比较适宜。母乳中蛋白质含量虽然低于牛乳，但乳蛋白和酪蛋白含量比例适宜，有利于消化吸收。

68. 母乳化奶粉能等于母乳吗？

母乳化奶粉以牛乳为主要原料，按照母乳

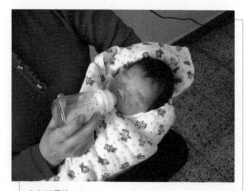

宝宝/王震坤
宝宝出生2天。姥姥在喂外孙吃奶，奶瓶里是挤出来的母乳。奶瓶应该稍稍抬高，让奶水充盈瓶口。

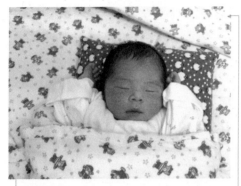
宝宝/王震坤
　宝宝出现了黄疸，医生告诉妈妈，不要着急，宝宝是生理性黄疸，几天就会消退。

成分经过加工，去掉牛乳中过多的酪蛋白，添加了牛乳中不足的营养素。虽然母乳化奶粉成分接近母乳，但并不能完全等于母乳。母乳化奶粉中，有一些维生素被破坏了，钙磷比例不很适宜，不能提供更多的免疫球蛋白，尤其是分泌型IgA。用母乳化奶粉喂养，小儿呼吸道的防疫功能低于母乳喂养儿。

　　母乳中含有多种天然抗体，能够抵抗许多常见病。吃母乳所产生的抗病能力可持续两年之久。母乳中含有吞噬病菌的吞噬细胞，还含有大量溶菌酶，能溶解细菌。母乳中的乳铁蛋白也能阻止细菌代谢，使细菌死亡。母乳不易出现过敏，吃牛乳的婴儿可有过敏反应，出现湿疹、腹泻。母乳温度适宜，无菌，方便，经济。

69. 人工喂养乳类选择

　　速溶奶粉：速溶奶粉溶解速度快，但消化困难，含糖量高，颗粒粗，易吸收水分，不是很适合婴儿喂养。速溶奶粉冲化后如果有沉淀物，说明有不易溶解的杂质，不要喂养婴幼儿。

　　甜奶粉：甜奶粉是将牛奶水分去掉，加糖制成的，每100克甜奶粉含糖50多克，而淡奶粉含糖为35克。甜奶粉含糖量高，不易消化，味道比较甜，容易造成小儿对甜食的依赖，添加辅食困难。

　　淡奶粉：淡奶粉的成分和甜奶粉基本一

样，只是含糖量不同，每100克含糖35克。酪蛋白含量较高，不易消化，不太适合婴儿喂养。

　　婴儿奶粉：婴儿奶粉以牛奶为主要原料，从大豆中提取大豆蛋白和油脂来弥补牛奶中酪蛋白含量高不易消化的缺点，补充了滋养性单糖，增加了维生素D和铁剂，比较适合婴儿食用。

　　母乳化奶粉：根据母乳的营养成分，重新调整搭配奶粉中酪蛋白与乳清蛋白、饱和脂肪酸与不饱和脂肪酸的比例，除去了部分矿物盐的含量，加入适量的营养素，包括各种必需的维生素、乳糖、精炼植物油等物质。母乳化奶粉也叫配方奶，适合喂养1岁以内的婴儿。

70. 人工喂养中的实际问题

新生儿能喂鲜牛奶吗？

　　鲜牛奶含有丰富的钙质，是很好的乳品，但不适宜喂养新生儿。鲜牛奶中的蛋白质比母乳高出约3倍，但其中有80%是酪蛋白。酪蛋白在胃中遇到酸性胃液后，很容易结成较大的乳凝块。鲜牛奶含有的大量钙质，也使酪蛋白沉淀，不易消化吸收。新生儿消化吸收功能原本比较弱，因此很难消化鲜牛奶，容易溢乳。选择新生儿代乳品，鲜牛奶不是首选。

宝宝/郑果
　　依偎在妈妈怀里睡最舒服，这是孩子的天性。妈妈能用最舒服的姿势抱宝宝，这也是妈妈的天性。但一旦养成了让妈妈抱着睡的习惯，就苦了妈妈，所以，孩子在妈妈怀里睡着了，最好马上把宝宝放下来。只有在宝宝发生夜啼时，才需要抱着宝宝让他再次安稳入睡。

什么样的奶粉好？

1岁以内的小婴儿，适合喂养母乳化奶粉，也就是配方奶。婴儿奶粉也比较适合。

较大一点的幼儿可以喝鲜奶。奶粉在制作过程中，一些维生素被破坏了，尤其是维生素C。鲜奶中原来微小的脂肪粒，在加工成奶粉时变大了，使奶中脂肪和蛋白质的消化率降低。另外，鲜奶中钙含量也高，糖含量低，比较适合1岁以上小儿食用。

在选择奶粉时还要注意：包装要完好无缺，不透气；包装袋上要注明生产日期、生产批号、保存期限，保存期限最好是用钢印打出来的，没有涂改嫌疑。奶粉外观应是微黄色粉末，颗粒均匀一致，没有结块，闻之有清香味，用温开水冲调后，溶解完全，静止后没有沉淀物，奶粉和水无分离现象。如果出现相反情况，说明奶粉质量可能有问题。

虽然有的奶粉保质期比较长，但最好购买近期生产的奶粉，计算一下，从生产到吃完，不要超过3个月。

具有知名度的品牌奶粉当然好，但要防止冒牌货。要从大超市商场购买，除了防止假货外，大超市和商场商品销售周期短，能够买到生产日期近的商品。

全奶、1/2奶、1/3奶

不得不进行人工喂养，如何调配奶粉的浓度呢？

·刚出生的新生儿，消化功能弱，不能消化浓度较高的奶粉，应该先给浓度低一些的。也就是说，不能喂全奶，应该喂1/3奶。3天后可喂1/2奶，一周后才能喂养全奶。

·全奶的配制方法是：一平勺奶粉加4勺（同样大小！）的水，奶粉恰好溶解成奶水。

·1/2奶的配制方法是：一平勺奶粉加8勺水。

·1/3奶的配制方法是：一平勺奶粉加12勺水。

不是每次配奶都这样麻烦的。比如一平勺奶粉加20毫升水配成了全奶，要配8勺奶粉的全奶，就加水160毫升水，要配1/2奶，就加

宝宝/郑果

果果趴着睡，自己保持呼吸道通畅，睡得多香。当宝宝处于安静睡眠状态时，脸部肌肉放松，除偶发的惊跳和极轻微的嘴角动外没有自然活动，呼吸也很均匀。当宝宝醒着时，面部表情多多，肢体也不断地舞动，当妈妈和宝宝说话时，会有片刻的停止。

320毫升水，要配1/3奶，就加480毫升水，以此类推。

71. 新生儿混合喂养

混合喂养率正在增加

母乳喂养和人工喂养同时进行，称为混合喂养。现代新手妈妈大多是上班族，生活节奏快，精神压力大，工作任务重，生育年龄偏大，乳量偏少，难以满足宝宝的需要，混合喂养成了更多妈妈的选择。

混合喂养难题

混合喂养容易造成新生儿消化功能紊乱，如果一次喂奶中也采取混合喂养，更容易出现这种情况。

混合喂养不容易掌握乳量，母乳到底缺多少？每次配奶配多少？都难以掌握。

混合喂养的最佳方法

一次只喂一种奶，吃母乳就吃母乳，吃牛乳就吃牛乳。不要先吃母乳，不够了，再冲奶粉。这样不利于孩子消化，也使孩子对乳头发生错觉，可能引发厌食牛乳，拒吃奶瓶。

混合喂养要充分利用有限的母乳，尽量多喂母乳。如果妈妈认为母乳不足，就过多减少喂母乳的次数，会使母乳越来越少。母乳喂养次数要均匀分开，不要很长一段时间

都不喂母乳。

夜间妈妈比较累，尤其是后半夜，起床给孩子冲奶粉很麻烦，最好是用母乳喂养。夜间妈妈休息，乳汁分泌量相对增多，孩子需要量又相对减少，母乳可能满足孩子的需要。但如果母乳量太少，孩子吃不饱，就会缩短吃奶间隔，影响母子休息，这时就要以牛乳为主了。

宝宝/孙一中
宝宝奋斗了半天终于吃完奶，累得睡了。如果宝宝吃一会就睡了，妈妈可轻轻刺激宝宝，让宝宝接着吃，避免吃吃停停。

72. 人工喂养6大注意事项

事项一：宝宝如何传达饱、饿信息

宝宝饿了，他就会①饥饿性哭闹；②用小嘴找奶头；③当把奶头送到嘴边时，会急不可待地衔住，满意地吸吮；④吃得非常认真，很难被周围的动静打扰。

宝宝饱了，他就会①吃奶漫不经心，吸吮力减弱；②有一点动静就停止吸吮，甚至放下奶头，寻找声源；③用舌头把奶头抵出来。再放进去，还会抵出来。再试图把奶头放进去，他会转头，不理你。

新生儿睡眠时间比较长，如果一次睡眠时间超过了四五小时，一定要叫醒宝宝吃奶。如果宝宝睡眠时间很短，是否一醒就喂呢？也不必。（见64条实例六。）

事项二：喂奶间隔白天、晚上一样吗？

新生儿胃容量很小，能量储存能力也比较弱，需要不断补充营养。新生儿吃奶次数多，夜间也不会休息。因此喂奶的间隔，白天和晚上差不多是一样的。随着日龄的增大，宝宝夜间吃奶次数逐渐减少，慢慢就养成了白天吃奶，晚上不吃奶的习惯了。

事项三：吃吃停停怎么办？

（见64条实例八。P23）

事项四：夜间喂奶应避免的危险

夜间喂奶和白天喂奶有什么不同呢？

①光线暗，视物不清，不易发现孩子皮肤颜色，不易发现孩子是否溢奶；

②妈妈困倦，容易忽视乳房是否堵住了孩子鼻孔，发生呼吸道堵塞；

③妈妈怕半夜影响其他人睡眠，孩子一哭就立即用乳头哄，结果半夜孩子吃奶的次数越来越多，养成不好的夜间吃奶习惯。

一个真实的病例：

宝宝满月，妈妈很累，晚上宝宝要奶，妈妈蒙眬状态下，躺着把乳头送到孩子嘴里。不知过了多久，妈妈听到孩子叫了一声，没有开灯，室内很黑，妈妈懒了一下就没动。妈妈突然在睡梦中惊醒，下意识摸了摸孩子，孩子一动不动，打开灯，孩子青紫，包起来冲向医院，一切都晚了，孩子呼吸道堵满奶汁，窒息死亡。

这样不幸的事情发生过多次，妈妈们知道有这种意外的可能，就会加倍小心，就会避免哪怕是万分之一的可能。万分之一的可能，如果发生了，那就是百分之百了。

事项五：如何区别生理性溢乳和病理性呕吐？

生理性溢乳的特点：

①溢乳前后宝宝没有任何不适表现；

②每次溢乳量不多；

③虽然溢乳，但没有因为溢乳而增加吃奶量和次数；

④没有因为溢乳而影响体重增长，宝宝还是胖胖的；

⑤大小便正常。

病理性呕吐的特点：

①呕吐前宝宝有不适感觉，表情不快，脸憋得通红，有时哭闹，哼哼，给奶不吃，难以用奶头制止孩子的哭闹；

②呕吐的奶量往往比较多，有时成喷射状，除了有奶液外，可有胆汁样物、胃液及奶块等，气味发酸，甚至酸臭；

③吃奶量显著减少或增加；

④体重增长缓慢，孩子显得有些干瘦，缺乏精神，大便不正常，或次数少而每次的量多，或次数增多，大便性质不正常，往往伴有腹胀。

<u>事项六：新生儿需要添加乳品以外的饮品吗？</u>

母乳喂养、混合喂养、人工喂养，新生儿都不需要添加乳品以外的饮品。新生儿胃肠道消化功能尚没有发育完善，各种消化酶还没有生成，肠道对细菌、病毒的抵御功能很弱，对饮品中所含的一些成分缺乏处理能力。如果给新生儿喝其他饮品，可能会造成新生儿消化功能紊乱，引起腹泻等症。

第10节 新生儿营养需求

73. 新生儿每日所需营养有如下7大类

①**热能：**热能要满足基础代谢、活动、生长、食物特殊动力、排泄等所需要的总热量。足月儿生后第一周，每日每公斤体重约需250-335KJ；生后第二周，每日每公斤体重约需335-420KJ；生后第三周及以上，每日每公斤体重约需要420-500KJ。

②**蛋白质：**足月儿每日每公斤体重约需2-3克。

③**氨基酸：**9种必需的氨基酸是，赖氨酸、精氨酸、亮氨酸、异亮氨酸、颉氨酸、甲硫氨酸、苯丙氨酸、苏氨酸、色氨酸。新生儿每天必须足够地摄入这9种氨基酸。

④**脂肪：**每天总需要量为9-17克/100卡热。母乳中未饱和脂肪酸占51%，其中的75%可被吸收，而牛乳中未饱和脂肪酸仅占34%。亚麻脂酸和花生四稀酸是必需脂肪酸，亚麻脂酸缺乏时出现皮疹和生长迟缓，花生四稀酸则合成前列腺素。

⑤**糖：**足月儿每天需糖17-34克/100卡热。母乳中的糖全为乳糖，牛乳中的糖，乳糖约占一半。

⑥**矿物质、宏量元素及微量元素：**

钠：食盐就是氯化钠，提供人体必需的钠。妈妈喂奶期间不宜吃得太咸，但并不是一点也不需要钠。新生儿也需要盐。

钾：乳品中钾能够满足新生儿的需要。

氯：氯随钠、钾吸收。

钙、磷：母乳中的钙，有50-70%在新生儿肠道中被吸收；牛乳钙的吸收率仅为20%。因此母乳喂养不易缺钙，牛乳喂养容易缺钙。磷的吸收比较好，不易缺乏。

镁：镁缺乏时影响钙平衡。

铁：母乳和牛乳中铁含量都不高，牛乳中的铁不易吸收，因此牛乳喂养更容易缺乏铁。足月儿铁的储存量，可供4-6个月的使用，但如果妈妈孕期就缺乏铁，新生儿就可能出现铁储备不足，因此应及时补充。

早产儿铁的储备量更少，只够生后8周之

宝宝/郑果
在四季如春的昆明长大的妈妈非常喜欢带宝宝到户外去。宝宝还不到一个月，就把宝宝带出户外，路人看见又惊奇，又担心。

宝宝的尿布

每天给宝宝洗澡后换下来的衣服，都要洗得干干净净，挂在阳光充足的阳台上，还要把阳台的窗户打开，让紫外线照射衣服，杀灭有害微生物。这是郑果的宝宝服。

用，如果不及时补充，则会出现缺铁性贫血，影响小儿健康。

锌：新生儿期很少缺锌，一般不需要额外补充。发锌不能代表当时的血锌情况。因此，不要以发锌衡量当时的血锌情况，发锌低不能代表血锌也低，应以血锌为准。

⑦**维生素**：健康孕妇分娩的新生儿，很少缺乏维生素，因此不需要额外补充。如果准妈妈妊娠期维生素摄入严重不足，胎盘功能低下并早产，新生儿可能缺乏维生素D、C、E和叶酸。

维生素K：维生素K缺乏，可引起新生儿自发出血症或晚发V-K缺乏出血症。尤其是纯母乳喂养儿，发生的几率比较大。因此，常规上给出生后的新生儿肌注V-K$_1$ 1.0毫克，可起预防作用。早产儿肠道菌种成长较晚，肝功能发育不成熟，容易出现V-K缺乏，应每日补充维生素K1毫克，连续补充3次。

维生素D：虽然新生儿出生时储存一定量的维生素D，但由于不能够在室外接受足够的阳光，又不能经食物摄入，婴儿期可出现维生素D缺乏性婴儿手足搐搦症和幼儿期佝偻病。应该从出生后半个月开始，补充维生素D，每日400IU。

维生素E：早产儿需要补充，每日30毫克。

维生素A过量：在补充维生素D时，有的选用鱼肝油制剂，即维生素AD剂。如果比例不合适，可发生维生素A过量，甚至中毒。

典型病例

一患儿因烦躁、易惊、多汗而就诊。询问服药史，妈妈从出生第一周开始，给患儿每日服用贝特令一粒，连续服用了近3周。贝特令是维生素AD复合制剂，每粒含维生素A1800 IU，维生素D 600 IU。就是说，妈妈给孩子每日服用维生素A1800 IU，远远超过了新生儿的需要，造成维生素A过量，出现了中毒症状。而维生素A中毒症状与维生素D缺乏症状类似，难以区别，很容易认为是患儿有佝偻病，从而又增加鱼肝油的剂量以"补钙"。宝宝到了很危险的程度。不要把维生素认为是营养药，补多了没关系。维生素也是药物，也有限量，超量使用，也会中毒。

第11节 新生儿护理要点

74. 礼貌地拒绝过多探视

新生儿来到世上，想探望小生命的人是很多的。但过多探视，成人呼吸道中的微生物，可能成为新生儿的致病菌。新生儿的生活环境要安静舒适，空气新鲜，远离感染源。

过多探视，对新手妈妈产后恢复也不利。休息不好，乳汁分泌就减少，给母乳喂养带来困难。

要礼貌地拒绝探视，做丈夫的更要学会保护妻子和孩子，相信这会得到人们的谅解。

75. 洗澡是一次大行动

①**脐带**。脐带还没脱落，或脱落后没有长好，就不要把孩子放到水中洗澡，只能擦洗，避免脐带进水；如果进水了，要用碘酒、酒精擦洗。

②**安全**。胎儿是在水囊中生活的，所以新生儿天性喜欢水。考虑到安全性，还是暂时不要把新生儿完全放到浴盆中洗为好，一部分一部分地洗，比较容易把握。

③**时间**。每天上午9-10点，吃奶前1个

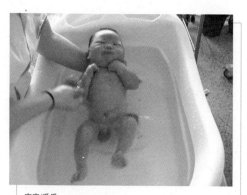

宝宝/瓜瓜
宝宝体表面积相对较大，散热快，所以全裸洗澡首先要保证室温，其次是时间要快，应该在10分钟以内。

小时到1个半小时，觉醒状态。不要给吃奶后或睡眠中的宝宝洗澡。

④**用具**。浴盆、浴巾、擦脸毛巾、擦屁股毛巾、婴儿香皂。

⑤**环境**。不能有对流风，要关上门窗；在有太阳的地方洗最好，光线要好，不要在暗处。如果全裸洗，室温要达到24℃以上；分部裸洗，室温要在20℃以上。

⑥**方法**。

·全裸洗，宝宝身上不要使用浴皂，因为用浴皂后，婴儿身体比较滑，不易把握，容易打滑，倒在水里，发生危险。头部也不用每天使用浴皂，一周用一两次就可以了。

·最好用手撩水给孩子洗；用毛巾洗，不好掌握手劲，容易擦破孩子皮肤。新生儿皮肤被擦破，感染的机会非常大。

·洗澡水温与孩子体温大致一样，36℃。使用温度计测量，固然准确，但不值得提倡。爸爸妈妈应该学会用手感受水温，因为洗着洗着，水温下来了，手还没觉觉，哪能想到再用温度计！一般用手背、手腕、肘窝试温比较好，妈妈皮肤细薄、敏感，试温效果更好。

·浴盆周围放上毛巾，以免孩子滑脱，碰到盆边磕伤。

·把浴盆放在地上，爸爸妈妈蹲着给孩子洗澡往往很累，不如放在高桌上，站着洗，会轻松些，也好掌握。但要注意，千万别把孩子掉下来。

·开始洗澡的最初时间，经验少，就不要放太多的水，能淹没小脚丫就可以了。等到有经验了，洗熟了，再增高水位。把孩子放到水里，一定要把握住孩子的上臂和头部。出水时，不要用毛巾擦干，而要用毛巾沾干。

·给宝宝洗脸，不必担心会把水弄到孩子眼睛里，因为宝宝会自动闭上眼睛，不让水流进眼睛，这是新生儿对自身的保护。新手妈妈大多用湿毛巾擦一擦，轻了擦不净奶渍，重了可能损伤稚嫩的皮肤，不应再这样做了。

·注意不要把水弄进孩子耳朵里，耳朵不像眼睛，没有自身保护能力。

·新生儿皮肤很薄嫩，不需要擦护肤水，护肤油等，更不能擦爽身粉。

·洗完澡不要马上把孩子抱到另一房间，应先打开洗澡间的门，让室内温度相接近，再抱出去。

·洗澡后不要急着给孩子穿衣服，先用浴巾裹着，迅速把头擦干，等全身彻底干了，再穿衣服，这样就不易受凉感冒了。

76. 衣服被褥床

现在新生儿用品很多，很高级，爸爸妈妈购买知识也很丰富，我只想简单说一下，准备的用品至少要有这些：宝宝服3套，睡袋一个，奶兜6个以上，床单3条以上，被子6条，冬、夏季各两条，春秋季共两条。毛巾被两条，毛毯两条，棉床垫3个。新生儿可以不睡枕头。

宝宝/尚潘柔美
美美出生的第33天。更多妈妈购买漂亮柔软的婴儿睡篮或婴儿床，放弃蜡烛包，对新生儿关节发育、肢体发育和智能发展都是非常有利的。

77. 新生儿餐具

新生儿餐具每天要用沸水消毒一次，不要使用消毒液或洗碗液。消完毒一定要烘干或擦干，不要带水放置。喝剩下的奶或水一定要弃掉，器皿洗净、消毒、烘干、擦干以备用，这是预防新生儿鹅口疮的有效方法。不要使用餐巾纸擦新生儿餐具，因为餐巾纸的卫生状况不确定。新生儿餐具要放在消毒柜里或罩在洁净盖布下，不要暴露在外，落入灰尘。

新生儿餐具至少包括：

①不锈钢小奶锅一个；

②吃奶用的奶瓶两个（200毫升以上容量），喝水用的奶瓶两个（100毫升容量），最好都是玻璃的，如果买塑料的，一定不要有异味。

③仿真软硅胶奶嘴5个以上；

④水杯两个；

⑤专用小暖水瓶一个，每天更换新开水；

⑥配奶小勺两个。

78. 新生儿的"粮袋"保护

① 母乳喂养，妈妈的乳房就是新生儿的粮袋，保护好妈妈的乳房，方法多多，意义重大。这里要补充说明的是，比如上次喂奶，先吃右侧后吃左侧，那么这次喂奶就要先吃左侧后吃右侧。每次都颠倒顺序，可使乳汁均匀分泌，两侧乳房对称，还可避免新生儿脸偏或牙槽骨不对称。

② 人工喂养，奶粉就是新生儿的粮袋。这里只补充一点：选定品牌后，不要轻易更换，以免婴儿不耐受，出现腹泻。

误区观察

许多爸爸妈妈常会犯这样的错误：看到孩子不爱吃现在的奶粉，或孩子大便不太好等等，就换了新奶粉。换奶的根据并不一定正确，换的奶也不一定合适，孩子就跟着折腾了。

不同品牌奶粉，营养成分配比不同，如果孩子的铁耐受性差，吃含铁高的奶粉，就会出现腹泻、腹痛、哭闹；消化能力差的新生儿，吃脂肪含量高的奶粉，会出现消化不良；糖利用能力差的宝宝，吃含糖量高的奶粉，会出现腹泻……

大多数爸爸妈妈只在乎品牌和质量，忽视了成分与宝宝是否相适应，这是个误区。

③奶水温度要适宜，简便有效的方法是：滴几滴奶在手背或手腕上，不感到烫，又有热乎乎的感觉，就是比较适宜的奶温。过热的牛奶会损伤新生儿口腔食道黏膜；过凉的会导致其肠道不耐受，出现大便溏稀或腹胀，造成新生儿不安、哭闹。

④喂奶时，奶瓶一般与新生儿面部成45度角。如果角度不适宜，容易造成孩子牙槽骨畸形，如地包天或天包地。奶水要充满整个奶头，不要一半是奶，一半是空气，这样会使孩子吸进过多空气，造成小儿腹胀、打嗝、溢乳、排气多。

⑤奶孔大小要适宜，过大会呛奶，过小吸吮会费力，造成吸吮肌疲劳。现在大多数奶嘴已经开好孔了，但不一定适合所有的孩子。对吸吮力较弱的孩子来说，可能奶孔偏小；对吸吮力很强但吞咽力稍差的孩子来说，又可能奶孔偏大。购买时要注意选择适合宝宝的奶嘴，不妨多买几个，改成不同大小的奶孔，观察孩子的反应。

宝宝/陈红云的女儿

我的妈妈叫陈红云，我刚刚出生1天，爸爸还没给我起名字呢，我正在睡觉，请不要打扰我。

早期新生儿睡眠时间比较长，但快速眼动睡眠（浅睡眠）所占时间相对较长，睡眠周期较短。所以，很容易醒来，快速眼动睡眠时间长对新生儿脑发育是非常重要的。

79. 尿布

选择尿布的原则

①纯棉质地；②透气性能良好；③柔软舒适；④性价比合理；⑤大厂家生产；⑥大商场或专卖店销售。

使用尿布特别注意

尿布的温度，远远低于婴儿腹部皮肤温度。新生儿一天更换十几次尿布，如果每次都把尿布放到孩子的腹部（几乎所有的妈妈都如此），那么孩子每天要暖十几块尿布，腹部受凉的程度可想而知。因此不要把尿布兜到腹部。

放置尿布正确方法

不要把尿布放在腹部，更不要把低于婴儿腹温的尿布放在腹部。男婴排尿向上，放置尿布时要在上面多加一层，重点在上；女婴排尿向下，放置尿布时要在下面多加一层，重点在下。这样就可预防男婴阴囊湿疹、女婴臀红。尿布不要覆盖男婴脐部，以防尿液弄湿脐带。尿布不要兜得过紧，留有一定空间，这样可避免尿布疹的发生。

还有一个最重要的问题是，放置尿布时，一定要注意防止后天性髋关节脱位。本来胎儿在母体子宫内是呈螃蟹形的，即便是出生后，双腿也是分开的，膝盖部弯曲，这是新生儿一种自然的姿势，这时，大腿骨的顶端（股骨头）就会挂在髋关节臼上，由于双腿不断的活动，髋关节得以顺利发育，就不容易出现股骨头脱位或半脱位。但是，长期以来，人们习惯一种给婴儿裹尿布的方法就是，把婴儿的腰部和腿部都用尿布固定，把腿伸直，这样一来，腿部肌肉就会紧张，股骨头就有可能滑脱，从而进一步影响髋关节臼盖的发育。由于髋关节臼发育受到影响，也会发生髋关节脱位。所以，妈妈要正确给宝宝包裹尿布。不能影响双腿的活动，不能强行把婴儿双腿伸直，而要让婴儿取自然位。

宝宝/瀚文
现在宝宝床铃很多，如果宝宝醒来，永远看到相同的东西，宝宝会丧失兴趣和注意力的。要经常给宝宝变化和新鲜的东西。

换尿布的时间

喂奶前或醒后更换尿布。喂奶后或睡眠时，即使尿了，也不要更换尿布，以免造成溢乳或影响宝宝建立正常睡眠周期。在尿布上再放置一小块尿布，排大便后就弃掉。仅有尿渍的尿布，清洗后在阳光下暴晒，方可再用。

80. 谨慎使用纸尿裤与防尿布疹

纸尿裤的负面影响

越来越多的新爸爸妈妈们，更倾向于给宝宝使用纸尿裤。纸尿裤用起来方便，符合现代生活快节奏的需要。但不少纸尿裤，并非完全是纸质的，外层有塑料，内层有吸收剂、特种纤维等物质。虽有防漏和较强吸湿作用，但长期使用，对婴儿娇嫩的肌肤会造成一定的伤害。

由于纸尿裤透气性能差，易使男婴睾丸处温度升至37℃（正常应是34℃左右），久而久之，导致睾丸生产精子的能力降低甚至丧失。

上海儿童医学中心陈其民副教授通过研究也认为，婴儿使用纸尿裤不当，确有疾病隐患，建议最好还是更多使用白色纯棉织布给宝宝做尿布，谨慎使用纸尿裤。

宝宝/尚潘柔美

新生儿的活动有一定的目的性，美美的表情在向妈妈传递着她的要求：我要吃奶了，我的小眉头已经皱了起来，再不给奶吃，我就要哭了。

男婴使用纸尿裤是否导致未来不育
肯定的理由

纸尿裤使用不当可能会给婴儿带来不利影响。特别是男婴，倘若长时间使用一片纸尿裤而不及时更换，会使婴儿睾丸处于高温环境中。不透气的纸尿裤紧贴婴儿皮肤，易使局部温度升高。男婴睾丸最适宜的温度在34℃左右，当温度上升到37℃，日久可导致睾丸将来产不出精子来。从而导致男婴未来不育。

不透气的纸尿裤使局部温度增高，可能如同滞留在腹腔不下降的睾丸（隐睾）处于腹腔的高温环境中一样，有可能影响将来的生育能力。正常情况下阴囊壁能调节局部温度使略低于体温，以维持睾丸的正常功能。未下降的睾丸停留在腹膜后，受体温影响，1岁以后就可出现超微结构变化，2岁后基本丧失生精能力。

可见，肯定纸尿裤可能会导致男婴未来不育是有前提条件的。那就是：使用不透气的纸尿裤，或长时间使用一片纸尿裤不及时更换，使婴儿睾丸处于高温环境中，导致未来不育。

否定的理由

只要正确使用纸尿裤，年轻父母尽可放心地给孩子使用纸尿裤。所引起的温度变化不会对青春期的生殖健康产生不良影响。

其理论根据是：依据胚胎生物学的基本原理，在婴幼儿时期精子尚未形成，只有在胚胎时期就已形成的精原细胞存在。而这些精原细胞在婴儿出生之前是在温度约为37摄氏度的母体腹腔中发育的，而且发育良好。男子的精子发育发生在青春期，精原细胞在青春期分裂形成精母细胞。之后再经过两次减数分裂成为精子细胞，精子细胞经过分化才变成精子。也就是说，在胚胎期和婴儿期睾丸内的曲细精管是实心的细管，而且并无精子的发生和成熟过程。

可见，否定纸尿裤可能会导致男婴未来不育也是有前提条件的。那就是：只要正确使用纸尿裤，不会对青春期的生殖健康产生不良影响。

纸尿裤比尿布优越的地方

英国有90%以上的婴儿使用一次性纸尿裤；美国有80%的婴儿使用一次性纸尿裤。中国上海有93%的3岁以下婴幼儿家庭使用过纸尿裤。

纸尿裤与中国家庭传统使用的尿布相比，具有更先进，更卫生的优点。过去使用的尿布多是用旧床单、旧衬衣等拆剪而成。这些布料存放时间过久，容易滋生各种细菌。尿布时常是湿的，床褥也常常被尿浸湿，给父母带来很多麻烦。最为严重的是，在清洗尿布时，洗衣粉或肥皂等洗涤品残留在尿布上，不容易洗净。这会刺激婴儿稚嫩的皮肤，导致尿布疹，严重影响婴儿睡眠与饮食。

材质安全、透气性提高、勤换洗、勤通气、与尿布交叉使用、间隔使用时间和季节等，是选择和使用纸尿裤的优点。只要父母能够购买质量可靠，品质上乘的纸尿裤，并学会正确使用，婴儿使用纸尿裤是很安全的。父母也会省去洗尿布的麻烦。

纸尿裤并非是导致尿布疹的直接原因

婴儿是否发生尿布疹，同样取决于纸尿裤的质量。不少纸尿裤并非完全是纸质的，长期使用会对婴儿的肌肤造成伤害。不透气或透气性能不好的纸尿裤也同样存在这个问题。婴儿排出的尿液长时间存放在纸尿裤中，如果透气性不好，局部温度过高，尿液蒸发，可滋生细菌，大便中的细菌又可使尿液产生氨，刺激婴儿稚嫩的皮肤，使婴儿发生尿布疹。可见，纸尿裤与尿布疹并没有直接的因果关系。只要注意质量和使用方法，可完全避免尿布疹的发生。

纸尿裤与罗圈腿有关系吗?

这也是父母关心的问题。纸尿裤比较厚，尤其是存了几泡尿后的纸尿裤更厚。婴儿正处骨骼发育成型阶段，大腿根部长期被纸尿裤挤开，不能并拢。有些父母开始担心，长此以往，孩子会不会变成罗圈腿? 这种担心是不必要的。发达国家使用纸尿裤时间较长，有医学机构通过大规模人群追踪调查，完全排除了纸尿裤和罗圈腿的关联。其实，胎儿在母体子宫内是呈螃蟹形的。出生后，双腿也是分开的，膝盖部弯曲，这是小婴儿自然姿势。长期以来，父母习惯把婴儿的腰部和腿部都用布固定，把腿伸直。这样不但不能使孩子腿变笔直，反而会使腿部肌肉紧张，股骨头可能会由此滑脱，影响髋关节臼盖的发育，甚至发生髋关节脱位。使用纸尿裤可以让婴儿自由地活动，采取自然姿势，不但不会造成罗圈腿，还可防止髋关节脱位。

使用纸尿裤的深层利弊

利: 舒适的干爽网面，使得婴儿不再被尿湿的尿布浸着。宝宝不必为尿布湿了而大声哭闹，也减少了尿布疹的发生。

弊: 减少了婴儿"说话"的机会。哭是婴儿一种语言，婴儿通过这种特殊的语言和父母交流。哭也是婴儿一种运动方式，适当的哭对婴儿是有好处的。

利: 使用传统的尿布，每天要更换十几次，甚至二十几次。还要每天清洗尿布，给父母带来很多麻烦。

弊: 减少了和宝宝接触的机会。

给宝宝换尿布就像做游戏一样。正在哭闹的小婴儿，妈妈一旦打开尿布，摸摸宝宝的小屁股，宝宝立刻停止哭闹，并手舞足蹈，表现出异常兴奋的样子。宝宝希望父母的爱抚，这非常有利于宝宝智能的发育。纸尿裤的出现使得母子间感情沟通无意间减少了。

任何一件新生事物，任何一个新产品，都不可能全是优点，总会或多或少带有些不足，甚至缺憾，应该辨证地看待它们。纸尿裤本身并没有什么问题，只要父母学会去弊就利，就能充分享受现代科技产品带给我们的好处。

正确选择纸尿裤7点提示

·吸收尿液力强、速度快

纸尿裤含有高分子吸收剂，吸收率可达自身的100~1000倍，而且不会再被挤出来。最早的纸尿裤主要是绒毛浆，所以很厚。加入了高分子吸收剂后，纸尿裤越变越薄，更加舒适。所以看吸收力并不取决于厚薄，甚至恰恰相反。高吸水性的可减少更换次数，不会打扰睡眠中的宝宝; 还可减少尿液与皮肤接触时间，减少尿布疹的发生几率。

·透气性能好、不闷热

宝宝使用的纸尿裤如果透气性不好，很容易导致婴儿患尿布疹。透气性不好的纸尿裤会使阴囊局部环境温度增高，可能会影响婴儿的睾丸发育，尤其是1岁以后的婴儿更应注意。

透气性好的纸尿裤首先是内层材质天然透气，更薄; 最关键的是外层使用透气膜，即薄塑料膜上有肉眼看不见的微孔，透气但不透水。妈妈不要只看宣传，要通过实际使用来鉴别。

· 表层干爽，尿液不回渗、不外漏

倘若宝宝的小屁股总是与潮湿的表层保持接触，很容易患尿布疹。新生宝宝长时间躺着，臀部和腰部压着尿裤，腿部及腰部要设有防漏立体护边，但不能因防漏而太紧。尿裤表层的材质也要挑选干爽而不回渗的。另外最好选择四层结构的纸尿裤，即多加了一层吸水纤维纸，更少渗漏。

· 触感舒服，品质好

触觉是人类发展最早的感觉器官，胎儿早在3个月时就已经存在，和视觉、听觉一样影响着宝宝的潜能发展。良好的触觉感受，可使宝宝有安全感。婴儿安全感的建立，对日后的行为发展有着直接的影响，婴儿抚触即源于此。婴儿肌肤的触觉非常敏锐，对不良刺激更加敏感，只要有一点点的不适，婴儿就会感到非常不舒服。纸尿裤与婴儿皮肤接触的面积是很大的，且几乎24小时不离。所以要选择内衣般超薄、合体、柔软，材质触感好的纸尿裤，给宝宝提供舒适的触觉经验。

· 护肤保护层

尿布疹的成因，主要是尿便中的刺激性物质直接接触皮肤。目前市面上已有纸尿裤添加了护肤成份，可以直接借着体温在小屁屁上形成保护层，隔绝刺激，并减少皮肤摩擦，让宝宝拥有更舒服的肤触。

· 价格适中

目前，市场上出售的纸尿裤品牌多，价格高低不等。经济条件好的可选择比较高级的进口纸尿裤。国内生产的纸尿裤质量比较可靠，因为生产商投资较大，主要原材料依赖进口，价格仍然不低。购买基本功能好的，批量购买，购买本地产品，混合使用，这些都是降低费用的好办法，但品质越有保证的产品总是越贵，不主张妈妈一味追求低价位。

· 适合宝宝的尺码

不同尺寸的纸尿裤已相当完备。可参考包装上的标示购买。腰围要紧贴宝宝腰部，胶贴贴于腰贴的数字指示1至3之间比较合适。如胶贴贴于3号指示上，说明纸尿裤的尺寸小了，下次购买时选大一码的纸尿裤。检查腿部橡皮筋松紧程度，若太紧，表示尺码过小。若未贴在腿部，表示尺码过大。

<u>正确使用纸尿裤4点提示</u>

· 不要长时间使用

不要24小时不停地使用纸尿裤。要定时让宝宝的小屁股在空气中晾一晾，晒晒太阳。如果父母有时间，可在白天使用几次传统尿布，纸尿裤和尿布交替使用。夜间或携婴儿外出时，宜使用纸尿裤。其他时候则可使用棉尿布，这样交替使用，既增加宝宝臀部接触空气的时间，又符合大众实际消费能力。

· 接头要粘牢

当为孩子更换纸尿裤时，要把接头粘牢。不要让油、粉或沐浴露等婴儿护理品弄到接头上，以免附着力降低。

· 适时更换

由于每个宝宝的月龄、排尿次数、数量不尽相同，难以统一规定多长时间更换一次尿布。建议在每次喂奶前、或大便后、或睡觉前、或醒来时，判断是否需要更换纸尿裤。

· 夏季减少用量

夏季高温炎热，本来就易发生尿布疹。最高温时，多给宝宝洗澡、翻身，多裸露身体。把宝宝放在不回渗的纺织品（市场有售）或者柔软的竹麻草编制品上，让宝宝随意小便，随时更换底层吸收布或随时擦洗，也是不错的选择。在夏季，尤其是白天，应该尽量减少纸尿裤使用量。

<u>怎样更换纸尿裤</u>

· 准备好温水、洁净的干毛巾、消毒卫生纸及干净的纸尿裤等。

· 解开旧的纸尿裤，用拇指和中指握住婴儿的两只足踝，食指放在足踝中间，将腿和臀部轻轻抬起，撤出旧的纸尿裤。

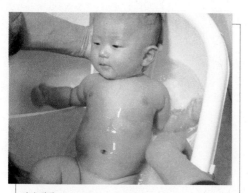

宝宝/陶陶

在正常情况下，宝宝都是裸体放在浴盆中洗全身。只有在室内温度比较低的一些特殊情况下，比如说到乡下探亲旅游，还有遇到停水停电停气的特殊情况，可以分步洗。顺序是：脸、颈、腋下、胸背、肢体、臀部、头。无论是分步洗还是全身洗，都应该最后洗头部，这是因为头部占体表面积很大，湿漉漉的头部在水分蒸发过程中会丢失很多热量，导致宝宝着凉。一人抱着宝宝，另一人给宝宝洗头，这样很安全。

· 把旧纸尿裤覆盖折叠放到污物桶中。其间一定不能离开孩子，要把污物桶预先放在旁边。

· 用洁净的温开水冲洗婴儿臀部，一个人无法冲洗时，可把水放到盆中，用手撩水洗。也可用现成的消毒湿纸巾轻轻擦洗。要注意清洁皮肤褶皱处。最后用干毛巾沾干皮肤。

· 打开新的纸尿裤，放在婴儿的臀下。揭开两边腰贴，在适当松紧位置贴牢。即保持更佳的防漏效果，又不能勒得太紧。

尿布疹的皮损表现

尿布疹是婴儿常见皮肤病。但纸尿裤与尿布疹并无直接的因果关系。无论是市场出售的纸尿裤、一次性尿布及布尿布，还是家庭使用的传统尿布，只要使用不当，或产品质量不合格，或护理不当，都有发生尿布疹的可能。

尿布疹常见于肛门周围、臀部、大腿内侧及外生殖器。甚至可蔓延到会阴及大腿外侧。初期发红，继而出现红点，直至鲜红色红斑，会阴部红肿，以后融合成片。严重的会出现丘疹、水疱、糜烂。若合并细菌感染则产生脓疱。

预防尿布疹11条建议

· 要及时更换被大小便浸湿的尿布，以免尿液长时间地刺激皮肤。

· 使用传统的尿布时，一定要漂洗干净，尤其是使用洗衣粉洗涤尿布时更应多漂洗。洗涤时应用弱碱性肥皂，然后用热水清洗干净，暴晒，以免残留物刺激皮肤。

· 不能加用橡胶布、油布或塑料布，以免婴儿臀部处于湿热状态。

· 不要使用质地粗糙、深色的尿布。尿布质地要柔软，选用纯白无色或浅色纯棉针织料为好。

· 女婴屁股底下的尿布要垫厚些，男婴生殖器上要垫厚些。

· 腹泻时大便次数比较多，除及早治疗腹泻外，还要每天在臀部涂上防止尿布疹的药膏。

· 每天大便后都要用清水冲洗臀部。

· 使用纸尿裤的方法要正确。

· 发现宝宝有轻微臀部发红时，及时使用护臀膏。每次清洗后用干爽的洁净毛巾沾干水分，再让宝宝的臀部在空气或阳光下晾一下，使皮肤干燥。

· 保持尿布垫的干燥，尿布和尿布垫经常进行消毒以及经常拿到日光下翻晒。

· 选择品质好，质量合格的纸尿裤、一次性尿布纸、活动尿布裤和市售尿布可有效预防尿布疹。

尿布疹治疗建议

对于轻微的尿布疹，每次清洗后让皮肤干爽，涂上祛湿油、鞣酸软膏或含抗生素的软膏。较重的或时间较长的尿布疹，应及时到医院皮肤科诊治。已发生溃烂、渗出者可涂雷锌软膏、氧化锌油。保持臀部的清洁干爽是治疗尿布疹的关键。

81. 洗涤剂

不提倡给新生儿使用任何洗涤剂，包括标有"新生儿专用"的洗涤剂。新生儿头部结奶痂，每周可用婴儿皂洗头一次，但这也不是必须的。如果新生儿没有结奶痂，则一定不要使用。

82. 护肤品

没有医生的建议，不可使用任何护肤品，包括标明"新生儿专用"的护肤品。

83. 中性温度

概念： 机体耗能、代谢率处于最低状态，并能维持正常体温的温度，就是中性温度。

条件： 测算新生儿中性温度，要求新生儿裸体，环境无风，相对湿度50%。

公式：

① 新生儿出生一周内的中性温度=36.6－0.34×出生时的胎龄（胎龄按周计算，30周为零，多于30为正数，如36周，就按6；少于30为负数，如27周，就按－3算）－0.28×出生日龄。

举例： 新生儿胎龄35周，出生第3天，他的中性体温=36.6－0.34×5－0.28×3=34.06

② 新生儿出生一周以上的中性温度=36－1.4×体重（公斤）－0.03×日龄。

举例： 新生儿出生20天，体重5公斤，他的中性温度=36－1.4×5－0.03×20=28.4

中性温度不是室温，而是新生儿调整环境温度的自身起点。如果环境温度的变化，超过了新生儿自身调节的能力，或会造成寒冷损伤，或会造成发热。适宜相对恒定的室温，对新生儿来说非常重要。适宜的环境温度是24-26℃，一般保持在25℃。

84. 相对湿度

喂养新生儿宝宝的房间，室内相对湿度适宜在50%左右，一般维持在45%就很好了。

湿度过小，会加快新生儿水分蒸发，导致新生儿脱水，呼吸道黏膜干燥，降低了呼吸道抵御病原菌的能力；如果室内温度高，

湿度小，会发生新生儿脱水热。

湿度过大，利于一些病原菌的繁殖，尤其是霉菌，增加了新生儿被感染的危险。

85. 做月子的房间成了闷罐：局部与整体

我在临床实践中，深切体会到，绝大多数家庭，把新生儿和新妈妈困在月子房中，对母子健康造成了很大的危害，易引发产后抑郁症和各种新生儿疾病。

典型病例

我到一产妇家出诊。进门见前厅宽敞，温度适宜，呼吸畅通。

月子房门紧闭，推门进去，扑面而来一股气味难闻的热浪。

新妈妈线衣线裤（这是夏季！），头发凌乱，汗流浃背；新生儿小脸通红，皱着眉头。室内拉着深色花窗帘，光线暗，气压低，婴儿用品、产妇用品堆得到处都是。迅速检查新生儿，前后不到5分钟，我已是大汗淋漓。孩子没有病，整天哭闹，就是因为环境太差了！想想看，其他人都可以出来换换环境，只有母子俩享受"特殊待遇"，一个月都要关在那里，新妈妈和孩子怎么能感到舒服呢？

我讲明原委，请家人逐渐减小环境差异。3天后，奶奶打电话说，大人孩子都好了。月子房需要清新的空气、适宜的温度、适中的湿度、温柔的光线，不要捂月子，要享受月子。

·炎热夏季，月子房能使用空调、电风扇吗？

在炎热夏季，空调和电风扇是可以使用的，但是要注意几点：1) 室内外温差要小于7℃；2) 空调冷风口不能直对着产妇和新生儿；3) 电扇不能直接对着母子吹；4) 室内温度最好不要低于28℃。

·干燥季节，月子房能使用加湿器吗？

有的父母担心加湿器会对新生儿造成辐射，这是没必要的，加湿器没有辐射作用。对新生儿没有危害。如果室内湿度过低，可以

使用加湿器。

·月子房白天也要挂窗帘吗?

白天不要给月子房挂窗帘。尤其是比较厚、颜色比较深、花色比较暗的窗帘，更不能没黑没白地挂着，不好之处表现在：1）影响产妇心情；2）不利于新生儿视觉发育；3）不能及时发现新生儿皮肤黄疸；4）不能及时观察宝宝其他情况。

·月子房不能正常开照明灯吗?

这是偏见之识。新生儿不能遭受强光的刺激，但正常普通照明灯对新生儿是没有伤害的，只给孩子开一盏小瓦数的台灯，或地灯，室内光线昏暗，反而对新生儿视觉发育不利，产妇在这样的光线下，也会感到视觉疲劳。晚上完全可以使用正常的照明灯。

86. 眼部护理

如何给新生儿滴眼药水?

消毒棉棒与眼平行，轻轻横放在上眼睑接近眼睫毛处，平行上推眼皮，新生儿眼睑就可顺利扒开，向眼内滴一滴眼药水。

即使分娩过程未受感染，出生后，新生儿也可罹患结膜炎、泪囊炎。因此常规为新生儿滴上几天眼药水是必要的。医院一般会在出生宝宝袋中放入眼药水，妈妈可按说明，给宝宝滴眼药水。

87. 口腔护理

新生儿易患鹅口疮。喝完奶后，最好让新生儿喝口水，以冲净口中残留奶液。如新生儿吃奶后入睡，难以喂水，每天早晚可用消毒棉棒沾水，轻轻在新生儿口腔中清理一下，也是可以的。

新生儿口腔黏膜细嫩，血管丰富，唾液腺发育不足，唾液分泌少，黏膜较干燥，易受损伤，护理时动作一定要轻柔。

88. 鼻腔护理

新生儿鼻内分泌物要及时清理，以免结痂。简便有效的方法是：把消毒纱布一角，按顺时针方向捻成布捻，轻轻放入新生儿鼻腔内，再逆时针方向边捻动边向外拉，就可把鼻内分泌物带出，重复几次，不会损伤鼻黏膜。

吸鼻器固然可以清理鼻内分泌物，但分泌物较少时，没有必要使用吸鼻器。

89. 脐带护理

脐带是细菌入侵的门户，如不精心护理，可能导致新生儿脐炎，严重者罹患败血症。新手爸爸妈妈要高度重视。

脐带未脱落前，每天洗澡后，都要用碘酒、酒精消毒一次，不要涂抹龙胆紫。龙胆紫是把干的，脐带上涂龙胆紫，表面是干燥的，可脐带里面却是湿润的，很容易导致化脓性脐炎而一时不易发现，贻误治疗。这是爸爸妈妈们要特别注意的。

洗澡时要保护好脐带，放置尿布时也要保护好脐带。

90. 皮肤护理

新生儿皮肤稚嫩，角质层薄，皮下毛细血管丰富，局部防御机能差，任何轻微擦伤，都可造成细菌侵入。新生儿接触新环境，容易患感染性皮肤疾病，严重者感染可扩散到全身，引起败血症。

新生儿皮肤皱褶比较多，皮肤间相互摩擦，积汗潮湿，分泌物积聚，容易发生糜烂，在夏季或肥胖儿中更易发生皮肤糜烂。给新生儿洗澡，要注意皱褶处分泌物的清洗，清洗动作要轻柔，不要用毛巾擦洗。新生儿衣物，平整摆放，避免局部折痕造成新生儿血流不畅，皮肤坏死。

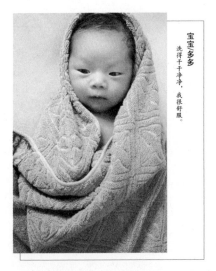

宝宝多多

洗得干干净净，我很舒服。

91. 臀部护理

（见121条"新生儿臀红"。）

92. 女婴特殊护理

女婴阴道出血

女婴出生一周左右，阴道可能流出少量血样黏液，可持续两周。这就是新生儿假月经，正常生理现象，不需做任何处理。

假月经的成因。胎儿在母体内受大量雌激素的刺激，女胎儿生殖道细胞增生、充血。出生后，新生儿体内雌激素水平急骤下降，雌激素刺激中断，原来增殖、充血的细胞大量脱落，造成女婴有类似月经的血性分泌物排出。

给假月经女婴洗澡，不要用盆浴，要淋浴或用流动水清洗外阴。血性分泌物较多时，要及时看医生，排除凝血功能障碍或出血性疾病的可能性。

女婴白带

新生儿女婴阴道口内有乳白色分泌物渗出，如同成年女性的白带。

母体雌激素、黄体酮通过胎盘，进入胎儿体内，使胎儿子宫腺体分泌物增加，出生后新生儿阴道黏液及角化上皮脱落，成为"白带"。

新生儿女婴白带一般不需要处理，只要揩去分泌物就可以了。这种白带持续几天后，会自行消失。如果长时间不消失，或白带性质有改变，应及时看医生，排除阴道炎的可能。

阴唇粘连

女婴小阴唇之间、大阴唇之间、大阴唇与小阴唇之间，发生粘连。小阴唇粘连则形成假性阴道闭锁。

造成阴唇粘连的原因是，女婴外阴和阴道上皮薄，阴道的酸碱度较低，抗感染能力差，如果不注意局部卫生，会发生外阴炎。如果外阴炎并发溃疡，小阴唇表皮脱落，加上女婴外阴皮下脂肪丰富，使阴唇处于闭合状态，形成假性阴道闭锁。

预防阴唇粘连的注意事项有6个：

· 保持外阴清洁；

· 睡前清洗外阴；

· 尿布要透气好；

· 不要捆婴儿，尤其是夏季；

· 患外阴炎要及时治疗；

· 发现阴唇粘连，要及时处理，轻轻用手分开，然后涂上抗菌素软膏；如果不能分开，就不要强行分开，及时看医生，必要时需手术剥离。

女婴乳头凹陷

女婴乳头凹陷是常见现象。据调查，现在新生女婴中，有45%乳头凹陷。但到成人女性，乳头凹陷的只有7%，而且大部分还可经过吸吮和牵拉改变凹陷。

民间习惯上给刚出生的女婴挤乳头，以防乳头凹陷，这是没有科学道理的。挤压新生儿乳房，不但不会改变乳头凹陷，还会损伤乳腺管，引起乳腺炎，严重者引发败血症，危及婴儿生命。

93. 新生儿季节护理要点·春季

春季气温不稳定，要随时调整室内温

度，尽量保持室温恒定。春季北方风沙大，扬尘天气不要开窗，以免沙土进入室内，刺激新生儿呼吸道，引起过敏、气管痉挛等。春季天气湿度小，室内要24小时开加湿器，保持适宜湿度。这时，母乳喂养的新生儿也要适当喂水。

94. 新生儿季节护理要点·夏季

①母乳是新生儿安度夏季的最好食品。如果必须人工喂养，一定要注意卫生、消毒、不要吃剩奶，现吃现配。

②保证充足的水分供应。妈妈要多饮水，乳儿也要适当饮水。人工喂养的新生儿，更应注意补充水分。

③注意皮肤护理，最好不再用尿布兜臀部，而是在臀部下面垫尿布。凉席上面铺一层夹被，不要使用塑料布。

④脱水热是夏季新生儿易患的疾病，一定把室内温度保持在28℃左右，并给新生儿补充足够的水分。脱水热易引起新生儿惊厥。

⑤眼炎、汗疱疹、痱子、皮肤皱折处糜烂、臀红、肛周脓肿、腹泻等，都是新生儿夏季易患疾病。眼屎多，应滴眼药水；出汗后要用温水洗澡；皮肤皱折处可用鞣酸软膏涂抹；发现臀红，及时涂鞣酸软膏或红霉素软膏；发现肛周感染，更要注意喂养卫生，腹部不要受凉，防止腹泻。

几项特别提醒

夏季养育新生儿，有些做法或想法很常见，但不一定正确。

·不敢开窗户。夏季室外温度比室内温度还高，开窗不会使婴儿受凉，相反能保持室内空气新鲜。

·不敢睡凉席。小婴儿完全可以睡凉席，在凉席上面铺一层棉布、薄被、毛巾被都可以，别扎着孩子就行。

·不敢开空调或电风扇。如果太热了，就要用空调或电风扇为孩子降温。

·不敢让小婴儿光屁股。小婴儿除了护好腹部外，其他部位都可以裸露。

·不敢补水。夏季给新生儿补充足够的水，是健康的重要选择。

95. 新生儿季节护理要点·秋季

秋季是小儿最不易患病的季节，唯一易患的疾病是腹泻，要注意预防。秋季出生的新生儿，很快进入冬季，在北方，冬季寒冷，不宜把孩子抱出室外接受阳光哺育，因此秋季就要及时补充维生素D，出生后半个月即开始补充。

96. 新生儿季节护理要点·冬季

北方冬季气温寒冷，但室内有很好的取暖设备，反而不易造成新生儿寒冷损伤。主要问题是室内空气质量差，湿度小，室温过热，造成新生儿喂养局部环境不良。

南方冬季气温温和，但阳光少，室内缺乏阳光照射，有阴冷的感觉。南方建筑多不安装取暖设备，大多数家庭使用空调取暖。空调取暖造成局部环境空气干燥，空气不流通，质量差。争取每当太阳出来，就抱孩子晒晒太阳。

另外应备一台电暖器，如果空调故障，可及时替代；还应备一只暖水袋，如果停电，以备急需。使用时，避免烫伤宝宝。

第12节 春节里的新生儿

97. 新生儿喜欢没有爆竹的除夕夜

①新生儿对外界刺激表现为"泛化"反应。（见38条"抖动"。）爆竹声声除旧岁，迎来的新生儿，一个个"惊厥"、"惊吓"得不成样子。许多城市又恢复燃放烟花爆竹了，除夕夜，妈妈关紧门窗，把宝宝尽量裹紧些，增

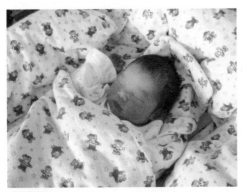

宝宝/王震坤

出生第2天，刚洗完澡，安静地睡着了。

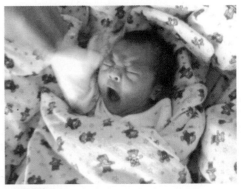

宝宝/王震坤

宝宝突然大哭起来。妈妈不知道宝宝为什么哭，是不是尿了？

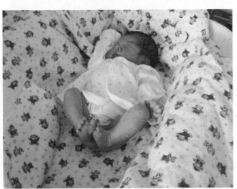

宝宝/王震坤

纸尿裤沉甸甸、热乎乎的，妈妈把纸尿裤脱掉，宝宝果然不哭了，但还是皱着眉头，有些不满意。

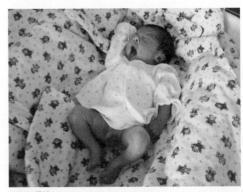

宝宝/王震坤

妈妈用湿纸巾给宝宝擦小屁股，宝宝皱着的眉头舒展了，打了个哈欠。

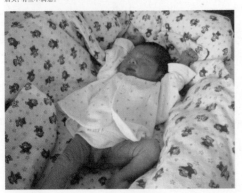

宝宝/王震坤

脱掉纸尿裤的感觉真爽！宝宝舒服地伸了一个懒腰。

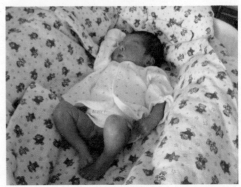

宝宝/王震坤

妈妈准备给宝宝换一个干净的纸尿裤，正在准备中，宝宝已经睡着了。宝宝原来是被尿憋醒啦！

加安全感。放爆竹的人哪里会想到，新生儿真的可能会被震聋。

②适量声响，会刺激新生儿提高视觉、听觉、触觉的灵敏度，使新生儿动作更趋高级化，有利大脑发育和智力开发。新生儿喜欢听有节奏的优美旋律和歌声，也喜欢听人说话的声音，尤其是妈妈的声音。春节期间，妈妈有心情多和宝宝"聊天"，是不错的节日安排。

③告诉小区邻居们，一个新生儿宝宝不喜欢用爆竹庆贺春节，相信人们是会理解并给予照顾的。但也不要过于害怕鞭炮的爆炸声，注意必要的隔音，就可以了。

98. 妈妈乱吃，宝宝吃乱

母乳喂养的新手妈妈，春节里对美酒佳肴要克制，冷饮不要喝，过于油腻的不要吃，不易消化的煎炸食品少吃，凉拌拼盘不多吃……妈妈胃口出了毛病，宝宝可就苦啦，奶水不够吃，还要拉稀、呕吐。

99. 走亲访友、迎来送往，
少些再少些

春节期间亲戚朋友都想看一看可爱的宝宝，新手爸爸妈妈要学会礼貌地回绝（见第74条）。当然，适当与爸爸妈妈以外的其他人见面，对宝宝大脑正常发育是有好处的。要注意把握程度，尽量避免宝宝节日病。

100. 不要打乱生活规律

春节期间许多人生活规律大乱，也影响到新生儿和新妈妈，进餐、睡眠规律被搅乱了，这对母子健康非常不利。

新妈妈分娩后，全身器官（乳房除外）要恢复到妊娠前的状态，需要6-8周的时间，这就叫产褥期。产褥期保健，关系到新妈妈产后恢复，和新生儿的健康成长。

产后子宫韧带松弛，极易移位，休息很重要。产后阴道分泌物中有血液、坏死的蜕膜组织及黏液，局部抵抗力比较低，如不注意清洁、休息，会导致感染。产褥期新妈妈还有许多生理变化，要好好休息。

节日期间，室内环境不够安宁、整洁，到处杂乱无章，空气污浊，喧闹不止……妈妈宝宝可不要被节日搅乱了，安安静静过自己的春节吧。

第13节 新生儿能力

人刚一生下来，就具备73种潜能。比如，出生8小时的婴儿，就会模仿成人吐舌头；3个月的婴儿，存在爬行反射、行走反射、游泳反射等7种无条件反射；4个月的婴儿，颜色视觉接近成人水平；24个月的幼儿，能正确认识和说出15种颜色……

这些都是人与生俱来的本能，只是因为没有得到适当开发，而在出生3、4个月后消失。几乎每一个新生儿都是天才，专家认为，教育从3岁开始，已经太晚了。

101. 看的能力

①新生儿具有看的能力，最早证明这一点的，是美国生理学家范茨。随后，世界各国医学科学家，包括我国的科学家，也纷纷证明，新生儿刚出生就具有看的能力，并能记住所看到的东西。

典型经历

记得我生下女儿后连续4天，都穿一件枣红色的毛衣护她。孩子姨妈有一件同样的毛衣，我们的头型和长相也比较相似，当姨妈穿那件枣红色毛衣抱孩子时，女儿就很安静，眼中显出兴奋的光芒——她把姨妈认成了妈妈，小家伙记住了妈妈的样子和穿戴。

妈妈由于感冒戴上了口罩，新生儿会显

出迷惑不解的样子，吃奶减少；妈妈突然戴上眼镜，新生儿也表现出不解的样子。如果在新生儿眼前放一个布娃娃，开始时对布娃娃很有兴趣，但时间长了，就不再看了；当再换一个新的娃娃时，新生儿还会再来兴趣。

②新生儿最喜欢看妈妈的脸。当妈妈注视孩子时，孩子会专注地看着妈妈的脸，眼睛变得明亮，显得异常兴奋，有时甚至会手舞足蹈。个别宝宝和妈妈眼神对视时，甚至会暂停吸吮，全神贯注凝视妈妈，这是人类最完美的情感交流。

新生儿有活跃的视觉能力，他们能够看到周围的东西，甚至能够记住复杂的图形，分辨不同人的脸型，喜欢看鲜艳、动感的东西。

亲子视觉游戏

当新生儿处于安静觉醒状态时，把一个红球放在距离眼睛20厘米左右的正前方，吸引孩子的注意。当孩子盯住红球时，向不同方向慢慢移动红球，孩子会追随你手中的红球。这就说明新生儿不但能够看到红球，眼睛还能随着红球移动视线。

102. 说的能力

新生儿"说的能力"就是哭的能力。整个新生儿期，宝宝都在哭，新手妈妈要学会听懂这种特殊的语言。

概括起来，新生儿的哭声传达15种信息：

健康性啼哭

"妈妈，看我多健康！"婴儿正常的啼哭声抑扬顿挫，不刺耳，声音响亮，节奏感强，无泪液流出。每日累计啼哭时间可达2小时，这是运动的一种方式。婴儿正常的啼哭一般每日4~5次，均无伴随症状，不影响饮食、睡眠及玩耍，每次哭时较短。如果你轻轻

触摸他或朝他笑笑，或把他的两只小手放在腹部轻轻摇两下就会停止啼哭。

饥饿性啼哭

"妈妈，我饿了，快给我奶吃吧。"这种哭声带有乞求，由小变大，很有节奏，不急不缓，当妈妈用手指触碰宝宝面颊时，宝宝会立即转过头来，并有吸吮动作；若把手拿开，不给喂哺，宝宝哭得更厉害。一旦喂奶，哭声戛然而止。吃饱后绝不再哭，还会露出笑容。

过饱性啼哭

"哎呀，妈妈把我撑着啦！"多发生在喂哺后，哭声尖锐，两腿屈曲乱蹬，向外溢奶或吐奶。若把宝宝腹部贴着妈妈胸部抱起来，哭声会加剧，甚至呕吐。过饱性啼哭不必哄，哭可加快消化，但要注意溢奶。

口渴性哭闹

"妈妈，我口渴，喂我点水喝吧！"表情不耐烦，嘴唇干燥，时常伸出舌头，舔嘴唇；当给宝宝喂水时，啼哭立即停止。

意向性啼哭

"妈妈，我待腻烦了，抱抱我吧！"啼哭时，宝宝头部左右不停扭动，左顾右盼，哭声平和，带有颤音；妈妈来到宝宝跟前，啼哭就

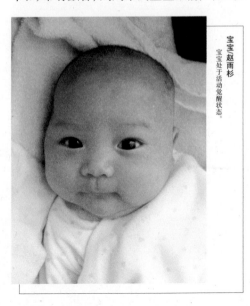

宝宝\赵雨杉
宝宝处于活动觉醒状态。

宝宝/解汀阳

　　我虽然还没出满月，可是我非常喜欢竖立着抱，这样，我感觉呼吸通畅，视野广阔。我还不能竖立起我的脑袋，需要好好保护我的颈部，不要让我的脊椎受伤。

会停止，宝宝双眼盯着妈妈，很着急的样子，有哼哼的声音，小嘴唇翘起，这就是要你抱抱他。

尿湿性啼哭

　　"我尿裤子了，给我换换吧！"啼哭强度较轻，无泪，大多在睡醒时或吃奶后啼哭；哭的同时，两腿蹬被。当妈妈为他换上一块干净的尿布时，宝宝就不哭了。

亮光性啼哭

　　"我已经睡醒了，怎么天还没亮呢？"宝宝白天睡得很好，一到晚上就哭闹不止。当打开灯光时，哭声就停止了，两眼睁得很大，眼神灵活。这多是白天睡得过多所致，应逐渐改变过来。

寒冷性啼哭

　　"妈妈给我盖得太少了，我冷啊！"哭声低沉，有节奏，哭时肢体少动，小手发凉，嘴唇发紫；当为宝宝加衣被，或把宝宝放到暖和地方时，他就安静了。

燥热性啼哭

　　"妈妈给我盖得太多了，不要这么恬记

我。"宝宝多大声啼哭，不安，四肢舞动，颈部多汗；当妈妈为宝宝减少衣被，或把宝宝移至凉爽地方时，宝宝就会停止啼哭。

困倦性啼哭

　　"我困了，可我还不舍得睡觉，不要强逼我！"啼哭呈阵发性，一声声不耐烦地号叫，这就是习惯上称的"闹觉"。宝宝闹觉，常因室内人太多，声音嘈杂，空气污浊、过热。让宝宝在安静的房间躺下来，他很快就会停止啼哭，安然入睡。

疼痛性啼哭

　　"什么东西扎着我了！"异物刺痛，虫咬，硬物压在身下等，都造成疼痛性啼哭。哭声比较尖利，妈妈要及时检查宝宝被褥、衣服中有无异物，皮肤有无蚊虫咬伤。

害怕性啼哭

　　"我好孤独啊，我有点害怕了！"哭声突然发作，刺耳，伴有间断性号叫。害怕性啼哭多出于恐惧黑暗、独处、小动物、打针吃药、或突如其来的声音等。要细心体贴照看宝宝，消除宝宝恐惧心理。

便前啼哭

　　"我要拉屎了！"便前肠蠕动加快，宝宝感觉腹部不适，哭声低，两腿乱瞪。

伤感性啼哭

　　"我感到哪里不舒服！"哭声持续不断，有眼泪。比如宝宝养成了洗澡、换衣服的习惯，当不洗澡、不换衣服、被褥不平整、尿布不柔软时，宝宝就会伤感地啼哭。

吸吮性啼哭

　　"这奶头今天怎么回事！"这种啼哭，多发生在喂水或喂奶3~5分钟后，哭声突然，阵发。原因往往是因为水、奶过凉、过热；奶头孔太小，吸不出来奶水；奶头孔太大，奶水太冲，呛奶。

　　以上啼哭请与疾病性啼哭相区别。

103. 听的能力

医学科学已经证明，胎儿在母体内就具有听的能力，能感受声音的强弱，音调的高低，能分辨出声音的类型。这正是胎教的基础。

新生儿不仅具有听力，还有声音的定向能力。

亲子听力实验

妈妈拿一个小方盒，里面放上黄豆，当宝宝安静觉醒时，在距离宝宝右耳朵20厘米处轻轻摇动小盒，这时宝宝会警觉起来，向声音发出的方向，先转动眼，接着转动头。

在宝宝左耳重复同样的动作时，宝宝会把头转向左侧。不仅如此，宝宝还会用眼睛寻找发出声音的东西，这说明新生儿已经能把眼和耳的内部神经系统，联系起来了。

新生儿最喜欢听什么声音呢? 最喜欢听妈妈的声音，其次是爸爸的声音，再次是高亢悦耳的声音。新生儿能把听到的和看到的联系起来。

亲子视听游戏

让宝宝只看着妈妈的脸，但让宝宝听到别人说话的声音;再反过来，让宝宝看着别人的脸，但听到妈妈说话的声音。在这两种情况下，宝宝都会出现慌乱、苦恼的样子。

最后，让宝宝看着妈妈的脸，并听到妈妈说话的声音，宝宝就会眼睛发亮，神情兴奋，面露安然、舒畅的样子。

104. 嗅的能力

经验观察和医学研究证明，正常情况下，新生儿出生后第6天，就能通过嗅觉，准确辨别妈妈的气味了。

亲子嗅觉小实验

把妈妈的奶垫和其他妈妈的奶垫 (或者牛乳奶垫) 分别放在宝宝头部两侧。宝宝总是会把头转向妈妈奶垫一边。现在更换两种奶垫的位置，宝宝仍然会追随妈妈的奶垫。这就说明，新生儿具有惊人的嗅觉和分辨力。

新生儿还有敏锐的味觉。新生儿喜欢甜的食品，当给糖水时，吸吮力增强;当给苦水、咸水、淡水时，吸吮力减弱，甚至不吸。妈妈可要记住，你要是不想养成孩子喝糖水的习惯，就不要给他糖水喝，给了糖水再给淡水就不喝了。混合喂养也有这方面的问题。

105. 新生儿运动能力

新生儿运动能力始于胎儿。胎儿的运动，向爸爸妈妈和医生传递着生命的信息，我们用计数胎动的方式，来分析胎儿在宫内的生存状态。

新生儿已经具有很复杂的运动能力，受自身体内生物钟支配。包在襁褓中的新生儿，会很安静，没有了肢体抖动和身体颤动，极大地限制了新生儿运动能力的正常发育。应该让新生儿有足够的活动空间，这样新生儿会很活跃，运动能力发展快，呼吸功能得到促进。

当妈妈和新生儿热情地说话时，新生儿会出现不同的面部表情和躯体动作，就像表演舞蹈一样，扬眉、伸脚、举臂，表情愉悦，动作优美、欢快;当妈妈停止说话时，新生儿会停止运动，两眼凝视着妈妈；当再次说话时，新生儿又变得活跃起来，动作随之增多。新生儿用躯体和爸爸妈妈说话，对大脑发育和心理发育有很大的帮助。

106. 新生儿与外界的交流

新生儿天生就具有与外界交流的能力。与妈妈对视，就是交流的开始。当妈妈说话时，正在吃奶的新生儿会暂时停止吸吮，或减慢吸吮速度，听妈妈说话，别人说话他就不理会了。

逗新生儿，他就会报以喜悦的表情，甚至微笑。新生儿对爸爸妈妈及周围亲人的抚摩、拥抱、亲吻，都有积极的反应。

当宝宝哭闹时，爸爸妈妈把他抱在怀里，用亲切的语言和他说话，用疼爱的眼神和他对视，宝宝会安静下来，还可能对爸爸妈妈报以微笑，让爸爸妈妈更加疼爱自己。

这种交流，对新生儿行为能力的健康发展，意义重大而深远。不要以为新生儿什么也不懂，就知道吃喝拉撒睡。这是很错误的认识。

107. 新生儿智能发育

脑科学的最新图景

美国科学家利用"正电子发射计算体层摄影"技术，对新生儿大脑发育进行扫描，发现新生儿出生后，由于视、听、触觉等信号的刺激，脑神经细胞间迅速建立起了广泛的联系。

过去几十年里，人们一直以为，人类大脑的结构是由遗传模式决定的。最新研究成果已经改变了这种认识，可以肯定地说，新生儿的喂养经历，很大程度上影响着其脑部神经网络结构的建立，或者说得再浅显一些，新生儿的生活环境，对其大脑结构的形成有很大影响。

视觉是大脑发育的起点。新生儿出生后几分钟内，妈妈目不转睛地注视新生儿，宝宝活跃的眼球会暂停转动，瞬间凝视妈妈的脸。这时，新生儿视网膜上的一个神经细胞，就与大脑皮层上的另一个神经细胞联系起来了，妈妈的面影像，就在宝宝大脑中留下了永久的记忆。

不同境遇，不同发育

有关专家发现，平素一些自然而又简单的动作，如搂抱、轻拍、对视、对话、微笑等，都会刺激婴儿大脑细胞的发育。

新生儿出生后就具备学习的能力，智力开发应该从新生儿开始。新生儿不会说话，但新生儿具备了与人交往的能力，看、听、说（哭）、闻、嗅、味、表情运动、躯体运动等，他通过这些方式，接受爸爸妈妈的智力开发，这是不能忽视的。

把新生儿当成懂事的孩子

如何开发新生儿的智力，许多新手爸爸妈妈不知从何下手。我的研究和临床心得是：把新生儿当成懂事的孩子。无论给宝宝做什么，都要和宝宝讲；不但讲实际操作，还要讲你的感受，心得。如对宝宝说：你是妈妈爸爸的好孩子，我们非常喜欢你。给孩子喂奶前，和宝宝说：妈妈要给宝宝吃奶了。当宝宝哭了，你可以把宝宝抱起来，问宝宝：是不是饿了尿了？是不是不舒服了？然后根据你的判断，解决问题。不断表现出对宝宝的喜爱。拥抱、亲吻、抚摩、对视、说话，这些都能够促进新生儿的智力发育。

108. 新生儿抚触

抚触作用

抚触也称为按摩，自从有了人类就有了按摩，在自然分娩的过程中，胎儿就接受了母亲产道收缩这种特殊的按摩。

1958年，*HARLOW*博士著名的实验震惊了心理学界，在实验中的小猕猴宁要可以抚摩的母猴的替身物品（一个架子上蒙上毛圈织物），而不要食物（裸露在钢丝架上的奶头和牛奶）。抚触的研究从此进入了崭新的一页。

长期以来，有关婴儿抚触的绝大部分研究都集中于早产儿。对早产儿施以抚触治疗，结果令人吃惊，如此简单的干预手段使赢弱的早产儿的体重、觉醒时间、运动能力明显增加，住院时间缩短，甚至在出院后的随访中，这些早产儿在体重、智力、行为评估分值仍大大高于未经抚触的早产儿。

医学专家大受鼓舞，进一步将抚触研究运用于疾病儿，同样产生了令人振奋的效果。

实验的结果表明，经抚触的健康新生儿奶量摄入高于对照组。抚触可以增加胰岛素、胃泌素的分泌，不仅如此，在健康足月儿中，抚触还有减轻疼痛的神奇作用。对于剖腹产的婴儿，抚触可以消除剖腹产后的隔阂，建立更加深刻的亲子关系。随着科研进展，抚触研究进入了脑科学及心理学的全新领域。

抚触使孩子感觉安全、自信，进而养成独立、不依赖的个性。抚触能增加机体免疫力，刺激消化功能，减少婴儿焦虑。

抚触方法

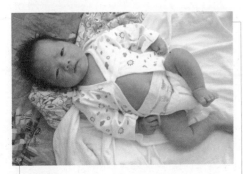

宝宝/多多

看起来我的眼神有些迷茫，其实，我并不迷茫，只是我刚刚睡醒，还没有完全醒过来。再有，我很小，视力还没有发育好，看得还不够远，不够广，所以，看起来我好像没有睡醒的样子。

▼头部抚触

1. 用两手拇指从前额中央向两侧滑动。

2. 用两手拇指从下颌中央向两侧滑动，让上下颌形成微笑状。

3. 两手从前额发际抚向脑后，最后两中指停在耳后，像梳头样动作。

▼胸部抚触

双手在胸部两侧从中线开始弧行抚触。

▼腹部抚触

两手依次从婴儿右下腹向上再向左到左下腹移动，呈顺时针方向划圆。

▼四肢抚触

两手抓住婴儿一个胳膊，交替从上臂至手腕，轻轻挤捏，像牧民挤牛奶一样，然后从上到下搓滚。对侧及双手做法相同。

▼手足抚触

用两拇指交替从婴儿掌心向手指方向推进，从脚跟向脚趾方向推进，并捏搓每个手指和足趾。

▼背部抚触

以脊椎为中线，双手与脊椎成直角，往相反方向移动双手，从背部上端开始移向臀部，再回到上端，用食指和中指从尾骨部位沿脊椎向上抚触到颈椎部位。

抚触注意事项

不必拘泥于某些刻板固定的形式，但是，基本的抚触程序是先从头部开始，接着是脸、手臂、胸部、腹部、腿、脚、背部。每个部位抚触2~3遍。开始要轻，以后适当增加压力。

·最好在两次喂奶之间进行抚触，洗澡后也可以，室温在22~26℃间。

·抚触前用热水洗手，可用润肤油倒在手心作为润滑剂。

·抚触时可播放优美的音乐，和婴儿轻轻地交谈。

·密切注意婴儿的反应，出现下列情况时应停止抚触：哭闹、肌张力增高、活动兴奋性增

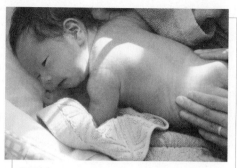

宝宝/多多
等我身体和头发干了，妈妈开始给我进行抚触。妈妈可要注意室内温度和时间哦。

加、肤色出现变化、呕吐。

·对早产儿的抚触应该在30℃环境温度下进行。

第14节 新生儿护理常见问题

109. 睡眠问题

如对新生儿护理不妥，毛病就很多，妈妈会很劳累，宝宝未来健康发展要付出更大的努力了。

抓住时机训练宝宝

新生儿出生头几天，除了吃奶，几乎就处在睡眠状态，不分白天和黑夜。随着日龄增加，宝宝睡眠时间缩短了，一般是在上午八九点种，沐浴后，喂完奶，有一段比较长的觉醒时间。

爸爸妈妈要抓住这个时机，给孩子做做体操，和宝宝说说话，要竖着把宝宝抱起来，让他看看周围的世界。

在训练宝宝的过程中，开发了宝宝各项能力，也延长了觉醒的时间，对孩子形成良好的睡眠习惯，有极大作用。

黑白颠倒的睡眠，必须再颠倒过来

宝宝白天睡得太足了，晚上没觉了，而爸爸妈妈劳累一天，实在没精力和宝宝交流了，

宝宝怎么办？哭啊！爸爸妈妈也没法睡，困得痛不欲生。

宝宝睡觉黑白颠倒，不是宝宝的错，而是爸爸妈妈养育方法不够正确，给惯出来的。现在，唯一明智的选择，就是把颠倒的时间再颠倒过来。当然不是硬拧，而是通过游戏，帮助宝宝逐步改正。

上午洗澡完毕，喂奶，如果宝宝吃着睡着了，就把宝宝唤醒，和宝宝说话，做游戏，比如妈妈竖着抱宝宝，爸爸用一块红布蒙在脸上，再快速拿下来，并对着宝宝笑，然后妈妈玩红布，爸爸抱宝宝。宝宝一定会笑起来，时间就这样过去了。

晚上如果宝宝不睡觉，哭闹，就把宝宝的小手放在他的腹部上，妈妈双手按在宝宝手上轻轻摇一摇，不开灯，也不和孩子说话。如果还哭，寻找哭的原因，是否尿了，拉了，饿了，病了，环境不舒服等，如果没有原因，就尽量冷处理。这样坚持一段时间，宝宝黑白颠倒的睡眠习惯，就会慢慢改变过来。

大胆地把孩子放下来

许多妈妈说自己的孩子只能"抱着睡"，不能放，一放就醒。孩子当然喜欢妈妈抱着睡，但妈妈从一开始就不应该这样做。已经这样了，现在马上改正还来得及。

大胆地把孩子放下来，开始他可能不干，慢慢就会接受的。新生儿睡觉不踏实，动作多多，不一定是有问题，请医生排除了疾病的可能，就不必管了，不必孩子一动，就马上去拍，去哄，本来孩子没有醒，你一拍一哄，倒把孩子弄醒了，捅了"马蜂窝"。

醒了就先让他醒着

宝宝睡眠时间短，最好的处理方法是：醒了就先让他醒着，先不要理会他，也许过一会他又睡了；真的醒了，只要不闹，也先不要理会他；如果哭闹明显了，再去看看是什么原因，这样就把睡眠时间逐渐拉长了。

110. 不吃橡皮奶头

混合喂养的新生儿，更喜欢吸吮妈妈柔软、舒服的乳头，拒绝吸吮橡皮奶头。用奶瓶给新生儿喂过药，喂过白开水等，也会造成新生儿拒吃橡皮奶头。

曾有混合喂养的妈妈，尝试在喂奶瓶前，先饿一饿孩子，或在橡皮奶头上沾点糖，或等到孩子睡得迷迷糊糊的时候，喂橡皮奶头等等。这些办法有时奏效，有时一点用也没有。我能建议的是，如果宝宝"精"得你无计可施，妈妈就老老实实用小勺或小奶杯喂奶吧，或许过一段时间，宝宝就会很喜欢奶瓶子了。

111. 吃会儿就睡，睡会儿又吃，
妈妈精疲力竭

新生儿吃会儿就睡，睡会儿又吃，可能有3个原因：①早产儿；②吸吮能力弱；③淘气。

其实，吃会儿就睡，睡会儿又吃，妈妈也是有责任的，听宝宝说：

①妈妈奶太少，费了九牛二虎之力，也吃不着多少奶；

②妈妈乳头太小，根本吸不住，太累了，只能歇着了；

③妈妈没把整个乳头全部放进我口中，吸得很不舒服；我必须把乳晕也吸入口中，才能吃好；

④妈妈抱我的姿势不对劲，把我的鼻子堵住了，我怎么出气啊？只好不吃了，睡上一觉再说；

⑤爸爸也不看看奶孔是不是适合我，那么大，呛得我喘不过气来；还有一个又那么小，太费劲了，我的两颊都酸了，歇着吧！

⑥冲的奶太烫了，我也不敢喝啊！

⑦冲的奶太稀了，光让我撒尿了，也不抗饿啊！

112. 越哄越哭

新生儿吃喝拉撒睡样样正常，生长发育也正常，一哭，爸爸妈妈就哄，结果越哄越哭，这是怎么回事？这仍是爸爸妈妈不了解新生儿哭的含义造成的。当新生儿在睡眠中做个梦，或想通过哭来运动一下，或想通过哭发泄一下自己的寂寞时，爸爸妈妈千方百计地哄，实际上打扰了他的运动，越哄越哭，其实他是在抗议：妈妈，别再打扰我了，让我尽情地哭一会儿，什么都会好的。

宝宝留言

这7个问题解决了，我就能睡得好睡得香了。如果不是这些问题，爸爸妈妈就带我上医院吧，我是不是有病了？

113. 吃奶就哭

吃奶就哭，可能是因为：①宝宝口腔发炎，最常见的是鹅口疮；②鼻塞，宝宝鼻子不通气，全靠口腔换气，吃奶时就影响气体交换，憋得喘不过气来，可不吃又饿，就只有哭了，告诉妈妈，"我很难过"。

114. 一吃就拉

常常有妈妈告诉医生，说孩子好像是直肠子，一吃就拉。真正的原因是宝宝肠道神经发育不完善，肠道极易被激惹，孩子的吸

宝宝/李赤丹
宝宝凝视着眼前的物体，看得非常认真，有了较长的注视能力。

54

吮动作和吸进的奶液，都可能成为刺激源，刺激肠道蠕动加强、加快，结果就是"一吃就拉"。

避免一吃就拉的有效办法是：

·妈妈不要吃辛辣食物；

·如果宝宝同时有湿疹，妈妈还要少吃鱼虾等容易过敏的食物；

·不用总给孩子把便，这会造成孩子排便次数更多；

·尽管边吃边拉，妈妈也不要急着给孩子更换尿布，因为打开尿布，宝宝腹部受凉，肠蠕动可能会更强。

115. 越治越重的腹泻

需要医生解决的问题，我就不在这里赘述了，这里重点讲一下和爸爸妈妈有关的护理问题。新生儿腹泻越治越重，许多情况下不是孩子病况严重，而是新手爸爸妈妈护理不当。

①腹泻病因不清，自行使用止泻药，尤其是使用抗菌素。新生儿肠道内生态平衡尚未建立，正常菌群数少，使用抗菌素后，使生态平衡进一步受到干扰，加重腹泻。

②药物服用方法不正确。如微生态制剂不能与抗菌素同时服用，必须间隔两小时以上，许多爸爸妈妈不知道这个道理，就给孩子一同服用，结果治疗效果不佳。

③没有注意饮食。宝宝腹泻头一两天，可以适当拉长喂奶间隔，但不能长时间减少喂奶量次。腹泻已经使孩子丢失了营养和水电解质，消化功能降低，食欲降低，营养吸收也差。如果再控制奶量，孩子就会出现营养不良，水电解质紊乱，肠蠕动加快，结果会使腹泻越来越重。

④乳糖不耐受（见第66条相关内容），尤其是人工喂养的孩子更容易出现。按一般的肠炎治疗，不但没有效果，还会越治越重。

116. 越治越重的佝偻病

维生素AD中毒的症状，和佝偻病的症状很相似，当出现这些症状时，一般父母想到的多是佝偻病，而忘记了维生素AD过量或中毒，结果就造成了"越治越重的佝偻病"。

典型病例

孩子出生26天。从生后14天开始补充贝特令（每粒含维生素D600IU，维生素A1800IU），每天一粒，共服用了12粒。结果孩子多汗，烦躁，易激惹，易惊，睡眠时间很短，原本是预防佝偻病，结果出现了严重佝偻病症状。妈妈痛苦地问："这佝偻病怎么越治越重啊！"

其实，不是佝偻病越治越重，而是服用了过量的贝特令所致。预防佝偻病，每日维生素D用量是400IU，维生素A800IU，这个新生儿已经远远超过了每日所需的用量。

117. 顽固的鼻塞

不用工具处理鼻塞

新生儿鼻道相对狭窄，血管丰富，容易出现鼻黏膜水肿。新生儿又容易受到外界环境冷热变化的刺激，鼻黏膜血管出现扩张、收缩，渗出增多，这就是人们常说的鼻涕。新生儿不会把鼻涕清理出来，慢慢就会变成鼻痂堵塞鼻道，加重鼻塞的程度。

如何解决鼻塞问题？现在有很多清理新生儿鼻道的工具，并不很实用。其实不用使

宝宝/多多

出生不久的我就能够在水中自由自在地游泳，我天生就会游泳，因为我在妈妈的子宫中就生活在水里，不过，妈妈还是要注意安全，不要让水呛进我的气管。我在妈妈的子宫里时，肺脏没有张开，我不用肺脏进行气体交换，而是用妈妈的胎盘获取氧气。那时的我肺脏里充满了液体，出生后的我肺脏张开，开始用肺脏获取氧气，进行气体交换。

用工具，也可以解决鼻塞问题。

新生儿鼻黏膜水肿，鼻道中看不到有分泌物堵塞。可用湿毛巾热敷宝宝鼻根部，鼻塞可以得到临时缓解。如果有鼻涕，可用柔软的毛巾或纱布，沾湿，捻成布捻，轻轻放入宝宝鼻道，再向相反的方向慢慢转动布捻，边转边向外抽出，就可把鼻涕带出鼻道，这样不会伤着孩子的鼻腔，比用棉签要安全得多（见88条）。

如果有鼻痂，最省事的方法是先让宝宝哭闹一会，泪液可浸湿鼻痂，使鼻痂变软，这时再用布捻刺激鼻道，使宝宝打喷嚏，就可能把鼻痂打出来，或打到前鼻孔，再用手轻轻把鼻痂拽出。如果有阻力，就不要硬性往外拽，以免损伤宝宝的鼻黏膜，导致鼻黏膜出血。

鼻塞就是感冒吗？

新生儿鼻塞，并不一定是感冒。新生儿感冒往往不表现为鼻塞，而是精神差，奶量减少，睡眠增多或减少，哭闹不安等非特异症状。

新生儿打喷嚏，也不是感冒。新生儿刚刚来到大自然中，对环境还不适应，外界刺激使鼻黏膜发痒，引发喷嚏。

新生儿鼻塞，打喷嚏，都不一定是感冒，不要贸然服用感冒药。误服感冒药，会造成宝宝鼻黏膜干燥，分泌物减少，对外界微生物的防御能力进一步下降，微生物趁势侵袭，引发新生儿呼吸道感染。

如何处理"泥膏体质"的鼻塞？

新生儿眉弓、脸颊上有小红疹，或眉弓上有像头皮一样的东西，这属于"泥膏体质"，也称"渗出体质"。这种体质的新生儿一般较胖，经常腹泻，而且特别容易鼻塞。这种鼻塞多有家族遗传倾向。

许多妈妈都错误地把这种鼻塞当做感冒，认为是着凉所致，就关门关窗，多给宝宝

宝宝/吴家傲
宝宝出生3天游泳，一下就游了15分钟，消耗太大了，一觉睡4个小时，都忘记要奶喝了。

穿衣盖被，提高室内温度，甚至给宝宝用热水袋等，结果鼻塞越来越重。渗出体质的新生儿就是不能捂，越捂越热，越热越重。室内不通风，小儿不能呼吸到新鲜空气，更加重了鼻塞。

解决的办法是室内空气新鲜，湿度、温度适宜，让小儿逐步适应自然，接受新鲜空气，减少室内尘埃密度，每天用软布做成捻子，轻轻捻动带出鼻内分泌物。有鼻黏膜水肿的孩子，清理鼻道一时也不能改变鼻塞症状，爸爸妈妈不要着急，消除水肿是个自然过程，一般不超过1个月，不必抱着孩子到医院"走过场"。

我曾经看过关于婴儿护理的录象带，也看过电视上播放的关于婴儿护理节目，大多是告诉父母使用棉棒来清理鼻腔。我认为，对于新手爸爸妈妈来说，使用棉棒给孩子清理鼻腔，还是比较危险的。在临床工作中曾遇到这样的情形，父母用棉棒，甚至用镊子乘孩子入睡时为孩子清理鼻腔，结果导致鼻腔损伤，严重的造成出血。实际上，如果鼻痂比较硬，用棉棒也很难清理，因鼻痂与鼻黏膜比较牢固，如果用镊子清理，容易导致鼻黏膜损伤。所以，最好是不要等到形成鼻痂再处理，只要及时清理鼻腔，就不会形成较硬的鼻痂。布捻子即适宜父母操作，又比较

安全，还能随时随地处理，即使孩子醒着也能使用。

118. 新生儿腹胀

新生儿肠神经节发育不完善，受到外界因素影响很容易出现腹胀，比如母乳喂养的妈妈，吃得过于油腻了，导致新生儿消化不良，或新生儿腹部受凉了等等。一旦出现腹胀，妈妈可以用小暖水袋为孩子捂一下，但要注意不要烫着孩子。

119. 出气呼噜呼噜的，喉咙中总有痰

新生儿没有清理呼吸道的能力，分泌物积留在咽喉部，出气呼噜呼噜的，好像喉咙中有很多痰，妈妈多以为是孩子感冒了，甚至怀疑患了气管炎、肺炎。

如果新生儿其他方面都正常，只是喉咙中有痰，这是新生儿正常的状态。如果分泌物过多，可以帮助清理一下，简便的办法是轻轻拍背。

妈妈用胳膊托住宝宝的胸部，让宝宝向前稍微倾斜，另一只手成空拳状，轻轻拍打宝宝背部，等分泌物移到咽部并咳入口腔时，妈妈用套有纱布的手指，把分泌物清理出来；如果宝宝把分泌物咽到消化道中，

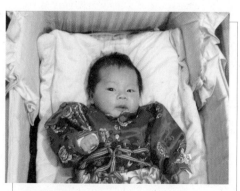

宝宝/尚潘柔美
美美出生第30天。

可能引发呕吐，这是排出痰液的正常办法，妈妈不必紧张。另外，妈妈应适当给宝宝补充水分，稀释呼吸道中的分泌物，使其容易排出。

120. 顽固的耳后湿疹

新生儿一般都是仰卧位睡眠，耳后透气不好。如果室温又比较高，新生儿头部出汗，耳后潮湿，再加上溢乳流到耳后，这些情况都会引起新生儿发生耳后湿疹，而且比较顽固。但只要消除睡眠姿势不当、室温不宜、溢乳等诱因，新生儿耳后湿疹还是很容易根治的。

121. 新生儿臀红

臀红是新生儿护理中最常见的问题。新生儿尿便次数多，臀部长时间受尿液浸泡，便后不用清水冲洗臀部，尿布透气性能差，这些都会造成并加重臀红。

臀红会造成局部皮肤破损，细菌侵入皮下，引起肛周肿胀，排便困难。预防臀红的办法是，孩子大便后，及时用清水冲洗臀部；使用透气性能好的尿布，不能铺塑料布；掌握孩子排便规律，及时更换尿布。一旦发现臀红，每次为宝宝冲洗臀部后，用鞣酸软膏涂抹，这样臀部就不易被尿液浸泡。不要使用婴儿粉。

第15节 民间育儿习俗勘误

122. 新生儿不能见光

新生儿不能被强烈光线照射，强烈光线会伤害新生儿眼睛。但这并不等于说新生儿不能见光，如果把月子房布置得很暗，几乎

没有光线，对新生儿视觉发育是不利的。所以，笼统说新生儿不能见光，是错误的。

123. 擦马牙

民间有给新生儿"擦马牙"的习俗，这是不对的。

124. 挤乳头

习俗认为，给女婴挤乳头，会避免成人后乳头凹陷，这也是错误的。挤乳头会导致新生儿乳头发炎。

125. 怕声响，易惊吓

新生儿神经髓鞘尚未发育完善，对外界的刺激表现为泛化反应，看起来像被惊吓了，其实不是。新手爸爸妈妈不要总是蹑手蹑脚的，这样反倒不利于新生儿神经系统发育的进一步完善。

126. 怕冷不怕热

民间育儿习俗总以为新生儿怕冷不怕热，这是没有科学根据的。新生儿体温调节中枢还不健全，汗腺不发达，肌肉也不发达，不但怕冷，也同样怕热。所以要注意室内温度，即不能过冷，也不能过热。

127. 蜡烛包睡得稳

把新生儿像蜡烛一样包起来，认为这样睡得稳，这是民间育儿特别普遍的一种做法。其实使不使用蜡烛包，新生儿对外界的反应都是泛化的，只是把新生儿包裹在襁褓中，我们看不见而已。

蜡烛包会影响新生儿运动功能的正常发育，有研究证实，使用蜡烛包的新生儿，发育的各项指标，普遍低于未使用蜡烛包的新生儿。

128. 睡脑袋

民间育儿的另一个习惯做法是，让新生儿睡硬枕头，认为这样能够睡出好头形。这同样是没有科学依据的。

新生儿不宜睡硬枕头。这是因为：

·新生儿颅骨容易变形，主要是由于新生儿骨缝尚未闭合，受到挤压时，会出现骨缝重叠或分离，使头形发生变化；

·新生儿大部分时间都是躺着，枕头会长时间伴随着新生儿，枕头过硬，会使新生儿头皮血管受压，导致头皮血液循环不畅；

·新生儿喜欢不断地转动头部，如果枕头过硬，就会把头发蹭掉，出现"枕秃"。

新生儿头部相对较大，不用睡枕头。为了固定新生儿头位，也可以睡马鞍形的枕头，软硬适中。

129. 压沙袋

新生儿睡眠时，在被子周围压上沙袋，以防新生儿滚动或受惊吓。这种做法极大禁锢新生儿发展各项潜能，应立即停止。

130. 过"小满月"

民间习惯上把新生儿出生后的第12天，当做"小满月"来庆贺，这是不好的习俗。新生儿出生刚12天，对外界环境还很不适应，抵抗细菌、病毒侵入的能力还非常脆弱，而新手爸爸妈妈这时也很疲劳，过小满月接受亲戚朋友的探视和祝贺，对母婴健康均没有好处，这种育儿习俗，真的不应该再沿袭下去了。

131. 新生儿怕黑，
晚上睡觉不能闭灯

要帮助新生儿辨别白天和黑夜，这对培养良好的睡眠习惯是很有意义的。不能一天24小时室内都同样明亮，也不能不分白天黑

宝宝/郑果

妈妈带着出生二十几天的宝宝逛北京天坛桃林，妈妈知道这里空气中含较多的负离子。为了防止春风，妈妈在童车上盖了一块透明的纱布。

夜室内光线都很暗淡，这样对新生儿视力发育不利。白天不要挂遮光窗帘，晚上要闭大灯睡觉。为观察新生儿是否有吐奶及其他异常情况，应把地灯或床头灯打开，光线亮度以能看到新生儿面部为准，不要过强。

132. 不吃不喝不睁眼很正常

有一种错误的习惯性认识，认为新生儿刚出生，不吃、不喝、不睁眼是很正常的，或者认为新生儿开始喝点糖水就行了。现代新生儿护理医学已经明确指出，新生儿出生后就具备了吃奶的能力，越早喂哺越好，对大脑发育越有利，还能降低生理性黄疸的发生几率。

第16节 新手妈妈喂养的生活常识

133. 新生儿能睡凉席吗？

在炎热的夏季，新生儿可以睡凉席，但要注意选择做工精良的草制凉席，不要选择竹制或其他品质的凉席。在凉席上要铺一层棉质布单，凉席上下都不要铺塑料制品。

134. 能用蚊香驱蚊吗？

不能使用蚊香为新生儿驱除蚊蝇，即使是毒性非常低的电蚊香也不能使用，因为空气中飘浮的蚊香颗粒会刺激新生儿呼吸道，引起过敏反应。超薄蚊帐是宝宝避免蚊蝇叮咬的最好工具。

135. 新生儿能睡水枕、水褥吗？

小儿水枕、水褥又凉又软，妈妈很有可能为夏季出生的新生儿准备一个。但这是不妥的。新生儿头比较大，可以不睡枕头。水枕凉，会使脑血管收缩痉挛，减少脑血流；水枕还比较高，新生儿睡眠时头位过高，气管被弯曲，阻碍气体交换，使孩子处于半缺氧状态，这是非常有害的。

水褥也不适宜新生儿使用。新生儿外周血液循环不好，血管收缩舒张功能尚未发育成熟。水褥很凉，会刺激外周血管收缩，使外周血液供应减少，可能会造成新生儿皮下硬肿。

136. 新生儿能竖着抱吗？

新生儿肌肉发育尚不完善，尤其是支撑头部和脊椎的肌肉未发育完善，不能支撑头部，也不能使脊椎保持垂直位。所以，新生儿不宜竖立着抱。如果需要竖立着抱，一定要注意托住新生儿头部和脊椎。

137. 新生儿知道饱饿吗？

发育正常的新生儿都知道饱饿，这是新生儿与生俱来的能力。新手爸爸妈妈往往忽视这个问题，总是代替孩子决定是饿还是饱，造成新生儿厌食。

门诊经历

经常有妈妈抱着孩子来就医，开头就是一句话："我们孩子吃得太少啦！"也有妈妈就医是为了相反的问题："我们孩子怎么总是吃饱了还要吃？！"她们的宝宝健康上都没什么问题，唯一的问题出在妈妈身上：她们代替宝宝决定是饱是饿。这说起来有点好笑，但许多妈妈不就是这样百般"呵护"自己的宝宝的吗?!

我问就医的妈妈："你怎么知道孩子吃得太少？又怎么知道孩子吃饱了？"妈妈们的回答要么很主观，要么就是根据书本理论"照本宣科"。每个孩子都有自己的奶量，不可能都一样，也不可能都像书上写的。书上写的是平均奶量，并不否认个体差异。

新生儿知道饱饿，了解这一点，就会大大减少小儿厌食症的发生率。

138. 能给新生儿剪指甲吗?

新生儿指甲比较软，大多不超过指趾末端，一般不用剪。但胎龄较大时（特别是过期产儿），指甲可能会比较长，如果不及时剪，容易折断，或划伤。所以，是否给新生儿剪指甲，要视情况而定。

139. 能给新生儿剃头吗?

新生儿头皮很嫩，顺产的新生儿可能有产瘤，头皮血肿，损伤不易发现，所以不宜给新生儿剃头。给刚刚出生的新生儿剃头，做胎毛笔，是很不可取的。

140. 除了奶、水，能给新生儿喂其他饮品和食品吗?

新生儿消化功能比较弱，各种消化酶还没有完全生成，肠道内非致病菌群还没有建立，肠道内的生态平衡还不稳定，吞咽功能还不完善，所以，新生儿除了喂奶和水，不能喂其他饮品和食品。

141. 新生儿能到户外吗?

把新生儿带到户外，这在国外比较普遍，但在我国，即使在南方，人们也很难接受。我不提倡一定要像国外那样带孩子。因为①新生儿免疫力虽然不像人们想象的那样低下，但毕竟是刚刚离开母体，要在短时适

应自然环境，需要进行一系列调整；②"坐月子"已经延续数千年，一下子改变过来是很不现实的；③"坐月子"不等于要"捂月子"（见85条），不把新生儿带到户外，但室内一定要空气流通，温度适宜，阳光照射。

142. 新生儿要不要接受阳光照射?

新生儿要接受阳光照射，应注意如下2点：

①新生儿房间要在阳面，每天上午让新生儿接受至少20分钟的阳光照射；

②有风或天气冷时，就不要打开窗户，可以隔着玻璃让孩子接受阳光。虽然紫外线被阻隔了，但其他光线对新生儿的健康成长也是有利的。

143. 先天性疾病都与遗传有关吗?

先天性疾病，有的是遗传的，有的与遗传没有关系，如先天性风疹综合征、先天性心脏病、先天性髋关节脱位等，都不是遗传的。

144. 新生儿有感情吗?

新生儿懂得母爱

大量科学实验证明，新生儿懂得母爱，甚至胎儿都能领会母爱。医学上有这样一个例子，非常令人震惊：一个刚刚出生的女婴，无论如何也不吃妈妈的奶，却吃其他产妇的奶。经过多次试验，仍然如此，这使医护人员大惑不解。经过仔细调查，医护人员了解到，这位新妈妈在怀孕初期，就极力想把胎儿打掉，直到分娩前，还很不情愿接受这个孩子。没想到，孩子出生后竟拒绝吃妈妈的奶! 她宁愿吃别的妈妈的奶。如果胎儿不能领会母爱，这一切又怎么解释呢？

门诊经历

一位新手妈妈抱着出生刚几天的男婴来就诊，妈妈诉说：孩子总是哭，好不容易把奶喂进去，一会儿就吐出来，吐完又哭着要吃，"真烦死人了!"说着就手很

重地把孩子放到婴儿车上，我看到孩子嘴角很委屈地撇着，几乎要哭了。我过去把孩子抱起来，对孩子说，妈妈其实很喜欢你的，只是她刚生完你，太累了，很辛苦。然后我又对妈妈说，吐奶是很正常的，新生儿不但吃得勤，拉、尿也勤。最后我把孩子小心翼翼地放到妈妈怀里，妈妈也疼爱地抱紧孩子。这时，我看到孩子脸上现出了满意的神态，微带笑意。

新生儿已经懂得母爱，认为新生儿哭了也不要抱，抱会惯坏他，这种认识是不对的。新生儿被妈妈拥抱着，会有一种安全感、幸福感。喂奶是一种母爱，不单单是充饥。

新生儿能感知语气

新生儿能辨别爸爸妈妈说话的语气。用和缓的语气和孩子交谈，孩子会表现出欢愉的表情，显得很安静；当交谈的语气变得生硬、不耐烦时，孩子会皱眉头，表现出不快和不安。爸爸妈妈对新生儿说话的语气好坏，影响孩子神经系统是否正常发育，对孩子情感发育也非常重要。

新生儿对音乐的要求

优美的音乐对新生儿的发育是有很大益处的，但摇滚乐、爵士乐不适宜新生儿听。

第17节 有趣的生命现象

145. 刚出生像爸爸

几乎所有的新生儿，刚刚出生时，都像爸爸，或像爷爷。这是生命自我保护的本能，新生儿用自己的长相，向爸爸宣布：我是你的孩子，请爸爸担负起养育之责。

146. 生下来就会吸吮

一个健康的宝宝，一生下来就会吸吮，这也是生命力的本能。如果宝宝一时不会吸吮，一定是什么客观原因造成的，绝不会是宝宝没有吸吮能力。妈妈奶头太大、太小、太凹、奶水太少、宝宝早产、鹅口疮等等，都是影响孩子吸吮的原因。

147. 生下来就会哭

出生后第一声啼哭，是宝宝的生命宣言。没有这哭声，宝宝的肺脏就不能顺利张开，就不会呼吸到氧气。

148. 生下来脸很红

新生儿生下来脸都是很红的，最起码应该是粉红色。不应该是白色的，即便爸爸妈妈皮肤很白，宝宝刚出生皮肤也不应该是白色的。如果皮肤很白，可能是贫血，或严重溶血等。

149. 生下来头发黑亮茂密，慢慢会变稀黄

宝宝生下来时的发质，既不是母亲遗传的，也不是父亲遗传的，仅和母亲孕期营养状况有关。随着月龄增长，头发逐渐发生变化，或像爸爸，或像妈妈，或与自身营养状况有关。

150. 足月身高无差异

无论爸爸妈妈身高如何，足月新生儿身高基本都是50厘米，与遗传无密切关系。

151. 宝宝止哭窍门

①把新生儿的两只小手放在他的胸腹部，爸爸妈妈握着宝宝的手，轻轻地摇晃，宝宝会停止哭闹，安静下来。

②用左手掌腕部托住宝宝颈背部，五指托住宝宝头枕部，右手掌腕部托住宝宝臀与大腿交界部位，五指分开托住臀部，宝宝膝盖以下贴在妈妈上腹部，与宝宝面面相对，轻轻哼唱摇篮曲，宝宝会停止哭闹，安静下来。

③2个月以后的小婴儿，可放在爸爸一侧肩上，妈妈面朝宝宝，轻轻呼唤宝宝，宝宝

会停止哭闹。但要注意观察宝宝是否呼吸通畅，因为宝宝还不会竖头，宝宝伏在肩上有发生呼吸道堵塞的可能，如果没有妈妈在后面看着孩子，不要使用此方法哄孩子。

第18节 如何给新生儿喂药

给新生儿喂药的机会并不多，但出生两周的宝宝，需要喂维生素D胶丸，或鱼肝油滴剂、鱼肝油丸。滴剂还比较好喂，滴到宝宝嘴里就可以了，但胶丸喂起来就有些困难了。

152. 喂胶丸

维生素D胶丸，是国际卫生组织推荐的预防婴幼儿佝偻病的药物。当母子出院时，医院会在宝宝袋中装上一瓶维生素D胶丸，一共是12粒，每粒含维生素D20IU，每月一丸，出生后半个月开始服用。

妈妈往往把维生素D胶丸中的液体挤出来，放到水中喂孩子。这样做，药物会部分浪费，致使药量不足。最好是整颗喂下去。把胶丸放在小勺中，用温水浸泡约5分钟，用筷子轻轻按压胶丸，如果胶丸发软，能够被压变形，就可以把胶丸放入宝宝口中，用奶瓶喂水或用乳头喂奶，胶丸会顺利进入宝宝胃中，不会噎着孩子的。

153. 喂片剂

把片剂压成粉末，放在干净的白纸上，慢慢倒入孩子口中，再用奶瓶喂水。或将粉末直接放入奶瓶中，喝奶或喝水时一并服入。如果可用乳汁送服药物，可把药末沾在乳头上，让宝宝吃奶。

用勺给宝宝喂药末水剂，不要直接倒入孩子口中，一定要倒入舌下，这样不易呛入气管，造成窒息。

154. 肛门给药

注意不要把宝宝肛门弄破，要轻柔，姿势要正确，应让孩子侧卧，扒开臀部，轻轻塞入肛门，再横着抱孩子一会，药物吸收后，再把孩子放下，以免药物流出。

155. 新生儿免疫接种

新生儿出生后24小时内，要接种乙肝疫苗、卡介苗，如果母亲是乙肝病毒携带者，还要在生后立即注射高效价乙肝免疫球蛋白。

生后注射维生素K_1不属于预防免疫，但对预防新生儿出血和婴儿迟发维生素K缺乏性出血症，有明显作用。所以产院会为新生儿注射小剂量维生素K。

如有羊水污染、胎膜早破、难产等其他感染可能时，产院要给新生儿注射预防性抗菌素，注射3天。

新手爸爸妈妈不要因为心疼孩子，拒绝接受这些必要的注射。

第二章
1-2个月的婴儿
（29—59天）

这个月的婴儿脱离了新生儿期，逐渐适应了自然环境，更加招人喜爱。

皮肤变得光亮，白嫩，弹性增加，皮下脂肪增厚，胎毛、胎脂减少，头形滚圆。

第1节　满月婴儿特点

恭喜您的宝宝满月！

156. 满月婴儿的表征：
用小嘴到处找奶头

外貌 这个月的婴儿脱离了新生儿期，逐渐适应了自然环境，更加招人喜爱，皮肤变得光亮，白嫩，弹性增加，皮下脂肪增厚，胎毛、胎脂减少，头形滚圆。

活动 觉醒时间延长，吃奶量增加，吸吮力增强，吃奶次数减少，四肢动作幅度增大，次数增多，表情更加丰富。尿次数减少，大便变得有规律，后半夜可持续睡六个小时以上。

交流 对妈妈的依赖性增加，喜欢让妈妈爸爸抱着睡眠，哭的声音越来越大，但次数减少。有时即使是到了吃奶时间，也不哭，只是用小嘴到处找奶头，或嘴不停地空吸吮，或望着妈妈哼哼，是哭的表情，但并不大声哭，哭时可有眼泪流出。把宝宝抱在怀中，很容易把奶头放入宝宝嘴中。每次吸吮时间逐渐缩短，吃奶间隔时间逐渐延长。对白天黑夜有了初步感觉，白天觉醒时间逐渐延长，尤其在上午八九点钟时，宝宝可有一段较长时间觉醒，这时可和宝宝交流，给宝宝做操，对宝宝进行智力开发。

157. 满月的烦恼：
宝宝为何不如别人？

不要处处把自己的孩子和别的孩子进行比较，每个孩子都有自己的特点。这是妈妈寻找烦恼的最常见途径："人家孩子和我的孩子一样大，却比我的孩子长得高。""人家的宝宝每天晚上都能够睡上一大觉，可我们的孩子却一夜醒好几次，不是个乖孩子。"

"人家孩子一个月就长了八九斤，可我们的宝宝只长了四五斤。""人家孩子会对着生人笑，我的孩子一见生人就哭。""人家宝宝特别识把，几乎不再拉在尿布上了。可我的孩子就不行，越把越不拉，放下就拉，真气人。"

"人家宝宝一顿喝200毫升奶，我的孩子一顿才喝100毫升，比书上写的还少。是有病吗？"等等，令父母担心着急的事情太多了。

孩子怎么会和别人完全一样呢？孩子哪会完全照着书本上所写的那样长大呢？个体差异到处存在，处处体现。父母要从一般中找出你孩子的特殊性，这才是您的宝宝啊。要读懂自己的孩子。

第2节　满月婴儿 生长发育

158. 体重：跳跃性增长更常见

增加幅度

出生前半年的孩子，体重增长较快，尤其是1个月到2个月的孩子，体重增长更快，平均可增加1200克。人工喂养的孩子体重增长更快，可增加1500克，甚至更多。但体重增加

宝宝/郑果
初春的早晨阳光明媚，妈妈把宝宝抱到户外接受日光浴和空气浴。妈妈是中国第一本全彩母婴杂志主编，养育宝宝很到位。

程度存在着显著的个体差异。有的这一个月仅增长500克，这也不能认为是不正常的，孩子的增长并不是很均衡的，这个月长得慢，下个月也许会出现快速增长，呈阶梯性或跳跃性。如果您的宝宝在一个时期增长有些慢，不要过于着急，只要排除疾病所致，到了下一个月就会出现补长现象。

考虑"认为误差"

在测量宝宝体重时，要注意"认为误差"，如体重秤本身误差，宝宝穿衣多寡造成的误差，宝宝吃奶前后体重误差，吃多吃少的误差，排尿便前后体重的误差，不同季节导致的误差（如夏季宝宝体内水分蒸发快，体重轻，春秋冬季水分蒸发少，体重相对重）。经常会有这样的问题困绕着父母，认为孩子体重增长不理想，照书上的标准少了半斤八两。不用说个体有差异，就是秤量本身也会有误差的。

计算公式和标准

这个月平均体重增长的计算公式是：

出生体重（克）+1×700

平均每周可增长200~300克。

159. 身高：这个月不受遗传影响

这个月孩子身高增长也是比较快的，一个月可长3~4厘米。影响身高的因素很多，喂养、营养、疾病、环境、睡眠、运动等。但这个月孩子身高增长不受遗传影响。身高测量和体重测量一样，要量得标准，开始最好请专业人员指导，避免自己测量造成误差。身高增长也存在着个体差异，但不像体重那样显著，差异比较小。如果身高增长明显落后于平均值，要及时看医生。

计算公式和标准

这个月平均身高增长的计算公式是：体重（千克）=出生体重（千克）+月龄×70%。平均每周可增长200~300克。

160. 头围：大脑发育的直接象征

父母们很重视孩子的智力发育，头围被父母看做是大脑发育的直接象征。头围大了，担心是否脑积水，影响智力发育；头围小了，担心阻碍大脑发育。头围以往仅被医生重视，现在也被父母重视了。

要掌握正确的测量方法，避免造成误差，带来烦恼。最好开始由医生来测量，父母观看，并对照正规测量方法，注意识别。如果认为医生测量方法不标准，数值不准确，那就提出来，重新测量。只有测量值可靠，进一步分析才有意义。（测量方法详见上一章）

评价标准

这个月孩子头围可达36厘米。前半年头围平均月增长9厘米，但每月实际增长并不是平均的。所以，只要头围在逐渐增长，即使某个月增长稍微少了，也不必着急，要看总的趋势。总的趋势呈增长势头就是正常的，并不是这个月必须增长3~4厘米。经常会遇到父母为了孩子头围比正常平均值差0.5厘米，甚至是0.3厘米而焦急万分，这是没有必要的。

另外，这个月孩子颅骨缝囟门都是开放的，很容易变形，受睡姿的影响较大，测量时也要考虑孩子头型的影响。

脑积水

脑积水时头围增长过速，超过正常很多，但不是超过一点就要考虑脑积水。在临床工作中常遇到这样的父母，因为孩子头围大，极力要求做进一步检查，做B超还不放心，还要做脑CT，甚至脑核磁共振。小题大做，不但经济上遭受损失，孩子还过多地接受了有害放射线照射。

医生忠告

在分析每项发育标准时，要综合全面，不要就一个问题钻牛角尖。现在大多是一对夫妇只生一个孩子，父母文化水平不断提高，知识型父母越来越多，对下一代的智力投资也越来越大。这是好事，但不能矫枉过正，要科学对待。事实上，除了先天性疾病，健康的孩子还是占绝大多数的，有病的孩子毕竟是极少的。

161. 前囟：是孩子的命门吗？

孩子的前囟被众多的父母所重视，尤其是老人，更加重视孩子的前囟，认为是孩子的命门，不能触摸，触摸了，孩子会变成哑巴。触摸孩子的前囟不会使孩子变哑巴的。

但前囟是没有颅骨的地方，一定要注意保护，无必要时，不要触摸孩子的前囟，更不能用硬的东西磕碰前囟。孩子的前囟会出现跳动，这是正常的，孩子的前囟一般是与颅骨齐平的，过于隆起可能是有颅压增高，过于凹陷，可能是脱水。

这个月孩子的前囟大小与新生儿期没有太大区别，对边连线是1.5-2.0厘米左右，每个孩子前囟大小也存在着个体差异，如果不大于3.0厘米，不小于1.0厘米都是正常的。

第3节 满月婴儿营养需求

162. 营养标准

这个月的婴儿每日所需的热量仍然是每公斤体重100-110卡，如果每日摄取的热量超过120卡，就有可能发胖。

母乳喂养的孩子，由于不好弄清到底吃了多少母乳，难以计算每日所摄入的热量数，可以通过每周测量体重，如果每周体重增长都超过200克以上，就有可能是摄入热量过多，如果每周体重增长低于100克，就有可能是摄入热量不足。

这个月的孩子可以完全靠母乳摄取所需的营养，不需要添加辅助食品。如果母乳不

宝宝/郑果
妈妈非常聪明，常常这样抱着宝宝，这样宝宝视野会更大。你看，宝宝被眼前的景象吸引住了。

足（一定不要轻易认为母乳不足），可添加牛乳，不需要补充任何营养品。

第4节 满月婴儿喂养方法

163. 母乳喂养儿

进入良性喂养阶段的问题

满月后，产妇精力和体力得到恢复，活动增加，可以到户外活动，心情好转，压力减轻，精神放松了，乳量有所增加，孩子所需乳量也不断增加，吸吮力增强，乳头大小已经适宜孩子，母亲喂奶姿势也比较自然了，从此进入了良性喂养阶段。

尽管如此，喂养问题还是不少的。孩子吸吮能力增强了，吸吮速度加快，吸吮一下所吸入的乳量也增加了，因此，吃奶时间缩短，这时妈妈往往认为奶少了，不够孩子吃了，这是多余的担心。这个月的孩子比新生儿更加知道饱饿，吃不饱就不会满意地入睡，即使一时睡着了，也很快就会醒来要奶吃的。如果一天都吃不饱，大便就会减少；即使次数不少，大便量也会减少；如果量不减少，次数也不少，甚至还增加，大便性质就会改变，排绿色稀便。如果长期奶量不足，孩子的生长

发育就会受到影响，出现体重增长缓慢，身高和体重不在同一水平上，呈现瘦弱型体质，偏离正常的生长发育曲线。

防止混合喂养儿的产生

父母要了解这些情况，不要总是认为奶不够吃，削弱纯母乳喂养信心，混合喂养儿往往就是在这个月产生的。妈妈认为她的奶量不足，就会给孩子添加牛乳，橡皮奶头孔大，吸吮省力，奶粉比母乳甜，结果孩子可能会喜欢上奶粉，而不再喜欢母乳了，因为添加了牛乳，下次吸吮母乳时间就会缩短，吃的奶量也会减少，母乳是越刺激奶量越多，如果每次都有吸不净的奶，就会使乳汁分泌量逐渐减少，最终成了母乳不足，人为地造成了混合喂养。

妈妈应该知道，4个月以内的孩子，最好是纯母乳喂养。混合喂养是几种喂养方式中最不好掌握的，要尽量避免。当您认为您的孩子吃不饱，要添加牛乳时，要向儿科医生咨询，请医生判断是否真的吃不饱，当然，要向有责任心的医生询问，如果您认为这位医生的判断不令您信服，要再向另一位医生请教，不要轻易放弃纯母乳喂养。

生理性溢乳与疾病呕吐快速鉴别技巧

这个月的孩子虽然吸吮力增强了，但是胃容量并没有显著增加，而这个月的孩子活动能力增强，运动增加，觉醒时间延长，新生儿期本来没有溢乳，这个月可能会发生溢乳；新生儿期就有溢乳的，可能会更加严重，溢乳的次数可能减少但溢乳的量可能会增加，而且会出现大口的漾奶。妈妈往往认为是孩子有病了，抱到医院看医生，诊断是生理性溢乳。

生理性溢乳的孩子，吐奶前，孩子没有异常表现，突然漾出一口奶，可以是刚刚吃进去的奶液，也可以是成豆腐脑样的奶块，但不会混有黄绿色的胆汁样物。吐后孩子一切正常，精神好，照样吃奶。即使每天都漾奶，孩子不但不瘦，还比较胖，生长发育也正常。

疾病所致的吐奶，吐奶前孩子往往有痛苦表情，或哭闹，或来回来去地翻腾，挣劲，脸可能会憋得发红。有时伴有腹泻、发热、腹胀等异常表现。

夜哭郎的产生

吃奶次数可能会减少，但也有的不减少，反而增加，可能是乳量不足。后半夜吃奶间隔时间可能不断拉长，但有的孩子却比新生儿期还短，影响了妈妈睡眠，这主要是由于随着孩子的月龄增加，对母亲的依赖性增加了，把吃奶当做了向妈妈耍娇的方式。也有的孩子是由于黑夜白昼颠倒。也有的孩子是"夜哭郎"。

妈妈遇到这种情况，首先要排除是否患有疾病或喂养不足。如果不是，不管是对母亲的依赖，还是黑白颠倒和夜哭郎，都要帮助孩子克服，逐渐改变这种情况，不能让孩子哭个没完。过去的育儿书认为，不要哄这样的孩子，会把他惯坏。让孩子尽情地哭，让他自己哭够，哭累，就自然会纠正过来了。现在看来，这样是不对的，多大的孩子也有情感，妈妈如果这样无情地对待哭夜的孩子，不但不能够纠正哭夜，还可能会改变孩子的

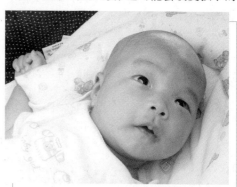

宝宝/姜杯君
宝宝已经能够注视比较远的物体了，而且开始有选择地看他喜欢的东西。看到他认识的东西，小嘴就会翘起来，发出咿咿的声音，告诉妈妈他看到了什么。婴儿随着月龄的增加视觉能力发育越来越好，能够集中精力注视越来越远的物体。

性格，使孩子变得孤僻、易怒。不能过分哄，也不能撒手不管，要用母爱和父爱来平复孩子。这样不但可以改变夜哭的习惯，还能塑造孩子的性格。提高孩子的情商从新生儿期就应该开始。

爸爸的作用

养育孩子是父母双方的事情，不要认为小婴儿主要是喂养问题，喂饱了就可以了，而喂养孩子是妈妈的事情，与爸爸没有什么关系。喂养孩子不是饲养，喂养孩子是在哺育孩子，除了哺，还要育。如果爸爸能够参加到哺育孩子的过程中，妈妈就不会那么疲劳，产后抑郁症的发生率也会有所降低，孩子的性格会更加健康。如果孩子夜间哭闹，爸爸也要给孩子一些关怀。抱抱孩子，和孩子亲切地交流。不要认为孩子小，听不懂话，孩子可以从父亲的语气中感受到父亲的爱。

乳头保护

出了满月，妈妈仍然要注意保护好孩子的"粮袋"：由于孩子吸吮能力增强，乳头皲裂仍可能会发生。所以，每次喂奶后，还要在乳头上涂一点奶液，晾干后再放下乳罩，乳罩不要过紧，以免对乳头过分摩擦。乳腺炎的发生率降低，但仍然有罹患的可能，要及

宝宝/郑果
爸爸就是爸爸，就敢这样站着，一手托着宝宝，一手拿着水瓶喂宝宝水。妈妈可不会这样冒险。宝宝似乎也不放心，自己用小手找个扶的地方呢。爸爸给宝宝的体验是全新的，这种体验慢慢一点一滴浸润着宝宝的精神世界，从小得到爸爸关爱的宝宝身心更健康。

时处理乳核。乳房疼痛要及时看医生。如发热仍然要首先考虑是否患了乳腺炎，而不要仅仅认为是感冒。

这个时期的孩子可能会出现吃奶不安心的现象，吃吃停停是常有的事，妈妈要有耐心喂哺孩子。这个时期的孩子对外界事物感觉增强了，听到声音会停止吃奶，对周围的事情越来越感兴趣了，不再会百分之百地把注意力全部集中在吃奶上。有时突然听到声响，孩子会迅速把头掉转过来，还没有来得急吐出奶头，结果，把妈妈的奶头拽得很长，妈妈会感觉到乳头疼痛。所以，喂奶时要注意固定好孩子的头部，不要让孩子头部架空，要把孩子的头放在臂窝内，用前臂稍微挡住孩子的后枕部，使得孩子突然回头时，幅度不会太大，不会伤及乳头。

继续按需哺乳原则

仍然不要机械规定喂哺时间，继续按需哺乳。这个阶段的孩子，基本可以一次完成吃奶，吃奶间隔时间也延长了，一般2.5~3小时一次，一天7次。但并不是所有的孩子都这样，2个小时吃一次也是正常的，4个小时不吃奶也不是异常的，一天吃5次或一天吃10次，也不能认为是不正常。但如果一天吃奶次数少于5次，或大于10次，要向医生询问或请医生判断是否是异常情况。晚上还要吃4次奶也不能认为是闹夜，可以试着后半夜停一次奶，如果不行，就每天向后延长，从几分钟到几小时。不要急于求成，要耐心。

孩子到底一次能够吃多少母乳，这个时期再通过吃奶前后测量体重就比较困难了，吃奶前孩子不会老实等待给他测量体重，孩子已经开始穿衣服，如果脱来脱去的会把孩子弄感冒，也会把孩子的奶全部逗出来。这个月的孩子也没有太大必要了解母乳量了，是否吃饱了，孩子就能够告诉你，吃不饱孩子是不干的。

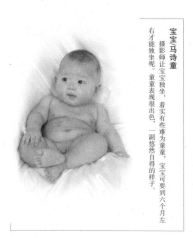

尿便问题：对付直肠子

人们都说孩子是直肠子，一吃就拉，这个月的孩子会出现这种情况，把尿布换得干干净净，抱起来吃奶，还没吃几口，就听到扑嘭嘭拉屎的声音，妈妈有时会认为孩子不正常，就给孩子吃药，或者马上给孩子更换尿布。遇到这种情况，妈妈不要急于换尿布，一是打断了孩子吃奶，会由此导致孩子吃奶不成顿。其二会引起孩子把刚刚吃进的奶溢出来，加重溢乳程度，其三会增加护理负担，可能在整个喂奶过程中拉几次，如果拉一次，就马上换，恐怕要换几次。这样不就是在折腾孩子嘛。所以，任其去拉，等到孩子吃完奶再换。如果睡着了，就先不要换尿布，如果没有睡着，等到拍嗝后再换（如果有溢乳习惯就不要换了）。这样的孩子容易发生尿布疹，可在清洗臀部后，涂抹一些鞣酸软膏，防止臀红。

这个月的孩子，尿的次数减少了。新生儿期可能十几分钟就尿一次，现在，就会每次醒后排尿，每一次尿量增加，虽然排尿次数减少，但总的尿量没有减少，甚至增加。

纯母乳喂养的孩子，大便次数仍然和新生儿时期差不多，有时甚至比新生儿时期次数还多，一般6次以下就不算异常，极个别孩子会一天排大便十余次，甚至每块尿布上都有一点大便，比尿还勤，这也不一定是异常的。如果大便性质好，小儿生长发育正常，不需要吃药；如果大便性质不好，大便带水，或突然大便次数增加，要看医生，是否有乳糖不耐受或其他问题。

164. 混合喂养儿

混合喂养的原则：一顿不允许母乳牛乳混合喂

混合喂养最重要的一点是不要一顿既吃母乳，又吃牛乳，这样是不好的。一顿喂母乳就全部喂母乳，即使没吃饱，也不要马上喂牛乳，可以提前下一次喂奶时间。如果上一顿没有喂饱母乳，下一顿一定要喂牛乳；如果上一顿孩子吃得很饱，到下一顿喂奶时间了，感觉到您的乳房很胀，挤一下奶，也比较多，这顿就仍然喂母乳。这是因为，母乳不能攒，如果奶受憋了，就会减少乳汁的分泌，母乳是吃得越空，分泌得越多。所以，不要攒母乳，有了就喂，慢慢或许会够孩子吃了，不再需要添加牛乳，因为这个月的孩子仍然是以母乳为最佳食品，不要放弃。

不要放弃母乳！

混合喂养最容易发生的情况是放弃母乳喂养，母乳少，孩子吸吮困难。牛乳因为含有较多的糖分，孩子喜欢吃；人工乳头孔大，吸吮省力，孩子也喜欢；妈妈乳汁少，吃完没多长时间，就又要奶吃，影响孩子睡眠，父母也疲劳，干脆停掉母乳，喂奶粉算了。有的孩子尽管母乳少，吃不饱，可就是依赖母乳，不吃牛乳。遇到这种情况，有的医生就会劝父母停喂母乳，以断孩子对母乳的依赖，没有母乳了，只好吃牛奶了。

我很反对这样做，母乳是婴儿最佳的食品，我们没有权利剥夺孩子吃母乳的权利。应该劝导妈妈，让妈妈下决心用母乳喂养孩子，刚刚产后1个多月，还不满2个月，怎么就

宝宝/刘梓涵

宝宝安静地等待着妈妈换纸尿裤。新生宝宝特别喜欢爸爸妈妈给他换尿布，把潮湿的尿布换掉宝宝当然高兴，最让宝宝喜欢的是换尿布时可以脱光光，宝宝最喜欢脱光光，所以，脱衣服总比穿衣服让宝宝高兴。

失去信心了呢？有的产妇奶下得就是晚，随着产后身体的恢复，乳量可能会不断增加，如果放弃了，就等于放弃了孩子吃母乳的希望。母乳喂养，不单单对母婴身体健康，还对心理健康有极大的益处，母乳喂养可以使孩子获得极大的母爱。不要遇到挫折就气馁，希望妈妈自信，您能够用自己的乳汁哺育您的可爱宝宝。只有当了母亲，女人才变得坚强，这是母爱的力量。

也不否认，有少数产妇无论怎样的努力就是没有足够的乳汁哺育孩子，遇到这种情况，妈妈也不要伤心，不要自责，牛乳也一样能给您的宝宝喂好，喂得很健康，现在奶粉的生产越来越好。虽然用奶瓶喂养，也可以把孩子抱在怀里，同样让吃奶的宝宝享受母亲怀抱的温暖。这就是下面介绍的人工喂养儿。

165. 人工喂养儿

人工喂养标准和掌握

满月以后就可以喂全奶（见第一章中的人工喂养一节）了，不再需要稀释。每次喂奶量也开始增加，可从每次50毫升增加到80-120毫升，到底应该吃多少，每个孩子都有个体差异，不能完全照本宣科，如果完全按照书本上的推荐量，有的孩子就会吃不饱，有的孩子可能会由于吃得太多造成积食，可能会引起小儿厌食。所以，要根据您孩子的需要来决定喂奶量，妈妈完全可以凭借对孩子细心观察摸索出孩子的奶量。

如果您没有把握，就以此为准：只要孩子吃就喂，孩子不吃了，就停止。不要反复往孩子嘴里塞乳头，已经把奶头吐出来了，就证明孩子吃饱了，就不要再给孩子吃了。尽管每本育儿书上都给出小儿每日所需奶量，甚至精确到每个营养成分，但落实到每个孩子身上，应该吃多少，只有孩子自己知道。即使是权威的育儿专家也不会让妈妈完全按照他所推荐的量去喂养，而以孩子正常发育为标准，代表西方国家的美国育儿权威斯波克，代表东方国家的中国育儿专家陈帼眉，日本育儿权威松田道雄都有精辟的论述。孩子最有权利决定吃多少。

奶粉品牌选择：成分不如质量重要

这个月的孩子选择什么样的奶粉好呢？妈妈爸爸们往往在这个问题上投入太大的精力，其实这是没有必要的。无论什么品牌的奶粉，其基本原料都是牛奶，只是添加一些维生素、矿物质、微量元素，其含量不同，有所偏重。但都要按照国家统一的奶制品标准加工制作，只要是国家批准的正规厂家生

宝宝/姜籽君

是否给宝宝使用安抚奶嘴，学术界一直存在争议。国外安抚奶嘴的使用比国内普遍，所以出现的问题也多。我建议，除了宝宝哭夜，影响睡眠和周围人的休息，不得不给孩子使用安抚奶嘴以外，最好不用。

产，正规渠道经销的奶粉，适合这个月的孩子，都可以选用。选用时要看是否标有生产日期、有效期、保存方法、厂家地址、电话、奶粉成分及含量，所释放的热量，调配方法等，最好选择知名品牌、销售量大的奶粉。一旦选择了一种品牌的奶粉，没有特殊情况，不要轻易更换奶粉种类，如果频繁更换，就会导致小儿消化功能紊乱和喂哺困难。

奶具消毒

出了满月，孩子对细菌的抵抗力仍然较弱，仍然要注意奶具的消毒。尤其是夏季，更要格外注意。

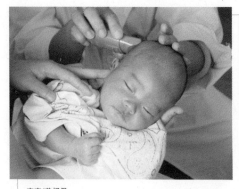

宝宝/姜杼君

天气热了，妈妈准备给宝宝剃个小壳瓢，免得生痱子。为了不让宝宝动，妈妈把宝宝喂饱了，哄着了，没想到宝宝真的很乖，很顺利地剃完了头。

第5节 如何护理满月婴儿

166. 衣服被褥床：品质第一

服装：防止皮肤糜烂和肢体坏死

出了满月以后，可以给孩子穿一身宝宝服了，但要穿纯棉、质地柔软、宽松、脚脖子、手腕部不是紧口的衣服，最好不穿带纽扣的衣服，给孩子穿衣比较麻烦，尤其是在寒冷季节，应该迅速穿上衣服，以免孩子受凉。

衣领最好选择和尚服式的领子，不要太紧，小儿脖子短，充分暴露脖子是很重要的，不但利于孩子呼吸通畅，还可避免颈部湿疹和皮肤糜烂。

不要穿连脚裤，如果亲朋好友送的是连脚裤，要把连脚剪掉，缝制成普通裤子样再给宝宝穿。裤子开裆要大，如果过小，要剪开，前面要暴露到耻骨联合处，后面要把整个臀部暴露出来，两裤腿开口达膝盖上约一公分，如果开口太小，会影响换尿布，也容易尿湿，更重要的是可能会勒孩子的皮肤，造成皮肤损伤。

可以穿宽松的棉质小袜子，袜口不要过紧，一定不要勒着孩子脚脖子，如果过紧，会影响脚的血液循环，这是很危险的。穿袜子前，要翻过来仔细检查一下，看是否有线头，如果有线头要剪掉，线头会缠在孩子的脚趾上，引起脚趾坏死，这不是耸人听闻，在临床中遇到过这种病例，一旦发生后果是不堪设想的。不但穿袜子要注意这一点，穿所有的衣物都要注意这一点。

给小婴儿买衣物，一定要注意质量。不能只看样式，价钱，最重要的是看质量，包括质地，做工等。

床上用品：放弃漂亮的小毛毯

被褥与新生儿时期没有多大区别，还是要选择棉质，透气性能好的铺盖。许多父母给孩子盖颜色鲜艳、花色漂亮的小毛毯。我到过许多婴儿家中，在病房和门诊也看到大多数父母都给孩子使用这种毛毯，很是漂亮。但观察其质地，大多数是晴纶制品，甚至有的就是化纤制品，纯毛的很少，无论是纯毛的还是晴纶的，给小婴儿盖都不适宜，小毛毯上的毛会不断脱落下来，可能会吸入到孩子的咽部，刺激呼吸道黏膜，引起过敏反应，大的飞毛就会成为异物，吸到孩子的气道中。所以，给孩子盖由纯棉布做的，里面是纯棉的小被子，这看起来比较落后，但对孩子有好处。

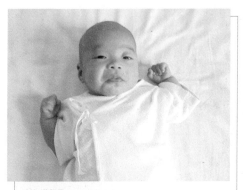

宝宝/姜杼君
宝宝睡醒了，伸伸懒腰，解解乏，很舒服。

宝宝/姜杼君
再打打太极拳，舒展一下筋骨。

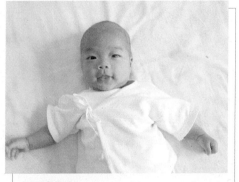

宝宝/姜杼君
运动完毕，感到很轻松，这时妈妈可以和宝宝说话。宝宝处于最佳情绪状态，对宝宝的潜能开发才能起到效果。

出了满月的孩子活动增加，不要盖得太多，只在孩子上面盖上被子就行，不要包裹孩子，包裹后会影响孩子肢体运动，会阻碍孩子运动能力发展。这个时期的孩子可能会出

现不很严重的踢被子现象，这不要紧，可以把孩子的小脚丫露在外面，就不会把被子踢下去了。脚上穿上一双厚一点的袜子就不会着凉了，踢被子也是锻炼腿力的一种方式。

婴儿床

可以让孩子自己睡一张小床，但一定要放在妈妈大床旁边，和妈妈床之间不要设置屏障，要随时能够把孩子抱起来。尤其是夜间，当孩子发生溢乳或呛奶时能够立即处理，否则会发生意想不到的危险。这个月的孩子可能会翻身，一定不要让孩子单独待着，尤其是觉醒状态时，注意避免孩子的头或肢体卡在小床栏杆内。

167 即使冬季也每天洗澡

每天给宝宝洗澡

孩子已经适应每天给他洗澡了，如果有几天不洗澡，孩子会感到不舒服而哭闹。1个月以后的孩子不再像新生儿那样软，抱也抱不好，妈妈爸爸没有经验，现在好了，已经积累了1个月的经验，可能洗澡已经很顺利了，再也不是几个人弄得满头大汗，还险些把孩子掉到水中。虽然不能说轻车熟路，也不那么紧张了。

这个月的孩子可以不必像新生儿那样，一部分一部分地洗，可以把孩子完全放在浴盆中，但要注意水的深度不要超过孩子的腹部，水的温度要保持在37.5~38℃。如果没有水温计，妈妈可以用手腕部或手背部试一下，感到热，但不烫，感到不凉或温水就说明水温不够。不要让爸爸试，爸爸皮肤较厚，往往把水温定的偏低。

洗澡时间不要太长，一般不要超过15分钟，以5~10分钟最佳。不要每次都使用洗发剂，一周使用2~3次就可以。更不要使用香皂，一周使用一次婴儿浴液就可以，一定要用清水把浴液冲洗干净。

冬季如果条件允许，最好每天都洗澡，夏季一天要洗2-3次。上午正式洗一次，下午和晚上大人睡觉前简单冲一下就可以。如果天气炎热，孩子出汗较多，随时可以给孩子冲凉。至少要给孩子皮肤皱摺处洗一洗。

保护脐、眼、耳

仍然要注意不要把水弄到耳朵里。这时孩子的肚脐已经长好了，不必担心感染，但是，如果脐凹过深，也要把脐凹内的水沾干。不要把洗发剂弄到孩子的眼睛里去。洗澡时一定不要有对流风。洗后，要用干爽的浴巾包裹，用干爽的毛巾把头包裹上，等待干后再穿衣服，不要用毛巾擦身上的水后马上穿衣服，这样容易使孩子受凉。而把湿淋淋的孩子用干毛巾包裹起来是最好的，丢失的热量最小。

10分钟后喂奶

洗澡后给孩子喂一点白开水，不要马上喂奶，这对消化有好处。洗澡时，孩子外周血管扩张，内脏血液供应相对减少，这时马上喂奶，会使血液马上向胃肠道转移，使皮肤血液减少，皮肤温度下降，孩子会有冷感，甚至发抖，而消化道也不能马上有充足的血液供应，会因此影响消化功能。最好等洗澡后10分钟再开始喂奶。

168. 环境：父母常常忽视湿度

这个月的孩子对环境的要求仍然比较严格，室内温度不能忽高忽低，夏季保持在28℃左右，冬季保持在18℃左右，春秋自然温度就可以了。可以长时间开窗户，但不要有对流风。冬季开窗户时，要把孩子抱到其他室内。

爸爸戒烟的理由

爸爸不要在室内吸烟，妈妈要把孩子作为劝导丈夫戒烟的武器，为了下一代，爸爸戒烟是别无选择。厨房做饭时要把门关紧，

不要让油烟进入婴儿房内，以免刺激孩子呼吸道黏膜，埋下婴幼儿哮喘的隐患。妈妈爸爸都很注意空气污染问题，积极化验体内是否有铅、汞等中毒，但却不注意自己可以控制

宝宝/尚潘柔美
宝宝进入浅睡眠阶段，很快就要醒来了。

宝宝/尚潘柔美
宝宝已经醒来，要妈妈喂奶吃。

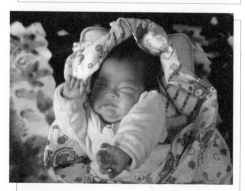

宝宝/尚潘柔美
妈妈怎么还不来抱我呀，我可等得不耐烦了，很快就要大哭了。

宝宝/尚潘柔美

美美51天，还不能完全把头竖立起来，这个小哥哥比美美大1个月，已经能够竖头了。大多数婴儿在3个月左右会竖头。

的小环境，这是妈妈爸爸的最大过错，小环境对小婴儿的影响要远远超过大环境。

湿度降低宝宝患呼吸道疾病的几率增加

要保持适宜的湿度（40~50%）。湿度太小，呼吸道黏膜干燥，就会降低对细菌病毒的抵抗能力，呼吸道细毛功能受损，黏膜防御功能下降，而引起呼吸道感染。小儿发病率最高的是呼吸道疾病，要降低呼吸道疾病，就要从新生儿、婴幼儿抓起。

169. 尿便管理

随意大小便，男婴可以接尿

1个月以上的孩子，仍然是随意大小便，训练大小便还为时太早，没有必要为此投入精力，这时是无效的。即使有些效果，也不能持久，可能会很快倒退回去，使您丧失了继续训练的信心。所以，不提倡过早训练孩子的大小便。

尽管孩子不能控制大小便，但和新生儿期相比，这个月的孩子小便次数有所减少，比较成泡了。如果使用尿布，不再是每天彩旗飘飘，而且，也比较有规律了，大多数是在醒后排尿，在可以看到男婴阴茎立起来时，马上给他接尿，会成功地把尿接到小罐中。

大便次数呈现个体差异

母乳喂养的孩子大便次数仍然比较多，但每个孩子不尽相同，有的可以排6~7次，有的排1~2次，个体差异越来越明显。大便性质，如果是母乳喂养，大便大多呈黏稠的金黄色。可以带奶瓣，也可以呈绿色，但并不能说明是异常的。牛乳喂养的孩子，大便大多呈黄白色，也有的呈黄色。

170. 睡眠问题

醒着的时间长啦

这个月的婴儿比新生儿期的睡眠时间有所减少，不再是吃了睡，醒了吃，几乎一天总是在睡眠状态了，觉醒的时间越来越长，每天可能睡16~18个小时，后半夜可能会停食一次奶，每天上午8、9点种可能是觉醒时间最长的。不再是每次吃奶后都能入睡。

睡眠时间难以理解

但也有的孩子睡眠时间比较长，有的孩子睡眠时间比较短，可能一天仅睡14个小时就行。只要孩子精神好，生长发育正常，就不要担心孩子睡眠过少或过多，这是每个孩子的个体差异。其实，孩子到底应该睡多长时间，是没有硬性规定的，父母总是按照自己的意愿要求孩子睡多长时间，什么时候应该睡眠是不对的。

从小给孩子养成良好的生活习惯固然重要，关键是要了解孩子的个性，在安排孩子睡眠时间时，也要充分考虑孩子周围的环境，父母是否给孩子创造了良好的睡眠习惯，如果父母自己睡眠就没有规律，就会影响孩子良好睡眠规律的建立。

夜间睡眠问题折磨父母

到了晚上，父母劳累了一天，晚上又困又疲劳，可孩子却精神得很，就是不睡觉。而1~2个月的孩子，还不会玩耍，对周围的事物缺乏兴趣，看、听能力还比较弱，所以觉醒时哭的时候多，这往往使得新手妈妈爸爸不知所措，其实这是很正常的现象。

可妈妈爸爸往往不这样想，多是认为孩子不正常，向医生咨询，带孩子看病，补钙（现代的父母对钙的重视程度远远超过了医生），崭新的生命怎么有这么多病！新手妈妈爸爸要能够用心灵去感应孩子。孩子也有喜怒哀乐，孩子这时不想睡了，您就认为孩子有病，那成人有时不想睡，看一会电视，也是有病吗？有一位父母带孩子看病，说这几天孩子晚上不好好睡觉，昨天晚上半夜两点醒来，到了3、4点才睡，我检查了孩子，没有发现任何异常，再询问白天睡眠情况，结果白天睡眠时间比平时延长了，为什么呢？足球比赛，夫妇俩早早睡觉，半夜起来看足球，结果孩子的睡眠规律被打破了。这不是孩子有病，仅仅是临时睡眠时间的变化。

如果孩子夜间睡眠时间短，影响大人休息，大人就要帮助孩子逐渐改变过来，白天让孩子少睡，慢慢把觉推移到晚上。而不能白天妈妈要干活，爸爸要上班，孩子睡觉时间越长越好，晚上父母要休息，孩子更应该睡觉，不睡就认为是孩子有病，这对孩子是很不公平的。

大多数育儿书籍的问题

几十年的儿科临床工作使我感受到，儿科医

宝宝/尚潘柔美
大多数婴儿在3个月左右会竖头。宝宝刚刚竖头时，只能坚持几秒钟，很快就会向后仰或向前垂。所以，3个月前竖立着抱宝宝时，应该把手放在宝宝头枕和颈部，以免损伤脊椎。

生在门诊解决的大多数问题是生活中的问题，而不是治疗疾病。这也是我想写这样一本育儿书的初衷。妈妈爸爸会看到，在这本书中，我写得更多的是非疾病情况，更多的是被父母视为异常的问题。这本书中回避了教科书式的理论体系和框架、对专业技术人员才有意义的病理诊断和比较抽象平均的判断标准。因为国内几乎所有的育儿类书籍都是这样写的，读者已经习惯了这种阅读方式，希望从中找到百分之百的答案。

这正是新手妈妈爸爸们总是认为他们的孩子有问题的症结。他们总是拿书和自己孩子做比较，书上说一个月的孩子每天应该睡16-18个小时，可他们的孩子每天却只睡13-14个小时，睡眠时间不够，肯定会影响长个儿！书上说每天应该吃7次奶，每次吃100-110毫升，可他们的孩子每天仅吃5次，或吃9次，每次吃60-150毫升，有时还吃180毫升，有时吃50毫升，这也太不正常了，孩子肠道肯定有问题了！如此的不正常每天都可以找出来，妈妈爸爸整天提心吊胆，哪里还有育儿的乐趣！所以说，不能教条地对待一个活生生的可爱的小生命，应该赋予孩子更多的自由空间，照着书本上的条条框框要求孩子是不行的，要科学地灵活运用育儿知识，要有个体化分析。

不要迷信书籍和权威

书毕竟是有限的，不可能把所有的情况都详细叙述出来。所写的都是普遍现象和一般规律，而且有的知识也需要更新了。日本家喻户晓的育儿专家松田道雄先生写的《育儿百科》是一本权威性著作，但里面的有些观点随着医学科学的发展也需要更新。如书中认为生后30天的孩子眼睛仍看不清东西。新的研究证明，人类早在胎儿期就具备了看的能力，刚刚出生的孩子就会看，而且对看的东西还具有记忆能力。科学是无止境的，对生命的研究仍在继续进步中。

比如现在说的是一个月孩子的睡眠问

题，父母总是要问，孩子睡眠时间是否太短？晚上不好好睡觉怎么办？听完上述分析，父母就会明白：只要孩子精神好，生长发育正常，就别去刻意追求孩子的睡眠时间和习惯。习惯是妈妈爸爸帮助养成的。睡眠时间是有个体差异的，即使是睡眠习惯，也有个体差异，有的人喜欢晚睡晚起，是"夜猫子"；有的人像农民，日出而作，日落而息。大人况且如此，何况刚刚出生一个多月的孩子呢。

第6节 不同季节护理要点

171. 春季护理要点

春暖花开季节，已经出了满月的孩子和快两个月的孩子是否可以抱到户外？

北方初春不要把孩子抱到户外

春天是一年中气候变化最无常的季节，春寒料峭。根据我国养育孩子的习惯，北方地区初春时节还是不要把孩子抱到户外的好，这么大的孩子对自然界的适应能力还比较弱；春末夏初，气候变化小，冷空气少了，风也不那么大了，在天气晴朗的中午可以把孩子抱到户外20分钟左右，但要在孩子醒的时候抱出去，不要让强烈的阳光直射到孩子

宝宝/王美泽
宝宝正在学习俯卧抬头，非常努力，不但全身都在使劲，连小嘴也在使劲，像在喊一二三，抬起来了，宝宝多棒！妈妈给宝宝穿上了漂亮的服装，要给宝宝照漂亮的明星照。

的眼睛。不要在阴天或风较大时抱孩子到户外，尤其不要让孩子迎着风。

南方补充维生素D，避免紫外线伤害

南方地区，初春气候就比较热了，风也相对小，南方的户外比室内更温暖，所以，南方的孩子很小就在户外活动，时间也比较长。但是南方多阴雨天气，即使户外活动时间长，接受到的紫外线也比较少，也要补充维生素D。高原地区，紫外线照射比较强烈，要注意防护，过强的紫外线对小婴儿是有伤害的，如云南，西藏等地区。春季气候干燥，要保持室内湿度。适当给孩子补充水分。可以每天喂白开水一两次。妈妈也要多喝些水，对乳汁分泌有利。

病毒细菌感染机会增多

春季万物复苏，微生物开始繁殖增加，病毒细菌感染机会增多，加之气候多变、干燥，呼吸道黏膜功能下降，孩子容易患呼吸道感染，要注意预防，要注意与患病的儿童隔离。春季开窗时间延长，要避免对流风对孩子直接吹袭。

换季不换装的通病

春天了，气候转暖，大人都开始换装，这时最常见的是妈妈不敢给孩子换装，常常遇到这种情况，妈妈穿着春天的服装，可孩子不但仍然穿着冬季的服装，还裹着冬季的被子到医院看病。换季不换装是妈妈在护理孩子中常遇到的，尤其是从冷的季节到热的季节，妈妈总是不舍得给孩子减衣服，从热的季节到冷的季节，妈妈就急着给孩子加衣服，妈妈更喜欢"春捂秋不冻"。所以，不需告诉妈妈们不要冻着孩子，需要的是告诉妈妈们不要热着孩子，要及时给孩子换装换铺盖。您感觉热了，孩子就感觉热了，小婴儿比大人多一层单衣就可以了，到了会跑跳阶段的孩子还要比大人少穿一层单衣呢。

宝宝/王美泽

看宝宝坐得很稳，其实，宝宝还不会独坐，完全依靠沙发靠背呢，如果两边不用东西挡上，宝宝很快就会向两边倒。

宝宝/王美泽

聪明的宝宝赶紧张开双臂，试图保持身体平衡。

宝宝/王美泽

宝宝已经开始要向右边倾斜。

宝宝/王美泽

宝宝没有到能够独坐的生理年龄，做了最大的努力，还是保持不住独立的坐姿，终于倒向右边。

172. 夏季护理要点

预防皮肤糜烂

1个月以后的孩子进入了体重快速增长阶段，这个月的孩子，皮下脂肪开始增多，胖胖的，变得越发可爱。有的孩子连脖子都看不到了，颈部、腋窝、大腿根（腹股沟）、臀部、肘窝、腘窝、耳后、大腿皱褶、胳膊皱褶等处，在炎热的夏季很容易发生糜烂（北方人们常把这叫淹着了，孩子的屁股淹了，下巴淹了）。痱子是护理夏季小婴儿最需要注意的，可能昨天还好好的，今天就糜烂了。小婴儿皮肤非常薄嫩，天气热，有汗，这些地方都不透气，这么大的孩子开始好动了，就会出现皮肤摩擦，很快就发生了糜烂，所以，夏季一定要设法暴露这些部位，要勤洗。

不用爽身粉或痱子粉

父母都喜欢在这些部位擦爽身粉或痱子粉。一些书上也这样写。我不提倡给小婴儿使用，原因是：

1）夏季出汗，爽身粉或痱子粉遇湿后，就会贴在婴儿皮肤上，刺激稚嫩的皮肤，皮肤受到刺激后会发生红肿，加速糜烂。

2）干燥的粉才能起到润滑、减小摩擦的作用，湿粉不但不能起到这个作用，反而会增大摩擦，更易磨坏稚嫩的皮肤。

3）有的孩子本身就对爽身粉中的一些成分过敏，就会加重对皮肤的刺激。

所以，我的观点是，多用清水洗，这是预防皮肤糜烂最有效，副作用最小的方法。

只盖住胸腹部

环境要通风凉爽，不要给孩子穿过多的

衣服，盖过厚的被子，如果天气很热，只给孩子穿一件小肚兜就可以，不要盖被子，睡着了，在身上搭一个小薄布单就可以。而且要两头都暴露着，仅搭在胸腹部就可以了。可以睡凉席，最好是草编的凉席，在凉席上铺一层棉质薄布单，最好是白色或浅色的，因为染料对孩子皮肤有刺激作用。

空调或电风扇如何使用

不要让空调冷风口或电风扇直接对着孩子，最好是把空调设在其他房间，婴儿房间接得到空调的调节。无论天气多热，室内温度与室外环境温度之差要小于7℃，如果室外温度不是很高，室内温度最低不要低于24℃。即便使用空调，每天也要定时开窗换气。

妈妈宝宝勤补水

夏季水分丢失比较多，要注意补充水分，乳母要多喝水，孩子也要适当补充水分，一天至少喂水2次。如果是人工喂养，就更应该补充水分，每天喂水至少4次。夏季气候炎热，孩子奶量会有所下降，妈妈不要强迫孩子吃。可适当补充一些新鲜橘子汁。人工喂养儿要注意奶瓶消毒，奶质量检测，严把病从口入关。一旦腹泻，要及时化验大便，如果有感染性腹泻，要在医生指导下治疗，注意口服补液盐的使用，严防脱水。

173. 秋季护理要点

度过了炎热夏季的新生儿，迎来了凉爽的秋季，金秋时节，感觉到气压不再那么低，空气不再那么闷热，有了一丝淡淡的凉意。妈妈爸爸肯定不会急着添加衣服和被褥，也不会急着关窗关门，不再用空调调节室内温度了。金秋时节是儿童患病率最低的季节，这时的儿科病房和儿科门诊就诊人数会锐减。几乎是冬季的八分之一，春季的五分之一，夏季的三分之一，这是粗略的统计，但也说明一

宝宝/郑果

个事实，金秋不但是好时节，也是孩子们的好时候。

平安秋季的注意事项：

1）初秋，天气刚刚凉，小婴儿对外界环境的适应能力和自身调节能力都比较差，要注意防止孩子受凉，但不要过早添加衣物和被褥。初秋气温还不是很稳定，可能会有一段时间的燥热，如果过早添加了衣服，会使孩子难以适应突如其来的冬季。

2）秋末，冬季就要来临，要注意预防小儿上呼吸道感染，如果这时感冒咳嗽，可能会转成慢性咳嗽，冬季难以护理，如果在这时感冒了，要积极治疗。

3）秋末是婴幼儿罹患轮状病毒肠炎高发季节，要注意预防，不要到人多的地方，一旦发现孩子腹泻，不要认为是一般的腹泻，自行吃些止泻药，要及时找医生，请医生对症开具治疗轮状病毒肠炎的处方药，注意电解质和水的补充，口服补液盐的使用是很关键的。

174. 冬季护理要点

呼吸道感染的高发季节

冬季和春初是呼吸道感染的好发季节，尤其要预防小儿肺炎，一两个月的小婴儿一旦患肺炎，多数是喘憋性肺炎，虽然发病率并不高，但当我们的孩子患上了，就是百分之百的发病率。

得病的原因是室内温度过高！

护理冬季的孩子，关键的还不是单纯的受凉，妈妈爸爸不会让自己的孩子冻着，得病的关键是把孩子热着了。这是怎么回事呢？冬季里，大多数父母都是门窗紧闭，室内的温度要高出室外温度几十度，温差很大。由于温度过高，致使室内湿度过小，空气不流通，这些问题都是导致小儿呼吸道黏膜抵抗能力下降的因素。孩子住的房间和其他房间的温度差异也往往很大，这就使得孩子间接受凉的机会增加。大人总是要开门进出的，前厅的冷气会随着开门进入孩子房间；而这时孩子由于室内温度高，周身的毛孔都处于开放状态；遇到冷气，毛孔不会像成人那样迅速收缩阻挡冷风的侵袭，一两个月的孩子调节能力还比较差，对外界的变化不能作出相应的反应，缺乏保护能力；又由于室内空气不新鲜，空气干燥，气管黏膜干燥，清理病毒细菌的能力下降，过多的病毒细菌就会乘虚而入。因此，冬季孩子患病最主要的不是受凉，新手妈妈爸爸不要只怕孩子受凉，而忽视了受热。

第7节 本月婴儿能力

175. 看的能力：对明暗和色彩有反应

喜欢把头转向有亮光的窗户或灯光

1到2个月的孩子，视觉能力进一步增强，视觉已相当敏锐，能够很容易地追随移动的物体，两眼的肌肉已能协调运动，能够追随亮光。妈妈会发现，孩子总是喜欢把头转向有亮光的窗户或灯光，喜欢看鲜艳的窗帘。这就是对明暗和色彩的反应，两个月以内的婴儿最佳注视距离是15~25厘米，太远或太近，虽然也可以看到，但不能看清楚。

宝宝/尚潘柔美
美美开始把两只小手往一起够。

能够记住爸爸妈妈的脸

对看到东西的记忆能力进一步增强，表现在，当看到妈妈爸爸的脸时，会表现出欣喜的表情，眼睛放亮，显得非常兴奋。妈妈爸爸也会送给孩子爱的眼神，这种对视就是母爱、父爱的体现，孩子会很幸福，对孩子身心发育是非常有利的。妈妈爸爸不要以为孩子小，什么都还不懂，这是错误的观点。

最大可能地开发孩子的潜能和智能

不但和孩子进行视觉交流，还要进行语言交流，不断开发孩子的潜能。我国一些有影响的权威性育儿书籍中，对婴儿视觉能力的阐述，大多集中在对视力的评价上，认为刚出生的新生儿是没有视力的，几天后才仅有光感，2个月以内的婴儿视力仅仅达到0.01。新的医学研究已经推翻了这些认识，著名儿科专家鲍秀兰在这方面有精辟的论

宝宝/尚潘柔美
宝宝两只小手已经会勾在一起，还会把手指伸出来，握在另一只手里。

述,揭示婴儿看的能力。妈妈爸爸要接受新的育儿信息,最大可能地开发孩子的潜能和智能。在孩子的一生中,这个月虽然仅仅是30天,但错过了就找不回来了,要珍惜孩子这个机会,开发孩子的视觉能力。

176. 听的能力:对音乐显露兴趣

对婴儿听的能力的研究,进展也非常快,过去认为生下来的婴儿都是聋子的说法早已被现代医学研究所否定。胎儿就有了听的能力,由此发展了胎教。

新生儿听力已经比较敏锐,这个月的婴儿听觉能力进一步增强,对音乐产生了兴趣。如果妈妈给孩子放噪音很大的声音,孩子会烦躁,皱眉头,甚至哭闹。如果播放舒缓悦耳的音乐,孩子会变得安静,会静静地听,还会把头转向放音的方向。妈妈要充分开发孩子这种能力,训练听觉。但孩子毕竟小,对不同分贝的声音辨别能力差,不要播放很复杂,变化较大的音乐。

177. 说的能力:仍然通过哭声表达情绪

1个多月的孩子哪里会有说的能力?是的,孩子还不能用语言来表达,但这么大的孩子已经有表达的意愿。当妈妈爸爸和孩子说话时,您可能会惊奇的发现,孩子的小嘴

宝宝/姜杼君
宝宝已经能够和妈妈进行眼神交流了。

在做说话动作,嘴唇微微向上翘,向前伸,成O形。这就是想模仿妈妈爸爸说话的意愿,妈妈爸爸要想象着孩子在和你说话,你就像听懂了孩子的话,和孩子对话,这就是语言潜能的开发和训练。尽量多和孩子说话,开发孩子的语言学习能力。

哭也是孩子的语言,在新生儿一章第13节中,模仿孩子的语言进行了哭语言的解读。

178. 嗅的能力:爱闻妈妈的奶香

在胎儿时期嗅觉器官即已成熟,新生儿依靠成熟的嗅觉能力来辨别母亲的奶味,寻找乳头和母亲。小婴儿总是面向着妈妈睡觉,就是嗅觉的作用,他(她)是闻妈妈的奶香。

179. 体活能力

了解婴儿动作发展的意义

婴儿动作的发展,与神经系统发育和心理、智能发展密切相关。这个月的婴儿不能用言语表达,心理发展的水平主要是通过动作反映出来,只有动作发展成熟了,才能为其他方面的发展打下基础。

婴儿的体活能力是不断提高的,从最原始的无条件反射到复杂技能发展过程,要遵循一定的原则,有严格的内在联系,新手妈妈爸爸要了解孩子体活能力的发展规律。

这个月婴儿的泛化反应

1~2个月的婴儿动作是全身性的,如当妈妈爸爸走近宝宝时,宝宝的反应是全身活动,手足不停地挥舞,面肌也不时地抽动,嘴一张一合的,这就是泛化反应。随着月龄的增大,逐渐发展到分化反应。从全身的乱动逐渐到局部有目的有意义的活动,婴儿动作的发展是从上到下的,即从头到脚发展。

示例

1个月以内的孩子俯卧位时还不能把头抬起;一个

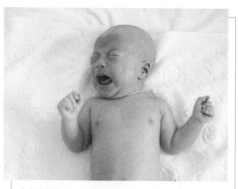

宝宝/姜杼君
婴儿喜欢脱光光,可宝宝为什么大哭呢?宝宝被冻着了,冷和热都会引起婴儿不适哭闹。刚刚洗完澡,水分带走身体热量,会有冷的感觉,给宝宝洗完澡应马上用毛巾把宝宝包裹上。

月以后,可能会有短暂的微微抬起,但很快就会落下去;接近两个月的婴儿,可以把头抬起片刻,但还不能让胸离开床面,可以自己把头偏过去,使口鼻不被堵住。

预防婴儿猝死的卧姿

但有的孩子这时还没有这个能力!所以,妈妈不在时,不要让孩子俯卧位睡眠,也不要侧卧位,因为侧卧时,孩子自己可能会变成俯卧位。如果孩子不能把头偏过去,就会堵塞呼吸道造成婴儿窒息,这也是引发婴儿猝死的原因。

美国医生曾经呼吁让婴儿更多采取俯卧位,这样有利婴儿大脑发育和促进肺脏功能,但随后发现,俯卧和侧卧可能是使婴儿猝死发生率增高的原因之一,因此认为仰卧还是安全的。

我国一贯主张小婴儿应该采取仰卧位,尽管溢奶时会有呛进气管的危险,但如果妈妈在身边,溢奶后马上把孩子侧过来,还是来得急的,还是比俯卧安全。

并不是不让这么大的孩子俯卧或侧卧。当孩子醒后或喂奶一个小时后,妈妈爸爸可以帮助孩子做俯卧位锻炼,这对孩子的脑发育和促进肺功能是很有益处的。可以每天做两三次,每次锻炼几分钟,对于婴儿竖头是很有帮助的。

握拳和吮拳

这个月的孩子还不能主动把手张开,但会把攥着的小拳头放在嘴边吸吮,甚至放得很深,几乎可以放到嘴里,但不会把指头分开放到嘴里,也就是说这么大的孩子不是吸手指,是吸拳头。和大孩子不同,小婴儿攥拳头是把拇指放在四指内,而不是放在四指外,这是小婴儿握拳的特点。

180. 潜能开发和智力训练

记住,孩子什么都懂

当孩子在觉醒时,和孩子面对面说话,发音口型要准确,即轻柔又清晰,不但锻炼了孩子的听力,也锻炼了孩子的视力。当孩子注视着你时,可以慢慢地移动头的位置,设法吸引孩子的注意力,让孩子追随你。如果孩子的视线不能随你移动,可以向孩子发出声音:"妈妈在这里,看看妈妈。"记住,孩子什么都懂,抱着这样的信念训练孩子的潜能是非常重要的,可以收到非常显著的效果,会使你的孩子进步很快。

不要奢望孩子超常

不要刻意教孩子什么能力,就是在和孩子玩耍交谈,互动游戏中提高孩子的能力。单纯的教不但会扼杀孩子的学习兴趣,还会使大人疲劳,不耐烦,甚至训斥孩子。奢望孩

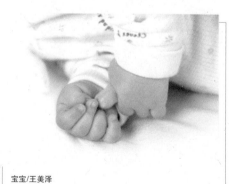

宝宝/王美泽
宝宝可爱的小手。

宝宝/姜杼君

和上个月不同，宝宝不再吸吮拳头，开始吸吮手指，宝宝最喜欢吸吮大拇指。妈妈不要害怕宝宝吸吮手指，总是把宝宝的手拿开，吸吮手指是婴儿认识事物的一种方式。

子超常是导致教育失败的原因之一，要用一颗平常心对待孩子，给孩子最大的快乐，爸爸妈妈也从孩子那里得到快乐，这是最好的教育方式。

第8节 本月婴儿生理现象

181. 溢乳

溢乳婴儿的喂养

新生儿期可能是仅在嘴角流出一点奶液，到了这个月可能会吐出一大口。男婴要比女婴发生溢乳的现象多，程度也重。

如果孩子溢乳比较严重，可以让孩子把一侧乳房吸净后，另一侧乳房只让吸一半。人工喂养儿，可以尝试着少冲一些奶，但是如果孩子体重增长慢了，就还要把乳量加上去。

这个月的孩子，每天体重增长约40克左右，一周可增长200克左右。如果每周体重增长低于100克，就说明孩子不但没有吃过量，还可能由于溢乳过多，影响了热量供应，但生理性溢乳多不影响生长发育，如果生长发育受影响，就要和病理性溢乳相鉴别。

溢乳的护理方法

生理性溢乳不需要治疗，每次喂奶后都要竖着抱孩子拍嗝，让孩子把吸入的空气排出来。如果不能把吸入的气体拍出来，也不能一直拍下去，可持续竖立抱10~15分钟，也可减少溢乳。无论喂奶后孩子是否拉尿，都不要给孩子换尿布，以减少溢乳的可能。醒后不要等孩子大声哭闹再抱起孩子喂奶，那样会增加溢乳的可能。抱孩子时，动作不要过猛，要把孩子头部先抬起来，再随后抱起上身、下身。就是说当把孩子抱起时，孩子成竖立位，再慢慢把孩子倾斜喂奶。吃奶时，孩子头、上身始终要与水平位保持成45度角，这样也会减少孩子溢乳。

溢乳的药物治疗

特别严重的溢乳，可以使用万分之一的阿托品滴液，开始剂量是喂奶前15分钟滴一滴，逐日增加滴数，每日增加一滴（如第二天是每次喂奶前滴两滴），直到小儿脸部发红，再逐日递减，直至脸红消失。如果滴的过程中小儿溢乳减少或不溢乳了，就不要递增，保持原量，巩固几天停药。使用这种方法一定要经给您看病的医生同意，在医生指导下使用，最好是住院有护士协助使用，医生观察疗效更安全。切不要自行使用。

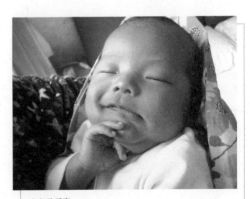

宝宝/陶禹熹

我很舒服，很惬意。

没有必要的担忧

妈妈爸爸常常会为孩子溢乳而发愁，孩子每溢乳一次，尤其是大口溢乳，妈妈的心就很难受。其实，只要是生理性溢乳，早晚会好的，不会一直这样下去，也不影响孩子的生长发育，即使溢乳孩子不难受也不痛苦。

溢乳后，孩子仍然是精神饱满，还不时地笑。孩子吐不坏的，只是浪费些乳汁，那是多余的，孩子盛不下这些多余的乳汁，但又吃得香，不舍得停止吸乳，吐出去了。如果吐多了，孩子会提前闹着吃奶的，溢乳的孩子食欲大都是很好的，不要怕孩子营养不够。

182. 哭闹

这个月的孩子哭闹时候多了，哭声也响亮了，哭不再是消极的，已经有了积极的意义，如总是让他躺着看房顶，会觉得寂寞，就会大声哭，希望妈妈爸爸抱抱他，也让他看看周围的东西，如果这时妈妈怕惯坏孩子而不去抱他，让他尽情去哭，这是不对的。

孩子会感到失望，心理发育会受到不良影响，不要认为刚刚一两个月的孩子哪里会有这样的感受，孩子有丰富的情感。妈妈爸爸学会诠释孩子的哭是要经过一段时间的，但能把孩子的哭理解成孩子的语言，并与孩子认真交流，也就可以了。

183. 鼻根部、手足心发黄

这个月的孩子如果出现手足心，鼻根部发黄，但眼睛巩膜却蓝蓝的，这可能是你给孩子添加了橘子汁引起的。不要紧，可以暂时停止，或减少剂量，会很快好的。不是黄疸。

184. 头部奶痂

整个月子也没有给孩子洗头；或洗头时，没有间断使用洗头水，或仅仅用清水冲一下，或仅仅用湿毛巾轻轻沾几下；孩子如果是

宝宝/张淳然
宝宝开始辨别声源。宝宝的头还不能灵活地转动，通过眼球的运动来寻找声源。

渗出体质，有湿疹，孩子的头部，眉间可能就会有厚厚一层奶痂，颜色发黄。

这不要紧，不要直接往下揭痂，会损伤孩子的皮肤，要用甘油（开塞露也可以）涂在奶痂上浸泡，等到奶痂变得柔软，轻轻一擦就自行脱落了。不要急于一次弄干净，每天弄一点，慢慢弄净。如果伴有湿疹，可能弄不掉，这也不要紧，随着月龄的增长，会逐渐减轻的。

185. 奶秃

这个月的孩子会出现脱发现象。出生后本来黑亮浓密的头发变得稀疏发黄了，妈妈总是认为孩子营养不良了，没有把孩子喂好，可能是缺乏什么。

这么大孩子出现脱发是生长过程中的一种生理现象，民间俗称奶秃，随着月龄的增大，开始添加辅食，脱落的头发会重新长出来。另外，胎儿期的头发与母亲孕期的营养有关，出生后与遗传、营养、身体状况等多种因素有关。如果父母一方头发稀或黄，孩子会逐渐像爸爸或妈妈。

186. 枕秃

大多数父母知道枕秃是缺钙引起的，有

的医务人员也这样解释孩子的枕秃，而实际上，并不是所有的枕秃都是由缺钙引起的。

小儿爱出汗，基本都是仰卧着睡觉，而且一天24小时大多数时间是躺着度过的，如果枕头过硬（有的父母为了给孩子睡头型用黄豆、玉米粒装枕头），孩子整天在枕头上蹭来蹭去，就会把枕后的头发磨掉了，现在出现枕秃更多的原因是后一种，由缺钙引起的倒少见了。父母不要一看到孩子有枕秃，就盲目给孩子增加钙的摄入量。

187. 吃奶时间不但不延长反而缩短了，奶量减少了？孩子有病了？

新生儿吸吮力弱，胃容量小，睡眠多，妈妈乳量也少，乳头条件还不很好，妈妈也不会舒服地抱孩子喂奶，吃一会儿，孩子就会疲劳地入睡，吃奶间隔时间也短。随着孩子日龄的增加，吸吮力增加，妈妈也会抱着孩子喂奶了，吸吮速度明显增快，妈妈乳量也比做月子时充足了，所以，吃奶时间会缩短，间隔时间延长，这是好现象。

如果是奶少了，孩子不够吃，可不会像新生儿那样老实，现在他会大声哭闹了。如果孩子有病了，吸吮力会减弱，会有一些不正常的表现。

宝宝/尚潘柔美

初次见这位老奶奶，宝宝不但不认生，还和这位老奶奶哦哦地"说"了起来。

188. 小便次数减少了，缺水了？

新生儿小便次数比较多，几乎每十几分钟就尿，一天更换几十块尿布，也看不到干爽的尿布，打开就是湿的。但随着月龄的增加，孩子排尿次数会逐渐减少，尿泡却比原来大了，原来垫两层就可以，现在垫三层也会尿透，甚至把褥子都尿湿了。所以，并不是缺水了，是孩子长大了，妈妈应该高兴。

但如果是在夏季，天气热，孩子可能会缺水分，不但尿次数减少，每次尿量也不多，嘴唇还可能发干，这是缺水了，要注意补充。

189. 比新生儿还容易患臀红？

是的，有的孩子后半夜可能会睡上5、6个小时不吃奶，深睡眠时间也延长了，不再是尿了就哭，妈妈也睡得很香，潮湿的尿布浸着孩子，很容易患臀红。如果是夏天或盖得多，就更加严重。随着母乳量的增加，婴儿大便次数比新生儿期还多，一天可拉6、7次，如果不及时更换有大便的尿布，更容易出现臀红。

一旦发现臀红及时处理，每次排大便后用清水洗臀部，涂上鞣酸软膏，是很有效的。

要注意如果臀红导致肛周皮肤溃破，细菌会侵入，造成肛周脓肿。肛周脓肿是小婴儿期比较严重的感染性疾病，给孩子带来很大的痛苦，要做脓肿切开引流，如果治疗不及时还会引起肛瘘。

190. 睡眠不踏实，缺钙？

随着日龄的增加，睡眠时间减少，听、看、嗅等感知能力增强，对外界刺激更加敏感，如果周围环境不好，孩子会睡眠不踏实。

这个月的孩子开始会做梦，做梦时会出现躁动，孩子的运动能力也增强了，肢体活动增加，睡觉过程中会出现各种各样的动作，但孩子始终处于睡眠状态，即使哭几声，拍几下很快就入睡了。有时睁开眼看看，如果妈妈在身边，会闭上眼睛接着睡；如果发现妈妈不在身边，会大声哭起来，这时如果妈妈立即跑过来拍拍；孩子会马上停止哭闹，很快入睡。如果仍然哭，握住孩子的小手放到他的腹部，轻轻地摇一摇，孩子会很快地再次入睡；如果到了吃奶的时间，就只有给孩子吃奶了。这种情况不是缺钙。

宝宝/李浩岩
　　小胖胖俯卧位时，已经能够用两个前臂支撑起前胸，并能高高地抬起头来。

191. 夜哭郎，惊吓了？

　　有的孩子白天睡得很好，到了晚上开始闹人，睡一会就哭，还非常难哄，有的时候是越哄越哭，妈妈爸爸精疲力尽。邻居也会问起孩子为什么总是哭，妈妈会觉得自己带孩子很失败，爸爸会由于白天工作劳累，晚上还不让睡个安稳觉而愤怒，甚至抱怨妻子不会哄孩子。这不是妈妈的错，也不是孩子的错，有的孩子就是喜欢晚上哭，也找不出什么原因。

　　所以，如果确定孩子没有任何问题，父母首先不要急躁，不要过分哄。不要大声地"嗷嗷"抱着孩子；妈妈也不要火上浇油地唠叨，爸爸更不要因为妈妈也急就越发急躁。在这种环境中，孩子会越哭越厉害，而且程度会与日俱增。

　　1～2个月的孩子已经能够感觉妈妈爸爸的语气。愤怒和抱怨的语气会使安静的孩子变得烦躁，会使快乐的孩子哭起来。要心平气和地对待哭闹只是单纯哭闹，而没有其他异常的孩子，使孩子平静下来。

192. 大便溏稀，发绿，患肠炎了？

　　大便可能会夹杂着奶瓣或发绿、发稀，这不要紧，不要认为是孩子消化不良或患肠炎了。大便次数也可能会增加到每日6～7次，这也是正常的。只要孩子吃得很好，腹部不胀，大便中没有过多的水分或便水分离的现象，就不是异常的。

　　如果孩子大便稀少而绿，每次吃奶间隔时间缩短，好像总吃不饱似的，可能是母乳不足了。但不要轻易添加奶粉，每天在同一时间测体重，记录每天体重增加值，如果每日体重增加少于20克，或五天体重增加少于100克，再试着添加一次奶粉。观察孩子是否变得安静，距离下次吃奶时间是否延长了，如果是的话，每天添一次奶粉，五天后测体重如果增加了100克以上，甚至达到150～200克，证明是母乳不足导致大便溏稀发绿。

　　如果大便常规检查有异常，医生诊断患有肠炎，再遵医嘱服用药物，不要自行服药，以免破坏肠道内环境，尤其不能乱用抗菌素。

193. 出满月了，
乳母再也不用限制饮食了？

　　母乳喂养婴儿的母亲，即使出了满月，也不能随便吃生冷不易消化的饮食。乳母如果不注意把住入口关，宝宝就可能会腹泻。在炎热的夏季，妈妈可能喜欢吃冷饮，生蔬菜等，如果在哺乳前吃了，很可能会导致宝宝腹泻。妈妈一定要在喂完奶后吃，等到下次喂奶时，对宝宝的影响就不大了。

194. 终于出满月了 去哪儿都可以了？

顺产妇产后恢复需要42天，剖腹产妇产后恢复需要56天。产妇不要着急，出了满月就逛商店，逛市场，会导致疲劳，子宫恢复还不完全，会导致出血等情况。离开宝宝时间过长，也会影响宝宝哺乳，如果风风火火来到家后马上给孩子喂奶，会导致腹泻。

出了满月，可能会带宝宝到奶奶或外婆家里，要注意两家环境的差别，不要把孩子弄感冒了，这么大的孩子呼吸道防御功能差，一旦感冒，很容易发展成肺炎，尽管这时宝宝体内有来自于妈妈身体中的抗体，但总体来说抵抗力还是比较低的。途中不要把孩子捂得过于严密，以免导致婴儿蒙被综合征。

195. 宝宝用手抓脸， 是不是不舒服？

快2个月的孩子，会用手抓脸，如果婴儿指甲长，会把脸抓破，即使不抓破，也会抓出一道道红印。老人都喜欢给孩子缝制一双小手套，用松紧带束上手套口或用绳系上，这样做是很不安全的。如果口束得过紧，会影响宝宝手的血运循环，如果缝制的手套内有线头，可能会缠在宝宝的手指上，使手指出现缺血，严重者出现手指坏死。儿童用品商店里出售的宝宝服中也常常带有小手套。

我不赞成使用小手套防止孩子抓脸，这会给孩子带来不便，试想一下，如果整天给您戴个手套您会感到舒服吗？不管多么柔软的布对孩子稚嫩的小脸还是有摩擦的，而孩子的小手也是很稚嫩的，对脸的摩擦和刺激还是小得多。

指甲长的问题是可以解决的，把宝宝的指甲剪得稍微短些，然后再轻轻磨一下，让指甲圆钝，根本抓不坏脸。

从另一个角度考虑，手在大脑发育中占有很重的位置，手的活动是孩子发育中非常关键的能力，如果整天用手套套着，不利于孩子手运动能力的发展，孩子就不能看着自己的小手，减少锻炼机会，导致运动能力发展迟滞，这会影响智力发育。手的神经肌肉活动可以向脑提供刺激，这是智力发展的源泉之一。

还有的妈妈怕孩子抓脸，就给孩子穿袖子很长的衣服，这虽避免了发生手指缺血的危险，但也同样会影响宝宝手的运动能力，也是不可取的。若有医生这样建议，妈妈不应接受。

196. 这个月婴儿需要免疫接种吗？

满1个月的婴儿应该接种，常规接种的疫苗是乙肝疫苗。

第三章

2-3个月的婴儿

（60—89天）

这个月的孩子翻身时，主要是靠上身和上肢的力量，还不太会使用下肢的力量，所以，往往是仅把头和上身翻过去，而臀部以下还是仰卧位的姿势。

这时如果妈妈在孩子的臀部稍稍给些推力，或移动孩子的一侧大腿，孩子会很容易把全身翻过去。

第1节 本月婴儿特点

197. 外貌

2-3个月的婴儿已经完全脱离了新生儿的特点，进入婴儿期。眼睛变得有神，能够有目的地看东西了；皮肤细腻，有光泽，弹性好，脸部皮肤变得干净，奶痂消退，湿疹减轻，但也有的婴儿反而加重，这也不要紧。

宝宝/李浩岩
宝宝这么小已经会哈哈地笑，显示出开朗的性格特点。

198. 体能活动

肢体活动频繁，力量增大，学会了踢被子，让妈妈爸爸无可奈何，盖上后，会迅速踢掉。几乎可以自己抬头了，俯卧位时能够用两前臂把头支撑起来。把带把的小玩具放到宝宝手中，能够抓住，但还不会主动张开手指。

199. 情感发展

笑的时候更多，有时会发出"啊、哦、喔"的声音，见到妈妈会很着急，作出积极的响应，并且两上肢上伸，要妈妈抱的样子。吃奶粉的孩子，见到奶瓶会表现出很兴奋的样子。

对外界的反应更加强烈，喜欢到亮的地方，如果抱到室外，会非常高兴。妈妈爸爸和周围人逗他，会出声地笑，有时会发出一连串的笑声。

对妈妈笑得最多，吃奶时手脚不闲着，把小脚高高地翘起来，小手会摸着妈妈的乳房，吃奶不再那么认真，可能会东张西望。

200. 发育程度出现差别

有的孩子比较安静，有的孩子比较活跃，与孩子所处的环境有关，也与孩子的性格有关。

201. 喂养

白天睡眠时间减少，晚上开始睡长觉，尿的次数会减少，大便次数可能会减少，或出现腹泻，也可能会出现大便干燥，这个时期大便性质不稳定。

第2节 本月婴儿生长发育

202. 身高

身高指标与测量方法

前3个月婴儿身高每月增加约3.5厘米。满2个月的孩子身高可达57厘米左右，这个月孩子的身高可增长3.5厘米左右，到了两个月末，身高可达60厘米。

测量身高时，应该采取仰卧位测量，测量起来并不像想象的那么容易。这时的孩子，对外界刺激比较敏感了，即使是睡着了，你试图把孩子摆直测量身高，可能会醒过来，或很快就把腿蜷回去，醒着时候就更不好测量。因此，测得的数据往往

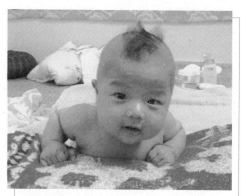

宝宝/张亦弛
我看着眼前的玩具很高兴，但两只手要支撑着身体，不能用手去拿它们看个究竟，所以我要长本事，到我会坐以后，就能用两只手玩玩具了。

不是很准确，妈妈就不要为孩子身高与标准相差一点而焦急了。

宝宝身高的秘密

与体重相比，身高受种族、遗传和性别的影响较为明显，孩子身高与计算的标准值不符合，尤其是低于标准值时，父母往往会焦躁不安，以为是喂养不合适了，孩子营养不良等等。要综合分析孩子身高值的偏差，结合孩子的种族、父母和直系亲属身高水平。孩子身高有一定的范围，标准身高只是平均值。

如果按照百分数表示孩子身高水平，只有低于第3百分位时被视为低于正常，高于第97百分位时被视为高于正常，但也不能确定是矮小或高大，要让医生来鉴别是正常变异，还是真的不正常了。

虽然身高是逐渐增长的，但是，并不一定都是逐日增长的，也会呈跳跃性。有的孩子半个月都不见长，但又过了一周，却长了将近3周的水平。生长是个连续的动态过程。

身高的结论

不要为一次身高测量的绝对值而烦恼，要连续观察孩子身高的变化。如果手头有儿童身高发育曲线，就给孩子也画一个身高曲线图，如果偏离得很明显时，需要看医生。

203. 体重

体重标准与规律

体重与身高相比，受遗传、种族影响比较小，更多的是受营养、身体健康状况、疾病等因素影响，所以，体重是衡量婴儿体格发育和营养状况的重要指标。这个月的孩子，体重可增加0.9~1.25公斤，平均体重可增加1公斤。这个月应该是婴儿体重增长比较迅速的一个月。平均每天可增长40克，一周可增长250克左右。

但在体重增长方面，并不是所有的孩子都是有规律渐进性增长，有的呈跳跃性，这两周可能几乎没有怎么长，下两周快速增长了近200克，出现了对前一个阶段的补长趋势。

出现缓慢增长的情况

也有的孩子整个这一个月都呈现缓慢增长，出现这种情况见于：

1）这样的孩子大多是胃口小，吃奶费劲，总是被妈妈强迫着吃奶，但精神不错，睡眠也可以。

2）也有的孩子胃口非常好，喜欢大口大口吃奶，很着急的样子，见到妈妈的乳头就会晃着脑袋，小嘴张着快速地寻找乳头，一旦吸到乳头就会用力地吸吮，但吐

宝宝/王思睿
嘟嘟竖头已经很好，还能把头转过去。坐在宝宝专用汽车座椅上，虽然很安全，宝宝还是有些紧张，小手紧紧扶着安全带，神情专注。

宝宝/韩知恩

婴儿已经能保持侧卧姿势睡眠了。小宝宝侧卧着睡得非常香甜。

奶比较严重，这种情况男孩比较多见。这样的孩子如果不吐奶或吐奶不严重，多数是个小胖子。

3）还有一种孩子吃奶也很好，精神特别好，睡眠不多，非常好活动，给妈妈的印象是整天不闲着，精力旺盛，根本不像2、3个月的孩子。虽然体重增长不是很快，但个头不小，肉比较实，感觉并不像几个月的小婴儿那样柔软，腿力比较大，踢到妈妈肚子上还真有些受不了。

4）疾病。由于疾病导致的体重增长缓慢在两三个月婴儿中还是比较少见的，大多数父母看到孩子吃奶不太好，体重增长不理想，想到最多的是孩子消化功能不良，喜欢给孩子吃各种消化药。这样可不好。

不要轻易给宝宝服用消化药

小儿肠道正处于各种酶类成熟生长期，如果过多地干预，就会影响孩子自身消化功能的正常建立和完善。父母不要擅自给孩子吃这样那样的消化药。

如果有病，要在医生指导下使用。最起码要化验大便常规，如果有较多的脂肪球，可能是消化不良了，再给药也不迟。

有些经验不足的医生，也往往出现这样的问题。父母是最了解孩子的，在就诊时要提供给医生准确客观的病史。不要夸大其词，这样缺乏经验的医生就会采取过

激的治疗措施。

宝宝太胖怎么办

有的孩子胃口大，吃奶急，也不吐奶，体重增长快，喂养这样的孩子妈妈爸爸是最高兴的了。妈妈爸爸看着孩子都觉得每天都在胖，抱着一天比一天压胳膊。如果孩子体重增长过快，每天超过45克，一周超过300克，就必须采取"节食"措施了。

人工喂养的孩子可以把牛奶冲稍稀些，或吃奶前喂20毫升水；母乳喂养的，如果每次吃两侧的乳房，可以这样喂奶：这一次先吃右侧一半，就换过来，让孩子吃左侧的，吃空，下一次就吃左侧的一半，然后换过来吃右侧的，吃空。这样就减少了后奶的摄入，后奶含脂肪较多，适当减少脂肪的摄入，可以使过胖的孩子体重增长速度减慢些。

预防婴儿期肥胖越早越好

在所有类型肥胖中，源于婴儿期的肥胖几乎没有治疗效果。到了学龄期，小胖子很多，而这些小胖子不是一天就变成小胖子的。大多起源于婴幼儿期。然而，婴幼儿期妈妈更多的问题是：吃奶不好啦，厌食啦，吐奶啦，不爱长啦，和周围的胖孩子做比较，非常羡慕那些小胖孩。

婴儿的父母很少有看到自己孩子胖的，都是看别人家的孩子胖，千方百计喂

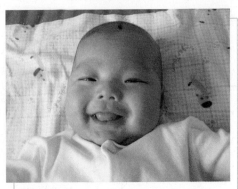

宝宝/陶禹熹

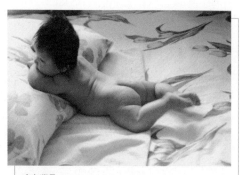

宝宝/郑果
　　竖头累了，就把下颌放在自己的胳膊弯里休息一会儿。父母要坚信，孩子是很聪明的。让孩子有更多的空间，学会自己玩耍，不要总是抱着孩子。

孩子。结果不是把孩子喂得过胖，就可能把孩子弄得厌食。父母在喂养中一定要注意这一点，要客观地评价孩子的吃奶情况，了解孩子在体重增长方面的特点和个体差异。

204. 头围

　　月龄越小头围增长速度越快，这个月婴儿头围可增长约1.9厘米。头围的增长也有生长曲线图，就是说婴儿头围的增长也是有规律的，取逐渐递增的上升曲线。

　　和身高、体重一样，头围的增长也存在着个体差异。到了多大月龄头围应该达到什么值，其值是平均的，并不能完全代替所有的孩子。有一个范围，那就是用百分位数法表示的头围增长曲线图，如果大于第97百分位线，就是头围增长过快，如果小于第3百分位线，就是头围增长过慢。

　　头围增长过快，要考虑脑积水或佝偻病，头围增长过慢要注意婴儿智能发育，是否有小头畸形或狭颅症等。再次强调测量头围方法的准确性。

205. 前囟

　　前囟和1个月的婴儿没有多大变化，不会明显缩小，也不会增大，前囟是平坦

的、张力不高，可以看到和心跳频率一样的搏动。这是正常的。

　　父母对孩子囟门的观察只是用眼看，对孩子囟门的判断往往是不准确的。在咨询中也常常会遇到这样的问题，说孩子的囟门好像很鼓（饱满，膨隆）或比较塌（凹陷），快速地跳动，对囟门有一种神秘感，就使得囟门问题多了起来，而实际上婴儿很少有囟门的问题。

　　囟门大小也有个体差异，有的孩子囟门很小，仅仅1×1厘米，有的囟门就比较大，可达3×3厘米。不能单凭囟门大小判断孩子就有什么病，如囟门大就是脑积水，佝偻病，囟门小就是小头畸形等。当孩子腹泻脱水时，前囟可凹陷，当孩子发热时，前囟可饱满。囟门处没有颅骨，要注意保护。

第3节　能力发展与训练

206. 看的能力：会调节视焦距

　　这个月，婴儿开始按照物体的不同距离来调节视焦距，这是婴儿看的能力的一次质的飞跃。父母要充分利用这一有利

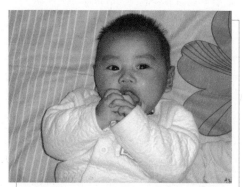

宝宝/张淳然
　　宝宝已经会把两只手相互握起来，手指相互插起来，这时宝宝就能够握着玩具往嘴里送了。我常常看到，当宝宝把手或手中的玩具送到嘴里时，看护人总是不由分说地把宝宝的小手拿开。宝宝是以这种方式认识世界，请不要干预宝宝，只要是安全卫生的，就尽情让宝宝品尝吧。

时机，锻炼婴儿的视觉能力。当孩子觉醒时，要通过变化物体的距离，锻炼孩子调节视焦距的能力。现在父母会看到戴眼镜的孩子越来越多，一定要从婴儿期锻炼和保护孩子视觉能力。

颜色的偏爱程度依次是：红、黄、绿、橙、蓝

新生儿容易集中对比鲜明的轮廓部分，婴儿容易注视图形复杂的区域，这个月的婴儿对颜色视觉已经有了很大的发展，满两个月的婴儿已经能够对某些不同的波长做出区分，到了近三个月，颜色视觉基本功能已经距离成人很近了。对颜色的偏爱程度依次是：红、黄、绿、橙、蓝。父母要利用不同的颜色，锻炼孩子色觉能力。

207. 听的能力：能区分不同语音

听的能力始于5、6个月的胎儿期，可以听到透过母体的频率为1000赫兹以下的外界声音，婴儿在高频区的听力要比成年人还好。婴儿不仅能够听声音，对声音的频率也很敏感。

已经能初步区别音乐的音高

这个时期的婴儿已经能够区分语言和

宝宝/赵昊然
宝宝已经能够很好地竖起头了，但还不会坐，不要让宝宝过早独坐，宝宝这时的脊椎生理弯曲还没有建立起来，过早坐对宝宝脊椎的正常发育不利。这个月龄多锻炼宝宝手的能力。

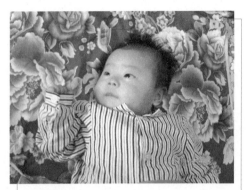

宝宝/尚潘柔美
美美生后78天，已经有了比较分化的随意动作，她举着右手的小拳头，看这小手。

非语言，还能区分不同的语音。人在胚胎期便对音乐有感知能力，妈妈在孕期可能已有这样的体会，当听悦耳的音乐时，腹中的胎儿会比较安静，遇到噪音时，会出现乱动情况，如路过施工现场。有研究证明，孕妇在孕期时，如果居住区有施工现场，出生后的孩子会爱哭，显得易烦躁。这个月的婴儿已经能初步区别音乐的音高。

不要在婴儿面前吵架

父母应该了解孩子听力发展的规律和具备的能力，父母不要在婴儿面前吵架，这种吵架的语气婴儿能够辨别出来，会表现出厌烦的情绪，对孩子的情感发育是不利的。多给孩子听优美的音乐，和孩子交谈时要用不同的语气、语速，提高孩子的听力水平。

208. 说的能力：会简单发音

婴儿分辨和发出语声是一个发展的过程，两周的新生儿能区分人的语声和其他声音，两个月的孩子对说话时的情绪表现似乎有所反应，如果妈妈爸爸用严厉怒斥的语气和孩子说话时，孩子会哭，用和蔼亲切的语声和孩子说话时，孩子会笑，四肢还会愉快地舞动，露出欢快的神情。

2、3个月是婴儿简单发音阶段，婴儿出生后的第一声啼哭就是最早的发音，不但是生命的宣言，也是今后语言的基础。新生儿的哭可以说是原始的语言表达，满月后的哭就作为和别人交流的手段了，但仍然是消极状态的表示。

到了这个月的婴儿，就开始有了积极的表示，妈妈可以听到婴儿舒服、高兴时的发音。如啊、哦、噢等，婴儿越高兴发音越多，所以要给孩子创造舒适的环境，孩子情绪好就会不断练习发音，这是语言学习的开始。语言的发育不是孤立的，听、看、闻、摸、运动等能力都是相互联系互为因果的，要综合训练孩子的能力。

209.　嗅的能力：会回避不好的气味

前面已经说过，早在胎儿七、八个月时，嗅觉器官就已经相当成熟了，新生儿生后就能通过嗅觉寻找妈妈的乳头和妈妈的奶垫。

这个月的婴儿嗅到有特殊刺激性的气味时，会有轻微的受到惊吓的反应，慢慢地就学会了回避不好的气味，如转头。人类嗅的能力没有动物发达，这是因为出生后没有特意训练嗅的能力，使其逐渐萎缩的缘故。

宝宝/尚潘柔美

美美生后第80天了，能用上肢支撑起上身，还能自由地转头。宝宝很开就能从俯卧位翻到仰卧位了。

宝宝/王震坤

宝宝从仰卧位翻到了侧卧位，有从侧卧位变成了俯卧位，一只手压在身下，不能抽出来，抬头也有些累了，索性趴一会儿，宝宝已经能够自己转头。宝宝尽管累了还闲不住，把小手伸到嘴里津津有味地吸吮着。

210.　味觉能力：天生喜欢甜味

味觉是新生儿时期最发达的感觉，而且在整个婴儿期都是非常发达的，过去认为小婴儿好喂药，是因为小婴儿不知道苦，这是错误的认识。

小婴儿比成年人的味觉更敏感，而且小婴儿对甜味表现出天生的积极态度，而对咸、苦、辣、酸的态度是消极的、不喜欢的。

总是遇到这样的问题，妈妈说她的孩子不喜欢喝白开水，而喜欢喝加糖的水，这是孩子的天性。如果妈妈用奶瓶给孩子喂糖水，再用奶瓶喂白开水时，孩子就不喝，他仍然想喝令他喜欢的糖水。如果拿奶瓶给孩子喂药，再拿奶瓶给孩子喂水或奶，孩子就会拒绝奶瓶，因为他记住了奶瓶里的东西是苦的。当你把奶瓶中的糖水滴入孩子的嘴里时，孩子尝到了甜味，才会重新吸吮奶瓶。妈妈知道了这个道理，遇到这种情况就不会迷惑不解了。

211.　运动能力：每天都有新动作

这个月的婴儿动作发育比较快，父母几乎每天都能够发现孩子有新的动作能力。

用手够东西和看手

这个月的孩子开始会有目的地用手

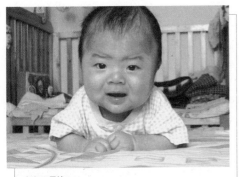

够东西，并能把放在他手中的玩具紧紧地握住，尝试着把拿到的东西放到嘴里，但还不够准确，时常打在脸上其他部位。一旦放到嘴里，就会像吸吮乳头那样吸吮玩具，而不是啃玩具。手指可以伸展或握起，会把手放在胸前看着自己的小手。

吸吮大拇指

开始学着吸吮大拇指，而不是仅仅吸吮他的小拳头了。有的妈妈在这时会认为孩子吸吮手指，是不好的习惯，要加以制止。每当孩子把手或拇指放到嘴里吸吮时，就马上把孩子手拿开，或认为孩子没有吃饱，开始给孩子喂奶，这是不对的。这么大的婴儿吸吮手指是这个时期的婴儿所具备的运动能力，和1岁以后的孩子吸吮手指不是一回事，妈妈不要制止。随着婴儿的增长，孩子会把这个运动转化为手的其他运动能力。

把头抬得很高

当孩子俯卧位时，不但会把头抬起，而且会抬得很高，可以离开床面45度角以上，还会慢慢向左右转头，虽然转动的幅度很小，但这已经说明孩子开始学着用站立的眼光看东西，这是不小的进步。这一能力的出现，对孩子认识周围物品有很大的作用。妈妈可以在这时有意地在孩子面前向左右两边运动，让孩子追随你，来锻炼颈部肌肉。孩子还会用肘部支撑着上身，试图把胸部抬起离开床面。

靠上身和上肢的力量翻身

这个月的孩子开始有自己翻身的倾向。当妈妈轻轻地托起孩子后背时，孩子会主动向前翻身。这个月的孩子翻身时，主要是靠上身和上肢的力量，还不太会使用下肢的力量，所以，往往是仅把头和上身翻过去，而臀部以下还是仰卧位的姿势。这时如果妈妈在孩子的臀部稍稍给些推力，或移动孩子的一侧大腿，孩子会很容易地把全身翻过去。

其他

这个月的孩子还不会保持侧卧位置，可能会脸朝下，堵塞呼吸道，所以，妈妈要注意，当孩子觉醒时，不要让孩子单独待着，以免发生危险。

这个月的孩子，当把孩子抱起成站立位时，会向前迈步。

到了快3个月时，能够自行竖头了，竖头的时间会逐渐延长，从几秒钟到数分钟。

但是，孩子的运动能力也有个体差异，运动能力的发展，也存在打破循序渐

宝宝/姜杯君

　　有妈妈陪着，睡得当然踏实。通常情况下，有妈妈陪伴在身边，宝宝不但睡得实，睡的时间也要长些。

进规律的现象，出现某种运动能力提前或滞后发展，这都是正常的。

212. 潜能开发

和父母开始了真正意义上的交流

　　这个月的孩子开始认识自己的手，开始有图像识别的能力，更喜欢看正常人的脸，喜欢看对称的图形，当听到音乐时能从哭闹中安静下来，眼睛会有目的地追随移动的物体，会转头寻找声音的来源，能够对陌生的声音、环境、人物有所觉察，开始发出"咿呀"声，和孩子说话时偶尔能发现孩子好像出声应答你的话，这使得父母兴奋异常！逗孩子时，孩子会发出会心的笑声，不再是偶尔地，而是经常地。孩子和父母开始了真正意义上的交流。

快乐健康地育儿

日本育儿之神内藤七朗这样阐述：

　　1）婴儿也有人格，应该受到尊重；只有尊重婴儿，理解婴儿，才能开启婴儿的心灵。

　　2）用欢快的笑脸培养婴儿的心灵，母亲安详的笑脸对婴儿是最好的爱抚。

　　3）全身心地倾注父母的爱。父母能够用最朴实的感情养育孩子，孩子长大后肯定会懂得爱别人，有广阔的胸怀。

　　4）培养有干劲有奋进精神的孩子。孩子有了进步，那怕是一点点，也要给予最热烈的赞赏，婴儿就会萌生喜悦的心情。

　　5）培养良好的心理素质和稳定的情绪。经常搂抱孩子，和孩子进行肌肤接触，对孩子的心理健康很有益。

　　6）把孩子当做父母心灵的一面镜子，时刻映照父母的形象；父母的表现和培养孩子的方法对孩子的影响很大，时刻映照在孩子的内心。

　　7）培养婴儿具有良好的习惯。这句话说起来容易，做起来就很难了。在实际生活中，遇到很多问题，都与良好习惯的建立有密切的关系，睡觉、吃饭、大小便、洗澡、玩耍等。有些麻烦就是没有从一开始意识到这一点，等形成了不好的习惯，再反过来改正就困难多了。

潜能开发的精髓

　　父母不是仅仅要把孩子养大，还要把孩子培养成人，不仅仅是教孩子生活的技巧，还要培养孩子正确的人生观。高楼大厦始于地基，不要认为孩子长大了，会自然懂得做人的道理，要从点滴开始培养孩子。但并不是紧紧地管住孩子，而是要在宽松的环境中培养孩子。

213. 体能-智能开发

竖头训练

　　每天在孩子觉醒状态下练习，把孩子立着抱起来，用两手分别支撑住孩子的枕后、颈部、腰部、臀部，以免伤及孩子的脊椎。

宝宝/郑果

　　春天来了，妈妈和宝宝在大自然中享受阳光浴，微微的春风抚摸着宝宝的小脸，妈妈贴着宝宝，宝宝如此安静、幸福。

也可把孩子面朝前抱着，让孩子的头和背部贴在母亲的胸部，一手在前托住孩子的胸部，另一只手在后托住孩子的臀部，孩子面朝前，可以看到前方的东西，不但练习了抬头，还练习了看的能力，增加新的乐趣。

抬头训练

让孩子俯卧，孩子会把头抬起，到了两个月末，孩子可能会把头抬起90度，并用上肢把胸也支撑起来。要在喂奶后一个小时或喂奶前训练，以免吐奶。抬头训练对孩子颈、背肌肉，肺活量，大脑发育很有帮助。

手足训练

再次强调不要把孩子的手包起来，手足运动对刺激大脑发育非常重要。这个月的孩子开始认识自己的小手，会时常凝视着自己的手，这时妈妈要告诉宝宝，这是他的小手，可以用来吃饭、写字、玩玩具等等。让孩子拿带把能晃出声响的玩具。这时孩子还不能握住玩具，要不厌其烦一遍遍把玩具递到孩子的手中。

214. 丰富的视觉和语言训练

现身说法

给孩子看色彩鲜艳的画报，好看的玩

宝宝/尚潘柔美
美美喜欢趴在妈妈的肩上，不但感到幸福安全，还可以看到更多的东西。

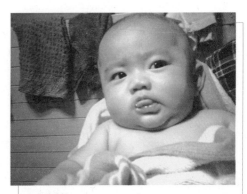

宝宝/陈北川
宝宝会把小舌头吐出来，这是在玩耍。宝宝学会吐舌头通常是模仿爸爸妈妈或看护人。

具，人物画像，要不断更新，吸引孩子的兴趣，不断讲解孩子看到的东西是什么，不要认为孩子听不懂就不和孩子说。在这方面，我有切身的体验，从孩子出生的那天起，我就认为孩子能够听懂我说的每一句话，只要孩子醒了就和孩子交谈，结果孩子1岁时，还不认识字，就可以看着婴儿画报讲述故事，编得非常精彩。上了一年级，在看图说话比赛中获得全市第一名。实际上孩子的爸爸和我都是不善于表达的人，可孩子却很善于表达，这可能就是语言训练的结果吧。

婴儿的社会化发展

多和孩子说话，并和孩子建立互动式的交谈，对刺激婴儿神经系统的语言加工能力是很重要的，有利于婴儿社会化的发展。对孩子日后的个性发展、与人的交往能力和社会适应能力有终身的影响。

215. 户外活动：体质智力双优

2、3个月的孩子，春、秋、夏季风和日丽的时候，可以带到户外活动一会儿，让宝宝接触大自然，看看花草树木、鸟雀飞燕、猫狗宠物，看一看陌生人，尤其是儿童或和他一样大的孩子，宝宝会表现得非常高兴，这对智力发育非常有益，切莫把孩子养成温室里的花朵。

第4节 本月婴儿营养需求

216. 绝大多数孩子都知道饱饿

这个月的婴儿每日所需的热量是每公斤体重100—120卡。如果每日摄入低于100卡，则可能由于热量摄入不足，体重增长缓慢或落后；如果每日摄入热量高于120卡，可能由于热量摄入过多使体重超过标准，成为肥胖儿。

人工喂养儿可根据每日喂的牛奶量计算热量，母乳喂养儿和混合喂养儿不能通过乳量来计算每日所摄入的热量。实际上，计算每日所摄入多少热量没有什么必要，如果按照孩子自己需要供给奶量，绝大多数孩子都知道饱饿。

217. 喂养不当造成肥胖儿和瘦小儿

只有极个别的孩子食欲亢进，摄入过多的热量成为肥胖儿；极个别的孩子食欲低下，摄入热量不足成为比较瘦小的孩子。这与家族遗传有关，还有的是喂养不当造成的。妈妈总是怕孩子吃不饱，孩子已经几次把奶头吐出来了，妈妈还是不厌其烦地把奶头硬塞入孩子嘴里，孩子无奈只好再吃两口，时间长了，就有三种趋势：

其一是孩子胃口被逐渐撑大，奶量摄入逐渐增加，成了小胖孩。

其二是由于摄入过多的奶，消化道负担不了如此大的消化工作，干脆罢工了，使孩子食量开始下降。

其三是由于总是强迫孩子吃过多的奶，孩子不舒服，形成精神性厌食。这种情况在婴儿期虽然不多见，但一旦形成了，会严重影响孩子的身体健康，一定要避免。

218. 其他营养元素的摄入和补充

对蛋白质、脂肪、矿物质、维生素的需要，大都可以通过母乳和牛乳摄入，每天补充维生素D300—400IU；人工喂养儿，可补充鲜果汁，每天20—40毫升。母乳喂养儿，如果大便干燥，也可以补充些果汁。早产儿，从这个月也应开始补充铁剂和维生素E。铁剂为2毫克/公斤/日，维生素E为25IU/日。

第5节 本月婴儿喂养方法

219. 母乳喂养儿

不要叫醒睡得很香的孩子

如果母乳充足，到了这个月仍可以纯母乳喂养，吃奶间隔时间可能会延长，可从3个小时一次，延长到4个小时一次。到了晚上，可能延长到6、7个小时，妈妈可以睡长觉了，不要因担心孩子饿坏而叫醒睡得很香的孩子。睡觉时孩子对热量的需要量减少，上一顿吃进去的奶量足可以维持孩子所需的热量。

没有吃奶兴趣的孩子

有的孩子吃得少，好像从来不饿，对

宝宝：储宏英

哼，这是哪个怪物在朝宝宝做鬼脸，宝宝像是真的明白了一样，心想：宝宝的能力让人目瞪口呆！原来，妈妈的手在后面搂着宝宝呢。

宝宝/陈北川
为了庆祝宝宝满3个月，特意给他买了个粉色的小马夹，刚刚买回来，给他试穿一个，看看效果，果然不错。

奶也不亲，给奶就漫不经心地吃一会，不给奶吃，也不哭闹，没有吃奶的愿望。对于这样的孩子，妈妈可缩短喂奶时间，一旦孩子把奶头吐出来，把头转过去，就不要再给孩子吃了，过两三个小时再给孩子吃，这样每天摄入的奶量总量并不少，足以提供孩子每天的营养需要。

要陪玩的孩子

到了这个月，妈妈开始担心自己的乳量是否够孩子吃，总是试图添加奶粉，孩子一哭就认为孩子饿了，就给吃奶，结果把奶吃得空空的，孩子不断溢乳。这样很不好。2~3个月的孩子，开始觉醒的时间长了，要人陪着玩，不是只想着要吃，因此不要用奶头哄孩子。

220. 混合喂养儿

添加牛乳的依据

母乳是否不足，最好根据孩子体重增长情况分析，如果一周体重增长低于200克，可能是母乳量不足了，添加一次牛乳，一般在下午4、5点钟吃一次牛乳，加多少，可根据孩子的需要。

具体办法

准备150毫升，如果一次都喝了，好像还不饱，下次就冲180毫升，如果吃不了，

再减下去，但最多不要超过180毫升。如果一次喝得过多，就会影响下次母乳喂养，也会使孩子消化不良。如果孩子不再半夜起来哭了，或者不再闹人了，体重每天增加30克以上，或一周增加200克以上，就可以一直这样加下去。

如果孩子仍然饿得哭，夜里醒的次数增加，体重增长不理想，那可以一天加两次或三次，但不要过量。过量添加奶粉，会影响母乳摄入。请牢记，母乳是婴儿前6个月内最佳食品。

这个月的孩子，由于母乳不足而添加牛乳，一般不会遇到不吸吮橡皮奶头，不吃奶粉的问题。

锻炼宝宝接受橡皮奶头或奶粉

3个月以后的婴儿，不接受橡皮奶头或奶粉，这种情况比较多见。为了避免孩子不吃奶瓶，不喝奶粉，提前锻炼孩子吸橡皮奶头还是有必要的。

如果母乳足，可用奶瓶喝一点水或果汁，也可偶尔给孩子喝一点奶粉。让孩子熟悉奶粉的味道。半顿牛乳是不可取的，要整顿整顿地加，不要补零。

如果母乳很足，为了防备下个月可能会出现母乳不足，应该从这个月开始，锻炼孩子吸吮橡皮奶头，偶尔吃一次牛乳，让孩

宝宝/尚潘柔美
宝宝喜欢把头转向有光亮的地方，还喜欢向妈妈的方向，所以，要不断变换宝宝躺着的方向，以免宝宝睡偏头型。

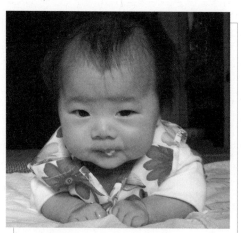

宝宝/尚潘柔美
美美能挺胸抬头了，可时间长了，还是有些累，这不，小家伙把手腕放下来休息休息。

子习惯奶瓶和牛乳的味道。因为，到了下个月，从来就没有吃过橡皮奶头的孩子，会拒绝吃橡皮奶头，也会拒绝用奶瓶吃牛奶。

不爱吃牛乳怎么办

有的孩子一开始很爱吃牛乳，突然有一天就不喜欢吃牛乳了。妈妈不要着急，遇到这种情况，就只给孩子母乳吃，不会饿着孩子的。

不要想方设法地给孩子喂牛乳，有的妈妈就和孩子较劲，不吃牛乳，就不给吃母乳，饿他一会，孩子没有办法就非吃牛乳不可了。结果是没有用的，孩子照样不吃。还有妈妈等到孩子睡得迷迷糊糊的时候把奶瓶塞进孩子嘴里，结果孩子吸了起来。可是，等到孩子醒了，会更加不喜欢吃牛奶了，变成了厌食牛奶。

对母乳不感兴趣怎么办

还有这样的婴儿，当妈妈给添加牛乳后，孩子就喜欢上了牛乳，因为牛乳奶嘴孔大，吸吮很省力，吃得痛快。而母乳流出比较慢，吃起来比较费力，开始对母乳不感兴趣了，而对牛乳表现出了极大的兴趣。这时，妈妈不要随孩子的兴趣，如果不断增加牛乳量，母乳分泌就会减少，不

到3个月的孩子母乳喂养是最好的。

221. 人工喂养儿

这个月的孩子食欲比较好

这个月的孩子食欲是比较好的，可以从原来的每次120~150毫升，增加到每次150~180毫升，甚至可达200毫升以上。对于食欲好的孩子，不能没有限制地添加奶量。每天吃6次的孩子，每次喂160毫升，每天喂5次的孩子每次喂180毫升。

妈妈的烦恼

人工喂养的孩子，每一顿、每一天吃的情况妈妈都清清楚楚。可能和书本上说的有差异，妈妈就着急了，甚至这顿和那顿有差异，或今天和昨天不一样，妈妈也着急。尽管书上介绍说孩子可以出现这种情况，医生也说孩子没有问题，老人也告诉"孩子猫一天，狗一天"，但妈妈宁愿自寻烦恼，希望孩子每次都能按书本上说的最大量来吃。

常见例子

有的孩子就是食量小，别说吃180毫升，就是120毫升吃起来也费劲，可孩子还是很精神，虽然不胖，但也并不消瘦，可能是正常体重的最低线，甚至还略微低于最低线，但查不出其他异常情况。

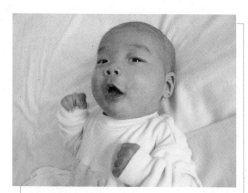

宝宝/姜杼君
你看我像泰森吧？第一次理发，把头发剃光了，妈妈说怕我长痱子。其实，即使在炎热的夏天也要给我留点头发，当我到户外的时候，太阳光就不会直接照在我的头皮上了。只要勤给我洗头，我就不会长痱子的。

这样的孩子还不少。在临床工作和健康咨询中，喂养问题最多的是小儿吃得少，喂养困难，甚至有的妈妈说她的孩子几乎不吃奶，但看起来孩子很精神，比较瘦，身高正常，甚至还高于同龄儿。我常常问妈妈，你的奶很少，孩子一点牛奶也不吃，但孩子没有饿得营养不良啊！孩子不会喝空气长大。显而易见，孩子已经摄入了足够的热量。只是不是那种食量好的孩子。成人也一样，有的食欲非常好，有的就比较差。

辅食添加

人工喂养儿，这个月可以开始添加一些辅食了，每天可以给10毫升的菜汤，四分之一个鸡蛋黄，一样一样地加，如果适应得很好，就再加另一种。这个月不要加米粉。

第6节 不同季节护理要点

222. **春季护理要点：**

供暖是参照系

这个月的孩子，在春暖花开季节，没有风沙，天气晴朗，就可以抱到户外活动了。如果是早春，气温不稳定，要根据气温变化决定是否把孩子抱出户外。如果风不大，不下雨，就可以把孩子抱出去；在

宝宝/王震坤
3个月以后，新生儿特有的神经反射逐渐消失。宝宝不再是四肢屈曲出现类似惊吓样的反射。有的宝宝已经能够在床上翻滚了，放在没有护栏的床上要防止宝宝跌落。

宝宝/姜杼君
婴儿就是喜欢把手放到嘴里。现在还抓不到脚，如果能抓到脚的话，宝宝也会把自己的小脚丫放到嘴里啃。妈妈常问我宝宝卫生什么要啃自己，其实宝宝还不能明确知道手脚是身体的一部分，是抓什么啃什么，后来啃玩具、物品，最后才认识食物，所以就不再啃不能吃的东西了。

北方，如果室内还没有停止供暖，最好不要把孩子抱出去，等到停止供暖后再抱孩子出去。

223. **夏季护理要点：**

怎样避免"空调病"？

空调已经步入寻常百姓家。公司、宾馆、商店、家庭、汽车安装空调已是普遍现象。现代化的空调设备在给人们带来舒适感的同时，也潜伏着对健康的危害。尤其对于妈妈和宝宝，"空调病"就在我们身边！

· 为什么会出现"空调病"？

在高温季节，衣着单薄，汗腺敞开，当进入低温环境中时，皮肤血管收缩，汗腺孔闭合，交感神经兴奋，内脏血管收缩，胃肠运动减弱，寒冷刺激影响妈妈卵巢功能，造成月经失调；小儿则出现鼻塞、咽喉痛等症状。另外，空调环境往往是门窗紧闭，室内空气不新鲜，氧气稀薄，特别是空间比较狭小的地方。

· "空调病"有哪些表现？

主要表现为易疲倦，皮肤干燥，工作效率下降，手足麻木，头晕，头痛，咽喉痛，胃肠不适，胃肠胀气，大便溏稀，食欲不振，月经失调；婴幼儿经常腹泻，反

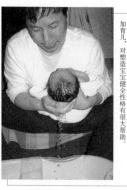

复感冒，久治不愈，关节隐痛。

典型病例

3月男婴就诊，持续腹泻，绿色稀便20余天，阵阵哭闹，吮乳量下降，体重不增。大便检验，细菌培养均未见异常。服用多种止泻药、消炎药均无效。仔细询问方知患儿家中特为小儿安装了空调，室内温度调到22℃与自然温度差10℃以上。令其立即把空调关掉，打开门窗，3天后患儿上述症状消失。

·怎样避免"空调病"？

①缩小室内外温差。一般情况下，在气温较高时，可将温差调到6~7℃左右，气温不太高时，可将温差调至3~5℃。

②定时通风。每4~6小时关闭空调，打开门窗，令空气流通10~20分钟。

③避免冷风直吹，特别是床等不宜放在空调机的风口处。

④入空调环境略增加衣物或用毛巾被盖住腹部和膝关节，因腹部和膝关节最易受冷刺激。

⑤长期在空调环境中，应定时活动身体。

⑥每日洗温水澡，揉搓全身。

⑦不要在空调车内睡觉，因车内空间狭小，易出现缺氧，造成窒息。

224. 秋季护理要点：耐寒锻炼好时机

来到这个世上刚刚2个多月，就经历了两个季节，宝宝这才感觉到生出来比在妈妈子宫中舒服，原来世间并不总是闷热难忍啊。这种凉爽的天气，使宝宝食欲增加，睡眠安稳了，不再烦躁，身上的痱子也消失了，尿布疹没有了，皮肤皱褶不再淹着了，妈妈爸爸可不要忙着关窗户关门，给孩子加衣服被褥，还不让孩子到户

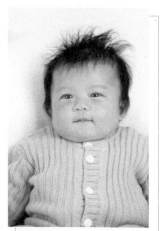

宝宝/王美泽

宝宝脊椎生理弯曲还没有完全形成，背部肌肉还没发达，脊椎还不能抵抗地心引力，支撑起身体。就是说宝宝还没有达到独坐的生理成熟度。所以，宝宝坐着时就有了这样的表现。

宝宝/王美泽

宝宝看似没乐，但从宝宝的表情上可以判定，宝宝很愉快。

宝宝/王美泽

宝宝被逗笑了，只是微微地笑，逗宝宝人的表演太温和了。

外活动。

如果刚刚见凉，就把孩子捂起来，不敢到户外，宝宝的呼吸道对寒冷耐受性就会非常差；寒冷来临，即使足不出户，也容易患呼吸道感染；到了半岁，从妈妈体内获得的免疫球蛋白也大部分消失，自己的免疫球蛋白还没有完全生长出来，对病原菌的抵抗力比较弱，尤其是呼吸道分泌型IGA的不足更使得呼吸道免疫能力低下；冬季气压低，空气不流通，湿度小，呼吸道黏膜干燥，是小婴儿最易患呼吸道感染的季节。

秋季是宝宝最不易患病的季节，要利用这个季节提高孩子体质。父母要有意锻炼孩子的耐寒能力，增强其呼吸道抵抗力，使孩子安全度过肺炎高发的冬季。继续户外活动，使宝宝接受更多的阳光照射，可有效预防佝偻病，要比药物补充好得多。

秋末要预防秋季腹泻。

225. 冬季护理要点：不过度保暖

北方地区寒冷的冬季几乎达5、6个月之久，如果刚刚入冬就不敢到室外活动，穿得很多，盖得很厚，对环境的适应力和对疾病的抵抗力就会降低；穿得多，不利

宝宝/郑果

果果喜欢全神贯注看东西，像是在思考什么。1岁多的果果就能认识象棋上的字，而且在任何一个角度都能认出来，他记的不是一笔一划的字，而是把字当成图来记。没有人教过他，只是时常看大人们下棋，无师自通，孩子随时随地都在学习。你看，果果在想，妈妈在做什么呢？

于孩子四肢活动，阻碍运动能力的发展；要保持室内湿度和温度，室内温度不要太高，保持在18℃左右。如果与室外温度差过大，当孩子到户外时，呼吸道就不能抵御冷空气的刺激。温度过高，就不容易保持适宜的湿度。

冬季应该按时勤洗澡，有条件的家庭最好每天洗澡。

第7节 其他常见的生活护理要点

226. 男婴与女婴护理上的差异

男婴并不比女婴容易"上火"

人们总是这样认为，男婴比女婴怕热，男婴容易"上火"，其实，男婴和女婴一样，只是男婴爱活动，女婴相对安静些；但也不尽如此，现在的男婴和女婴，在活动上的差异越来越小了。

其实，男婴和女婴的差异，很大程度上是人们潜移默化影响造成的。比如父母总是喜欢这样对男孩子说，"男子汉不能动不动就流泪，让人家笑话"，这就告诉男孩子流泪是耻辱的，是不光彩的。对女孩子则喜欢说，"看你淘气的，像个男孩子似的，一点文静劲都没有"，这就给女孩子传递一种信息，女孩子是应该文静的。

护理上的差异：对男婴和女婴生殖系统的保护

男婴问题：可能会出现鞘膜积液，包皮过长，包皮藏匿污垢，引起龟头炎症。

男婴鞘膜积液，1岁前有自行吸收的可能，所以，如果不是很严重，不必治疗。在给男婴洗臀部时，首先要清洗包皮处，轻轻把包皮向上翻起，暴露龟头，

宝宝/郑果。
宝宝趴着，正在学习用手腕支撑起上身。看，左前臂已经要离开床面了。

用清水涮一涮，把积存在包皮内的尿酸盐结晶清理干净。女婴问题：尿道与阴道口紧密相邻，又都是开放的，如果不注意卫生，容易患尿道口炎和阴道炎。

清洗女婴尿道口和臀部时一定要用流动水，从上向下冲洗，这是预防尿道和阴道炎的关键。给女婴擦肛门时，一定要从前向后擦，千万不能从后向前擦，否则容易使肛门口的大肠杆菌污染尿道和阴道口而引起发炎。这是护理女婴的关键。

227. 衣物被褥床玩具

这个月的婴儿继续使用以前的被褥衣物床，不需要更换。

这个月的孩子有时可能会翻身，所以孩子周围不要放置物品，尤其是塑料薄膜，这会使婴儿发生窒息的危险。

开始使用婴儿枕头，不枕枕头会使婴儿感到不舒适。

特别提示：两种婴儿枕头不能买！

不要使用太软的，因为这么大的孩子已经会转头，如果把头侧过来，枕头太软，就会堵塞孩子口鼻，这是危险的。也不再适合使用带凹的马鞍型枕。这么大的孩子不但会转头，有溢乳的孩子，虽然溢乳次数减少，但吐奶量可能会增大，如果是带凹的枕头，吐出去的奶可能会堵塞孩子的口鼻。

孩子已经能够握住带把的玩具，并在面前晃动，可能会打到脸上，要注意玩具的质地和硬度。孩子可能会把玩具放到嘴里，要注意玩具的清洁。

228. 尿便管理：鲜果汁有利于排便

没有接尿经验的父母不要有失败的情绪

有经验的父母可能知道孩子排尿和排便前的表情，妈妈会马上把孩子，如果是男孩子就会用小尿壶去接，准确率很高。这给父母节省了洗尿布的时间，降低了尿布性皮炎的发生率。没有经验的父母也不要有失败的情绪，不必因此训练孩子大小便。父母应该把更多精力用在对孩子智能、情感、体能的训练上。

便秘对策

母乳喂养的孩子，一天大便5、6次是正常的；牛乳喂养，大便次数相对少，一天1、2次，甚至隔天一次。

但也有例外，有便秘家族史的孩子，即使是母乳喂养，大便次数也比较少；牛乳喂养的，甚至一周大便2、3次。对于这

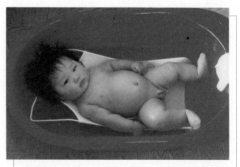
宝宝/郑果。
如果每天都给婴儿洗澡，婴儿就会习惯了，哪一天不给洗澡，就可能会闹。果果很喜欢洗澡，但是感到不安全，一只小手紧紧抓着小浴床，一只脚蹬着浴盆壁。

宝宝/郑果

宝宝趴着，右臂伸出来，像是要向前爬。宝宝运动发育是循序渐进的，但宝宝已经有了这种潜能。刚出生的新生儿俯卧时，就有爬的愿望。

样的孩子，应该早加鲜果汁，选择多种果汁，如葡萄汁、西瓜汁、梨汁等，这些鲜果汁有利于排便。

尿的次数与每次尿泡大小有关

母乳喂养时，如果妈妈喜欢喝水，可以不额外给孩子喂水；夏季皮肤蒸发水分多，可适当每天喂水一两次，每次20-30毫升。

牛乳喂养儿，每天喝水80-100毫升左右。但是这么大的孩子对味道有了要求，不喜欢喝无味的白开水。尽量不给孩子喝白糖水，如果实在不喝白开水，可以喝淡些的鲜果汁。

不必为小便次数的多寡而担心

这么大的孩子每天尿6、7次或十余次都是正常的，有的孩子一整夜都不小便，妈妈也不要担心。看看白天小便情况，白天尿泡大，次数也不少，就没有关系了。夏季小便要少，水分都通过皮肤蒸发掉了。

229. 洗澡成为一项亲子活动

尝试在洗浴间洗澡

孩子会竖头了，脊椎硬朗多了，洗澡不再很困难了，这么大的孩子最好到洗浴间去。不要在孩子床边洗了，在床边用个小浴盆，操作起来比较费劲，也不容易保

证环境温度。

洗澡最好是妈妈爸爸共同完成，不但减少洗澡的危险，还可以增加洗澡的乐趣，成为父母和孩子的亲子活动，而不是一项任务，一种负担。

几个注意事项：

·洗澡前要准备好一切该准备的事项和用品，包括：浴室温度、浴缸清洁、婴儿浴盆、洗发液、婴儿皂、浴巾、毛巾（一块干毛巾、一块洗澡用的湿毛巾）、小布帽、水温计（有经验的妈妈用手也能调节合适的水温）。

·洗澡时间不要太长，即使孩子很高兴，也不要超过15分钟。没有必要每天都使用洗发液和婴儿皂，一周使用一次就可以了。

·水温在33-35℃左右，如果用手试温，最好用手背或手腕前臂（做皮试针的部位），这两个部位比较敏感，感到温暖、不烫就可以了。

·水深，坐时到孩子耻骨水平（刚好没过生殖器），躺时（一定不能把头放下，头要枕在妈妈的上臂上）刚好露着肚脐。

·洗头时不要把水弄到耳朵里，不要把洗发液或婴儿皂弄到眼睛里。

·女婴最好洗完要用流动水冲一下小便处。

·洗完后马上用浴巾包裹好，戴上小布帽，抱出浴室，和孩子玩一会，待到皮肤干后再给孩子穿衣服，吃奶。

230. 睡眠问题不多

睡眠时间可以很有规律了

这么大的孩子睡眠问题不多，睡眠时间明显减少，会醒了玩一会，上午可以连续醒一个小时，如果养成洗澡、做操、户外活动的习惯，这时就很有规律了。上午醒的时间长，后半夜可以睡一个整觉了。

每次醒后不再马上哭闹，在等待妈妈喂奶时，可以玩一会，对着妈妈笑，呀呀出声，肢体活动多。睡眠时间延长，一觉可以睡4、5个小时，吃奶后可以不入睡，

宝宝/李希尔

宝贝喜欢看电视，尤其米老鼠与唐老鸭，所以打扮成米奇的女友米妮。

吃饱了会满意地对着妈妈笑，这时可能会溢出一口奶，不要紧，那是把食道中的奶溢出来了，不必再给孩子吃。

出现的睡眠问题要冷处理

最好让孩子自然入睡。这可以养成孩子自然入睡的好习惯，以免以后出现睡眠问题。

即使出现了一些睡眠问题，父母也不要着急，着急的结果会使孩子睡眠问题更加严重。孩子哪一天睡得少了，哪一天晚上不好好睡了，睡醒后哭闹了等等，都是正常的，如果父母过于干预，着急，焦虑，会使孩子产生不良反应，还会产生对父母的依赖。对于孩子偶然出现的睡眠问题，要进行冷处理，让孩子有自己调节的空间。

231. 非常有益的户外活动

户外活动不但使孩子呼吸新鲜空气，增强呼吸道的防御能力，进行空气浴，最主要的还是让孩子接触大自然中的景物，刺激孩子的视觉、听觉、嗅觉能力，锻炼孩子的体能。

锻炼肌肉开阔眼界

把孩子抱起来，可锻炼孩子的颈部、背部、胸部、腹部肌肉，就会为孩子的坐和站立做准备。

竖立着抱起孩子，孩子视野增大，会感受到周围变化中的事物，如走动的人，奔驰的汽车，在风中摇动的花草树木等，这些对孩子都是新奇的，会不断刺激孩子的视觉神经和大脑的联系，对孩子的智能开发是很有益处的。

阳光浴和空气浴

能够每天接受阳光照射和新鲜空气是非常必要的，除了寒风凛凛的冬季，都应该带孩子到户外活动，一天至少要保持20分钟的户外活动。

远离宠物/尾气/蚊虫

户外活动时要注意安全，遇到有人带宠物时，要远离宠物，别人家的宠物对你的孩子不熟悉，可能会有攻击行为。

最好不要把孩子带到马路旁，过往的汽车放出的尾气含较高的铅，如果把孩子放到小推车里，距离地面不到一米，正是废气浓度最高的地带，孩子成了吸尘器，这对孩子危害是很大的，与其这样，还不如让孩子待在家里。

要把孩子带到花园、居民区活动场所等环境好的地方。要避免户外的蚊虫叮咬。在树下玩时要注意树上的虫子，可能会掉到孩子身上，树上鸟粪、虫粪也可能会掉到孩子头或脸上。

宝宝/储宏英

现在就让宝宝站为时过早，宝宝有些害怕，张大嘴，但大多数宝宝都喜欢冒险，越是悬空的动作，宝宝越喜欢。随着月龄的增加，婴儿的表情越来越丰富。

户外活动易出现的问题

最常见的往往是父母忽视照管孩子而发生问题甚至意外。原因是几个看孩子的妈妈碰到一起，交换喂养心得，说得热烈，就忘记了身边的孩子。

232. 保姆看孩子

现在全职妈妈越来越少，不由奶奶外婆带孩子的也不少，依靠保姆看孩子的家庭越来越多。

低文化的小保姆和频繁换保姆

当保姆的大多是没有做过妈妈的小姑娘。这样的保姆没有带孩子的经验，文化水平也不高，就会给主人带来很大的麻烦。找什么样的保姆是很重要的，不能轻易先找一个试试，如果找不到合适的保姆，就会频繁更换，这对婴儿是很不好的，婴儿对护理他的人要有一个熟悉适应的过程，频繁更换保姆，会使小婴儿缺乏安全感，会使孩子变得焦躁不安，睡眠不踏实，食欲降低，甚至引发心理疾病。

选择什么样的保姆

如果妈妈要上班，必须找保姆看管孩子，那就要提前找。最好找做了妈妈，年龄在45岁以下，高中以上文化，城市人，有过职业生涯的，有幸福家庭的，这样的

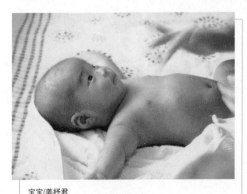

宝宝/姜杼君
宝宝开始喜欢与人交流。妈妈在为宝宝做抚触，边做边和宝宝聊天，宝宝看着妈妈，非常兴奋，眼神中透着对妈妈的爱。

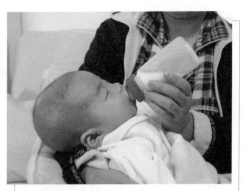

宝宝/姜杼君
喜欢边吃边睡的宝宝不在少数。如果宝宝吃饱了，你把奶瓶拿开，宝宝仍然会睡着；如果宝宝没有吃饱，宝宝就会哭闹，或用紧紧地咬着奶嘴不放。这是因为，只有当宝宝吃饱的时候才可能睡实，没吃饱时是在假睡。

保姆虽然不能做全职保姆，但要比全职的小保姆好得多。这样的保姆知道如何看管孩子，发生危险事情的几率要小得多，会让你更安心工作。

如果你的薪水刚好够雇佣保姆的，就不如在家里看孩子，等到能够上托儿所时再上班，这也是不错的选择。

选择看管小婴儿的托儿所好吗？

现在也有那种看管很小婴儿的托儿所了。要调查好托儿所的质量，半岁以下的孩子，需要一个人看管一个孩子，如果一个保育员，看管几个孩子，护理质量就会大打折扣。还要考虑护送问题，这么大的孩子是不可以全托的，小婴儿应该每天得到父母的爱抚。如果每天都接送，在寒冷的冬季是很麻烦的，家里和托儿所的室温差异也会使孩子不适应。所以，最好是把保姆请到家里。

国外的计时小保姆

大部分发达国家人工费昂贵，所以不是特别有钱的人家或出于特殊需要，多数妈妈采取阶段就业的办法，即在一段时间内做全职妈妈。

但是还有一种计时保姆服务非常好。有婴儿或者幼儿的家庭，会在社区内物色

12岁以上的大孩子，要求品学兼优、有责任心、来自良好家庭的孩子，还会对他们的家庭进行访问，然后在孩子的假期和课余提供一份有报酬的婴幼儿计时看护工作。拥有婴幼儿看护经验的孩子被认为是可靠的，大孩子的家长非常支持。这种看护可以是单独照看婴幼儿，也可以是协助照看，比如旅游度假时，与婴幼儿的父母随行。总之，这种服务比国内低素质的小保姆服务好得多，也锻炼了大孩子。

用非常便宜的低素质的保姆来照看，不论从文化素质、生活经验、卫生、安全的角度来说，都是对婴幼儿不负责的。

233. 摔伤是危险的

这个月的孩子，由于还不会爬，翻身也不是很好，妈妈不担心孩子会从床上摔下来，当孩子睡着后会抽空干些家务，保姆也会偷闲休息一会。可是，不知道哪一天，孩子会翻身了，而且翻得很快，或在睡眠中踢被子，身体会移动到了床边，稍微一翻身，就可能会掉下去。

意外摔伤是这个月发生的

这就是意外，如果知道了孩子会翻身或会爬，家人会格外小心的，反而不容易发生这样的意外，这个月是最容易发生这种意外的，父母一定要加以注意。如果是保姆看管孩子，一定要再三嘱咐，千万不要远离孩子，时刻要想到孩子会翻到床下去。

发生危险的几率大不大

一旦掉到床下，虽然发生危险的几率不是很大，但因为孩子头大，摔掉地下时，总是头部着地。父母就会担心摔坏孩子的脑袋，有的就会让孩子拍头颅CT，这对孩子是不公平的。这么小，就让头部接受X线照射，对孩子并没有什么好处。

乘车时的危险

带孩子乘车时也要注意，妈妈要始终保护孩子的头部，紧急刹车时，会引起很大的冲击力，使孩子的头部或脊髓受到伤害。乘坐私家车，一定要用优质的专用座椅固定宝宝。未满12岁以前，绝对不允许孩子自己或抱着孩子坐在副驾驶的座位上。

234. 防止窒息

孩子吐奶可能会堵塞呼吸道，如果没有及时发现，会引起孩子窒息，这一点不容忽视。

可以蒙住孩子鼻口的东西不要放在孩子身边，孩子已经会用手抓东西，如果把一块塑料布抓起，放在了脸上，就有可能堵塞孩子的口鼻，引起窒息。

我的忠告：意外事故没有先兆！

这些琐碎的问题，妈妈看了，也许会不以为然，也许一千个孩子里也不会有这种事情发生，在你周围从来就没有过这样的事情，但是一旦发生了，也许偏偏就会降临在你身上。所有的不该发生的问题，在医院中都可以看到，这就是为什么医生总是不厌其烦地嘱咐父母要注意意外事故的发生。意外，就是意料之外的事情，如果父母能够预料到了，就不会发生意

宝宝/姜杼君
母乳喂养，不仅仅是宝宝生理上的需要，也是宝宝心理上的需求。

宝宝/陶禹熹
壮壮生下来就开始游泳，起初还有些紧张，现在，宝宝已有近3个月的游泳经验，坦然多了。

外了。我总是这样告诉带孩子住院的父母们，也这样要求护士。

典型案例

曾经有位3个月大的患儿，明天就痊愈出院了，可是半夜三点多，孩子叫了一声，妈妈当时实在是太累了，没有及时醒来，孩子口鼻腔内充满了奶水，经过奋力抢救无效，孩子已经停止了呼吸。意外就在医院发生了。妈妈太放心了，也太大意了，孩子呛奶了，应该马上起来看一下。护理孩子不能有侥幸心理。

第8节 常见的生理现象

235. 吐奶：警惕肠套叠的危险！

这个月溢乳程度会有所减轻，但男婴可能仍会大口吐奶。

如果孩子从来没有吐过奶，到了这个月的某一天，突然吐奶了，要注意排除肠套叠的可能。危险征兆：孩子近来有腹泻史，尤其是胖男孩。大便突然减少，吐奶外，还会伴有阵发性的哭闹。哭闹过后，很安静，不像原来那样爱动，爱玩，很难把孩子逗笑，好像等待着什么，孩子有恐惧的表情。

一旦排果酱样大便，就可以确诊了，但这时往往失去了保守治疗的机会。这是

婴儿急症，肠套叠的早期发现是非常重要的。父母心里要有这个准备，一旦有征兆及时带孩子到医院确诊。

236. 鼻塞：别让宝宝白白"走过场"

非疾病性鼻塞

晚上和吃奶时小儿由于鼻塞而烦躁不安，甚至哭闹。妈妈首先想到的是感冒了，凉着了，先帮助清理一下鼻道吧，但稚嫩的小鼻孔实在不敢动。无奈抱到医院看医生。医生诊断感冒了。先吃药。不好再到耳鼻喉科看医生，开了滴鼻药。仍无效。第二次看医生，吃药不好就打针吧。打针不好就只好输液了。可药也吃了，针也打了，液也输了，该走的"过场"都走完了，小儿的鼻子仍然塞着。这是为什么呢？这就是非疾病性鼻塞。

如果孩子眉弓或脸颊上有小红疹，或眉弓上有像头皮样的东西，孩子就是"渗出体质"，也叫"泥膏体质"，往往较胖，还时常腹泻。这样的孩子容易出现鼻塞。如果父母有鼻塞史，宝宝鼻塞就是家族倾向了。

鼻塞原因及解决办法详见117条相关内容。

宝宝/尚潘柔美
吃饱喝足，身体没有任何不适，宝宝在睡眠中也时常会露出笑容。如果宝宝哪里不舒服、渴了、饿了、躺腻烦了，就会皱起眉头，甚至哭闹起来。

第9节 本月护理常见问题

237. 吸吮手指：了不起的进步

这个月的孩子会把小手或大拇指伸到嘴里吸吮，妈妈因怕孩子养成吸手指癖好，就加以纠正，这是不对的。这么大的孩子吸吮手指是一种运动能力，孩子能够把手准确地放到嘴里吸吮，是个很了不起的进步。吸手指也不是饿了，因此不必抱过来喂奶。

如果半岁以后还不断吸吮手指，要稍加引导，但也不是把孩子的手拿掉，而是要把玩具放到孩子手中，或握着孩子的手和孩子谈话，转移其注意力。

238. 踢被子：和妈妈比本领

爱活动的孩子开始学会了踢被子，而且踢得很有技巧，能够把盖在身上的被子，毫不费力一脚蹬开，露出四肢，非常高兴地舞动肢体。妈妈认为是热了，换上一个薄被，照样踢开，这是孩子在长力量，就是要和妈妈比试比试，看你盖得快，还是我踢得快。妈妈向我咨询这类问题时，都表示护理这样的孩子很费力，简直盖不过来，问如何不让孩子踢被子。不用担心，这是孩子在发育过程中出现的正常现象。

如果怕孩子受凉，我教妈妈一个方法，别把被子盖到孩子的脚上，让脚露在外面，当孩子把脚举起来时，被子在孩子的身上，就不能把被子踢下去了，又不会影响孩子肢体运动。

239. 吃奶不认真

这个月的孩子视、听和运动能力进一步提高，对外界的反应能力进一步增强，变得警觉起来了，在吃奶时，如果有意外的声响、走动的人影等，都会转移孩子吃奶的注意力，他会突然停止吃奶，或把奶头吐出来回过头去寻找声源或人影。妈妈不要误认为孩子食欲有问题。

240. 不饿也哭着要奶吃

母乳喂养的孩子，开始对母亲有依恋情绪。喜欢妈妈抱着他吃奶。不要怕把孩子惯坏了，这是孩子情感发育中不可缺少的，妈妈至少每天要抱孩子两个小时，才能满足孩子对妈妈爱抚的需要。不要仅仅是吃奶才抱孩子，这就会使得孩子不饿也要奶吃，因为吃奶可以满足他对妈妈爱抚的需要啊。

241. 闹觉

宝宝喜欢抱着睡，是宝宝的错吗？

刚刚出生3个多月的宝宝，在给全家人带来无尽欢乐的同时，也给爸爸妈妈带来了烦恼。小婴儿怎么会让爸爸妈妈有如此感受呢？

宝宝/吴怡萱
头戴树叶环，是在宝宝94天是照的，别看我们还不到百天，可我们家妮很硬实，头抬得很好，还很配合摄影师。家妮很爱笑，一逗就笑。

我女儿3个多月，白天要抱着才能睡好，只要到床上，睡得就不安稳，半个小时就会醒来。如果抱着睡能睡好几个小时。晚上七八点睡，能连续睡上4、5个小时，吃奶后很快又入睡，直到凌晨3、4点钟。一般4点以后就开始一个小时醒一次，我们夫妇俩感觉带孩子好累啊，这是怎么回事？我该怎么办呀？——来自一位新手妈妈的困惑。

这位妈妈所遇到的问题是比较普遍的，许多新手父母会遇到宝宝睡眠问题。其实，不但新手父母会遇到宝宝睡眠问题，到了幼儿时期也同样有这样的问题。

这或许不是宝宝的错

关于小儿睡眠问题几乎在所有育儿书上都有比较详细的阐述，虽然在说法上各有不同，但大多数学者认为，在某种程度上可以说不是孩子的问题，而是父母的问题。良好的睡眠习惯是需要父母帮助孩子建立的。如果父母不能很好地理解孩子，就会把正常现象当异常，把孩子正常反应当异样。父母对孩子的回应会直接影响孩子的行为。

让孩子哭个够？

喜欢让孩子哭个够的父母大多是这样的理由，孩子哭就抱会把孩子惯坏了，孩子很难独立。

宝宝郑果
喜欢让妈妈抱着睡是宝宝的天性，但这不意味着宝宝就要妈妈抱着睡。如果某一天宝宝不舒服了，希望妈妈能抱一会儿，不抱着就不睡的孩子不是天生的。所以，妈妈不要给宝宝养成了抱着睡的习惯后，又反过头来抱怨孩子不好带。

我不赞成让孩子无休止地哭下去而不去管。孩子需要父母的关怀，没有哪个孩子不喜欢躺在妈妈温暖的怀抱里。这是很容易让人理解的。如果孩子哭得很厉害，需要父母的关心，或许遇到自己不能解决的问题，需要父母的帮助，而父母不能积极回应的话，就会伤害孩子情感，使孩子失去安全感，长大了缺乏对人的信任，时时感到孤独，抑郁寡欢。

一声也不能让孩子哭？

但我也不赞成一味迁就孩子。父母要允许孩子有自己的情感流露。切莫动辄就去干扰孩子，不让孩子哭一声。其实再小的孩子也需要有自己的空间。尽管小婴儿需要自己的空间时间很短，做父母的也应该给予。

如果宝宝在睡觉中伸个懒腰、打个哈欠、皱一下眉头、做一个怪相……妈妈就马上去抱或去拍，这就是过多地干预了孩子。如果妈妈不去马上碰孩子，孩子有自己的自由空间，就不会这样烦躁易醒了。

可能孩子本来就没有醒，妈妈一碰反倒醒了。妈妈恰恰就认为没有及时把孩子抱起来或拍一拍，孩子才醒了。这就是认识上的问题。

父母是否知道这些？

·婴儿睡眠不分昼夜

婴儿常常醒来，饿了，尿了，不舒服了，睡够了，要光亮了等等都会醒来。

·小宝宝及少一夜睡到天明

婴儿的睡眠周期比较短，小宝宝不可能一觉睡很长时间。

·婴儿的快速眼球运动睡眠百分率高

小宝宝不可能很安稳地睡觉，会常常出现面部表情的变化，身体四处扭动，脸憋得通红，还不时发出些声音。

·婴儿入睡方式与成人不同

出现某些刺激因素，如噪音，宝宝会很容易重新醒来。

宝宝/郑果
快3个月了，宝宝又进步了，开始用手腕支撑起上身了。

· 每个孩子的睡眠习惯和方式不尽相同

你的孩子不会和其他孩子一样。要尊重你孩子的睡眠选择。

如果新手父母了解婴儿这些睡眠特点，是否能够对自己宝宝的某些睡眠问题释然了呢？

真切告白

关于孩子睡眠问题，难以做出简单的答复和指令性的要求，每个孩子都不一样，生活在孩子身边的父母会更多地知道宝宝需要什么，怎么能让宝宝入睡。宝宝需要睡多长时间，只有他自己知道，父母应该给宝宝应有的自由。不要总是试图控制宝宝，那不是对宝宝的疼爱，有时反而会耽误了孩子。

新手妈妈，您的困惑还有吗？

上面那位妈妈应该高兴，你的宝宝夜间睡得不错，这是很好的。3个多月的孩子，白天不睡很长时间也是正常的，为什么非要让孩子一觉睡几个小时呢？如果孩子困倦了，会自然入睡的。如果孩子醒了，就和宝宝说说话，做一些小游戏。如果父母坚信宝宝必须抱着睡才能睡眠，父母就会整日抱着宝宝睡觉，有妈妈抱着睡当然比自己躺在床上睡舒服，孩子不会拒绝妈妈抱着他睡，慢慢就习惯父母抱着睡了。那样父母就会很

累。要逐步改变过来。

有的孩子一开始是抱着能哄睡，慢慢也不行了，就开始边抱边摇着能哄睡，过一段时间，这一招又不灵了，开始站起来在室内来回走动，甚至有父母得站在席梦思床上悠着孩子，还不断打挺哭闹。这是爸爸妈妈不断"培养"的结果。

排除轻微脑功能障碍儿

这样的孩子首先要排除疾病性哭闹，有小小的轻微脑功能障碍（如生产过程中有窒息史、难产史，新生儿期有缺血缺氧性脑病、严重黄疸）的孩子多有睡眠问题。这样的孩子长大后可能会患多动症，但这种情况并不多见。

办法

不要增加新的哄睡方法，孩子就不会无休止地发展下去，妈妈白天当孩子睡觉时抓紧时间休息。随着月龄的增长，或许会自然好起来的。

242. 耍脾气

这么大的孩子开始会耍脾气了，这不奇怪。孩子会突然无缘无故地哭闹，怎么哄也哄不好，给奶不吃，放下不行，就像有针扎似的，抱着不行，使劲打挺，妈妈几乎抱不住，什么办法也不好使了。

常常在急诊遇到这种情况，尤其是夜间急诊。父母风风火火把孩子带到医院，说孩子拼命地哭闹，怎么也哄不好，在车上还哭来着，可还没下车就不哭了，等到了门诊，医生把衣服解开，对孩子进行检查，孩子不但不哭，有时还冲医生笑，这使得父母很不理解。

其实，这时最好的方法是换一换人哄孩子，最好让爸爸抱一抱孩子，孩子会变安静，如果爸爸不在家，就带孩子到外面去，换一换环境。

243. 认生

快到3个月的孩子，有的开始认生了，尤其是家里人少，只有妈妈或保姆看孩子，一旦有陌生人来到，孩子会看着生人大声啼哭，不让生人抱。认生的孩子和见人少有关，也与性格有关，这样的孩子可能不容易与人交往。

244. 婴儿身体的奇怪声响

有父母询问，他们的小宝宝身体时而出现奇怪的声响，很是担心，不知患了什么怪病。

小婴儿身体为什么会响呢？

关节弹声响

小婴儿韧带较薄弱，关节窝浅。关节周围韧带松弛，骨质软，长骨端部有软骨板，主关节做屈伸活动时可出现弹响声。随着年龄增大，韧带变得结实了，肌肉也发达了，这种关节弹响声就消失了，有的成年人，若关节活动不正常仍可出现弹响声，有的挤压指关节时可出现清脆的弹响声，如无特殊症状，属正常现象。若膝关节伸屈有响声，伴有膝部疼痛，应排除先天盘状半月板，若髋关节出现关节弹响声，应排除先天髋关节脱位。

胃叫声

胃是空腔脏器，当内容物排空以后，胃部就开始收缩，这是一种比较剧烈的收缩，起自贲门，向幽门方向蠕动。我们都知道，不论什么时候，胃中总存在一定量的液体和气体，液体一般是胃黏膜分泌出来的骨消化液。气体是在进食时随着食物吞咽下去的，胃中的这些液体和气体，在胃壁剧烈收缩的情况下，就会被挤捏揉压，东跑西窜，发出唧唧咕咕的叫声，所以小儿腹中出现叫声可能是饥饿的信号，但在胃胀气、消化不

宝宝/王震坤

宝宝这个月比上个月更有进步，不仅会盯着看，还有思维能力，比如把玩具盖上，他知道玩具在下面。当然最好露出一角，给宝宝提示一下。宝宝的表情更丰富了，当宝宝不满意时，就有了这样的表情。

良时也可出现这种声音。

肠鸣声

肠管和胃一样，都属空腔脏器，肠管在蠕动时，肠管内的气体和液体被挤压，肠间隙之间腹腔液与气体之间揉擦也可出现咕噜声，叫肠鸣音，一般情况下需要听诊器听诊方能听到。声响大时，裸耳即可听见。腹胀时或患肠炎，肠功能紊乱时可听到较明显、频繁的响声。

疝

人体内的脏器或者组织本来都有固定的位置，如果它离开了原来的位置，通过人体正常或不正常的薄弱点或缺损、间隙进入另一部位即形成疝。常见的有腹股沟斜疝、股疝、脐疝等，多是肠管疝入"疝囊"内，当令其复位时可出现响声。小儿脐疝，特别是婴儿脐疝，当挤压"疝"时可发出"咯叽"的响声。还有罕见的横膈疝，食管裂孔疝，即腹腔中的空腔脏器疝入胸腔，在肺部听到肠鸣音或胃蠕动声。疝是病症，应及时治疗。

245. 这个月免疫接种

满2个月的孩子要服小儿麻痹糖丸。

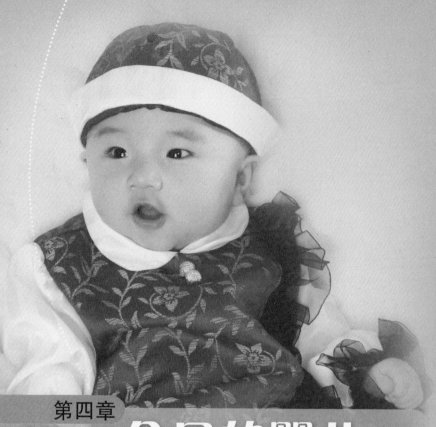

第四章
3-4个月的婴儿
（90—119天）

这个月婴儿的外貌已经非常漂亮，眼睛很大，像个会活动的大娃娃。

俯卧时，能够用手腕把上身支撑起来，头高高竖起。

第1节 本月婴儿特点

246. 外貌：非常漂亮

这个月的宝宝准备过"百日"了，一百天以后的宝宝，进入非常招人喜欢的月龄。脖子挺得直直的，因为头相对较大，宝宝的头会微微摇晃，看起来像个会活动的大娃娃；眼睛的黑眼球很大，会用惊异的神情望着不认识的人，如果你对他笑，他会回报你一个欢快的笑。当你用手蒙住脸，突然把手拿开，并冲着宝宝笑时，宝宝会发出一连串咯咯的笑声。

247. 能力发展：会把身体侧过来

竖立抱宝宝，宝宝的腰已经能够挺起来了。把两手放在宝宝腋下，让宝宝两脚站在你的腿上，宝宝会一蹬一蹬地跳跃。俯卧时，能够用手腕把上身支撑起来，头高高竖起。仰卧时，能够把身体侧过来，甚至变成俯卧位，但不会从俯卧位变成侧卧或仰卧位，因此，仍然不能让宝宝俯卧睡觉。如果宝宝从仰卧自己变成了俯卧，妈妈应该在旁边看着，防止堵塞呼吸道。

248. 喂养与护理：食量有所不同，
睡觉开始推后

母乳喂养的宝宝，可以不添加辅食。人工喂养的宝宝可以添加辅食，但如果宝宝不吃乳类以外的食品，也不必勉强。吃奶的次数和量，婴儿之间的差异更加明显，吃得多的可以一次吃200毫升的奶，吃得少的仅吃120毫升，甚至还少，有的母乳开始不够吃了，可这时添加牛乳会遇到困难。原来混合喂养的宝宝，现在可能一点奶粉也不吃了。

这个月仍然不是训练大小便的时期，对

宝宝/王雨菲

婴儿眼睛黑眼球比例比成人大得多，眼白蓝蓝的，不像成人，眼白部分有脂肪沉淀，就发黄了。

于排便有规律的宝宝，可以把一把尿便。

有的宝宝会闹夜，不再是7、8点就睡了，如果父母10点睡，宝宝会一直等。

有生理性溢乳的宝宝，到了这个月可能不再吐奶了，但也许会继续溢乳。

有的宝宝开始流口水，这是由于唾液分泌开始旺盛了，也有的是因为宝宝要出牙了。

这个月护理的重点是开发宝宝的潜能，进行户外活动，提高宝宝的抵抗力。预防意外事故发生仍然是很重要的。

第2节 本月婴儿生长发育

249. 身高：增长速度减慢

这个月宝宝身高增长速度与前3个月相比，开始减慢，一个月增长约2.0厘米。但与一

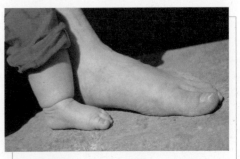

宝宝/尚潘柔美

我出生107天了，可我的脚丫还是没有爸爸的脚丫大。

岁以后相比还是很快的。

有些宝宝先长，有些宝宝后长

常有父母问，自己的身高在同性别中属于高的，为什么宝宝却不高？这也不一定是宝宝生长缓慢，应该问一问奶奶和外婆，父母是不是小的时候也不高，是不是后长起来的。小儿也有先长后长的。

只要没有疾病，就不要为宝宝一时的身高不理想而担心。身高的增长是连续动态的，一次或一个月静态的测量值，并不能说明是否偏离了正常生长曲线。

250. 体重

这个月的宝宝体重可以增加0.9-1.25公斤。如果体重偏离同龄正常儿生长发育曲线第3百分位或第97百分位，要寻找原因。除了疾病所致，大多数还是喂养或护理不当造成的。

可以利用生长曲线图监测宝宝的生长发育情况（见附录）。

使用方法：

在测量月龄的位置找到相应体重所在的位置，并画上圆点，凡是落在第25-75百分位范围内属于中等，落在第75-97百分位范围内属于中上等，落在第97百分位以上为上等，

宝宝/李卓容
婴儿非常喜欢在水中玩耍，看宝宝多高兴啊。给宝宝洗澡以勤洗快洗为宜。

宝宝/陈军佑
宝宝已经能够把头抬高到90度啦。

落在第3-25百分位范围内属于中下等，落在第3百分位以下为下等。如果婴儿体重超过第97百分位或低于第3百分位，都应该找医生检查。

251. 头围

这个月婴儿头围可增长1.4厘米，婴儿期定时测量头围可以及时发现头围过大或过小。可以利用婴儿头围生长曲线图来检测婴儿的头围增长情况。把测量值点画在图上，如果超过第97百分位或低于第3百分位，则需要请医生检查，确定是正常的变异，还是疾病所致。

252. 前囟

这么大的婴儿后囟门早已闭合，前囟门对边连线可以在1.0-2.5厘米不等，但如果前囟门对边连线大于3.0厘米，或小于0.5厘米，应该请医生检查是否有异常情况。前囟门过大可见于脑积水，佝偻病；前囟门过小可见于狭颅症、小头畸形、石骨症等。

婴儿囟门假性闭合

囟门的检查多要靠医生，有的医生在测量囟门时，没有考虑到，有的婴儿囟门呈假性闭合（膜性闭合），就是说从外观上看囟门像是闭合了，实际上那是因为头皮张力比较大，但颅骨缝仍然没有闭合。

囟门大些父母就认为是佝偻病，盲目补充钙剂，这也是要避免的。婴儿发热时，囟门可以膨隆、饱满，有时会误诊为颅脑疾病，要注意鉴别。

第3节 本月婴儿能力发展

253. 看的能力：
视觉训练是这个月的重点

视觉刺激对于婴儿大脑发育是极其重要的，训练宝宝视觉能力是这个月的重点。

这个月婴儿的颜色视觉功能已经接近成人了。这就是婴儿所具有的辨别不同颜色的巨大潜能，宝宝不断辨别颜色，准确性就会迅速发展。婴儿对颜色的反应和成人差不多，但对某些颜色却情有独钟，婴儿更喜欢红色，其次是黄色、绿色、橙色和蓝色。在训练婴儿颜色辨别能力时，要以这几种颜色为首选，依次训练宝宝的色觉能力。

电视广告的拥戴者

这个月的宝宝视力已经相当不错了，不再仅能看清近距离的物体了，已经具备了较强的远近焦距的调节能力。可以看到远处比较鲜艳或移动的物体。变化快的影像会使婴儿感兴趣，这么大的婴儿开始会注视电视中的画面，而且对广告特别感兴趣。喜欢看变化快，色彩鲜艳，图像清晰的广告画面是小婴儿的共性。

宝宝 储宏英
我们家的亲戚里有好多军人，海陆空都占不同的帽子摆在她面前，她义无返顾地抓到了空军的帽子。在宝宝百天的时候，我们把海陆空三顶头上，还颇有小小空军的模样呢。往嘴里塞。我把空军帽子扣在她

宝宝 储宏英
这套红色的衣服是同事去云南出差带回来的，宝宝穿上它人人都说好。瞧，她坐在哪儿，多有派头啊！宝宝就是我们家的福娃。

可以让婴儿短时间注视电视屏幕，但不能让婴儿长时间注视，以免造成视力疲劳。一般来说，这么大的婴儿可持续注视2~3分钟。如果时间长了，婴儿会自动转移视野，但往往已经造成了婴儿视力疲劳。

回归大自然

带宝宝到户外活动，是锻炼宝宝视力的好方法。户外空间广阔，可看物体种类多，花草树木颜色多，有利于婴儿认识自然。

避免阳光和闪光灯照射

但不要让阳光直接照射宝宝的眼睛，过强的阳光会伤害宝宝。最好不要使用闪光灯在室内给宝宝拍照，闪光灯对婴儿的视力是不利的。

眼—手—脑配合的意义

宝宝看到喜欢的玩具会很高兴用手去抓，这是看与肢体运动的有机结合，如果看到了却不能用大脑分析并指导行动，看就没有意义了。妈妈要利用这个特点，训练宝宝认识事物的能力，不断告诉宝宝这是什么，是什么颜色的。

辨别差异和记忆的能力

3个月以后的婴儿，随着头部运动自控能力的加强，视觉注意力得到更大的发展，能够有目的地看某些物像。婴儿最喜欢看妈妈，也喜欢看玩具和食物，尤其喜欢奶瓶。对新鲜物像能够保持更长时间的注视。注视后进行辨别差异的能力不断增强。

宝宝/储宏英

宝宝见着什么都要吃，瞧，她拿起书就垂涎欲滴啦，她一定在想：妈妈，我要吃！

对看到的东西记忆比较清晰了，开始认识爸爸妈妈和周围亲人的脸，能够识别爸爸妈妈的表情好坏，能够认识玩具。如果爸爸从宝宝的视线中消失，宝宝会用眼睛去找，这就说明宝宝已经有了短时的，对看到物像的记忆能力。爸爸妈妈要利用这个阶段婴儿看的能力发展过程，对婴儿的视觉潜能进行开发。

254. 说的能力：听－分辨－发音

婴儿语言的发展是有一定规律的。最初是语言的感知阶段，婴儿先是靠听、看来感知声音，并逐渐对语音进行分辨，最后发展

宝宝/储宏英

宝宝认识的第一个器官就是嘴，我们每天都要把嘴凑过去亲她那"吹弹可破"的小脸蛋，有天她在书上也看到了嘴巴，开心极了。

到自己发出语音。

能够区分男声和女声

出生两周的婴儿能够区分人的语声和其他声音，两个月的婴儿对父母说话时的情绪就有所反应，当你用怒斥的语气和宝宝说话时，宝宝会哭。到了这个月，宝宝已经能够分辨出是妈妈在说话，还是爸爸在说话，能够区分男声和女声了。

婴儿情绪越好，发音越多

出生3个月以前，是婴儿的简单发音阶段。3个月以后慢慢会发出"啊、喔、哦"的元音了。婴儿情绪越好，发音越多。爸爸妈妈要在婴儿情绪高涨时，和宝宝交谈，给宝宝发送更多的语音，让宝宝有更多的机会练习发音。让宝宝多到户外，听小鸟叫，听流水声，听风刮树叶声，并不断告诉宝宝这是哪里发出的声音。给宝宝做元音发音口型，让宝宝模仿爸爸妈妈说话。

255. 听的能力：能区分音色

这个月的婴儿已经能够静静地听音乐了，并且能够区分音色了，更喜欢优美抒情的音乐。听、看、说是不可分割的感知能力的总和，是相互影响、相互促进、相互提高的，对视、听、说的训练是综合的、共同的。

256. 闻的能力：嗅觉更加灵敏

这个月婴儿已经能够准确区分不同的气味，会有目的地回避难闻的气味，嗅觉变得更加灵敏。

257. 其他能力

味觉

味觉在婴儿期是最发达的，以后就逐渐削弱，这与味觉在人类种系演化进程中的趋势是一致的。

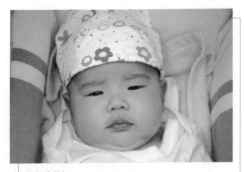

宝宝/李希尔
宝宝有些不舒服了，眉头微微皱着。宝宝为什么紧锁眉头，我们成人只是猜测。不过，妈妈的解读是最准确的。

触觉

触觉是婴儿认识世界的主要手段，婴儿出生后就有触觉反应，这就是婴儿抚触的基础。当婴儿啼哭时，抚摸宝宝的腹部、面部，可以使婴儿停止哭闹。3个月以后，婴儿视触觉协调能力开始发展，4个月的婴儿可以有意识地够物体，并学着感受物体的性质、形状，开始了通过触觉认识外界的过程。

知觉

3、4个月的婴儿已经出现了对形状的知觉，4个月时，对物体已经有了整体的知觉。当你把宝宝放到床边沿时，虽然这时婴儿还不会爬，但已经能够感知深度了，婴儿似乎屏住呼吸，露出惊恐的神情。丰富的环境刺激对婴儿的认知活动有着极其重要的作用。

258. 运动能力：让婴儿拿更多的东西

这个月的宝宝已经能够用上肢支撑头和上身，和床面约成90度角。

从这个月开始会翻身，先是从仰卧到侧卧，逐渐发展到从仰卧到俯卧。

婴儿手发展的意义

手的动作是精细运动的发展，在婴儿智能发育中是很重要的，是人类进化的重要标志。没有手的精细运动能力，就不会创造复杂的机器和劳动工具。因此促进婴儿手的发展，是早期教育的重要一环。

这个月的婴儿还不会主动用手抓东西，妈妈可以把玩具放到宝宝手中，握住宝宝小手，放到宝宝眼前晃动，再把玩具拿开，放在宝宝能够得着的地方，让宝宝自己去拿，也可以握住宝宝手腕部，帮助宝宝够到玩具，这样可以训练宝宝手眼的协调能力。

3个月以前的婴儿，手还不能张开，触摸是被动的。到了3个月以后，婴儿的手就开始主动地有意识地张开、触摸，开始了主动的活动。开始是大把的、不准确的抓握，以后逐渐发展到准确的手的精细动作。

宝宝通过触摸和嘴来认识物品

这一过程是渐进性的，有的父母怕宝宝拿东西放到嘴里吃，不卫生，或有危险，就不敢拿东西让宝宝抓，或仅让宝宝抓一种玩具，这是不对的。婴儿在抓东西的过程中，也是促进眼手协调能力，通过对东西的触摸认识物品，通过嘴来感受物品，这些对婴儿认识外界，感知外界，都是必不可少的。

应该让婴儿拿更多的东西。安全是要考虑的，但不能仅仅为了省事，剥夺婴儿认识世界的权利。

宝宝/韩一平
宝宝特别爱笑，其中一张照片是宝宝抱着玩具小狐狸，爸爸在搜狐工作，玩具是公司送给爸爸的，宝宝特别喜欢这个小狐狸。

第4节 本月婴儿营养需求

259. 从乳类中获得所有营养

这个月婴儿仍能够从母乳中获得所需营养，每天所需热量为每公升110卡左右。

母乳充足的婴儿这个月可以不添加任何辅食，仅喂些新鲜果汁就可以了，如果宝宝大便比较稀且次数多，也可以不喂果汁，喂多种维生素片也可以。

这个月的婴儿对碳水化合物的吸收消化能力还是比较差的，仍然是对奶的吸收消化能力较强，对蛋白质，矿物质，脂肪，维生素等营养成分的需求可以从乳类中获得。

宝宝/郑果

母子的交流是心灵的交流，不需要听懂妈妈说的是什么。无论你的宝宝多大，你都应该向宝宝表达你的爱，无论他是否听懂你的话，你都应该和他说你想说的话。表情、动作、话语、歌唱、微笑、手势，对宝宝都是有意义的。

重，可以继续加，如果严重，就要停止了。

如果母亲孕期有贫血，宝宝这个月开始应该补充铁剂，2毫克/公斤/日。

260. 出现贫血

这个时期的婴儿会出现缺铁性贫血，应该注意补充铁剂、蛋黄、绿叶蔬菜，动物肝脏中含有较丰富的铁，但这个月的婴儿有时不能耐受这些食物，要一种一种添加，从小量开始。

这个月可以先加1/4鸡蛋黄，观察婴儿大便情况，如果没有异常，可以继续加下去，一周后可以添加菜汁，有的婴儿这个月添加菜汁时，可能会腹泻，或排绿色稀便，如果不严

261. 不可强迫婴儿吃辅食

这个月的婴儿如果仅吃乳类食品，对辅食不感兴趣，父母无须着急。强迫婴儿吃辅食是不对的，乳类食品能够满足婴儿所需的营养。添加一些辅助食品对宝宝牙齿萌发，肠胃功能锻炼是有好处的，但是如果强迫婴儿吃他不喜欢吃的辅食会给以后添加辅食增加难度。

第5节 本月婴儿喂养方法

262. 母乳喂养儿

3个月以前一直都是纯母乳喂养的婴儿，如果到了这个月母乳不足了，想添牛乳，往往会遇到困难，首先是婴儿不喜欢吸吮橡皮奶头，其次是不喜欢牛乳的味道。

母乳不足的迹象

如果每日体重增长低于20克，一周体重增长低于120克，提示可能母乳不足。如果宝宝开始出现闹夜，睡眠时间比原来缩短了，吃奶间隔时间比原来延长了，体重低于正常同

宝宝/白芮宁

新生儿对玩具没有特别兴趣，只对妈妈有兴趣。现在宝宝开始对玩具感兴趣了。宝宝还需要用胳膊支撑着身体，伸手够玩具还是有点困难的，宝宝已经把小手伸开准备拿了。

龄儿生长曲线第3百分位,那就应该及时添加牛乳了。

添加牛乳困难怎么办

如果宝宝实在不吃牛乳,就用小勺喂,小勺也不行,就给宝宝喂辅食、米粉、菜汁、菜泥、鸡蛋等,但这时添加米粉可能消化不好,如果母乳不是很少的话,这样喂养坚持到4个月以后,宝宝可能会突然很爱吃牛奶了。

大便次数不均衡

母乳喂养的婴儿大便可能会一天5、6次,也可能变成了一天1、2次,甚至两天一次,这都不要紧,母乳喂养不像人工喂养那样均衡,乳量某天可能会少一些,某天可能会多一些,妈妈今天可能吃得硬一些,明天可能吃得软一些,可能会吃些生冷食品,这些都会影响宝宝的大便。

夜间吃奶情况

母乳喂养次数仍然没有严格的限制,但如果母乳充足的话,这个月的宝宝往往是每4个小时吃一次,到了夜间可能仅吃一次,有的会一夜都不吃。如果夜间饿的话,宝宝会醒来要奶吃,因此妈妈没有必要叫醒宝宝吃奶。

263. 人工喂养或混合喂养

突然厌食牛奶

人工喂养或混合喂养的宝宝,一直都很

宝宝刘昊伦 乳名天天

我是小帅哥,瞧我一身酷,多潇洒呀,嗯,对面的小MM已经被我的英姿迷住啦。

百天的宝宝能用拇指和四指握住玩具,并能把带响的玩具摇响。3个月以后,婴儿逐渐开始手的精细动作的发展。

宝宝/姜杼君

喜欢吃牛奶,可当宝宝长到这个月的时候,突然在某一天不喜欢吃牛奶了,甚至一把牛奶瓶举到面前就引发宝宝哭闹。妈妈急的不知如何是好,使出浑身解数,换奶瓶,换奶粉品牌,换人喂,换地方喂,换鲜奶,在奶中加果汁或米粉等物,结果都无济于事。仔细询问,在厌食牛奶一两周前宝宝吃牛奶吃得很好,而且还挺多,宝宝生长也很快,体重增长也比较大。这恰恰就是宝宝厌食牛奶的诱因。

原因

3个月以前的宝宝,不能完全吸收牛奶中的蛋白质,无论吃多少牛奶都不会完全吸收,吃多了就排泄出去了。可是3个月以后,就不同了。他们能够相当多地吸收牛奶中的蛋白质。肝脏和肾脏几乎全部动员起来帮助消化吸收牛奶中的营养成分,而这时的婴儿吃奶的能力也较以前大了。饥饿感和食欲也较以前增强了,总喜欢吃奶,这样就能让妈妈抱着。由于过多吃奶,婴儿的肝脏和肾脏就加大力量工作。婴儿胖起来了,多余的能量储存起来了。用不了多久,婴儿的肝脏和肾脏就因疲劳而"歇着了",这时宝宝厌食牛奶就开始了。

厌食牛奶是病吗?

除了厌食牛奶外,给其他别的食品,特别是易于消化的爽口的食品,宝宝照样喜欢

宝宝/李悦宁

4个月的我在看书,但和后面8月时我看书的照片相比,显然是幼稚的。

吃,尤其是果汁。除了厌食牛奶外,宝宝精神、玩耍、睡眠、尿便都比较正常,几天不吃牛奶,也没见瘦哪去。似乎喝水、果汁、妈妈那点残余的母奶就足够了。各种疾病造成的厌食,则会有相应的症状。

宝宝虽然还不会说话,却能用行动来表达自己的意愿。这种厌食牛奶就是宝宝对妈妈的诉说:"妈妈,不要再给我过多的牛奶了,我的肝脏和肾脏的负担已经太大了,会把它们累坏的,再说,妈妈可不要把我喂成小胖子,让我在儿童期就患上成人病,让我歇一歇吧。"妈妈一定不要急,不会饿坏宝宝的,宝宝体内有足够的能量储备。不要强迫小儿吃,可喂果汁、水、米粉或其他食物。经过一段时间(大约两周以后),肝脏、肾脏、消化系统得到充分的休息后,功能逐渐恢复,小儿会再度喜欢吃牛奶的。只要每天能吃100-200毫升奶就不用担心小儿会饿坏。

厌食牛奶是小儿在静养已经疲劳的脏器,是在消化身体中多余的脂肪。有时,即使是医生也会诊断错误,以为这是疾病所致。

这个月的婴儿食量不同。食量小的,一天仅能吃500-600毫升牛奶,食量大的一天可以吃1000多毫升,妈妈不要过分强调宝宝是否能够吃到书上或奶粉袋上标注的量。任何时候的强迫喂养,都可能会导致宝宝厌食。

第6节 不同季节护理要点

264. 春季护理要点

日光浴与空气浴

3个月以后的宝宝,如果赶上春光明媚的好时节,爸爸妈妈就要抓住这一有利时机,多带宝宝到户外接触大自然。

一天可以带宝宝出去两次,一次活动一个小时左右,每天9-10点,下午3-4点较好。但什么时候进行户外空气浴,还要根据宝宝睡眠和吃奶习惯灵活掌握,如果宝宝正好在上午9-10点困了,就不要带宝宝出去了,一定要在宝宝高兴,精神状态好的时候出去进行户外活动。

户外活动时开发宝宝潜能

这么大的宝宝到户外不再单纯是为了晒太阳、呼吸新鲜空气、增强体质,还要运动。因此不要把宝宝就放在婴儿车里,或抱在怀里,只顾大人说话,没有帮助宝宝运动。

宝宝已经具备了相当的视觉能力。告诉宝宝,这是红花,这是绿叶,让小手触摸一下,使宝宝感知一下,让看到的、摸到的、闻到的,经过大脑进行整合,立体感受自然界

宝宝/李悦宁

我不到3个月就会翻身了,这天妈妈说我已经满100天了,要给我照相。妈妈刚刚给我放到床上,我一骨碌爬起来,抬起头冲着妈妈哈哈笑。看看镜头前的我美不美,要上镜了,我一定要表现出我最美的一面来。

宝宝/张淳然
照这张相片的时候有青苹果，她就老想去拿，最后就给他一个放在手里，没想到他自己却拿到了嘴边想吃。

中的事物。

宝宝嘴里发出声时，要积极和宝宝交流，这会刺激宝宝发音的积极性，使宝宝发更多的声音。慢慢地，宝宝会把听到的声音记忆下来，并和看到的联系起来，当再看到时，会想起它的发音，这就是语言学习的开始。

把宝宝抱出婴儿车

到了户外，最好不要再让宝宝躺在儿童车中，尤其是盖上车棚的儿童车。经常看到父母把宝宝放在带棚的儿童车内，在路上或街心花园散步。这不是为宝宝做户外活动，是自己在散步。不应该这样带宝宝进行户外活动，把宝宝抱出来吧。如果太阳光比较强烈，可以给宝宝戴一顶带檐的小布帽，遮挡阳光对眼睛的照射。

干燥与过敏

北方春季气候比较干燥，要多给宝宝喝水。有的宝宝到了春季，面部皮肤可能会变得有些粗糙，湿疹会加重，这不要紧，随着夏季的到来，会很快好的。

母乳喂养的妈妈在这个季节要少吃辛辣腥膻食品，减少宝宝皮肤过敏反应。

扬沙与雨天

初春，气候不是很稳定，要注意随时加减衣物。有扬沙天气时，不要带宝宝到户外。空气中的悬浮物会刺激宝宝的呼吸道。大风天气不要带宝宝到户外，不要让宝宝挨雨浇。春季的雨水浇在头上还是比较凉的，会使宝宝感冒，以后再遇到雨淋就会频繁引发感冒。

265. 夏季护理要点

预防脱水热

这么大的婴儿汗腺已经开始发育，会因为气温高而出汗，这是释放热量的有效方式。如果出汗过多，皮肤蒸发水分过多，没有及时补充的话，会出现脱水热。

出现脱水热时，体温升高，尿量减少，烦躁不安，妈妈往往认为宝宝感冒了，就给吃感冒药，而感冒药又多具有发汗作用，这就更会加重宝宝脱水，使体温更高。因此，夏季不要轻易给宝宝吃感冒药，首先要补充水分，使宝宝的尿量增加，体温会逐渐下降。

当宝宝出现脱水热时，不能马上降低室内温度，这会使宝宝在受热的基础上外感风寒，就是人们常说的热伤风。热伤风是感冒中比较难治的一种。应该先通过补充水分把体温降下来，给宝宝洗个温水澡，室内温度降到28℃左右，与室外的温差不要太大，最好不要超过7℃。

夏季特别贴士：
·坚持每天洗澡3次。

宝宝/刘昊伦
嗯，妈妈手里拿的什么呀，今天拍照片我换上了一身新衣服，我觉得新鲜老低着头看，这样怎么拍呢，妈妈就拿了一个摇铃逗俐逗的，果然我好奇地抬起头来喽。

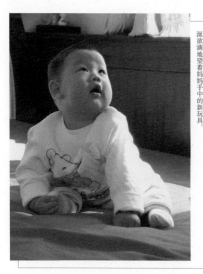

·夏季要注意防蚊虫，蚊子叮咬会传播乙脑病毒，苍蝇落在婴儿脸上、手上，沾在手上的病菌会通过婴儿吸吮手指进入婴儿消化道，引起肠炎。

·要注意婴儿餐具清洁，把住病从口入关。

·可以带宝宝到海边或游泳池游泳吗？还为时过早。户外活动做得很好、体质很健壮的婴儿，爸爸也有把握保护婴儿的安全，也不妨试一试带宝宝游泳，但时间要短。

·户外活动时，不要在阳光直射下，选择树荫下，不要在高大建筑物旁避光，以免婴儿受到卷流风吹袭。

·播放舒缓轻盈的音乐，缓解宝宝的焦躁不安。

266. 秋季护理要点

不要急于给宝宝添加衣服，继续保持每天2小时以上的户外活动，不要急于关窗关门，减小室内外温差。

即使天气凉了下来，也要坚持户外活动，增强婴儿耐寒能力，增强呼吸道抵抗病毒侵袭能力，为婴儿度过寒冷的冬季做准备。过早把婴儿闷在家里，过早给宝宝穿得很厚，盖得很多，都会增加婴儿冬季呼吸道感染的几率。

预防秋季腹泻

预防秋季腹泻病流行，婴儿一旦腹泻，及时看医生，学习口服补液盐的使用方法，可以使宝宝免受静脉注射之苦。

267. 冬季护理要点

呼吸道对温差的适应是有限的

北方的冬季寒冷，室内外温差可达30℃，如果把宝宝从温暖的室内抱到寒冷的室外，婴儿是很难适应的，尽管给宝宝穿得很暖和，但其呼吸道对这种温差的适应能力是有限的。

应该每天在室外温度最高，阳光最充足的时候抱宝宝出去，室内温度保持在18-22℃，不要让室内温度过高。

我的出诊经历

我出诊到过许多婴儿的家里，北方的家庭，室内温度达二十七八度，大人穿一件汗衫，可婴儿往往还照样穿着冬季服装，宝宝热得满脸通红，湿疹也严重，哭闹厉害，不愿意吃奶，还反复感冒。这不是婴儿的问题，这么大的婴儿正是生长发育最快最好的时候，可是父母让宝宝在"蒸笼"中生活，还喝热奶。遇到这种情况，我总是让婴儿父母穿上和宝宝一样多的衣服，在婴儿房间里喝热水，感受一下是怎样的不舒适。既然你都这么不舒服了，婴儿也是一样啊。

婴儿不是只怕冷，不怕热。暖气片取暖，总是使室内又热又燥，室内湿度才达到15-20%。保持适宜的湿度（40-50%）是非常重要的。湿度过低，大大降低了呼吸道纤毛

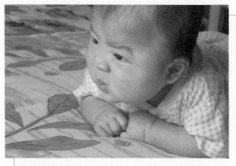

宝宝/王震坤

婴儿的模仿力很强，如果你常常逗他，对着他屈鼻子，他也会这么做。

宝宝/尚潘柔美
婴儿很容易被逗笑。多给宝宝笑脸是激发宝宝潜能的好方法。

运动功能，呼吸道抵御病菌的能力下降，这不是用药物可以解决的。如果医生没有到家里，而是父母把宝宝抱到医院了，只能按照疾病给宝宝开一大堆药物。这就是为什么宝宝总是有病，却久治不愈的原因。

类似问题

同样道理，当宝宝不爱吃奶时，妈妈想方设法喂宝宝，甚至在宝宝睡得迷迷糊糊时把奶嘴塞到宝宝口中，强迫宝宝吃。试想，如果你今天不爱吃饭，别人就乘你半睡状态时把饭塞到你口中，让你把它嚼完咽下去，你会怎样呢？宝宝不会说，就只有哭或拒绝吸吮了。

护理宝宝，要学会理解宝宝，爱的方式要正确。我在20多年的从医生涯中，始终贯穿着这样的宗旨：医生不是只开药方的。要从方方面面来考虑问题和疾病，不但看宝宝，还要了解父母。宝宝是崭新的生命，除极少数先天发育问题外各个脏器的功能都是完好的，大多数的问题和疾病都是父母护理不当所致。所以，大多数婴儿的"疾病"是可以"无药而医"的。

第7节 其他生活护理要点

268. 男婴与女婴护理上的差异

男婴护理

如果发现男婴阴囊变大，阴囊皱摺减少，变得透明，可能是发生了鞘膜积液，有的婴儿可在1岁左右自行吸收，所以不严重的话，不要急于手术治疗。

避免宝宝剧烈哭闹。有疝气的婴儿一旦出现不明原因的哭闹，有疝气嵌顿的可能。如果是疝气，要注意躺下后是否能够还纳回去，如果不能还纳，可能疝入阴囊的肠管发生嵌顿，使被嵌顿的肠管缺血坏死。这就要及时看医生了。

女婴护理

仍要注意预防阴道尿道炎，洗臀和擦屁股时，要从前向后洗擦，以免使肛门周围的大肠杆菌污染阴道或尿道。女婴更容易患尿布疹，尤其在炎热的夏季，最好不使用尿布。如果使用尿布，也不要把尿布紧兜在臀部，要留有一定的空间。

269.衣物、被、褥、床玩具

这个月的婴儿穿起衣服来，不再是看不着腿在哪里，胳膊在哪里了。穿上宝宝服，可以做宝宝服装模特了。

衣服太多不清洁

尽管如此，也不要给宝宝准备过多的衣服，如果衣服过多了，轮换的周期就会长，放置的时间长了，就影响衣服的清洁，如果少准备几件，宝宝就会穿上在阳光下晒过不长时间的衣服。这是非常好的。

一般情况下，冬季准备4套，夏季准备6套，春秋季准备3套，能正常更换就可以了。

宝宝/韩一平
宝宝还不会坐，为了给宝宝照相，妈妈用垫子把宝宝圈起来了。不要过早让宝宝坐，通常情况下，6个月左右练习比较合适。

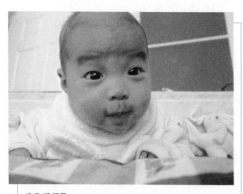

宝宝/姜杼君

宝宝睁着一双调皮可爱的大眼睛，小嘴紧闭着，注意力非常集中，这时是开发宝宝的好时机。

要纯棉衣服，不要纯毛衣服，因为纯毛衣服会有毛掉下来，可能会飞到婴儿的鼻腔、眼、口内。有的宝宝会对羊毛过敏，因此最好给婴儿选用纯棉衣服被褥。

阳光消毒与消毒液

被褥要经常拿到户外进行日晒。太阳光是最好的消毒工具，不要使用消毒液给宝宝洗衣服被褥，总会有些漂洗不净的残留物在衣服被褥上，尤其是紧挨婴儿皮肤的内层衣服。也不要用洗衣粉给婴儿洗衣服被褥，即使不含磷的。洗衣粉也很难彻底漂洗干净。用婴儿皂或专用洗衣粉、洗衣液要好得多。

婴儿服的防蛀

存放婴儿衣服被褥的箱柜里不要放卫生球、樟脑、清香剂等化学品，可以放置干花

宝宝/梁一

宝宝在用审视的眼光看着眼前的东西。宝宝看到陌生的人或事时，会有这样的表情。

等纯植物清香品。

服装不能限制手、四肢、头

无论多冷的季节，不要用手套或过长的袖口禁锢宝宝的双手活动；也不要用被子把宝宝紧紧包裹起来，以至于宝宝不能活动。即使宝宝在睡眠时也不要这样包裹宝宝。限制宝宝肢体活动，会阻碍宝宝运动能力的发展，婴儿的运动能力发展与智能发展是紧密相连的。

如果把宝宝放在睡袋里，一定要选择宽大的睡袋，睡袋大多带有帽子，睡觉时不要把帽子戴在婴儿头上，更不能把帽子前面的抽带拉紧，这会影响婴儿的头部运动。

带宝宝外出时，也尽量不把与衣服相连的帽子戴在头上，最好单独戴帽子，这样宝宝能自由转动头部。

给宝宝蒙纱巾不可取

冬季带宝宝到户外，不要给宝宝戴口罩，或用纱巾蒙在宝宝的脸上，如果有风沙，就回到室内，蒙着纱巾会影响宝宝的视力。纱巾会被宝宝的口水弄湿，刮在纱巾上的灰尘，会被宝宝吃到嘴里。灰尘中会带有各种病原菌，尤其是结核菌，最容易夹杂在灰尘中。更严重的是，夹杂在灰尘中的结核菌会沾在宝宝的眼睫毛上，当宝宝揉眼睛时，进如眼内，造成结核性眼角炎。

穿衣戴帽不是小事

这些护理上的细节往往容易被父母忽视。在医学上，此类婴儿疾病被称为"母源性疾病"。爸爸妈妈要从护理的细微之处寻找宝宝患病的原因，可能会大大减少宝宝的患病几率。彻底杜绝"母源性疾病"是妈妈养育婴儿成功的标志。这也是为什么我写这本育儿书，更多重视正确健康的养育方式、生活方式，而较少写疾病的原因。

当宝宝出了问题再去解决，总不如把它消灭在萌芽中。把婴儿视为独立的、有情感、有思维、有特殊性的个体来养育，来分析，来对待。爸爸妈妈用这样的态度来阅读这本书，我们的交流就是有效的，就是成功的。

270.尿便：容易出现大便问题

和别的宝宝比较没有意义

这个月的宝宝训练大便还为时太早。对于小便泡大的，次数少的，喜欢让妈妈把尿的宝宝，也可以把一把。但如果宝宝不喜欢，一把就打挺，或越把越不尿，放下就尿，这样的宝宝不喜欢妈妈干预他尿尿，妈妈就不要非把不可。这样会伤害宝宝的自尊心，到了该训练的月龄也训练不了了。

同样，有的宝宝大便每天1~2次，也可以根据每天大便时间把一把。注意：不要长时间把宝宝大便，如果长时间让宝宝肛门控着，会增加脱肛的危险。

不必为别人家的宝宝已经能够把尿便了，已经很少洗尿布，已经很节省一次性尿布而着急，这是没意义的。

冬季夏季小便的不同

夏季小便次数可能会少一些。冬季可能会多一些，尿泡可能会小一些。冬季尿到容器里的尿会发白，底部会有白色沉淀物，这是尿酸盐，遇冷结晶，不是疾病，注意补充水，降低尿中尿酸盐浓度，会有所减轻。

最容易出现大便问题

母乳喂养儿大便次数可能仍然在4、5次，有时会发绿，发稀，还会有些疙疙瘩瘩的奶瓣，这不要紧，不要为此给宝宝吃药。

宝宝/杨子襟
面对陌生的相机，宝宝显出警觉的样子。

宝宝王紫涵
明亮的眼睛透着灵性，宝宝的幸福写在天真的小脸上。

牛乳喂养的宝宝可能会便秘，可多喝些菜汤，水果。

这个月的宝宝容易发生生理性腹泻，要注意与肠炎鉴别。不要自行使用非处方药，破坏肠道内环境。大便里会有黏液样、痰样的东西，这是肠道细胞黏膜代谢脱落，咽到消化道的痰液，不是痢疾。

严禁随意用药

如果高度怀疑是肠道疾病，可留取"不正常"的那部分大便，带到医院进行化验。不要轻易带宝宝到医院，以减少交叉感染。药店推荐的药物，也不要轻易购买，要想到药店的商业性。治疗肠道疾病的药物，可能会引起肠道内环境紊乱。

这个月婴儿比较容易出现大便问题，也是父母容易乱用药的时候，一定要避免。一旦破坏了宝宝肠道内环境，调理起来是比较困难的。防患于未然的根本方法就是不要乱投医，乱吃药。

271. 洗澡：开始不听话了

这个月的婴儿洗澡已经不再是那种爸爸妈妈怎么摆弄都行了，开始会淘气了，会有自己的兴趣和要求，比如你给他洗脸，他正喜欢用小手拨水玩，这时妈妈要和宝宝说，咱们先洗脸，洗完脸再玩，他可能听不懂，但每次都要这样对他说。

洗澡中的语言启蒙和行为约束

宝宝的语言就是在爸爸妈妈不断地说话中学会的。这要比正正规规教宝宝省事、有效得多，妈妈要随时在琐碎的日常生活中教宝宝学习。这样不但让宝宝学会了语言，学会了如何听懂妈妈的话，也知道应该怎么做，如洗完脸后再玩。

从婴儿期就开始这方面的教育，就会让宝宝知道对自己的行为有所约束。父母可能会说，这么小的小婴儿知道什么，是没有必要的。我不赞成这种看法，如果让小树先歪着长，等长大了，再正过来是很困难的。树终究不是人，人是有思想，有情感的，纠正起来更难。

注意洗澡的安全

洗澡时的宝宝不再像以前好抱了，会从你手中溜出，掉到水里或磕到盆沿上。尤其是给宝宝身上打了婴儿皂或浴液，就更光滑了。把新生儿的小浴盆换成大的浴盆了。如果已经把宝宝放到浴盆里了，不要因为水凉，在婴儿旁边加热水，这是危险的。尽管你有把握不烫着宝宝，但还是不要这样做，意外可能就是这样发生的。

宝宝/郑果

可以带孩子到远一些的地方去玩玩，别忘了带上孩子必备的物品、水瓶、尿布、小衣服、雨具、餐巾。如果是人工喂养的宝宝，带上分装好的奶粉盒或一次量包装配方奶粉，同样方便。

宝宝/尚潘柔美
宝宝发现了什么，聚精会神地盯着。

272. 睡眠：一个正常宝宝的一天

睡眠很好的婴儿让爸爸妈妈比较轻松，早晨起来，洗脸，吃奶，洗澡，听听音乐，和妈妈交流，练练发音，再到户外活动。

到了午饭前开始睡觉，等到妈妈把饭吃完了，会醒来吃奶，再和爸爸妈妈玩一会儿，开始睡午觉，一睡可能就是3—4个小时，醒来后吃奶。天气好的话，会非常高兴到户外晒太阳，看看花草树木、人来人往和穿梭的车辆，小猫、小狗、小鸟、小鸡更是宝宝喜欢追着看的小动物。

太阳快落山了，回到室内摇摇手里的玩具，听听音乐，看看新挂上的鲜艳的画，床旁新挂上的玩具。如果哭一会儿，那是要练嗓音，增加一下肺活量。或者是饿了，渴了，给宝宝吃喝就会安静下来。让宝宝看一眼电视里色彩斑斓的广告，不看了或开始闹人了，就马上把宝宝抱离。看电视不能超过5分钟。

给宝宝洗洗脸，洗洗小脚，洗洗小屁股，喂足了奶，也到了7—8点，开始睡觉了。一睡可能就到了后半夜，即使半夜起来1—2次，也是正常的，换换尿布，喂点奶，宝宝会马上入睡的。

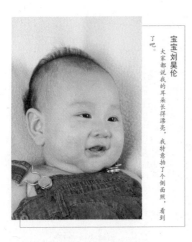

宝宝 刘昊伦

大家都说我的耳朵长得漂亮，我特意拍了个侧面照，看到了吧。

忠告：绝不要和宝宝半夜玩

养成这样的习惯，父母可就惨了，白天工作，晚上还要陪宝宝玩，时间一长，也就不会有好脾气了，就会不理睬宝宝了。宝宝就开始哭闹，一来二去，成了闹夜的宝宝，邻居也受影响。父母全都怪到宝宝身上了，认为宝宝不乖，缺钙，宝宝的睡眠问题就拉开了序幕。

睡眠时间的个体差异有多少

不必完全按书本上要求的去做，认为宝宝一天应该睡14-16小时。有的只睡12个小时，甚至10个小时。有的宝宝一天仍然睡17-18个小时。只要宝宝没有什么异常，生长发育很好，吃得正常，玩得好，精神饱满，就说明宝宝睡这么长时间没关系。贪吃的宝宝要比吃得少的宝宝一顿就能差七八十毫升的奶，贪睡的宝宝可以比睡觉少的宝宝一天多睡4-5个小时，这种差异是可以存在的。

不管宝宝睡多少，吃多少，以宝宝没有疾病，生长发育水平正常为准来判断正常与否。要全面分析，不要抽出某一点孤立地分析。

轻微脑障碍综合症

当然也有的宝宝白天睡得还好，一到晚上就哭个没完，从生下来就这样，这可能是宝宝有轻微脑障碍综合症，就是儿童期的多动综合症，但这毕竟是极少见的。父母不要轻易认为宝宝有病，要耐心等待，宝宝总有一天会好起来。

我也是一个母亲

总遇到这样的情形：妈妈身心憔悴，夫妻失和，育儿的乐趣消失得无影无踪。究其原因，不是宝宝得了什么大病，仅仅是宝宝的睡眠、吃奶、尿便问题。宝宝吃喝拉撒睡的问题演变得如此复杂，确实需要调整父母的情绪。我也是做了母亲的人，四个兄弟姐妹的孩子从生下来就在我身边长大。我知道做父母的不易，育儿的辛苦。

这时，就要想一想：亿万宝宝，哪里会完全按一个模式生长呢？像喊一二三那样齐刷刷，到了哪个时期，都吃那么多，睡那么长，长那么重，有那么高，有那些能耐。不会的。宝宝会在一定的变化范围中长大，你的宝宝也许会有你想不到的与众不同的问题，因为他是唯一的，独特的。

273. 户外活动

要选择空气新鲜，有花草树木，没有人群聚集，远离污染源（如加油站、汽车尾气、炸油饼摊、炉火、吸烟、垃圾点）的地方。夏季每天可在户外活动3-4个小时，春秋季节可在户外活动2-3个小时，冬季可在户外活动1-2个小时。

宝宝/骆梓童

开怀大笑！照片是3个月大的时候照的，孩子一逗就乐，作为父母的我们非常地兴奋！所以拍下了精彩的瞬间，作为留念。

宝宝/赵韵初
婴儿颈部短而胖，适合穿低领、和尚领、无领的婴儿服，以保证呼吸道通畅。

第8节 常见生理现象

274. 吐奶：这个月明显减轻

有溢奶的宝宝，到了这个月，吐奶程度可能会明显减轻，有的宝宝不再吐奶了。即使仍然吐奶，如果没有影响宝宝的生长发育，也不要紧，过一段时间会好的。

照顾仍然吐奶的宝宝

注意尽量在吃奶前给宝宝洗澡，吃奶后不要活动宝宝，竖立着抱宝宝。这样可能会减轻吐奶，如果减轻了，就不容易再反复了，慢慢就会好了。

如果吃奶后半个小时还吐奶，就竖着抱半个小时；如果吃奶后一个小时还吐，就竖着抱一个小时；如果醒后吐奶，待宝宝还没有完全醒过来的时候，就轻轻把宝宝竖立着抱起来；如果宝宝一哭就吐，就尽量减少宝宝哭闹。哭的时候不让宝宝躺着。

275. 生长发育出现高峰

宝宝开始快速增长

这个月宝宝由于吐奶减少，睡眠变得有规律，户外活动增加，接受日光照射时间长了，自身运动量也增加，会竖头了，躺的时间减

少，托着腋窝，会用脚蹬着妈妈的腿一蹦一蹦的，对婴儿来说，这是很大的运动量了。厌食牛奶期也很快就过去了，进入新的爱吃奶时期，有的开始喜欢吃辅食。这些都使得宝宝开始了快速增长，妈妈要抓住这一有利时机。

发育缓慢的宝宝：尽量"无药而医"

有的宝宝食量仍然比较小，睡眠也不是很安稳，不是很喜欢运动，还有少数宝宝会大口吐奶。妈妈要看一看宝宝是否沿着正常发育曲线生长，如果偏离了，就要做些必要的检查。要到正规的、有信誉的医院，找儿科医生或儿童保健医，也可找负责宝宝健康的社区医生。如果能够"无药而医"那是最好的。需要治疗的，能吃药，不打针；能打针，不输液；能在家，不到门诊；能在门诊治疗，就不住院。不要让宝宝遭受不必要的痛苦。

在临床工作中，每当遇到宝宝遭受这样不该遭受的痛苦时，我都很心痛。

典型病例

其一：有个宝宝，妈妈抱着来找我，妈妈流着眼泪说："我再也不忍心让宝宝扎针了。"宝宝前额上的头发已经被剃去了一大半，像清朝人似的，额头上青一块，紫一块的，十来处针眼。一问，是因为宝宝近来睡觉不好，吃奶也不太好，考虑是缺钙，给静脉补充葡萄糖酸钙，顺便补充些维生素、葡萄糖等营养物。而宝宝既没有低钙惊厥，也没有低血钙。更不需要静脉补充什么维生素，葡萄糖，宝宝遭受的是不必要的痛苦。

其二：还有个宝宝小手肿肿的，原来是给宝宝"扎

宝宝/尚潘柔美
美美和她的小伙伴在一起。婴儿还不会和小朋友进行交流，美美和大多数婴儿有所不同，很喜欢和她周围的人进行交流。

积"（治疗积食）。在宝宝每个指节上扎一针，挤出血来，宝宝就爱吃饭了。对这种治疗法，我暂不加评论，在这么小的婴儿双手上扎这么多针，就为了治疗"不爱吃奶"（认为是积食了），这是完全不应该的。如果伤口感染了，或被乙肝病毒污染了，给宝宝造成的伤害就不仅仅是针刺的疼痛了。

在给宝宝治疗时，妈妈应该相信医生，也要考虑医生的水平以及医生所在医院的规模和权威性，不可贸然接受对宝宝有伤害的医疗。

276. 生理性贫血：

发生原因

正常初生儿血红蛋白可高达190克/升以上，生后1周内血红蛋白逐渐下降，直至8周后方停止，这种下降是生理性的，所以称为生理性贫血。生后3个月内是体重增长最快的阶段，血容量扩充很多，红细胞被稀释，红细胞增生减低，生后2-3个月血红蛋白降至90-110克/升时，红细胞生成素重新出现，骨髓造血细胞的功能开始活跃。

早产儿生理性贫血出现早而且程度重。

铁剂对生理性贫血无效

生理性贫血是在婴儿生长发育过程中出现的，不需要治疗。铁剂对生理性贫血无效。有的父母发现宝宝比原来肤色发白，甚至有

些发黄，一化验血，血色素比较低，甚至低于90克/升，诊断贫血，有的医生就会给宝宝开补血的药物，补血药主要是铁剂，铁剂对宝宝胃肠道刺激比较大，会影响宝宝食欲。

如果是病理性贫血，要做病因诊断，然后才能针对病因进行治疗。要和缺铁性贫血、遗传性红细胞增多症、溶血性贫血等相鉴别。

第9节 本月护理常见问题

277. 腹泻

腹泻是婴幼儿最常见的消化道综合征，在整个育儿过程中，宝宝没有发生过腹泻的不多见。

生理性腹泻是难以避免的

3、4个月的宝宝，正是处于添加辅食、母乳不足的时期。由纯母乳喂养改为母乳和牛乳混合喂养或由纯牛乳喂养改为牛乳和辅食混合喂养；有的妈妈为了重新进入职场，让宝宝进入半断乳时期；有的妈妈开始外出工作，不再规律地喂养宝宝；有的由看护人代替喂养，宝宝要重新适应新的喂养方法……这些变化，都会给宝宝胃肠道带来挑战。胃肠道要适应这些变化，就会出现调整过程中的紊乱。这个月不发生，以后也会发生的，宝宝不

宝宝/吕艾麟（女）、吕怡麟（男）

这是一对龙凤双胞胎，不用说，一眼就能看得出，左边的是龙，右边的是凤。

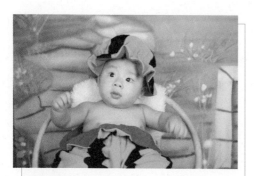

宝宝/王睿涵

在拍过几套服装之后，淘淘似乎有些疲惫了，不再理会摄影叔叔的引逗，自顾自吃起手来。摄影叔叔把他连椅子和他一起抱起来，对他说："咱们商量一下，待会再吃行吗？"淘淘才不理会他呢，仍然吃着，还嘴里哼哼唧唧的，摄影叔叔无奈地说："吃吧，吃吧"。过了一会儿，淘淘似乎感觉到大家对他义好气又无奈的情绪，停住了吃手，瞪大了圆圆的眼睛，左顾右盼地看大家，摄影叔叔赶紧抓拍淘淘的各种姿态。

会一直吃着母乳长大，也不会一直吃着牛乳长大，这种饮食结构的变化肯定要发生，是婴儿在食物改变中出现的生理现象。

所谓生理性腹泻，就不是疾病，和生理性溢乳、生理性贫血、生理性黄疸、功能性腹痛、生长痛等，是一样的概念。

如母乳喂养的宝宝，大便不成形，一天7、8次，有时还会发绿，有奶瓣，水分稍多，肠道既没有致病菌感染，也没有病毒感染，也没有脂肪泻，肠功能紊乱，消化不良等，这就是生理性腹泻。

生理性腹泻鉴别要点：

·次数每天不超过8次，每次大便量不多；

·虽然不成形，较稀，但含水分并不多，大便与水分不分离；

·没有特殊臭味，色黄，可有部分绿便，可含有奶瓣，尿量不少；

·宝宝精神好，吃奶正常，不发热，无腹胀，无腹痛（腹痛的宝宝哭闹，肢体卷缩，臀部向后拱）；

·体重正常增长。大便常规正常或偶见白细胞、少量脂肪颗粒。

乱用腹泻药可导致"医源性疾病"

如果是生理性腹泻妈妈千万不要给宝宝乱吃药，尤其是抗菌素类药物更不能盲目服用，如果服用了抗菌素，就会杀灭肠道内

非致病菌，使肠道菌群失调，还可能出现伪膜性肠炎，把本来正常的肠道环境破坏了。

肠道内环境被破坏后，就会出现肠功能失调症状，还会使本来不致病的细菌成为致病菌，使能够被正常菌群抑制的致病菌繁殖，达到致病的数量。妈妈要避免这种"医源性疾病"（由于不当治疗引发的疾病）。

生理性腹泻的有效对策

·如果母乳不足，添加牛乳后出现，可以更换其他品牌的配方奶。

·如果仍然无效，可以减少牛乳量，适当添加米粉。

·如果添加米粉后反而加重，就立即停止添加。继续添加配方奶粉，不要选择加铁奶粉（奶粉中额外添加了铁剂，是针对有缺铁性贫血或早产儿的）。

·如果使用鱼肝油滴剂补充维生素AD，改用浓缩维生素D胶丸（10万IU/丸，一月一九）可减轻生理性腹泻。

·如果是纯牛乳或纯母乳喂养，添加辅食后出现就停止辅食，这个月可以不添加辅食。不会因为在这个月没有添加辅食而使宝宝出现偏食或营养不足。

278. 啃手指

这个月宝宝不但会吸吮小拳头，还会吸吮拇指，啃小手，啃玩具。这是婴儿发育过程中出现的正常表现，不要把这些行为认为是不良习惯而加以限制，也不要认为这是宝宝

宝宝/陈柯予

宝宝的照片是百天拍的，爸爸妈妈姥姥姥爷还有奶奶都在逗宝宝，还有摄影师还有助理：一屋子人围着宝宝，呵呵，宝宝没有怯场，靠在沙发上，一逗就笑。坚持了很长时间，妈妈都心疼了，没有把摄影挑的场景照完就赶紧抱宝宝回家了。

没有吃饱，或由于宝宝缺乏爸爸妈妈的关照而感到孤独。

"吮指癖"不是婴儿期妈妈没有干预的结果

在咨询中，经常会遇到这个问题，说宝宝开始吸吮手指了，妈妈很不安心，怕养成"吮指癖"。这也难怪，有些书上介绍"吮指癖"，却没有说明这么大的宝宝吸吮手指是生长发育中的正常现象。只有宝宝到了半岁以后或更大些，还吸吮手指，这才是"吮指癖"了。因此孩子长大了出现"吮指癖"，这和妈妈在孩子婴儿期没有干预其吮指，没有直接的因果关系。

279. 咬乳头：

有的宝宝4个月就开始有牙齿萌出。在牙齿萌出前，宝宝会咬乳头；妈妈的乳头本来让宝宝吸吮得很嫩了，宝宝一咬会很痛的。当宝宝咬妈妈的乳头时，妈妈本能地向后躲闪，结果宝宝还咬吸着乳头，会把妈妈的乳头拽得很长，使妈妈更痛。宝宝还没有吃饱，一往外拽乳头，宝宝会更加死死地咬住乳头，使妈妈出现乳头皲裂。

如何避免这种情况发生？

很简单，当宝宝咬乳头时，妈妈马上用手按住宝宝的下颌，宝宝就会松开乳头的。

宝宝宋祺同
还不会坐的婴儿坐起来亢奋不已，但不建议过早坐，因为坐着可以看很多东西，而躺着只能看到天花板，应该抱起来，保护好头颅和脊柱。

宝宝赵子涵
浴后，宝宝在床上撒疯，看见妈妈正拿着相机，昂首挺胸摆个POSE——好像在说，别看我小，我可是一家之主。

如果宝宝要出牙，频繁咬妈妈的乳头，喂奶前可以给宝宝一个没有孔的橡皮奶头，让宝宝吸吮磨牙床。10分钟后，再给宝宝喂奶，就会减少咬妈妈乳头了。

280. 忽然厌食牛奶

3个月以后的婴儿可能会在某一天突然厌食牛奶。妈妈不要着急，这是宝宝的暂时现象，过一段时间会重新喜欢牛奶的（见263条中的相关内容）。

281. 不喜欢吃母乳

当母乳不足时，妈妈就开始给宝宝补充配方奶粉，配方奶粉一般是比较甜的，这使得有的宝宝很喜欢吃；奶瓶的孔眼比较大，出乳容易，速度快，对于嘴急，奶量大的宝宝来说，是很好的事情，要比母乳省力得多。这样的宝宝不拒绝吸奶瓶，也不讨厌橡皮奶头的味道，也不嫌橡皮奶嘴硬（价格比较贵的奶嘴，几乎接近了妈妈乳头的感觉），这就使得宝宝不再喜欢费力吃妈妈的奶了。

宝宝留言

妈咪，别难过！我长大啦，吃得痛快，不计较用什么餐具吃奶，管饱就行了。真的没想到，我不爱吃母乳，要比不爱吃牛乳或不爱吃辅食让你难过得多。我并没有情感问题，你依然是我最最最依恋的妈咪！

宝宝·赵子涵

妈又在逗我，不就是想给我拍照嘛，拍吧，我帅不，比我家的大帅哥帅多了吧。

282. 母乳不足

如何鉴别母乳不足？

·宝宝吃奶间隔时间缩短了，半夜不起来吃奶的宝宝开始起来哭闹，不给奶吃就不停地哭。

·妈妈再也不感觉奶胀了，不再有奶惊了，当宝宝吃奶时，突然把奶头拿出来，奶水只是一滴一滴的，不成流。

·宝宝大便次数少了，或次数多，但量少了，体重增长缓慢，一天增长不足10克，或一周增长不足100克。

牛乳添加办法（见220条相关内容）

不可因牛乳添加困难断母乳

如果体重仍然增加不理想，就每天加两次，要注意，一定不要无限制地加下去，这样会影响宝宝对母乳的吸吮，使母乳量进一步减少，母乳仍然是这么大宝宝的最佳食品。要整顿地添加牛乳。也许会遇到添加牛乳困难的情况，只要宝宝体重还在增长，就继续母乳喂养，不要因为宝宝不吃牛乳而把母乳断了。到了4个月以后，宝宝会喜欢吃的，也可以添加一些辅助食品了，宝宝不会饿坏的。

283. 踢被子

这个月的宝宝肢体运动能力进一步增强，踢被子已经变成了让妈妈头痛的事情了。就让宝宝踢好了，不要盖得太厚，宝宝热，就会踢得更凶。

284. 夜啼

如果婴儿从生下来就一直是夜间睡眠不好，时常喜欢夜间哭闹，找不到什么原因，不是饿了，也不是渴了，不是拉了，也不是尿了，不是热了，也不是冷了，不是一哄就好，自己不哭够了，就不会罢休。

这个月突然开始夜啼

妈妈可能会很着急，带宝宝到医院看病或把医生找到家里来，也许会连续几个晚上。结果医生总是说没有什么事，宝宝根本没有病，慢慢地妈妈就不害怕了。

带宝宝到医院看一看，也是对的。毕竟父母不是医生，即使是医生，如果没有检查宝宝，也很难判断是否有病。我就听到有的医生抱怨紧急出夜诊，宝宝不知为什么玩命地哭，可当医生看到宝宝时，宝宝可能已安静入睡，或很高兴地玩，有的还会对着医生笑。

以爱抚来缓解宝宝的焦虑

有的妈妈可能会采取不予理睬的方法，但大多数父母不会这样做，都是想方设法地哄宝宝。所谓的没有原因的哭闹，那是我们不能够了解宝宝还不具备相互交流的能力，在这种情况下，就只能以爱抚来缓解宝宝的焦虑，至少可以消除他的孤独感。

宝宝/尚潘柔美
美美从生下来就吃妈妈的奶，一口配方奶都不吃，甚至不喜欢吸吮奶瓶子，姥姥就用小勺小杯子给宝宝喂水。

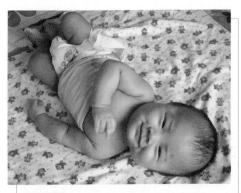

宝宝/王震坤
宝宝会翻滚了。婴儿没有安全意识，很容易翻滚到床下，如果把宝宝放在没有栏杆的大床上，一定不能离开宝宝。

爸爸妈妈也是带着情绪哄宝宝，甚至是急躁、焦虑、生气，乃至愤怒、抱怨、争吵，这比不予理睬更糟糕，父母的情绪如果比宝宝的情绪还糟糕，宝宝会哭得更厉害。

具体做法

把宝宝的头放在妈妈的肩上，身体俯在妈妈的胸前，轻轻拍着或抚摸着宝宝的背部，轻轻哼着小曲，打开地灯或带罩的壁灯。对与没有任何疾病而哭闹的宝宝来说，这种方法是最奏效的。一次不行，两次，两次不行，三次，要有耐心和信心，宝宝不会哭着长大的。

及时觉察宝宝异常

如果宝宝得病了，除了哭闹还会有其他异常。妈妈可能不了解疾病的症状，但肯定会觉察宝宝有异常。父母最了解宝宝，宝宝出现丝毫变化父母都会看在眼里，父母的任务就是发现异常及时看医生。如果父母对着书本判断宝宝是否生病，难免把握不准。父母看了许多描述宝宝疾病的书籍，总会觉得宝宝像患了某种病，知其一不知其二，并不真正懂得疾病的诊断，很容易耽误了宝宝，或者小题大做。

就拿小儿外科急症肠套叠来说，书上写的症状很清晰，典型的症状是：呕吐，阵发性哭闹，不哭时非常安静，面色发白，腹胀，大便少或无便（肠梗阻症状），稀便，果酱样大便或大便中带血。但小儿肠套叠是最容易误诊的，需要及时看医生。

父母不是医生，也不是医学院学生

如果孩子都按书上讲的那样得病，医生也就好当了。所以，对于父母来说，关键是及时发现小儿的异常情况。至于是什么病，要靠医生诊断鉴别。在众多的育儿书籍中，对小儿疾病的描述几乎和医学书籍无大的差异，我认为不能这样向父母传授疾病知识。应该站在父母的角度，父母不是医生，也不是医学院学生。父母不是要学习如何给宝宝诊断疾病，治疗疾病。父母应该学习如何预防疾病，如何使宝宝更健康。

285. 预防接种中常遇到的问题

3个月开始打百白破三联疫苗，第二次吃脊髓灰质炎疫苗糖丸。

满3个月以后就开始了各种预防接种，预防接种是一项重要的工作，父母对其重要性已经有了深刻的认识。几乎没有哪位父母拒绝给宝宝进行预防接种。但父母会遇到许多实际问题，首先应该向负责预防接种的保健医生咨询。他们有权，也有责任和义务向父母解释并给予相应的处理。

宝宝/韩盛泉
宝宝的眼睛炯炯有神。

正好到了预防接种时间，宝宝患病了怎么办？

如果宝宝仅仅是轻微的感冒，体温正常，不需要服用药物，特别是不需要服用抗菌素，可以按时接种，接种后1~2周内不吃抗菌素类药物。如果必须使用，要向预防接种的医生说明，是否需要补种。如果发热，或感冒病情较重，必须使用药物，可暂缓接种，向后推迟，直到病情稳定。如果服用抗菌素，要在停止使用后1周接种。

如果向后推迟了某种疫苗接种，以后的接种是否推迟？

以后的接种可顺延向后推迟，但只需向后推迟那个被推迟的疫苗，其他疫苗可继续按照接种时间进行接种。如果和某种疫苗碰到一起了，预防接种医生会根据相碰的疫苗的种类，判断是否可以同时接种；或是要间隔一段时间，间隔多长时间，先接种哪一种，也由预防接种医生根据具体情况决定。

吃药对预防接种效果有影响吗？哪种药有影响，哪种药没有影响？

原则上讲，药物对预防接种效果是有影响的，所有的药物都不应该使用，都可能会有不同程度的影响。但抗菌素对预防接种疫苗影响最大。如果是口服疫苗，围生态制剂对疫苗影响也不小。在接种疫苗前后2周，最好不使用任何药物。

宝宝/王震坤
情绪饱满，哈哈大笑的宝宝。

宝宝/王震坤
这就是得意忘形。

刚接种完疫苗就有病了，是否影响免疫效果，需要补种吗？

可能会降低免疫效果，但不会因此而丧失了免疫效果，不需要补种。

刚接种完疫苗就吃药了，是否需要补种？

会有影响，但不需要补种。

接种疫苗后发热，如何鉴别是疫苗所致，还是疾病所致？

首先要排除疾病所致的发热，疾病可以是接种前就感染的，也可以是接种后感染的。如果是疾病所致，检查可见阳性体征，如咽部充血，扁桃体增大充血化脓，咳嗽，流涕等症状。疫苗所致发热没有任何症状和体征，如果既有疫苗反应，也有感冒发热，那症状就会比较重，体温也比较高。接种多长时间发热，与接种的疫苗种类有关，疫苗接种后的发热一般不需要治疗，会自行消退。

接种某种疫苗会不会就患某种病啊？如接种了乙脑疫苗会不会由于接种了而患乙脑呢？

爸爸妈妈不必担心这一点，接种免疫疫苗，都是国家计划免疫项目，是很安全的。

为了避免疫苗反应，就不接种疫苗，对吗？

这个决定是错误的，接种疫苗造成的反应是比较轻的，对婴儿没有什么伤害，严重的

疫苗反应，是罕见的。比起对传染病的预防
作用，几乎可以忽略不计。一定不能为此拒绝
给孩子接种疫苗。

幼儿园和保健院推荐接种的计划外
免疫疫苗，是否应该接种？

不要轻易接种国家计划外的疫苗，在接
种前，必须向有关部门（防疫站、有权威的
医疗机构等）咨询，了解疫苗的作用、不良反
应、在临床中的应用情况、免疫效果、接种意
义、疫苗的应用范围等等。

宝宝/ 王紫涵
瞧宝宝多精神。

第五章
4-5个月的婴儿
(120—149天)

妈妈扶着，宝宝会坐一会儿，但很快头就向前栽，上身向前倾斜。把脚放在妈妈的腿上，会来回地跳跃，还能站一会儿。

能够分辨红、绿、蓝三种纯正的颜色；会积极地听音乐，还能跟着音乐的旋律摇晃身体。

第1节　本月婴儿特点

286. 三个生长特点

会用眼睛传递感情了

这个月的婴儿，眼睛已经能和父母对视，宝宝的眼神能流露出感情交流的喜悦。看到爸爸妈妈，宝宝会高兴得手舞足蹈，脸上洋溢着欢快的笑容。

宝宝/观哲止
这么大的宝宝对玩具还没有兴趣。

撑起上身抬起头几分钟

宝宝的活动能力也进一步增强，会用手撑起上身几分钟，头抬得高高的。发育很好的宝宝，还可能会转一转头，看看两边的东西。

还是向前栽

妈妈扶着或背靠物体，宝宝会坐一会儿，但很快头就向前栽，上身向前倾斜。把脚放在妈妈的腿上，会来回地跳跃，还能站一会儿。

287. 五项喂养要点

不要拔苗助长

爸爸妈妈们不要急于锻炼宝宝坐、站、跳等运动潜能，不然对宝宝骨骼发育和关节稳定会造成负面影响。拔苗助长，会适得其

反。正确的心态是：宝宝运动能力的发育有早有晚，横向比较，有的宝宝发育的比较慢，但纵向看来，宝宝还是一天天在进步，就是正常的。

试着添加辅食

母乳充足的，仍可以继续母乳喂养。但从这个月开始，应试着添加辅食，锻炼宝宝使用奶瓶、小勺、小杯、小碗的能力。添加辅食，不仅是为了补充牛乳营养成分的不足，或母乳量的不足，更主要的目的，是让宝宝的味觉不断适应各种食物的味道，增加进食的兴趣，避免以后偏食。开始添加辅食是这个月喂养的重点。

不要顾此失彼

尿便和睡眠，和上个月相比没有太大的变化，但体格生长发育的速度仍很快。营养需求有所增加，喂养方法需要小的改变。开始添加辅食，妈妈又多了一件事，但也不能把精力都放在辅食上。宝宝各项能力的开发训练，户外活动，良好睡眠等等都要安排好，要齐头并进，不能顾此失彼。

正确处理"喘息性气管炎"

这个月的宝宝不容易患什么要紧的病，如果医生诊断你的宝宝有喘息性气管炎，你可不要没完没了地给宝宝吃药。所谓"喘息性气管炎"，可能就是宝宝气管黏膜分泌旺

宝宝/尚潘柔美
宝宝深睡眠时间比以前延长了，能够很安静地睡午觉。

138

宝宝/王震坤
把玩具放在宝宝前方，能促进宝宝爬行。

盛，自己不会清理，痰多咳不出来，可能没有任何感染情况。如果一味地吃抗菌素，会出现副作用对宝宝是有害的。

小心意外事故发生

这个月的宝宝开始长本事了，父母高兴之余，也要小心意外事故的发生。虽然这个月还不是意外高发期，但预防的意识还是早早建立为好。

第2节 本月婴儿生长发育

288. 身高

这个月宝宝身高平均可增长2.0厘米。宝宝身高是受种族、遗传、性别等诸多方面影响的。个体间的差异，会随着年龄的增大逐渐变得明显起来。一般说来，3岁以前身高更多地是受种族、性别影响，3岁以后遗传影响越来越显现出来。

宝宝身高与平均值有一些小的差异，父母不必焦躁不安。身高是个连续的动态过程，要定期进行身高测量，了解身高的增长速度。和同月龄正常儿身高增长曲线对比，低于第3个百分位或高于第97个百分位时，就应就医了，以便确定身高异常是疾病所致，还是正常的变异。

289. 体重

从这个月开始，婴儿体重增长速度开始下降，这是规律性的过程，父母们一定要清楚。4个月以前，婴儿每月平均体重增加0.9–1.25公斤；从第4个月开始，体重平均每月增加0.45–0.75公斤。

定期给宝宝测量体重，按照儿童体重增长曲线图，分析宝宝体重增长情况，这是监测宝宝生长发育是否正常的重要途径，而且简便易行。

体重增长曲线图表明正常婴儿的生长规律，但婴儿不可能都按相同的数字生长，每个个体都有一定的差异。只要这些差异在曲线图上保持在第3百分位以上，第97百分位以下，就都是正常的。

每个婴儿都有自己的体重增长曲线，但不管数字上有多大差异，这些曲线都应该是逐渐上升的，如果曲线平坦或下降，就不正常了，要及早就医。体重不按常规增长，除了疾病所致，更多的是喂养不当所致，必须及时纠正。

290. 头围

从这个月开始，婴儿头围的增长速度也开始放缓，平均每个月可增长1.0厘米。头围的增长也存在着个体差异，婴儿头围增长曲线，呈

宝宝/王震坤
都说男孩像妈妈，女孩像爸爸，对于坤坤来说这话说得对，宝宝像漂亮的妈妈，是个小帅哥。

宝宝/李彦睿杰

凯米趴在床上的这张照片是五一我们去天津塘沽玩在宾馆里照的，当时他还不到五个足月，那天他刚洗完澡特别高兴，在床上翻来翻去，运动着有爬的欲望，但是四肢还完成不了大脑的指挥，只能抬头使劲挺胸脯。

规律性逐渐上升的趋势。

定期测量头围，可及时发现头围异常。如果头围过小，要观察婴儿是否有智能发育迟缓的征候；如果头围过大，应排除是否有脑积水、佝偻病等。

头围的测量方法

使用一根软尺，带有毫米刻度，妈妈将宝宝抱在腿上坐直，爸爸站在宝宝右侧，用左手拇指将软尺零点固定在头部右侧齐眉弓上缘。让软尺从头部右侧经过右耳上方，绕过枕骨粗隆最高处，再经过左耳上缘，延左侧齐眉弓上缘回至零点，与起始处交点读数。在测量过程中，软尺要平整均匀地紧贴头皮，但不能蹦紧，左右高低对称。这样测量出来的头围才比较准确。

把测量的数值与上个月测量的数值进行动态比较，把测量的数值，点在相应月龄头围生长曲线图中，与正常值和正常变动范围比较。如果所测数值低于第3百分位或高于第97百分位，要看医生。

一次测量的数值变化不是很大，仅仅是1.0厘米左右，如果测量值与上个月相比，增长不理想，父母不要着急，观察宝宝有无异常，如果没有任何异常，可观察到下个月，再进行测量，如果心里没底，不放心，就请医生再帮助测量一下，并进行分析。不要因为正常的差异，而给宝宝做一些不必要的检查，加重心理负担。

典型病例

我接诊过一个宝宝，家长认为宝宝头围过大，有异常。尽管医生经过分析认为没有异常，妈妈就是不放心，请求做进一步检查。结果给宝宝做头颅CT和头颅B超，头颅CT报告额部前纵裂增宽，B超报告珠网膜下腔增宽。妈妈更紧张起来，医生也不能做出什么解释。一个月后再次复查，头颅CT报告大脑廉增宽，B超报告未见明显异常影像。临床上不能诊断什么病，可孩子的妈妈就因为CT报告有"大脑廉增宽"，放心不下，弄得医生只好建议输一个疗程的脑活素。

CT额部前纵裂增宽，是根据一般情况报告的，四个月龄大的宝宝，到底应该增宽到什么程度才算异常，并没有确切的范围。不可能所有的宝宝都是一个数值。这个宝宝头围并没有达到明显异常的程度，而且宝宝也没有任何异常的表现。应该结合宝宝家族史，综合分析，动态观察，不应急于做辅助检查。

后来了解到，宝宝的爸爸和爷爷头围都比较大，戴帽子买最大号的，还有些小。宝宝头围较正常范围稍大些，属于正常变异。

现在都是独生子女，都很珍爱，如果父母提出要求，医生也不会坚持不给做。这也有责任问题。如果医生没有提出宝宝需要做某项检查，父母就没有必要提醒医生，或强烈要求做一些不必要的检查。

291. 前囟门

这个月宝宝的囟门可能会有所减小了，也可能没有什么变化。如果婴儿头发比较茂密，就不容易发现前囟门的变化。如果头发

宝宝/王震坤

这么大的婴儿会有目的地拿他想要的东西，如果父母不给或从宝宝手中抢过来，宝宝会以哭表示不满。

比较稀疏，或把头发剃得光光的，前囟门就会看得很清楚，妈妈喂奶时，甚至会看到宝宝囟门一跳一跳的，不用担心，这是正常的。

如果宝宝发热，囟门会膨隆，或跳动比较明显，这也很正常。但如果宝宝高热，囟门异常隆起，宝宝精神也不好，或出现呕吐等症状，要及时看医生。

囟门处没有颅骨，做户外活动时要注意保护。

门诊常见疑问

在儿科门诊，总有家长询问，说宝宝刚几个月，囟门就快闭合了，是否会影响宝宝大脑发育。这是观察上的错误，囟门小，不代表就要闭合。所以，要做动态观察。

也有家长询问，宝宝囟门很大，甚至达到3厘米，是否有佝偻病、缺钙，或有脑积水，把囟门撑大了。这也属于观察上有误，宝宝生下来时囟门有多大？如果生下来时囟门就比较大，而且一直比较大，并无其他异常，就不能仅凭这个，诊断佝偻病或脑积水了。

有的宝宝天生囟门就比较大，到7岁半以后，也能正常闭合，这样的情况常有，父母不必紧张。

第3节 本月婴儿能力

292. 看的能力：能认颜色了

视焦距调节能力和成人差不多了

这个月的婴儿，已经能够对远的和近的目标聚焦，眼睛视焦距的调节能力已经和成人差不多了。辨别颜色的准确性进一步发展，能不断认识各种颜色的差别。

对复杂图形识辨能力还很弱

这个月的婴儿，对复杂图形的觉察和辨认能力还是非常弱的，但喜欢注视图形复杂的区域，这可能就是一种认知欲望，或是学习的兴趣吧。

视觉反射逐渐形成

因为目光已经能够集中于较远的物体，视觉反射也就逐渐形成了。当看到奶瓶时，宝宝会用手去够，并显出很高兴的样子，知

道妈妈又要喂奶了。

妈妈要利用宝宝建立起来的视觉反射，教宝宝认识物品，教宝宝说这是奶瓶。慢慢的，宝宝看到奶瓶时，不但会联想到吃奶，还会联想到它叫什么，这就是语言与视觉的联系。以后宝宝看到奶瓶，就能够说出"奶瓶"这个词来了。而当妈妈说"奶瓶"这个词时，宝宝就会用眼睛到处找奶瓶，这就是听力与视力之间的联系。所以说，听、看、说、闻、嗅、运动、思维等这些活动都是相互联系的，训练也应是全方位的，不是孤立的。在训练听的时候，也同时训练了看、说。

会注意镜子中的人了

这个月的宝宝，开始会注意镜子中的自己。妈妈可以指着镜子说"这就是宝宝"（可说宝宝的名字），再说"抱着宝宝的是妈妈，身后站着的是爸爸"。

能辨别物体的远近了

宝宝已经能够辨别物体的远近了。爸爸可以拿着一个布娃娃，从远处走过来，逐渐靠近，当布娃娃快碰到宝宝时，观察宝宝是否有躲闪的反应。

能分辨红、绿、蓝

这个月的婴儿，已经具备了分辨红、绿、蓝三种纯正颜色的能力。可以有意地训练宝宝认识这三种颜色，并把这三种颜色放在一

宝宝/王震坤

在宝宝前面放上他喜欢的玩具，宝宝会努力去够，这样鼓励宝宝向前爬很好。

宝宝/王震坤
在宝宝前面放玩具训练宝宝向前爬时，不要把玩具放得太远，如果宝宝经过很大努力还是够不到他喜欢的玩具时，宝宝也会急哭的，这时应该把玩具离宝宝更近一点。让宝宝有可能拿到玩具。

起，帮助婴儿辨别。再把其他颜色与这三种颜色对比，培养宝宝对色彩的欣赏能力。

带宝宝到户外时，看到什么就告诉宝宝这是什么，并指出是什么颜色的。比如这花是红的，这花是黄的，树叶是绿的。同时让宝宝看漂亮的大画报，丰富视觉内容。

293. 说的能力：会咿呀学语

4个月以后，婴儿进入了连续音节阶段。妈妈可以明显地感觉到，宝宝发音增多，尤其在高兴时更明显，可发出如ba——ba、da——da、mou——mou等声音，但还没有具体的指向，属于自言自语，咿呀不停。

教婴儿语言，应该从宝宝生下来就开始，但从4个月以后，应该加强语言训练。日常生活中一点一滴都能够教宝宝语言，即使不准备任何教具，也会收到很好的效果。用日常生活中的东西教宝宝，还会增加宝宝学习的兴趣，这样教，妈妈轻松，宝宝也轻松。

当爸爸回来时，就和宝宝说"爸爸回来了"；给宝宝吃奶时，就说"妈妈给宝宝喂奶了"；当使用奶瓶时，拿着奶瓶告诉宝宝"这是奶瓶，是用玻璃做的"，并把奶瓶放在宝宝手里，让宝宝感受一下，奶瓶是什么样的，玻璃是什么样的。

如果宝宝不经意发出"妈妈"的音节，就要马上亲吻宝宝，并称赞"宝宝会叫妈妈了，妈妈可真高兴"。尽管宝宝还没有意识到他发出的声音，就是在呼唤妈妈，但随着妈妈不断强化"妈妈"，不断和宝宝说"妈妈要给你吃奶了"，"妈妈要给你洗澡了"等等，宝宝就会把"妈妈"这个音和妈妈这个人结合起来，就会有意识地喊妈妈了。这需要一段很长的时间，可宝宝就是这样学习语言的。

294. 听的能力：主动听音

这个月的婴儿，会积极地倾听音乐，并会随着音乐的旋律摇晃身体，虽然还不能与旋律完全吻合，但已经有节律感了。

听觉的灵敏，带动颈部运动的灵活。当宝宝听到声音时，会转头寻找声音的来源。可以做这样的训练游戏：爸爸躲着宝宝，并叫宝宝的名字，妈妈告诉宝宝这是爸爸在叫他，让宝宝辨别这声音是爸爸发出来的。以后一听到爸爸的说话声，宝宝就会到处寻找爸爸，这时爸爸突然出现，告诉宝宝"爸爸在这里"，宝宝会因自己判断正确而高兴地笑起来。

可以买各种动物叫的录音带，放给宝宝听，告诉这是什么动物在叫，宝宝最喜欢听小动物的叫声。当宝宝会说话时，会津津有

宝宝/王震坤
爸爸在打电话，看宝宝听得多入神哪！
爸爸在说什么呢？

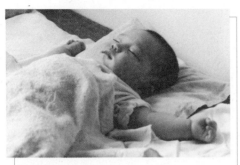

宝宝/郑果
4个多月的宝宝深睡眠时间比以前延长了,能够很安稳地睡个午觉。

味地不断学动物的叫声,这样不但锻炼了听力,还锻炼了发音。

295. 触觉能力: 会主动触摸

婴儿4个月以后,视觉和触觉的协调能力发展起来了。看到什么东西,都会主动有意识地去摸一摸,通过触觉来探索外在世界。妈妈不要错过这个机会,宝宝看到的东西,能够让宝宝摸的,都尽量让宝宝摸一摸,建立视觉和触觉的联系和协调。

296. 运动能力: 手的动作更多

开始抓东西

这个月的婴儿,会从父母手中接过玩具,会把自己的手放到胸前注视,并相互握在一起。最重要的是宝宝开始会抓东西,但手眼还不很协调,往往想抓的却抓不到,全身都用力。有时急得宝宝脸发红,这时妈妈可以把东西往宝宝手前挪一挪,增加宝宝够到东西后的喜悦。不断进行这样的练习,眼、手就慢慢协调了。能够准确抓到想要的东西,这是一个不断进步的过程。

会翻身了

宝宝已经会翻身了,到了快5个月时,就能够从仰卧翻到俯卧。宝宝由仰卧翻成俯卧时,能主动用前臂支撑起上身,并抬起头。即使没有人在跟前,也不容易堵塞口鼻了。如果

支撑累了,宝宝会把头偏过去,保持口鼻呼吸顺畅。

值得注意的是,这个月龄的婴儿还不会从俯卧翻成侧卧或仰卧,所以父母仍然时刻不要离开婴儿,安全第一。万一宝宝口鼻周围有东西堵住宝宝的呼吸道,那是很危险的。

但还不会坐

这个月的婴儿,还不会坐,即使会坐一会儿,也不能坐得很稳。所以这个月练习坐为时过早。婴儿脊椎的生理曲度还没有完全建立,长时间让婴儿坐着是不合适的。不要过早让宝宝练习坐和站。

什么都往嘴里放

这么大的宝宝,不管拿到什么,都会往嘴里放。所以一定要注意,不能放到嘴里的东西,千万别让宝宝抓到。

妈妈抱

妈妈会发现,宝宝会伸出小手让妈妈抱抱了,这是让妈妈非常开心的事情。爸爸也不妨试一试,做出要抱宝宝的动作,观察宝宝是否会伸出小手给爸爸,让爸爸抱。爸爸也可和宝宝说"宝宝来,让爸爸抱"。在语言和动作的配合下,宝宝会让爸爸抱,以后当宝宝看到爸爸时,也会伸出小手让爸爸抱。

肌肉力量不断增强

婴儿颈部、前臂、腰部的肌肉力量不断

宝宝/李彦睿杰
凯米每次出来玩都特高兴,他能坐起来已经觉得很了不起了,这张照片很珍贵,是他的第一次自己坐好的样子,妈妈举着大拇指告诉他:男子汉,好棒!

增强。这时可锻炼宝宝从仰卧到坐位，家长抓住宝宝的手腕部，轻轻向上拉起，这样就能够锻炼宝宝头向前伸的能力。锻炼颈前肌肉，使宝宝头部活动更加自如。

眼手配合比较协调了

这个月宝宝手眼动作已经比较协调了，会够玩具了，并会把小摇铃摇响。宝宝把玩具放到嘴里啃，妈妈不要制止。这是宝宝在探索，慢慢长大了，就知道什么是放在嘴里的，什么不能放在嘴里。在没有危险的情况下，不要限制宝宝往嘴里放东西，否则会影响宝宝对事物探索的兴趣。父母要做的是把玩具洗干净。

不要购买劣质玩具。不能让宝宝放到嘴里的玩具，要坚决把它们清理掉。

动手能力进一步增强

宝宝运用手的能力进一步增强了，可以锻炼着让宝宝自己拿奶瓶喝水或吃奶了。宝宝拿不住不怕，妈妈帮着宝宝拿；如果宝宝一点也拿不住，也不要紧，让宝宝摸着奶瓶也可以，慢慢就会拿了。这样做，不但锻炼宝宝手的动作能力，还可以增加宝宝吃奶的兴趣，对于食欲不好的宝宝来说，是增加食欲的一种方法，并为以后自己用勺、筷子吃饭打下基础。

宝宝/邢语桐
优悠4个月，与妈妈共同享受和煦的阳光。

宝宝/徐弘毅 乳名/豆豆
我是吃母乳长大，我妈和其他宝宝妈妈不一样，她很理性，认为孩子太胖不好，所以，每天都让我游泳达半个小时，可是，我就是瘦不下去。

297. 几点提醒

发展并不都是均衡的

婴儿运动能力的发展也是不均衡的，存在着显著的个体差异，有的宝宝发展很快，样样提前，有的宝宝发展就稍显慢些。运动能力发展慢的宝宝，不一定就是发育落后，更不一定就是不聪明。

与婴儿自身性格有关

有的宝宝很好运动，运动能力发展就快；有的宝宝很安静，不淘气，肢体运动也少，运动能力发展就慢。这样的婴儿长大后，可能不喜欢运动，不擅长体育。

与带宝宝方式有关

婴儿运动能力的发展，也与父母带宝宝的方式有关。有些保姆或老人照看宝宝，可能不怎么和宝宝交流，也不给宝宝更多锻炼运动能力的机会，宝宝运动能力可能会一时落后些，但长大后，会奋起直追，赶上甚至超过同龄儿的运动能力。

与环境季节有关

婴儿运动能力的发展，也与环境和季节有关。如果在学习翻身的阶段，正好赶上冬季，穿的比较多，就不会翻身。这不是婴儿发育落后，而是客观原因造成的。如果妈妈总是用被子包裹着宝宝，新生儿期把宝宝包成

"蜡烛包",出了满月,怕宝宝踢被冻着,仍然把宝宝包得紧紧的,甚至用绳系上,用枕头压上,这都会极大影响宝宝的运动能力,对宝宝的生长发育和其他能力的发展也是不利的。

第4节 本月婴儿营养需求及喂养方法

这个月婴儿对营养的需求仍然没有大的变化,每日需要热量为每公斤110卡。添加辅食不是因为母乳营养不足,也不是用辅食来代替牛乳。这个月添加辅食的目的,是为了让婴儿养成吃乳类以外食物的习惯,刺激宝宝味觉的发育。刺激宝宝吃乳类以外食物的欲望,为半断乳做好准备,也为宝宝出牙吃固体食物做准备,锻炼宝宝的吞咽能力,促进咀嚼肌的发育。

298. 母乳喂养儿

辅食种类

这个月的宝宝,只要母乳吃得好,妈妈乳量也比较充足,宝宝体重就会很正常的增长,一般平均每天增加体重20克左右。添加的辅食可以有果汁、菜汁和蛋黄,每天喂一次果汁50-60毫升,一次菜汁50-60毫升,每天1/4个鸡蛋黄。

慎重添加牛乳

母乳逐渐不足了,这时可以先添一次牛奶,如果每天需要添加150毫升以上,那就添下去,同时不妨碍添加果汁、菜汁和蛋黄。如果添加的牛乳一天还不足150毫升,就说明母乳还能够供给宝宝所需的热量,就不必每天按时添加牛乳了。

这个月的宝宝,仍然有可能厌食牛乳。如果爸爸妈妈不喜欢牛奶的味道,宝宝就会更加不喜欢。这时硬逼着宝宝吃牛奶,会影响宝宝进食的愿望,他会非常不高兴。

慎重对待市场上的婴儿辅食

如果母乳不足,宝宝又不吃牛奶,那就只有添加辅助食品了。一天先添加20-30克的米粉,观察宝宝大便情况,如果拉稀,就减量,或停掉,或换加米汤、肉汤面等。市场上还有婴儿吃的小罐头、鸡肉松、鱼肉松等半成品。

向5月龄的宝宝喂食这些半成品,并不是最好的辅食添加选择,妈妈自己做辅食,才是最佳选择。如果实在没有时间,那就等到下个月,或半岁以后再添加这些半成品。4-5月龄还是用奶类喂养宝宝,这是最安全的。辅食添加不当,导致宝宝腹泻,达不到增加营养的目的,反会让宝宝丢失掉原有的营养。

咬乳头转移法

这时的宝宝频繁咬妈妈的乳头,甚至咬破,造成乳头感染,妈妈疼痛难忍。转移的办法就是给宝宝多增加辅助食品,减少他咬乳头的机会。

混合喂养添加辅食

混合喂养的宝宝,到了这个月出现厌食牛奶的现象,就意味着需要添加乳类以外的辅助食品了,妈妈大胆给宝宝添加必要的辅助食品吧。

宝宝/王震坤
宝宝已经能用前臂支撑起习用胸,把头抬得高高的。小舌头还不时在嘴里运动,会自言自语。

宝宝/杨力宁

宝宝5个月，当时他还不会坐，后面顶个枕头，让他练习，结果很快就溜下来。坐的时候，宝宝很快乐，也很紧张，口啊着，但手紧握着，脚趾都张着。

299. 人工喂养儿

奶量变化不大

这个月宝宝奶量不会有大的变化。牛乳喂养的宝宝，随着月龄增加，乳量并不是不断增加的。认为宝宝大了，活动量也大了，就应该吃更多的牛奶，这是错误的。宝宝奶量不增加，并不意味着宝宝吃奶不好了。

宝宝并非厌食

食量小的宝宝，依然吃得少，每天也就600-800毫升牛奶。妈妈看到书上或奶粉袋上标着，这么大的宝宝应该吃1000毫升以上，就着急了，认为宝宝厌食，使尽一切办法让宝宝多吃些。吃助消化药，化验各种元素，如果稍有缺钙、缺锌现象，就大补特补。宝宝从出生后就一直在补充钙和维生素AD，现在则进一步增加剂量，有的妈妈甚至要求给宝宝肌肉注射D针，静脉注射钙剂等等。这都是完全错误的。至于锌，就更不应该大张旗鼓地补充了。锌是体内微量元素，不可能大量缺乏。

宝宝食量存在个体差异

吃的少和吃的多，是有个体差异的。宝宝虽然吃得少，但体重增长还正常，就不必

要求宝宝吃到1000毫升。如果宝宝每顿吃到200毫升了，每天吃5次以上，或每次吃250毫升，每天4次，就不要再往上加奶了。可以添加辅食，来补充奶量不足部分，减少脂肪摄入，避免肥胖。

客观评价食量是关键

·食量与父母有关

现在肥胖儿的比例在不断地增加，但在喂养咨询中，妈妈问我最多的问题，仍是宝宝吃得太少太瘦怎么办。其实不然，食量小的宝宝，多是那种比较安静，不爱哭，活动比较少，出生体重比较低的婴儿，而且父母一方或双方属于瘦体形，食量也比较少。宝宝食量小与家族有关，想改变食量是很困难的，强迫宝宝增加食量，会事与愿违，造成宝宝积食性厌食或精神性厌食，食量进一步下降。

·源于妈妈不满意

有的宝宝原本吃得很好，可妈妈并不满意，认为随着月龄增加，宝宝食量要不断上升。终于有一天，宝宝不爱吃奶了，出现了积食性厌食。

·父母不怕宝宝胖

有的宝宝食量原本就大，食欲也非常好。父母一方或双方也是体形魁伟或超重的。这样的宝宝尽管食量越来越大，体重增长也远远超过正常标准的最高限，已经是肥

宝宝/徐弘毅 乳名/豆豆

嘘，别出声，我在和妈妈玩藏猫猫呢。

胖儿了，但父母仍一味让宝宝吃吃吃，不理会肥胖已经进入病态了。

·尊重宝宝食量

要允许吃得少些的宝宝保持自己的食量，妈妈不应在意吃多吃少，而应监测宝宝身高、体重、头围及各种能力的发育情况。真正由疾病引起食量偏小的并不多见，许多是人为所致。爸爸妈妈能否客观评价宝宝食量问题，是喂养的关键。

第5节 本月婴儿辅食添加

300. 辅食添加8原则

不能操之过急

添加辅食，是帮助婴儿进行食物品种转移的过程，使以乳类为主食的乳儿，逐渐过度到以谷类为主食的儿童。所以要循序渐进，按照月龄的大小和实际需要来添加。

吸收难易有序

要从最容易被婴儿吸收、接受的辅食开始，一种一种添加。添加一种辅食后，要观察几天，如果不适应，就暂时停止，过几天再试。如果宝宝拒绝吃，也不要勉强，等几天再吃，但不要失去信心。让宝宝慢慢适应，不要一开始就把宝宝弄烦了。

宝宝/黄锦衣
宝宝5个月刚会翻身，总是翻个不停。

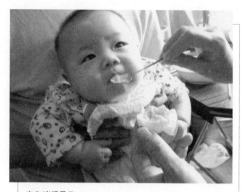
宝宝/尚潘柔美
妈妈开始给宝宝添加辅食。这样给宝宝吃蛋黄有些干，最好用水把蛋黄稀释。

夏季不开始

夏季宝宝食量减少，消化不良，添加辅食如果宝宝不吃，就等到天气凉爽些添加。

循序渐进

辅食添加要从少到多，从稀到稠，从细到粗，从软到硬，从泥到碎，逐步适应婴儿消化、吞咽、咀嚼能力的发育。

患病不添加

添加辅食要在婴儿身体健康，心情高兴的时候进行。当宝宝患有疾病时，不要添加从来没有吃过的辅食。

出现不良反应要暂停

在添加辅食过程中，如果婴儿出现了腹泻、呕吐、厌食等情况，应该暂时停止添加，等到宝宝消化功能恢复，再重新开始，但数量和种类都要比原来减少，然后逐渐增加。

不强求宝宝

和父母饮食习惯有关，有的孩子就是不喜欢吃某种食物，遇到此种情况，不能强求宝宝，没有非吃不可的辅食。宝宝不吃某种食品，也只是暂时的。不必在此时此刻非让宝宝吃不可。应该尊重宝宝个性，培养宝宝不偏食的良好饮食习惯。

灵活掌握

添加辅食，不要完全照搬书本，要根据

具体情况，灵活掌握，及时调整辅食的数量和品种，这是添加辅食中最值得父母注意的一点。

301. 辅食添加过程

喂水果的过程
从过滤后的鲜果汁开始，到不过滤的纯果汁，再到用勺刮的水果泥，到切的水果块，到整个水果让宝宝自己拿着吃。

喂菜的过程
从过滤后的菜汁开始，到菜泥做成的菜汤，然后到菜泥，再到碎菜。菜汤煮，菜泥炖，碎菜炒。

喂谷类的过程
从米汤开始，到米粉，然后是米糊，再往后是稀粥、稠粥、软饭，最后到正常饭。面食是面条、面片、疙瘩汤、饼干、面包、馒头、饼。

喂肉蛋类的过程
从鸡蛋黄开始，到整鸡蛋，再到虾肉、鱼肉、鸡肉、猪肉、羊肉、牛肉。

302. 蛋黄

把洗干净的鸡蛋放在冷水里煮熟，剥出蛋黄，切成四半，取其中的1/4放在小碗中，用温开水调成稀糊状，用小勺喂婴儿。也可用牛奶调和成奶糕样，用小勺喂。

303. 菜汁

将洗净的青菜（菠菜、芹菜、木耳菜、油菜、蒿菜等青菜或绿叶蔬菜）用手折成小段，放入熬沸的开水中，等到再次煮沸后把锅盖上，煮2、3分钟闭火，把菜取出来，待菜汤放温后喂婴儿，可以放在奶瓶中，也可以放在碗里用小勺喂。根据宝宝的喜好选择餐具。

宝宝尚潘柔美
美美出生第7天开始就在新生儿专用游泳池里用游泳，爸爸认为宝宝大了，可以带宝宝去游泳馆游泳了。美美自己拿着游泳圈呢。

宝宝尚潘柔美
爸爸把宝宝放到游泳池中，宝宝悠闲地游了起来。

宝宝尚潘柔美
爸爸帮助宝宝套上游泳圈，准备下水了。宝宝一点不知道害怕，坦然自若的样子。

宝宝尚潘柔美
爸爸放开手，宝宝自己勇敢地游着。

宝宝/姜杯君
　　非常出色的抬头动作。可能是窗外或高处的东西使宝宝产生了极大兴趣。一般是被会动的东西吸引。

304. 果汁

　　把水果（苹果、橘子、桃、葡萄、梨、草莓、西瓜等）洗净削皮去核。放在榨汁机里，榨好的果汁，把渣滤出，放入奶瓶中喂给宝宝吃。如果没有榨汁机，可以把水果切成小块，放在瓷碗中捻碎，放在纱布中把果汁淋出来，灌到奶瓶中即可给宝宝喝。

305. 番茄汁

　　把番茄洗净，番茄底部用刀划开十字口，在碗上放一块纱布，把番茄放在纱布上，放在锅里蒸2、3分钟，待凉些后，用纱布兜住番茄，用勺挤压番茄，把汁挤到碗里，兑些温开水，就可给宝宝喝了。直接给宝宝喝原汁也可以。

306. 胡萝卜汁

　　把胡萝卜切成片，放在锅里煮烂，把胡萝卜片取出来，放在菜板上垛碎，再放到煮胡萝卜水中继续煮几分钟，用纱布或漏勺（眼小的）把胡萝卜渣捞出来，在胡萝卜汤中放少许白糖。待放温后，就可以给宝宝喝了。

第**7**节 不同季节护理要点

307. 春季护理要点

户外活动

　　这个月的宝宝，可以竖直头部并能灵活转动了，喜欢看周围的花草树木。如果正值春暖花开时节，那就非常好了，带宝宝多做户外活动。

　　宝宝对看到的、听到的、摸到的、闻到的，已经有相互联系的能力，会用小手握东西，会对着人出声地笑，会和人藏猫猫，会咿呀学语，会看人的表情，听人的语气，认识谁是爸爸妈妈，谁是熟人和陌生人，对经常看到的面孔，会报以笑脸……与外界交往能力明显增强。而春季可以安排更多的户外活动，有利于婴儿能力的进一步发展。

注意风沙

　　但春季也存在一些需要注意的问题，比如初春气候多变，北方风沙较大，带宝宝出去，要注意沙尘落进宝宝眼中。婴儿在温暖的室内捂了一冬，乍一到户外，可能会不适应，需要挑选天气比较好的时候抱出来，时间从短到长，给宝宝一个逐渐适应的过程。

宝宝/姜杯君
　　宝宝已经能够把腿伸成90度，还能把脚送到自己的嘴里啃呢。

宝宝/姜杯君
宝宝会抓紧一切时间吸吮他的大拇指，这是这么大宝宝的喜好，妈妈不必总是把宝宝的手从嘴里拿出来。

补钙

春季宝宝到户外接受充足阳光，会产生较多的骨化醇（维生素D前体），促使钙向骨转移，这是很好的事情，但血钙水平可能会有短时降低，出现低血钙症状，如睡眠不安，易惊，严重的婴儿可能还会手足抽搐。出现这种情况，可给宝宝补充一定量的钙剂（葡萄糖酸钙10毫升/日，连服5~7天）。

补水

春季比较干燥，尤其是北方平原地带，因此要注意给宝宝补充水分。

避开病原菌

春季万物复苏，病原菌也开始繁殖增加，虽然这个月的宝宝，体内还有来自妈妈的免疫能力，但也有可能感染病毒细菌，因此不要到人群聚集的地方活动。

黑瘦属正常

户外活动会让宝宝的面部皮肤晒得黑一些，显得瘦了，爸爸妈妈不要为此就多给宝宝加奶，更不要吃助消化的药。

桃花癣不用治

有的宝宝会有桃花癣，不要紧，到夏季就会好的。

湿疹应停药

有湿疹的宝宝到了这个季节也应该有所好转了，只要湿疹不很明显，就不要继续使用药物了。

不要误判气管炎

户外活动增多，造成宝宝呼吸道分泌物增多，而宝宝又还不会清理，嗓子总是呼噜呼噜的，好像是有痰。不要认为宝宝患了气管炎，不要乱使用抗菌素。

308. 夏季护理要点

防痱子和臀红

这个月的宝宝如果正赶上炎热的夏季，护理也并不很困难。宝宝已经不像前几个月那样淹小屁屁或皮肤皱摺糜烂，也不容易长很多的眼屎和很严重的痱子了。宝宝一天可以洗几次澡，不用尿布，仅穿个肚兜，光光地躺在凉席上。凉席上可铺一层棉布单，如果不铺，必须保证凉席没有刺。

可把尿了

这么大的宝宝不再是吃了拉，喝了尿了。有经验的妈妈甚至可以知道宝宝什么时候拉，什么时候尿。即使有几次尿在、拉在凉席上，也好收拾。

防蚊蝇

需要注意的是夏季蚊蝇较多，晚上把宝宝放在蚊帐里，避免蚊虫叮咬。小婴儿皮肤嫩，又有奶香味，即使在白天，仍很容易被叮

宝宝/王辰旭
从宝宝的这个角度可以形象地看出满月脸，许多妈妈以为是圆脸。满月脸其实是指圆球形脸，不是银盆脸。

咬。所以宝宝白天睡觉，最好也挂上蚊帐。户外活动时，不要在树木花草茂密的地方或狭道内，这些地方蚊子比较多。

食量略减是正常

夏季宝宝消化功能会减弱，食量会有所减少，这是正常的，不要强迫宝宝按以前的量吃，那会破坏宝宝的消化功能。

多喂水

夏季婴儿爱出汗，皮肤非显性失水也多，要注意多补充水分。即使是母乳喂养，也要每天给宝宝喂水。

户外活动防日晒

夏季阳光强烈，容易灼伤宝宝皮肤，要注意遮挡。不要让烈日直射宝宝，在树阴下，让阳光在树叶的缝隙中照到宝宝身上是最好的。一点阳光没有，也起不到日光浴的作用。

创造舒适的环境

夏季天气闷热时，宝宝可能会夜眠不安，要给宝宝创造比较凉爽的睡眠环境。如果使用空调，室温调整到28℃左右，也不能太低。室内外温差太大，对宝宝不利，会引发感冒。要避免空调病，使用空调也要定时开窗通风，保持室内空气新鲜。使用空调时门窗紧闭，这时最好不要使用驱蚊药，以免影响婴儿健康。

餐具食物清洁尤为重要

喂牛奶和添加辅食时，一定要注意餐具

宝宝/王震坤

宝宝还不知道什么是能吃的，什么是不能吃的，对于这么大的宝宝来说，把东西放在嘴里，意义不在吃，而在对事物的认识。

宝宝/王辰旭

有人扶着时，宝宝可以坐着，把腰板挺得直直的。

和食物的清洁。夏季最容易患肠道感染性疾病，一定要格外小心。剩下的奶和饭菜一定不要给宝宝再吃，冰箱里的熟食储藏时间不能超过72小时，食用前一定要加热。奶瓶餐具一定要消毒，烘（晾或擦）干。不能在奶瓶中存放奶、果汁、菜汁、水。不要给宝宝喝隔夜的白开水。放置宝宝的餐具和其他用具，一定要避免苍蝇污染。喂宝宝前爸爸妈妈要把手洗干净。

309. 秋季护理要点

午前午后活动

秋季是儿童患病率最低的季节，妈妈在这个季节也许是最轻松的。秋天早晚天气渐渐凉了，户外活动最好放在午前和午后。

珍惜秋阳

北方的妈妈尤其要注意，不要天气稍微一凉，就不敢带宝宝出去晒太阳了。北方的冬季比较长，气温也很低，户外活动时间会大大缩短，晒太阳的时间很少，赶上大风雪天，几天都不能带宝宝出去。所以要珍惜秋天的阳光。

储存太阳能

在秋季让宝宝很好地接受阳光，宝宝体内就储存了一定量的维生素D，来年春季就不容易患维生素D缺乏性佝偻病。

宝宝/杨子裸
开心的宝宝。宝宝身体舒适就没有不开心的理由了。

户外活动更重要

妈妈要抓住秋季，多带宝宝到户外，不要把精力过多放在做辅食、收拾卫生、洗涮等事情上。做户外活动，不仅对宝宝身体健康有好处，对宝宝智能开发和能力训练也有很大的益处。让宝宝逐渐适应不断转凉的空气，会提高呼吸道对寒冷刺激的抵御能力。

预防秋季腹泻

秋末冬初要预防轮状病毒性肠炎（详见第十三章中"腹泻"相关内容）。

辅食一次做够一天的

天气凉爽了，不必每顿都制备新的辅食，可以一天做一次，在宝宝睡觉时把果汁、菜汁、蛋黄准备好，够这一天吃的。这么大的宝宝还是以乳类为主。

310. 冬季护理要点

坚持户外活动

这个月的宝宝即使恰好赶上冬季，也不要间断户外活动，哪怕一天几十分钟也好，这样能够使宝宝呼吸道抵抗力增强，降低呼吸道感染发生率。

温度湿度和通风

冬季护理婴儿最常出现的误区是，室内温度很高，湿度很低，通风很差。这样的喂养环境，对婴儿健康发育极为不利。室内温度保持在18~22℃比较适合，这样的室温，也能保持湿度适中。每天定时开窗换气，至少要通风10~15分钟。通风时可把宝宝抱到别的房间，一个房间一个房间地通风换气。隔着玻璃晒太阳对宝宝也有好处，所以要把宝宝房安排在阳光最充足的房间。

增加维生素D

但隔着玻璃晒太阳，会阻挡紫外线照射。因此冬季要适当增加维生素D的摄入量，每天补充400IU。如果补充鱼肝油制剂，要选择A：D为2：1的比例。这样不至于补充过量的维生素A。

添加辅食容易了

冬季辅食的添加比较省事了，可以不必每顿都做新的。宝宝也比较喜欢吃了。

不必多穿衣

冬季婴儿穿的衣服相对多，活动会受到一定的限制。这个月龄的宝宝正是锻炼翻身的时候，如果穿得过多，宝宝翻身能力得不到锻炼，妈妈还会以为宝宝发育不正常。其实现在家庭取暖已经保证了足够的室温，北方虽然冷，但室内却很暖和，宝宝在室内正常穿衣，就可以了，这样有利于运动。

南方要穿薄棉衣

南方冬季温度不像北方那样低，但室内

宝宝/杨力宁
宝宝很喜欢趴在床上，看着外面，好像在说外面的世界很精彩，我想出去看看。

却相对潮湿阴冷，婴儿穿得都比较多，因为不习惯穿棉衣，妈妈往往给宝宝穿好几层毛衣或线衣，宝宝活动受到很大的限制。建议南方的父母给宝宝准备薄一些的小棉衣，这要比穿毛衣或线衣好得多。

不要让宝宝受热

在冬季护理中，几乎没必要提醒父母，不要把宝宝冻感冒了。冻着孩子的父母太少了，而把孩子穿成大圆球似的父母太多了。父母在家里只穿一件羊毛衫，却给宝宝穿很厚很多的冬衣，宝宝活动受限，躁热难忍，不爱吃奶，夜眠不安，湿疹加重。

冻疮已成为过去

育儿书籍中经常会有类似这样的内容：如何避免婴儿冻疮。其实在我国，婴儿冻疮已经是过去的事情了。现在的问题不是婴儿受冻，而是婴儿受热。由受热引起的一系列问题，已经成为冬季婴儿护理的首要问题。在发达国家中，新生儿硬肿症（新生儿寒冷损伤综合征）早已经在育儿书籍中销声匿迹，就非常能说明问题。

第8节 其他生活护理要点

311. 衣服、被褥、床、玩具

衣服

仍要穿宽松、柔软、透气好、质地好的衣服。

被褥和床

被褥和床与上月没有大的区别。

玩具

· 踢着玩

这么大的婴儿会用手玩玩具了，也会用脚踢床边挂着的玩具。对玩具有更大的兴趣了，尤其是带声响的玩具，会引起宝宝更大的兴趣。宝宝能自己拿着玩的玩具，是他最

喜爱的玩具。可以把玩具挂在婴儿床上，让婴儿能用脚踢到，当宝宝踢出响声时，会高兴地大笑。这是很好的运动项目。

· 筛选

这个月宝宝手眼配合能力还有限，手里拿着玩具会碰着脸。最好让宝宝拿软塑玩具。

· 能啃坏的玩具

能够啃坏的玩具，就不要给宝宝玩了。如果能够啃下来，宝宝可能就会咽下去，堵塞嗓子眼，这是非常危险的。

· 不要有音乐

购买带声响的玩具，最好不要带音乐的，因为大多数的音质都比较差，会影响宝宝的音乐感。要听音乐，就给宝宝听最好的唱片，最优美动听的乐曲。这个月龄的婴儿对音乐是很敏感的，不要破坏了婴儿先天的音乐鉴赏力。

· 不要随便碰玩具

注意玩具的清洁消毒。父母不要随便拿宝宝的玩具，因为宝宝会把玩具放在嘴里，这就等于把父母的手放在嘴里了。成人的手上有很多的细菌，婴儿肠道还没有建立起正常的生态平衡，非致病菌的数目还不足，不能够抵御外界细菌的侵袭。

· 扔掉它们

掉色、掉零件、劣质的玩具不要拿给宝宝玩。

宝宝/王震坤
宝宝喜欢爸爸和他这样疯玩。不过爸爸可要小心喽。

宝宝/黄锦衣
宝宝不动不动、全神贯注地看着摄影机镜头，很好奇。

312. 睡觉的护理

与上个月差别不大

这个月的宝宝，睡觉与上个月没有什么差别。贪睡的宝宝可以从晚上8点一直睡到早晨5—6点钟。如果家里人睡觉都比较晚，宝宝也就不再像以前那样早睡早起了，晚上10点甚至11点才入睡，一直睡到第二天早晨7—8点钟。

睡眠习惯随父母

父母晚睡晚起，宝宝也晚睡晚起，这没什么不好的。如果宝宝早睡早起，父母晚睡晚起，麻烦就来了：宝宝早晨醒来不会自己玩，妈妈即使很困，也要陪宝宝玩，爸爸妈妈都会因为缺觉而一天精神不振。这样的情况，请全职保姆是很必要的。

白天贪睡莫影响户外活动

贪睡的宝宝，白天也能大睡起来，从上午10点一直睡到中午1点，下午从3点一直睡到6—7点钟。这样一来，除了吃奶、吃辅食，就没有多长时间做户外活动了。爱睡觉的宝宝，妈妈最好把觉都调整到晚上或下午，以增加户外活动时间。

像个小精灵

但这个月龄的宝宝，爱睡觉的并不多。晚上能睡10个小时，白天能睡4—5个小时就是比较多的了。平均一天睡上14个小时左右

就不算少。妈妈总是希望宝宝能像书本上说的那样，每天睡16—18个小时。这是过去的标准，现在宝宝营养好，体能和智能发育都大大提前了，像个小精灵，睡眠时间也就不像原来那样长了。过去刚生下来的宝宝3天以后才会睁眼睛，如今宝宝刚出生，就睁开了大眼睛。我们已经不能按过去的标准来养育孩子了。

充足睡眠很重要

当然，小婴儿还是要多睡眠的，只有保证充足的睡眠，才能使宝宝快速生长。但妈妈不要因为宝宝睡眠时间达不到书上写的标准，就忧心忡忡。睡眠长短也存在个体差异，有的睡眠比较多，有的就比较少。只要宝宝吃得好，精神好，生长发育很正常，就不要硬要求这个月的宝宝一定要睡满16个小时。

良好的睡眠习惯需培养

如果一天的睡眠时间加起来还不到12个小时，就要看一看是否有什么问题了。睡眠习惯是父母帮助养成的，但有的宝宝到了该睡觉的时候就是不睡，不该睡的时候却大睡，而且每天都这样，就说明宝宝自己建立了睡眠习惯。要调整，是个缓慢的过程。如果某一天是该睡不睡、不该睡大睡，就要注意宝宝是否有别的问题。

宝宝/尚潘柔美
美美看到镜子中的宝宝，伸出小手触摸镜子，和镜子中的宝宝握手。爸爸指着镜子中的宝宝说：这是美美。慢慢地宝宝开始认识镜子中的自己。

宝宝/王震坤
宝宝非常喜欢吐舌头，这和病态的吐舌头有着根本的区别，宝宝把自己的舌头当做可以玩耍的玩具了。

313. 哭闹护理

爱哭爱笑存在个体差异

这个月的婴儿，个体差异更加明显了。爱哭的可能更爱哭，因为他懂得多了，喜怒哀乐会有所表示，感觉也更灵敏了，不高兴时就会大声哭，高兴时也会大声笑。不爱哭的宝宝可能仍然很乖。会玩的宝宝闹人的时候少了。

不再是消极表达

这么大的宝宝，用哭来表达消极意思的少了，会有意地闹人了。如不让他拿什么，他会用哭抗议；看不到妈妈就会哭闹；醒了没有人陪他玩时，会因寂寞而哭闹。

表现出更多积极意思

宝宝的哭有了更积极的意义。妈妈不要再把宝宝的哭，仅仅当做饿了、渴了、尿了、拉了等消极信号，要认识到宝宝的哭，已经表达更积极的意思了。如果爸爸妈妈总是忽视宝宝的哭，不愿多陪宝宝玩，也不多抱宝宝，怕把宝宝惯坏，这会使宝宝变得焦躁不安和孤僻，长大了，与人的交往能力会比较差。

多做亲子游戏

爸爸妈妈要拿出多一些时间陪伴宝宝，抱抱宝宝，抚摩宝宝，多做亲子游戏，尤其是爸爸的参与，会对宝宝身心健康发展起到积极的作用，爸爸不要把养育宝宝视为妈妈的事情。没有爸爸参与育儿，宝宝长大后，人格会不健全。

314. 尿便护理

训练大小便不是明智之举

这个月父母把精力用在训练宝宝大小便上，不是明智之举。如果宝宝排便很有规律，在不费劲的前提下，让宝宝少尿床或少换尿布，是很好的育儿选择。但如果宝宝尿便没有什么规律，爸爸妈妈很难掌握，那就不要费劲了。

晚上不提倡勤换尿布

有的宝宝一晚上都不用换尿布，也不吃奶，这对父母和宝宝的休息都是很好的，妈妈没必要把宝宝弄醒换尿布、把尿或喂奶。如果宝宝因为不换尿布而发生臀部糜烂，出现尿布疹，可以在夜里换一次尿布。但如果因为换尿布而引起婴儿哭闹，不能很快入睡，就不要更换尿布，可睡前在臀部涂些鞣酸软膏，有效防止臀部糜烂。

大便改变源于辅食

从这个月开始添加辅食的宝宝，大便会有些改变，可能会呈黑绿色或黄褐色，还可能会带些奶瓣，大便次数增多，有些发稀。这都不算病态，是添加辅食的正常结果。

能控制大小便是假象

大便的宝宝，排便时会用力，眼神发呆，

宝宝/王震坤
再有意思的事情，宝宝也会玩得不耐烦，婴儿的兴趣转移非常快，要不断变化才行。

脸憋得发红。许多妈妈认为自己知道宝宝要大便了，就提前把宝宝抱起来，放在便盆上。这是妈妈在护理宝宝时积累的经验，宝宝并不会告诉妈妈"我要大小便"的信息。因为这么大的宝宝，还不会控制大小便，你不要为自己的宝宝还不能"控制"而着急。

如果大便很软，宝宝在排便时没有什么表情，你又没有格外注意，就不会发现宝宝已经大便了。

顽固便秘要看医生

便秘的宝宝即使添加了胡萝卜泥、菜泥、香蕉、麦芽等辅食，有的也不能改善。这是比较难调理的便秘，就要靠医生帮助解决了。

315. 洗澡护理

这个月洗澡护理与上个月没有什么区别，安全仍然是重点。

316. 户外活动护理

本月龄宝宝户外活动的护理，在婴儿能力与护理的章节中比较详尽地谈到了。这里再次提醒父母们注意，户外活动不是只带宝宝出去就行了，还要不断和宝宝交谈，把看到的东西指给宝宝，教宝宝这是什么，那是什么，宝宝就是这样在爸爸妈妈不断唠叨中认识世界的。把宝宝带出去，就和周围成人

宝宝/王震坤
宝宝皱起了眉头：怎么还是老一套。

聊天，宝宝搁在一边，这样的户外活动失去了意义。

317. 意外事故护理

宝宝会翻身了，发生事故的机会增多了，宝宝从床上掉下来，是最常见的。在宝宝的周围，不要放置有危险的物品，如剪子、熨斗、暖水瓶、水果刀等坚硬的东西。婴儿会把东西放到嘴里，所以不要把能吞到嘴里的小东西放在宝宝身边，不要把塑料布放在婴儿身边。塑料布会窒息婴儿，很危险。

典型病例

我曾接诊过这样一个患儿，女婴，5个月大，呼吸衰竭。不幸是这样发生的：妈妈在厨房做完饭回到婴儿房间，发现宝宝脸上蒙着一块塑料薄膜。宝宝脸色青紫，正在呻吟。由于口鼻被塑料薄膜堵塞，宝宝没有能力把塑料薄膜拿开，呼吸道被堵，出现窒息，导致呼吸功能衰竭。妈妈急忙把宝宝抱到医院，经过紧张抢救，宝宝的生命总算保住了，可宝宝脑部由于缺氧时间过长，受到极大损伤，部分脑细胞死亡，宝宝成了残疾儿，多么惨痛的教训啊！

318. 免疫接种

这个月婴儿应该接种第二针百白破疫苗，口服脊髓灰质炎糖丸。

第9节 本月护理 几大难题

319. 添加辅食困难

添加辅食困难的婴儿并不少见。有的宝宝，除了母乳什么也不吃。是对辅食不感兴趣，还是不喜欢使用餐具？可能因妈妈奶水充足，宝宝根本吃不进其他食物。遇到这样的情况，要适当给宝宝添加含铁丰富的辅食，不必添加更多的辅食了。

我在门诊工作中，常会遇到这样的妈

宝宝/王震坤
没有人能剥夺宝宝吃手的权利。

妈，她们为了给宝宝添加辅食而费尽心机，不断向医生讨教添加辅食的技巧，因为几乎所有的技巧都不管用。有的妈妈甚至和宝宝较劲，不吃辅食就不给吃奶，这是完全错误的。宝宝不愿吃辅食，就只能暂时不加辅食了，也许到了下个月，宝宝就会很痛快地吃辅食了。

没有因为一直不吃辅食而断不了母乳的情况。吃辅食只是时间问题，妈妈不要因添加辅食困难而烦恼，总有一天宝宝会很高兴地吃辅食的。添加辅食晚了些时日，宝宝也不见得就营养不良。如果奶水不能满足宝宝生长发育的需要了，宝宝自会吃母乳以外的食物。人工喂养的宝宝，添加辅食比较容易。混合喂养的宝宝也比较容易添加辅食。

320. 突然阵发性哭闹

这个月龄的婴儿，尤其是较胖的男婴，某一天会突然出现下列情况：

1）剧烈哭闹，无论如何也哄不好。

2）吃奶可能会吐，哭闹时似乎不敢使劲打挺。

3）脸色不是发红，可能反而会发白。

4）屁股可能向后撅着，腿蜷缩着。

5）哭了有10来分钟，哭闹戛然而止，变得比较安静。

6）喂奶能吃，也可能会被逗笑，与平时无大区别，可过了一会儿突然又哭闹。

7）这样的哭闹，一次比一次剧烈，反复发生。

爸爸妈妈应该意识到，宝宝可能患了肠套叠。肠套叠是婴儿期最严重的外科急症，如能早期发现，非手术方法就可治疗。但如果延误诊断，套叠的肠管会发生缺血坏死，需要手术切除坏死的肠管，婴儿的健康受到很大危害。

肠套叠很容易被误判，关键是要想到这么大的婴儿可能会患这种病，这就会大大减少误诊的可能。如果父母没有想到这种可能，就可能不会半夜带宝宝看医生，可能会认为宝宝在要脾气。尤其是平时爱哭闹的宝宝，爸爸妈妈更容易这么想当然。

肠套叠的宝宝，并不会持续哭闹，常常是哭一会儿，歇一会儿，这就使父母不急着上医院。即使到了医院，如果宝宝暂时没有哭闹，缺乏临床经验的医生，也可能会误诊的。如果父母这时能及时提醒医生说："我的宝宝会不会是肠套叠啊？"医生也会警惕起来。如果不能确诊，医生会请上级医生或X线医生会诊。提前几个小时能诊断出肠套叠，就可能使宝宝免除手术的痛苦。

在5月龄以后的几个月里，宝宝仍有发生肠套叠的可能。如果正在腹泻的宝宝，突然阵发性哭闹，尽管不是胖宝宝或男宝宝，也要想

宝宝/王震坤
高兴的时候，宝宝也会这样咬着下嘴唇。

到发生肠套叠的可能。肠套叠易发生在比较胖的男婴，但其他婴儿也会发生肠套叠的。

肠套叠的早期症状可以是多种多样的。当出现典型症状，如呕吐、腹泻、血便、果酱样便、腹胀等，爸爸妈妈应及时上医院就诊。早期诊断是治疗宝宝肠套叠的关键。

321. 便秘

无论是牛乳喂养，混合喂养，还是母乳喂养，5月龄的婴儿都有可能出现便秘。即使已经添加了辅食，便秘也不可能明显缓解。对于这样的婴儿，需要添加更多的蔬菜，如菜泥、菜粥。

绿叶菜中的芹菜和菠菜，含有较多的纤维素，对缓解便秘是比较有效的。多吃胡萝

宝宝/王震坤
宝宝要表达自己的意思。

卜泥对缓解便秘也比较有效，在菜里加些芝麻油也有一定的效果。还有水果中的葡萄、西瓜、梨、草莓、香蕉等，对缓解便秘也有一定效果。人们都知道蜂蜜有润肠作用，但一岁以内的婴儿最好不吃蜂蜜。婴儿便秘不能使用泻药，如果不是拉不出来，最好不要使用开塞露或灌肠，这样会使宝宝产生依赖性。

322. 顽固的婴儿湿疹

5月龄的婴儿，湿疹大都减轻，甚至完全好了。但也有的婴儿湿疹比较顽固。这样的宝宝多是渗出体质，医学上也称泥膏型体质：比较胖，皮肤细白薄，爱出汗，发黄稀，喉咙里好像总是呼噜呼噜有痰，甚至把耳朵贴在婴儿胸部或背部能听到呼呼的喘气声，像小猫似的。这样的宝宝一旦感冒可能会合并喘息性气管炎。家族中可能有过敏体质的人，如爸爸妈妈容易过敏，动不动就起"风包"，吃鱼虾也过敏。

如果是母乳喂养的婴儿，妈妈要少吃鱼虾，少吃辛辣食品，多吃水果蔬菜。如果是牛乳喂养，早添加辅食，把牛奶量减下来，不能吃鲜牛奶，吃配方奶会好些。注意补充足量的维生素AD、维生素B、C、钙等。

第六章

5-6个月的婴儿

（150—179天）

这个月的婴儿自己会像虾米似的，头扎到脚丫上，喜欢用嘴啃脚丫。就是在躺着时，也会用手把脚丫抱到面前。妈妈喂奶时，也可能会抱着小脚丫。

323. 有差异是正常的

与上个月相比，这个月婴儿在各个方面都有不同程度的进步。需要提醒新爸爸妈妈的是，每个宝宝的发育进展程度不尽相同，如果您的宝宝不像育儿书上写的那样，并不一定说明是发育异常。书中所写一般都是平均指标，许多个别情况并未涉及。爸爸妈妈无论读哪本育儿书籍，都要有所分析和取舍。遇到不解的问题，要向身边的医务人员询问。

324. 最初的生疏感

6月龄婴儿对外界事物越发感兴趣了，看到爸爸妈妈，会高兴地笑，手舞足蹈的。看到陌生的人，尤其是陌生的男人，会害怕地把头藏到妈妈的怀里，甚至哭闹。生疏的人不再容易把宝宝从妈妈怀中抱走了。但如果用吃的、玩具、到户外玩等方法引逗婴儿，他还是会高兴地让你抱过来的。这时宝宝已经有性格了，有的宝宝就是不让陌生人抱，有的见到陌生人照样笑，很快就会和陌生人玩起来。认生与否，与宝宝的聪明程度没有关系。

325. 梦中夜哭郎

这么大的婴儿，学会了害怕某些现象，睡眠时会突然哭闹（家长往往称为"受惊吓"）。这主要是因为，婴儿开始把白天遇到的不愉快或让他害怕的事情做到梦里了，梦见白天发生的"可怕"场景，就突然尖叫或大声哭喊起来。如果宝宝在白天连续经历"害怕"的刺激，就可能成为"夜哭郎"。因此，爸爸妈妈或看护人在护理宝宝时，要尽量避免宝宝受到不良刺激。如果一直由妈妈看管宝宝，现在妈妈不能连续地看宝宝了，那就应该更换看护人了。另外，让婴儿听到怪声，看到吓人的电视画面，看到爸爸妈妈吵架，摔东西，户外活动时小狗对着婴儿吠叫，扎针等等刺激，都有可能变成宝宝晚上的梦魇。

326. 会伸手够东西

6月龄宝宝的眼神更加灵活。比如，把玩具弄掉了，会转着头到处寻找；会伸手够东西或从别人手里接过东西。这时的宝宝仍然不知道什么能放到嘴里，什么不能放到嘴里，所以总是把手里的东西放到嘴里吸吮或啃咬。

327. 脚尖蹬地

肢体活动能力增强，脚和腿的力量更大了，让宝宝站在你的腿上，会感到小脚丫蹬得你有些痛。宝宝会用脚尖蹬地了，身体不停地蹦来蹦去。但比较安静和内向的宝宝，可能会较少蹦跳。

328. 用嘴啃小脚丫

宝宝喜欢热闹了，人越多越好哄了。喜欢坐着或站着蹦。不再喜欢躺着了。坐的时间很短，还需要大人扶着。自己坐则会像虾米似的，头扎到脚丫上，喜欢用嘴啃脚丫。就

宝宝/王震坤

宝宝总是有话要说的样子。宝宝进入咿呀学语阶段，会不自觉地发出mama, baba, daidai等音节。

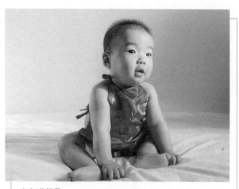

宝宝/姜杼君
宝宝会独坐了,但还不能挺直腰板,时间长了还需要用上肢支撑着。当
宝宝不需要用手支撑着身体时,就能坐着玩玩具了。

是在躺着时,也会用手把脚丫抱到面前。妈
妈喂奶时,也可能会抱着小脚丫。喜欢到户外
活动。

329. 吃奶时对声响特别敏感

吃奶时,会因为外界声响而停止,把头
转过去,看个究竟。妈妈不要认为宝宝不好
好吃奶,其实这正是宝宝对外界反应能力
增强的表现。要尽量在比较安静的环境中吃
奶,养成宝宝认真吃奶的习惯,以免以后吃
饭不认真。

330. 大便的变化

溢乳的婴儿少了,但由于添加辅食,婴儿
大便会出现问题,变的稀,次数多,发绿,有
奶瓣等等。不要因为大便轻微的变化就停止
辅食添加,除非是腹泻或消化不良了。

大便的改变往往是阻碍辅食正常添加的
主要原因。有时爸爸妈妈为此看医生,医生
也会给宝宝开一些药物,按消化不良或肠炎
治疗。如果确实是肠炎或消化不良,吃一些
药是可以的。但大多数情况下,宝宝大便的
变化并不是什么消化不良或肠炎,而药一吃

就是10天半月,甚至吃1个月。这对婴儿肠道
功能的正常发育是极为不利的,爸爸妈妈应
该清醒地认识到这一点。

新手爸爸妈妈常常认为,辅食应首先添
加米粉或米面。有的妈妈干脆把米面做为主
要辅食来添加。这是不对的。辅食添加应该
以蔬菜、水果、肉蛋为主。主食是奶类。越小
的婴儿对碳水化合物(粮食)的消化能力越
差。不应该以粮食为辅食添加的主要品种。

331. 尿便训练不是主要任务

尿便问题仍然不少,令爸爸妈妈烦恼的
主要还是大便问题。次数多,便稀,便秘都会
困扰着妈妈。妈妈不必夸大这个问题,要淡
化它,因为这是食品种类变化必然出现的结
果。训练大小便不是这个月的主要任务,投
入精力是不必要的。应把精力放在喂养、潜
能开发上。

332. 不要动不动就去医院

这个月的宝宝仍然有患肠套叠的可能,
还是要多加注意。不要动不动就带宝宝往医
院跑,那样可能会传染上一些疾病,如呼吸
道感染、肠炎、风疹、麻疹等。

宝宝/尚潘柔美
美美戴着脚丫子,很高兴。婴儿通过手、眼、口开始认识自己的身体。

宝宝/吕艾麟(女)、吕怡麟(男)

两个宝宝挤在沙发上，刚刚吃过菜泥，还沾在嘴巴上。能猜出来哪个是哥哥，哪个是妹妹吗？妈妈说哥哥肤色比较黑，妹妹比哥哥白皙些；哥哥看起来比较淘气，妹妹比较文静。

第2节 本月婴儿生长发育

333. 身高

这个月的婴儿，身高可增长2.0厘米左右。运动对宝宝身高的增长有很大促进作用。户外活动，不但促进宝宝的智能发育，还能让宝宝沐浴阳光，促进钙质吸收，使骨骼强壮，长骨增长。

这个月的婴儿，已经会在爸爸妈妈的帮助下站立跳跃。宝宝躺在床上四肢舞动，用腿蹬被子，踢挂在床栏上的玩具；俯卧位时，用手够前方的物体。这些运动对身高的增长都是有好处的。

前面已经说过，婴儿的身高受多种因素影响，包括遗传、种族、环境等，也包括营养、疾病等因素。爸爸妈妈不要忽视这些因素可能带来的影响，宝宝身高的增长，绝不单纯是喂养问题。

宝宝的胃口是有限的，宝宝的消化能力也是有限的，无论宝宝怎样努力，也难以满足爸爸妈妈对宝宝"多吃"的渴求。

爸爸妈妈要充分认识到宝宝身高增长的规律。如果爸爸妈妈都是中等或中等以下的身高，就不要不顾事实让宝宝快长。尽管现在孩子的身高普遍比父母的身高要高许多，后天的营养和运动对身高的增长起了不小的作用，但也不要为此把宝宝逼到厌食的程度。

334. 体重

这个月的婴儿，体重可以增长0.45—0.75千克。

这个月的婴儿，开始喜欢吃乳类以外的辅食了。厌食牛乳的宝宝，在这个月里也可能开始爱吃牛奶了。所以食量大、食欲好的宝宝，体重增长可能比上个月还大。如果每日体重增长超过30克，或10天体重增长超过了300克，就应该适当减少牛乳量。

每天摄入牛乳量最好不要超过1000毫升。如果不注意这一点，肥胖儿大多是从这个月开始打下根基的。母乳喂养儿，在这个月开始胖的不多，但如果辅食添加不合理，也会发生肥胖。有的婴儿就是喜欢吃面条、大米粥，这些谷物营养价值并不高，但供给的热量大，宝宝的胖是虚胖，肉比较松懈。所以不能单从婴儿的体重或胖瘦认定营养的丰富或亏空。

335. 头围

这个月的婴儿，头围可增长1.0厘米。

宝宝/郑果

衫衫妈妈用玩具逗果果，果果会用手指头去拨弄塑料球，使塑料球转动。

336. 前囟门

这个月的婴儿，前囟门尚未闭合，可以是0.5-1.5厘米。婴儿个体之间可以存在较大的差异。关于前囟门，新手爸爸妈妈最担心两点：

前囟门闭合过早，会不会影响大脑发育

如果前囟门确实是过早闭合，妈妈的担心也是有一定道理的，但大多数情况是宝宝前囟门比较小造成的一种假象。有的宝宝前囟门仅仅0.5×0.5厘米，大多是0.8×0.8厘米。前囟门小，并不等于闭合；前囟门小，也不能证明就会提前闭合。有的宝宝生下来前囟门就不大，在整个发育过程中，前囟门的变化也不大，大多数是在1岁以后才开始逐渐闭合的。如果是小头畸形或狭颅症或石骨症等疾病，除了囟门小、闭合早外，还会有头围小、骨缝闭合、重叠、智能发育落后等表现。要动态观察前囟门情况，一次测量的绝对值不能说明问题，而测量手法是否正确也是应该审视的。

前囟门大，是不是缺钙

前囟门大就是缺钙，这种认识比较普遍。前囟门大到什么程度就是缺钙？医学上现在还没有界定。婴儿前囟门大小是有个体差异的，不能一概而论。缺钙可以使囟门闭合延迟，严重的佝偻病还会有颅骨软化，表现为乒乓球样颅骨。但囟门大，并不是缺钙的唯一特征。有的婴儿生下来囟门就达3.0×3.0厘米，到了5个月，囟门可能还是2.0×2.0厘米或2.5×2.5厘米，绝不能据此断定婴儿缺钙。是否缺钙，需要症状、体征、辅助检查等综合诊断。妈妈不要因为宝宝囟门大了，就增加补钙剂量。要正确认识婴儿囟门大小的真正原因，了解婴儿囟门大小的个体差异。

宝宝/王美泽
宝宝是十足的小伙子，淘起气来一点不含糊。

第3节　本月婴儿能力

337. 能力的进步

看的能力：单纯的看已经不是目的了

这个月婴儿白天睡眠时间逐渐缩短，有更多时间去探索事物，获取信息。这标志着宝宝大脑进入了生理成熟期。这时的婴儿已经能够自由转头，视野扩大了，视觉灵敏度已接近成人水平。手眼协调能力增强，成了积极的学习者和新事物的探索者。

爸爸妈妈要充分利用这个时机，帮助婴儿观察周围的环境，认识世界。室内物品都要一一让宝宝看，并告诉宝宝这些物品的名称、作用、形状、颜色等，帮助婴儿将视、触、听觉结合起来使用。让宝宝认识周围的人，尽管婴儿还不会说话，但他会很感兴趣，对日后语言发育非常有用。

室外活动很有益，婴儿对户外的事物感到新奇。爸爸妈妈和看护人要引导婴儿看外面的事物。在路上跑的车、小动物、在路上走的人、楼房、花草树木，所有的东西都引导宝宝看，并告诉宝宝这些事物的名称，是干什么的，能够让宝宝触摸使宝宝通过触摸感受事物。对于这个月及以后的婴儿来说，单纯的看已经不是目的了，要在看的过程中引导婴儿分

析看到的事物，获得认识事物的能力。

说的能力：咿呀学语

这个月的婴儿，仍然不会说话，但已进入咿呀学语阶段，对语音的感知更加清晰，发音变得主动，会不自觉地发出一些不很清晰的语音，会无意识地叫"mama"、"baba"、"dada"。

当宝宝发出语音时，爸爸妈妈要积极地作出反应。宝宝发出"mama"的语音时，妈妈要马上说"妈妈在这里"。最好能用手指着自己对宝宝说："我就是宝宝的妈妈。"（要给宝宝起个固定的名字，经常用名字称呼宝宝，使宝宝把名字和自己联系起来。）

做什么事情之前，都应该说"妈妈要干什么什么了"。让宝宝知道你就是他的妈妈，把语音和实际结合起来，宝宝会快速学会发音，并能运用它。同样道理，爸爸做什么也要告诉宝宝。这个阶段婴儿学习语言的最佳途径，仍然是爸爸妈妈多说，宝宝多听。看到什么说什么，不断反复地说，并让宝宝看见、摸到，让宝宝不断感受语言，认识事物。

听的能力：能记住声音了

6月龄婴儿已经有比较敏锐的听力，并对听到的声音有记忆能力。能听出爸爸妈妈和看护人的声音，并会在听到这些声音时，转头找他们。比如晚上闭了灯，宝宝哭闹时，妈妈和宝宝说话或哼摇篮曲，即使宝宝看不到妈妈，也没有用身体接触妈妈，哭声都会停止的。如果是陌生人说话，就不会让宝宝停止哭声，可能会哭得更厉害。

当看到小狗并听到小狗叫时，告诉宝宝这是小狗在叫。经过多次反复强化，宝宝再听到小狗叫时，会到处找小狗在哪里。爸爸妈妈应该让宝宝多听，训练宝宝的听力。听是学习语言的基础，听不懂，就不会说，所以训练宝宝的听力是很重要的。

婴儿期多听音乐是很有益的。婴儿对音乐旋律有特殊的感受，当播放音乐时，宝宝会随着音乐的旋律摇晃身体，能和着音乐的节拍晃动。宝宝对音乐有天生的感受，要多给宝宝听音乐。

运动能力：总体在进步就是健康

这个月的婴儿，能够很容易地从仰卧位翻到侧卧位，再从侧卧位翻到俯卧位。但从俯卧位翻到侧卧，再翻到仰卧是比较困难的。所以，爸爸妈妈还不要让宝宝自己俯卧位待着，宝宝不能自己翻过来，仍然有堵塞口鼻的可能。

由于不会从俯卧翻到侧卧和仰卧，所以还不会在床上翻滚。但婴儿自己会用脚蹬，也会在床上蹭，还是有掉到地上的可能，因此不要让婴儿单独玩耍。床上要有栏杆。

这个月的宝宝，翻身时会把压在下面的手或胳膊拿出来，但不是每次都能够这样，当宝宝翻身时，要注意宝宝的手是否被压在下面了。

俯卧位时，宝宝会用胳膊把上身支撑起来，累了，会把前臂放平，用肘关节和上臂支撑着，头抬得比较高，能够自由活动颈部，环顾四周，这样就增加了婴儿的视野。

把前胸放在叠起的被子上，让宝宝趴着。宝宝会伸开下肢，向前一挺一挺的。这样

宝宝/郑果
果果第一次到比他大10天的衫衫姐姐家做客。看到姐姐家不一样的家具陈设，特别是衫衫姐姐的玩具，果果看得很入神。

宝宝/李昊谦
宝宝抓了一把花叶放到鼻子底下闻：好香啊！很快宝宝就把花送到了嘴里。

锻炼宝宝的腿力，对以后锻炼爬行有帮助。

背靠东西能坐，身体会向前倾斜，前胸几乎和下肢贴上，嘴能啃到小脚丫。快满6个月时，有的宝宝能够坐直一会了，但不要急于让宝宝独自坐着。

竖头使婴儿脊椎出现第一个生理弯曲。坐使婴儿脊椎出现第二个生理弯曲。婴儿的脊椎和骨盆肌肉、韧带、神经发育是有一定顺序的，过早让宝宝坐着，或过多让宝宝练习坐，会影响婴儿各部位的正常发育。

在训练婴儿运动能力时，不能拔苗助长。让婴儿俯卧位时，用手抵住婴儿的足底，婴儿会向前爬跃，但不会有四肢前后协调运动的爬行动作。这样的训练，对以后婴儿爬行是有益，但动作要轻柔，不要让宝宝脸栽到床上。

仰卧时，婴儿会蹬腿，还会两手同时扳着两只小脚丫往嘴里放。宝宝会认真地摆弄自己的两只小手，喜欢吸吮手指。有时会把手和脚统统塞到嘴里，出现干呕。最喜欢的是把拇指放到嘴里吸吮。

拿着玩具会来回摇晃，会把摇铃摇得很响，会用手拍打眼前的玩具。如果把不倒翁玩具放在婴儿面前，他会推着玩。会抱着奶瓶吃奶了。

爸爸妈妈托住婴儿腋下，让宝宝站立时，宝宝会欢快地跳跃。这既锻炼了宝宝的腿部肌肉，为学习走路打基础，还使宝宝心情愉快。

宝宝已经能够准确抓握眼前的物品了，还会把东西比较准确地放到嘴里。要进一步练习抓握能力，锻炼宝宝的手眼协调能力。这时宝宝可以吃磨牙棒了，这不仅锻炼宝宝准确把东西放到嘴里的能力，还会让宝宝认识什么是能吃的，什么是不能吃的。可以让宝宝吃些固体食物，这对乳牙生长有益。

宝宝的运动能力和其他能力都是按一定的次序发展的，有一定规律性，但并不是每个婴儿都完全按照这样的模式发展，这里存在着一定的跳跃，有的落后些，有的发展快些。有一些差别是正常的，不要因为您的宝宝和周围同龄宝宝发育不同步，或与书本上说的有细微差异而感到焦躁不安。只要宝宝在不断进步，就不要在乎某一项暂时落后。

其他能力：会要价了

宝宝开始喜欢和人交流，尽管不会用语言表达，但已经开始用身体的不同部位、动作、哭、哼哼、闹等方法，向爸爸妈妈述说他要干什么。会伸出胳膊让爸爸妈妈抱。会看着爸爸妈妈不抱他而现出着急的样子，这在

宝宝/赵子涵
帅哥5个月会坐了。宝宝注意力好，原本坐在小车中专心玩摇铃，却被新闻联播的片头曲深深吸引，瞧他那认真劲儿，分明看不出刚刚5个月。

宝宝/雨点
雨点5个月22天，还坐不太好，独坐还会东倒西歪。为了配合我们的拍照，在即将歪到的那一刻，舅舅伸出了援助之手。这不小家伙还浑然不知，对着舅妈乐呢。

以前是看不到的。

躺够了，会"吭哧，吭哧"的，发出不愿意的声音；如果不理会他，会哭；再不理，会大声哭，最后几乎是喊叫地哭了；不满意时，会打挺。

如果不想吃奶，妈妈非要喂，就会在妈妈怀里打挺。如果用奶瓶喂，会用小手推开奶瓶，或把塞到嘴里的奶嘴很快地吐出来，把头转到一边去。

如果不爱吃辅食了，会用小手把勺里的饭打掉，甚至会把端到他眼前的饭碗打翻。

如果喂白开水，他不爱喝，会嘟嘟地吹泡玩，一点也不见水下去，他根本就没有吸也没有咽。以前哪会玩这个小把戏！

站在镜子前，不再不知所措了，会啪啪地拍着镜子，乐得不得了。会抓爸爸妈妈的鼻子、脸，有时能把爸爸妈妈抓疼了，如果没有剪指甲，还会抓出个大红道子呢。

高兴时，仰卧躺着，四肢像跳舞似的，有节奏地蹬来蹬去。

如果不高兴，腿蹬得就没有节奏了，一会儿可能会大声哭起来，两腿挺直，气得肢体抖动，会把妈妈吓着，以为宝宝抽了，其实这是要脾气。抱起来哄一哄会好的。但是如果让宝宝哭的时间长了，哭得伤心了，哄也不

管事，就是哭，谁让爸爸妈妈这么长时间不理呢，抱着宝宝好好出去玩一圈吧。

宝宝也会要价了，不像以前那样简单了。如果宝宝在哭闹，妈妈自然会认为宝宝饿了，渴了，尿了，拉了，热了，冷了，要不就是哪里疼了。可能什么都不是，他在要价呢。

宝宝的情感世界也丰富多了。爸爸妈妈要更多地观察宝宝，理解宝宝，宝宝是本难懂的书，要用心去读。

338. 能力开发的几个经典游戏

游戏前言

玩是婴儿的天性，是婴儿必不可少的活动项目。爸爸妈妈不仅要把宝宝喂饱穿暖，别磕了、碰了、伤了，还要天天抽出时间和宝宝玩，这是育儿最重要的一项内容。在玩中开发婴儿的智力，在玩中教婴儿说话，认识世界，在玩中让宝宝快乐成长。

宝宝需要的是兴趣、乐趣和高涨的情绪，如果爸爸妈妈像孩子一样和宝宝玩耍，那是对宝宝健康发育的最大奉献。教练技能和传授知识对婴儿来说不是首要的，让婴儿在玩中体验快乐才是育儿的目的。

在和婴儿玩耍时，要舍得花时间，这样才能提高婴儿的主动能力。如果怕耽误时间，什么游戏都要爸爸妈妈主动帮助婴儿完成，就会打击婴儿的积极性，挫伤婴儿的自尊心（不要认为婴儿这么小，什么都不懂）。当婴儿要够一件玩具

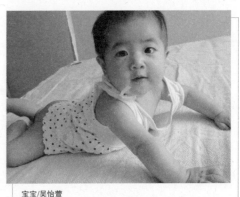

宝宝/吴怡萱
5个月21天，妈妈顺手拿起相机来了个特写。宝宝用上肢把上身撑起很高，肚子很快要离开床面了。

时，由于动作不协调，怎么也够不到，妈妈就把玩具拿到宝宝跟前，说"妈妈拿给你，看一个小笨熊"，这对婴儿是个不好的信息。如果妈妈能不动声色地悄悄把玩具推到婴儿能抓到的地方，最好还差那么一点，婴儿稍加努力就能抓到，那么婴儿抓到玩具后，就会非常高兴，会增强婴儿探索世界的勇气。

当爸爸妈妈抱着宝宝时，宝宝可能会用小手抓你的鼻子、眼睛、嘴。爸爸妈妈要把握住这个机会，告诉宝宝这是妈妈的鼻子，这是妈妈的嘴，或者说，宝宝为什么抓妈妈的鼻子呀等等。这样就教会了婴儿认识人的五官。

每个婴儿都有自己的性格和喜好。有的婴儿喜欢比较剧烈的活动和比较有刺激性的游戏。有的婴儿喜欢相对安静、刺激小的游戏。爸爸妈妈要了解自己的宝宝，寻找适合您的宝宝的游戏，并和宝宝一起玩。

婴儿离不开玩具，但要选择合适的玩具。在陪宝宝玩耍时，也要针对宝宝的某些弱项，加以训练。如胆子小的婴儿，就不要再和宝宝玩跷手跷脚的游戏，那会夸大宝宝的弱点。宝宝性格上如果有什么欠缺，很多都是爸爸妈妈无意中给养成的。

抓东西游戏

这个月的婴儿，已经能够比较准确地抓东西了，但仍然是大把抓，不能分开拇指和四指，更不会用拇指和食指捏东西，手、眼的协调能力还不是很好，手的运动能力还刚刚开始。要练习宝宝抓东西，尤其是抓小东西的能力。

可以让宝宝坐在妈妈腿上，坐在桌子前，在桌子上放些玩具，让宝宝去抓，爸爸妈妈不断改变宝宝与玩具的距离，当把宝宝抱离玩具时，就说抓不到了，当把宝宝抱到玩具跟前时，就说宝宝可以抓到了，宝宝真是有本事，这样使宝宝把抓玩具当做一种游戏，会玩得很开心。

如果婴儿把较大的玩具拿起来，就告诉宝宝这个玩具的名字，并说这是个大玩具。如果宝宝拿一个比较小的玩具，就告诉

宝宝/张涵今
宝宝非常活泼，本来是坐在那里的。闲不住，用手去够小脚丫，结果成了半卧位，像打滑梯一样，宝宝高兴极了。

宝宝这个玩具是个小玩具，让宝宝认识小和大，重和轻，不同颜色的名称，在游戏中认知世界。

藏猫猫

这个古老的游戏是婴儿非常喜欢的。5个月以前的婴儿，外界物体在他的脑海里还不能形成具体的印象。5个月以后的婴儿就有了这种能力。我们可以利用婴儿的这种能力和婴儿藏猫猫，这不但可以培养婴儿积极愉快的情绪，也有助于婴儿想象力的提高。

和小婴儿藏猫猫是很简单的，把手或手绢蒙在爸爸或妈妈的脸上，让宝宝找妈妈哪去了，爸爸哪去了。当宝宝两眼盯着手绢时，妈妈把手绢拿开，露出脸，对着宝宝笑，并说妈妈在这里。宝宝会因为找到妈妈，重新看到妈妈的脸而手舞足蹈，还会发出会心的笑声。

这个游戏会让宝宝意识到，虽然妈妈的脸用手绢挡住了，但妈妈并没消失，就在手绢后面，拿开手绢，妈妈就会出现。从不同的方向露出妈妈的脸，会使婴儿知道物体从一方消失后会从另一方出现，但妈妈的脸总是存在的。如果妈妈用手绢蒙上脸，宝宝会用手去掀妈妈脸上的手绢，这可是不小的进步，对事物已经能够判断，并能付诸行动，这是手、眼、脑共同完成的，体现了婴儿大脑的思

维活动。

找东西

把会响的东西掉到地上，让婴儿去寻找，如果找不到，妈妈就指给宝宝，并抱着宝宝，让宝宝自己把掉下去的东西拿上来，再让宝宝自己把东西掉到地上，再捡起来，反复锻炼，让宝宝知道东西掉下去了，是暂时的消失，会被找到的。这个游戏培养婴儿的观察能力。

绳栓玩具

把玩具用线绳栓上，通过拽线绳，让玩具从远的地方移动到近的地方。让婴儿自己反复操作，使婴儿认识线绳与被栓物体的关系。

两手拿东西

教宝宝用两只手同时拿东西。把一个小球递到宝宝的一只手里，再把另一个小球递到宝宝的另一只手里，最后把两个球同时递给宝宝，观察宝宝是否会伸出两只手接这两个球，如果还不会，就反复游戏，锻炼这个能力。

随音乐摇摆

放节奏感较强的音乐，抱着宝宝旋转摇摆。可以让宝宝靠在被子上，让他自己随着音乐节奏摇摆，每次两三分钟。

宝宝/郑果
宝宝开始不那么认真吃奶，边吃边玩，他用小手抠妈妈的鼻孔，摸妈妈的嘴。这个时期宝宝开始进一步认识妈妈的五官。可以教宝宝五官的名称。

照镜子

抱着宝宝照镜子，告诉镜子里的婴儿就是宝宝，并指着宝宝的鼻子、眼睛、嘴等部位告诉这是什么，那是什么，有什么功能。宝宝会用小手拍打镜子里的影像。通过看镜子里的爸爸妈妈，宝宝逐渐认识镜子是用来照人的，照出来的人，是镜子前面的人。

第4节 本月婴儿营养需求

339. 铁储备告急

5至6月龄婴儿，铁储备减少，母乳和牛乳已经不能够提供足量的铁剂了，因此，从这个月开始就应该逐渐给婴儿添加辅食了。

含铁较高又易于婴儿吸收的食物是蛋黄。如果上月已经给宝宝添加了1/4蛋黄，这个月就可以增加到1/2的蛋黄了。消化很好的婴儿，又有铁不足倾向，可以吃一整个蛋黄。

340. 添加辅食

这个期间的婴儿，对乳类以外的食物也有消化能力了，也开始有了吃乳类以外食物的愿望。这是比较好的半断奶期，为1岁以后由吃奶转成吃饭做好准备。如果添加辅食过晚，婴儿对乳类以外食物的兴趣就会减弱，吞咽、咀嚼功能就不能得到充分的锻炼。

早产儿要赶上足月儿的生长发育水平，需要摄取更多的营养物质。故此早产儿要早添加辅食，而不是晚添加辅食。

341. 配方奶

本月龄婴儿所需热量及各种营养成分，和上月龄相比并无大变。随着哺乳期的即将

宝宝/雨点

宝宝现在对镜子特别感兴趣,瞧他专心致志照镜子的同时,还不忘认真地吃着手指,怎一个可爱了得。

结束,母乳的质和量都在逐渐降低,已经不能够满足婴儿发育的需要了。配方奶是根据婴儿月龄所需营养调配的,可满足各时期婴儿营养需求。但配方奶也不能一直吃到1岁以后,再喂辅食,从奶类食品一步跨到普通饭食。从这个月开始逐渐添加辅食,经过半年的时间,会使婴儿顺利过渡到正常饮食。

342. 保证时间玩

此时,要保证宝宝玩的时间和户外活动时间,如果不是全职妈妈,就不要在制作辅食方面花费时间了,多留些时间陪宝宝玩,把一些琐碎事情交给保姆做,或购买现成的婴儿辅食。

第5节 本月婴儿喂养方法

343. 母乳喂养儿

添加辅食不要影响母乳喂养

母乳仍然是这个月婴儿最佳的食品,不要急于用辅食把母乳替换下来。上个月不爱吃辅食的宝宝,这个月有可能仍然不太爱吃辅食。但大多数母乳喂养儿到了这个月,就开

始爱吃辅食了。不管宝宝是否爱吃辅食,都不要因为辅食的添加而影响母乳的喂养。

饿着宝宝不是添加辅食的好办法

妈妈哺乳快6个月了,乳汁已不够宝宝的食量了,营养成分也下降了,宝宝应该多吃辅食。可宝宝就是不爱吃,怎么办呢?有的妈妈就想出了"好办法":饿着宝宝。让宝宝没有别的办法,只能在饥饿难耐中选择辅食。妈妈这样做是不对的,不但会影响宝宝对辅食的兴趣,还会影响宝宝的生长发育,使婴儿变得极易烦躁。

更换辅食品种

宝宝把喂到嘴里的辅食吐出来,或用舌尖把饭顶出来,用小手把饭勺打翻,把头扭到一旁等等,都表明他拒绝吃"这种"辅食。妈妈要尊重宝宝的感受,不要强迫。等到下一次该喂辅食时,更换另一品种的辅食,如果宝宝喜欢吃了,就说明宝宝暂时不喜欢吃前面那种辅食,一定先停一个星期,然后再试着喂宝宝曾拒绝的辅食。这样做,对顺利过渡到正常饭食有很大帮助。

辅食莫以米面为主

母乳喂养儿不易发生肥胖。但开始添加辅食后,如果数量上不加限制,尤其是对米面类辅食的限制,宝宝很快就会变得肥胖起来。添加辅食后,宝宝每天体重增长超过了20克,或10天体重增长200克以上,就要考虑

宝宝/王震坤

宝宝喜欢和爸爸疯玩,尤其是男孩,非常喜欢爸爸和他激烈地玩耍。爸爸参与到育儿中来,对宝宝的成长意义重大。

宝宝/夏思馨
宝宝想哭就哭，不需要理由，爸爸妈妈就给宝宝一次哭的自由吧，哭的宝宝同样可爱。

辅食品种的选择是否有问题。如果婴儿特别喜欢吃辅食，就要以肉蛋、果汁、汤类为主，不要以米面为主。主食上尽量让宝宝吃母乳，辅食则多吃水果和蔬菜。

妈妈警惕乳腺炎

添加辅食必然会减少母乳的摄入量，对于母乳很充足的妈妈来说，可能常常会感到乳房发胀，如果乳房被挤压，可能会发生乳腺炎。哺乳初期患过乳腺炎的，现在出现这种情况的可能性就更大了。对于母乳不很充足的妈妈来说，宝宝努力地吮吸乳头，还常会用白白的小乳牙咬妈妈的乳头。如果乳头被咬破，细菌就有可能经破损的乳头侵入乳房，引发乳腺炎。

不如购买现成的辅食

添加辅食的时间、品种、次数、多少，是自制还是购买现成的，都要具体情况具体分析。如果妈妈要上班，祖辈或保姆看护宝宝，他们不会制作辅食品，自然应该购买现成的。即使是全职妈妈，如果制作所有的辅食，就会占用大量的时间，宝宝户外活动或妈妈陪宝宝玩的时间就不可避免地减少了。不如购买现成的辅食品，妈妈仅做少量简单的辅食。

成人饮食不是宝宝辅食

成人饭菜在咸淡、油量、生熟、品种和形式上，是不适宜婴儿的。婴儿应该吃更少的盐，婴儿也不能适应较大的油量，尤其是动物油。婴儿应该吃更熟烂的饭食。婴儿更适宜汤类、羹类、粥类食品，不适宜干饭，煎、炒、烹、炸等形式。这个月的婴儿仍然以乳类为主。

用手挤奶的方法

把手洗净，准备好消毒的容器。姆指放在乳晕上方，其他四指放在下面托住乳房，握成一个C型，做有规律的一挤一放的动作。挤奶时，手指不要在乳房上滑动，以免磨擦皮肤造成乳房红肿。手掌要绕着乳房周围，使所有的奶汁都能挤出。一侧乳房挤3到5分钟，再换另一侧，如此交替，挤净为止。

每次挤的奶量不一定相同，开始可能少些，多练习几次，就可以挤得比较干净了。将挤出的奶水存于冷冻室，让照顾婴儿的保姆来喂他。使用挤奶器须按照商品说明书操作，每天必须清洗消毒。使用挤奶器挤奶前，应先进行乳房按摩，从乳房的外围向乳头方向按摩，然后以姆指和食指轻揉乳头。

漏奶的简快处理法

挤奶的次数，要看妈妈离开婴儿时间长短来定。通常最好3小时挤一次。如果奶水在工作的时候滴溢，可用手臂稍微压住乳头1至2分钟，有条件的，最好是挤出一点奶水。奶水流溢会让妈妈很尴尬，许多职场妈妈为此

宝宝/尚潘柔美
婴儿自己玩玩具的兴趣并不高涨，和爸爸妈妈或看护人一起玩，才能引起婴儿的兴趣。

想放弃母乳喂养。其实，奶水流溢一般都是因为有人提起了您的宝宝，这是母性的自然反应。在职场或其他重要场合，妈妈要避免想自己的宝宝，当有人提起时，职场妈妈最好找借口暂时离开，挤些奶出来，就会避免尴尬。慢慢地乳量会自然调节了，漏奶现象也就会自然消失。母乳中的成份不适合细菌繁殖，挤出的乳汁室温下可放置6至10小时。若要放置更长时间，就要放在保鲜容器内。

上班的妈妈如何继续母乳喂养？

让保姆提前尝试用奶瓶

宝宝快半岁了，职场妈妈开始做上班的准备。妈妈不要因为将要返回工作岗位，就急于断奶，强迫婴儿用奶瓶。宝宝知道妈妈还在身边，他是不愿吸食奶瓶的。一旦妈妈真上班了，宝宝会很自然从保姆那里接受奶瓶的。如果宝宝就是不愿意吸奶瓶，可暂时用杯子喂奶。最好在重新上班前，让保姆和婴儿相处得熟一点，并让保姆尝试用奶瓶喂奶。

在宝宝还没太饿时就用奶瓶喂

需要让保姆也明白，宝宝接受奶瓶需要一段时间。比较有效的办法是，在婴儿还没饿的时候，就用奶瓶喂食。因为婴儿已经很饿了，吃到的不是妈妈的乳头，而是陌生的奶瓶，他会感到很委屈，被激怒了，哭闹甚至大哭，无论如何也哄不好了。这时妈妈又真的不在家了，宝宝哭得死去活来，对奶瓶反感至极，以后把奶瓶拿出来，他会非常抵触。而在宝宝还没有饿的时候就用奶瓶喂，让婴儿熟悉奶瓶，即使他不爱吸，也不会因为饥饿而哭闹，耍脾气。

充分利用妈妈的气味

用奶瓶喂奶时，不要将奶嘴直接放入婴儿的口中，而是放在嘴边，让宝宝自己找寻，主动含入嘴里。把奶嘴用温水冲一下，使其变软些，和妈妈乳头的温度相近。给婴儿试用不同形状、大小、材质的奶嘴，并调整奶嘴孔隙的大小。试着用不同的姿势给婴儿喂食。喂奶前抱抱、摇摇、亲亲宝宝，在地上抱着宝宝走一走，使宝宝很愉悦，这时再喂奶瓶可能会更好些。特别值得一提的是，喂奶瓶时，用妈妈的衣服裹着宝宝，让宝宝闻到妈妈的气味，会极大降低奶瓶的陌生感。另外，在宝宝睡着的时候，把奶嘴放入他的嘴中，这样坚持下去，宝宝会很快习惯奶嘴。如果宝宝仍拒食奶瓶，可改用杯子、汤匙喂食。

妙用保温桶

妈妈上班后，不要轻易把母乳断掉。如果不能半途送奶，就把奶挤出来，暂放单位冰箱里。如果单位没有冰箱，就自己备个保温桶，放些冰块在桶的底部，用密闭的小杯子盛母乳，再把小杯子放到保温桶里。

别把奶瓶放到枕头上

一定要让保姆或家人明白，你对母乳喂养宝宝的决心，以及母乳喂养对宝宝的好处。让保姆或家人担负起这个责任，一定要把您挤出来的母乳，千方百计喂给宝宝。绝不能把奶瓶往枕头上一放，让宝宝自己吸食，这会极大影响宝宝心理健康发育。

融解冷冻的母乳

从保鲜箱中拿出的母乳，奶瓶底部会有些沉淀，须轻轻摇匀，并用流动温水冲泡几分钟，使母乳达到室温。不可把奶瓶直接放

宝宝/姜梓君
宝宝坐着时，不再需要两手支撑了，可以把两只手腾出来玩玩具了。

在炉火上面或微波炉中加热，温度过高会破坏母乳的营养成分。融化冷冻的母乳，须将奶瓶放入流动的冷水里，逐次加入热水，直到融解，与室温相同。

温过的母乳不可再冷冻

把母乳分成小量装，最好的容量约为60至120毫升，可让保姆根据婴儿需要的奶量来准备。吃配方奶的宝宝，通常每次吃的量都一样。但吃母乳的宝宝，食量常有改变。如果宝宝吃了奶还觉得饿，保姆可再温少量母乳来喂。假如婴儿在母亲快回家前就饿了，也可以先喂他一点。注意：温过的母乳不可再冷冻。如果停电，不能及时恢复供电，就要把冰箱里存放的母乳尽快让宝宝吃掉了，吃不掉就只好丢掉了。

乳房的温度

妈妈尽量早起些，留出给宝宝喂奶的时间。一天的职场打拼，回到家里，妈妈一定想马上给宝宝喂奶了。妈妈没有意识到，这时的乳房温度还是"室外"的，宝宝马上吃母乳，等于吃了凉奶，必然腹泻。妈妈进了家门，要等上10分、20分钟，并用温水洗一下乳房、乳头，轻轻揉几下，挤出一点奶不要，再抱宝宝美美地吃奶。

和宝宝一起睡

职场妈妈由于白天喂奶次数少，乳汁分泌量可能会有所减少，所以妈妈晚上和宝宝

宝宝/张涵今
宝宝很幸福的样子，妈妈常常会说看宝宝那环样，是疼爱的说法。

睡在一起是最好的，可增加喂奶次数，刺激乳汁分泌。晚上，宝宝睡觉，妈妈最好也睡觉，不要坐在电视机旁到夜深。可能深夜您刚睡下，宝宝就醒了要吃奶，妈妈的睡眠整个被打乱了。

星期五

妈妈星期五上班时挤的奶，可以冰冻至星期一喂宝宝，大周末妈妈可以亲自喂母乳了，这会刺激妈妈产生更多的母乳。星期一上班时，妈妈会稍感奶胀，其实这就更利于挤奶了。

咖啡因

妈妈多喝液体食物，多吃有营养的食物，每天多喝水、果汁或牛奶，少喝含有咖啡因的饮料。母亲体内咖啡因过多，会引起婴儿不良反应。

丈夫的体贴

上班后还坚持喂母乳的妈妈，面临的最大考验就是疲倦：工作人员、家庭主妇和哺乳妈妈这三种角色集于一身，操劳可想而知。丈夫一定要体谅妻子的操劳，担负起家庭生活的责任，尽量让妻子休息、睡眠，保证妻子有足够的体力和心情，哺育宝宝。妻子也要知道自己操劳的极限，和丈夫讲明白，但不要唠叨，争取得到丈夫最大限度的帮助和疼爱。

344. 牛乳喂养儿

关于小胖子的临床感悟

牛乳喂养儿厌食牛奶的很少，大都很喜欢吃牛奶，添加辅食也比较容易。添加辅食后，牛乳摄入量每天不应超过1000毫升。如每次200毫升，则每日5次；如每次250毫升，每日则4次。如果每次180毫升，每日5次，宝宝也能吃饱，那就保持180毫升，也不要为此多吃辅食。

儿童肥胖就是在5~6月龄时打下的基

础。周围有同龄儿的时候，胖宝宝的妈妈总是比较得意，而不胖宝宝的妈妈就有喂养失败的感觉。其实这是误区，胖并不代表健康，不胖不瘦才最好。

原来食量就小的宝宝，辅食同样也吃得少。有的宝宝每次只喝150毫升牛奶，甚至只喝100-120毫升，每天喝4-5次，也不爱吃辅食。这种情况，纵使宝宝生长发育并不落后，长得也不瘦，爸爸妈妈仍会很着急。没有为婴儿肥胖发愁的父母，却有为宝宝不肥胖而焦虑的爸爸妈妈。

事实上，真正患有厌食症的宝宝是极少的。在大量育儿咨询中，我明显感到，爸爸妈妈们在育儿生活中过于机械地理解生长数据了，宝宝应该吃多少，应该喝多少，应该长几斤，应该长多高，应该睡多少，应该会什么本领等等。肥胖儿就是这样养出来的，会影响孩子一生的健康和幸福，父母却意识不到，这是真正令人焦虑的。

5-6月龄婴儿，可以添加两种以上的辅食了。蛋、肉、蔬菜、水果、粮食可搭配着制成婴儿辅食，也可购买一些现成的婴儿辅食品。还要遵循上个月辅食添加的原则。

概括讲来，本月婴儿的喂养方法，要注意10点：

1）辅食要一种一种地添加。添加某种辅食，如婴儿表现出不适，如呕吐、腹胀、腹泻、消化不良、不爱吃等等，就要暂时停止添加，也不要添加另一种新的辅食，但可继续添加已经适应的辅食。1周后，再重新添加那种辅食，但量要减少。

2）即使婴儿特别爱吃辅食，也不能断牛奶，这个月宝宝仍应以奶类为主要食物。

3）如果婴儿总是把喂进去的辅食吐出来，或用舌尖把辅食顶出来，就暂时停止这种辅食的添加，改其他种类，或等1周后再重新添加。

4）不要因为宝宝不爱吃辅食就不给奶吃，惩罚宝宝。

5）不要因为宝宝不爱吃辅食就认为宝宝厌食，给宝宝吃药。

6）不要因为给宝宝做辅食，减少和宝宝玩，带宝宝户外活动的时间。

7）混合喂养宝宝的妈妈，不要因为要工作而断母乳。

8）不要只给宝宝吃商店出售的代乳食品。

9）不要因为宝宝不吃辅食，就填鸭式地喂宝宝，把宝宝逼成厌食婴儿。

10）对辅食商品说明书上标注的喂养量，不可机械照办。宝宝食量是有差异的，应该灵活地对待说明书上的推荐量。如果宝宝吃不了推荐的量，妈妈不顾宝宝的反抗，

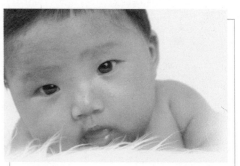

宝宝/刘奕霏
5个多月的宝宝，大脑逐渐走向成熟，视觉敏感度几乎接近成人了，非常机灵。热衷于开发婴儿潜能的父母，要在婴儿情绪饱满的时候进行开发游戏，但时间不能太长，这么大的婴儿注意力时间很短。

当宝宝张嘴大哭时，乘机把一勺米粉塞到宝宝口中，这种做法是极端错误的。

第6节 不同季节护理要点

345. 春季护理要点

多做户外活动

正赶上春暖花开季节，妈妈带宝宝户外活动方便多了。不用再穿厚厚的棉衣了，活动更加自如；不用戴着帽子了，视线更加宽阔；不用再兜厚厚的尿布了，肢体更加灵活了。爸爸妈妈要利用这个大好时节，带宝宝多做户外活动。

远离人群密集区。宝宝源自母体的免疫蛋白这个月还没有消失，对风疹、麻疹、腮腺炎、流脑等病毒性传染病仍有一定的抵抗能力。但如果接触到这类病的患儿，宝宝仍有可能被感染。所以不要带宝宝到人群聚集的场所，轻易不要带宝宝到医院。

减D补钙

宝宝到户外接受更长时间的阳光照射，维生素D的补充量可逐渐减少到每天300IU，盛夏时可减至200IU。接受日照时间增多，可

宝宝/王美泽

宝宝的妈妈是总经理，工作很忙，小家伙由姥姥带着。姥姥和妈妈常常因为养育孩子问题而发生争执，对孩子的成长是不好的。妈妈知道这个道理，改变了这个俩的交流方式，有分歧心平气和地讨论。这样一来，宝宝的脾气也不再像原来那么大了。

能会引起血钙一时降低，出现低血钙症状。所以开春后可以给宝宝补充一两周钙剂。

346. 夏季护理要点

少抱

夏季里，爸爸妈妈的身体可能更像火炉，这时要是再抱着宝宝，体温会传给宝宝，宝宝会更热。所以夏天不要老抱宝宝，让宝宝坐在婴儿车里自己玩，充分散热。

多喝白开水

多给宝宝喝水，果汁、菜汁、米汤不能完全代替白开水。夏天宝宝补充足够量的白开水，是防止中暑的好办法。

树荫不是背阴

不要让阳光直接照射到宝宝，可以给宝宝戴一顶遮阳帽。在树荫下接受从树叶缝隙间射下来的阳光，是较好的日光浴。不要在高楼的背阴处，这样的地方一点阳光也没有，起不到日光浴的作用，而且容易有强风，对宝宝不利。

先擦汗后洗澡

爸爸妈妈都知道夏季要勤给宝宝洗澡，但如果宝宝这时正是汗流满面，是先洗澡还是先擦汗呢？许多妈妈不一定回答正确。正确的做法是，不要马上洗澡，要先把汗擦干。

发热不能捂

夏季宝宝发热，首先要想到"夏季热病"。不要把宝宝捂起来，也不要多给宝宝穿衣服。应该多喂水，或洗个温水澡，放在凉爽无风的地方，使宝宝能够充分散热。

适当减少食量

夏季婴儿的消化功能可能会减弱，食欲会有不同程度的下降。爸爸妈妈不要按原来的食量喂养宝宝了，辅食的添加也要适当减少。

注意卫生

天气炎热，食物容易变质，一定要注意

卫生。尤其是辅食，最容易被细菌污染。餐具、炊具也是细菌容易滋生的地方，使用前要注意消毒。不能吃剩下的食物。混合喂养的妈妈在喂母乳时也要注意，喂奶前最好用清水清洗乳头，一定要把手洗净。

冰箱不是消毒柜

不要认为放在冰箱里的食物就是安全的。放在冰箱里的熟食，尽量不给婴儿吃。冰箱里的食物最好不要超过24小时。超过24小时但未超过72小时的食品，吃前一定要加热至沸腾，不能温一温就给宝宝吃。超过72小时的，一定不要再吃了。

慎用痱子粉

夏季里婴儿很容易出痱子，妈妈多是给宝宝使用痱子粉。其实多给宝宝洗澡，才是预防痱子的最好方法。因为擦上痱子粉，婴儿出汗，痱子粉就开始和泥了，浸湿的痱子粉就会糊在皮肤上，刺激皮肤，痱子粉中的一些化学成分还可能被皮肤吸收。尽管痱子粉有吸汗、凉爽的作用，但在炎热的夏天，这种作用被大大削弱了。痱子粉更适宜在夏末初秋使用，那时也是婴儿比较易起痱子的时候，但那时出汗不是很多了，痱子粉能够较好起到防痱的作用。一般来讲，痱子水要优于痱子粉。如果痱子上有小白尖（俗称"毒痱子"），可以擦抗菌素药水。

出汗不就是缺钙

婴儿睡觉时很爱出汗，妈妈往往会以为宝宝缺钙。其实，小婴儿睡觉爱出汗是很正常的，并不是有病或缺钙的表现。爱出汗也与遗传有关，如果爸爸妈妈睡觉爱出汗，宝宝往往也爱出汗。有的妈妈说"我和他爸爸都不爱出汗"，这说的仅仅是现在的状况，他们小的时候可能很爱出汗，只是他们的老人记不清楚了，或没有告诉他们。

更要防蚊虫

盛夏到来，蚊虫多了起来，更要防止蚊虫叮咬宝宝。

避免空调缺氧

夏季天黑得晚，亮得早，室外比较嘈杂。加上晚上天气闷热气压低，大人睡眠不安，宝宝也会哭闹。使用空调的家庭，晚上睡眠时可能会把空调关闭，门窗也紧紧关闭，以免室外热气进入室内。但没有空调换气，室内氧气浓度会变稀薄。婴儿不能忍受缺氧，会因氧气不足而哭闹。最好的办法是不关空调，把温度调高些，如28℃。如晚上室外不是很热，可关闭空调，打开门窗，爸爸妈妈和宝宝都会安静下来，睡个好觉。

要保持45%的湿度

清晨起来，一定要通风换气半个小时。绝不能门窗关闭仅靠空调换气。使用空调时，不能让空调风口对着宝宝吹，还要注意室内湿度不要低于45%。使用电风扇时，更不要让风直接吹着宝宝。

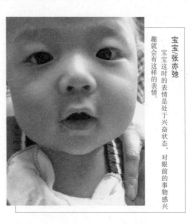

不能吃冷饮

这么大的宝宝，可以吃冷饮或冰镇饮料吗？这是妈妈常问的问题。回答是不能。可以给宝宝喂食常温酸奶，每天约50~100毫升。酸奶有助消化的作用，夏季喝些对婴儿有好处。配方奶、牛奶、辅食不能吃凉的，但也不要太热，温的就可以（沸后放温）。

347. 秋季护理要点

避免秋季出痱子

秋季是婴儿最不易患病的季节，但秋初婴儿还易生痱子，这时使用痱子粉就比较有效了，洗澡后给宝宝擦些痱子粉。不要因为秋季来临，天气不再那么热了，就突然不给宝宝洗澡了，或一天仅洗一次，这样也会造成婴儿出痱子。

秋季温差比较大，早晚凉，可中午还会很热。所以秋季宝宝还是要勤沐浴。

秋季腹泻

秋季腹泻几乎是小婴儿每年都要流行的疾病，只是程度有所不同。口服或静脉补液盐的使用，使腹泻不再是婴儿死亡的主要病因了，但腹泻仍然是危害婴儿健康的杀手，要注意预防。虽然说不要过早添加衣服被褥，但也不要让宝宝受凉。一旦宝宝出现腹泻，

宝宝/陈军佑
宝宝会自己拿着奶瓶喝奶喝水，给宝宝准备一个带把手的水瓶子，让宝宝拿着自己喝，是解决宝宝不爱喝水的方法。

及时补充丢失的水分和电解质。口服补液盐的及早使用，可免除宝宝静脉输液之苦。

仍要"春捂秋冻"

秋季不要早早关窗关门，早早把宝宝捂起来，穿圆了，这对宝宝是很不好的。要让宝宝做耐寒锻炼，穿得太多，会影响宝宝活动。宝宝一活动就出汗，宝宝烦躁，还容易感冒。

警惕秋后蚊子

秋季的蚊子咬人更厉害，还要注意防止蚊虫叮咬宝宝。

348. 冬季护理要点

适当多补维生素AD

婴儿从出生后半个月开始补充维生素AD，半岁以前每日400IU。这个补充量不是一年四季都如此，夏季婴儿晒太阳时间较长，可以适当少补些。冬季婴儿户外活动大大减少，尤其是北方婴儿，晒太阳的时间明显减少，因此可以多补些AD。如果每天在户外接受2小时的日光浴，维生素D的补充量可以是300IU。但冬季尽管在户外接受2小时的日光浴，也仅仅是面部能够接受到阳光，光照也不一定充足，不能通过紫外线照射产生足量的骨化醇，所以仍然要通过药物来补充。进入冬季后，每日维生素D的摄入量应该达到400IU。

注意肥胖

冬季婴儿食欲大多比较好，也是婴儿长体重的时候。对于食欲好，食量大的婴儿，爸爸妈妈要注意避免宝宝肥胖。

冬天也要到户外

北方的爸爸妈妈到了冬季，多不敢再带宝宝到户外，整天闷在家里。这种喂养方式是不对的。即便是冬季，只要天气晴朗，风不大，中午带宝宝到户外活动两个小时，是很理想的安排。

半岁以后，婴儿从母体中获得的抗体会

宝宝/尚潘柔美
蓝天,白云,幸福的妈妈,安详的宝宝。

逐渐消失。如果不加紧锻炼,让婴儿自身产生抗体,适应气候的变化,就难以抵御病毒细菌的侵袭。冬天户外活动能增强宝宝呼吸道耐寒能力,对预防呼吸道疾病有很大作用。

保持18-22℃室内温度

没必要把室内温度弄得很高,18-22℃是适宜的室内温度。如果室内温度过高,婴儿户外活动时呼吸道会受不了冷空气的刺激。另外,室内温度过高且空气不新鲜,宝宝本来已经消失的湿疹可能会卷土重来。

保持40%的室内湿度

室内温度过高,另一个结果就是室内湿度过低。湿度低,造成呼吸道黏膜干燥,纤毛运动能力降低,对病毒细菌的抵御能力降低,易患呼吸道感染。室内干燥还会让宝宝口鼻分泌物黏稠,不易被清理,嗓子呼噜呼噜的;鼻黏膜干燥,诱发鼻出血。冬季室内湿度保持在40%是比较适宜的,妈妈最好买个湿度计挂在家里,时刻能观察到室内湿度。

加湿器惠及婴儿。

加湿器是保持室内适宜湿度的理想电器,对婴儿没有伤害,但要放在婴儿碰不到的地方。室内放水盆,暖气上放湿毛巾,地上泼水,也会增加室内湿度,但这种方法提高的湿度,对婴儿呼吸道黏膜的保护并没有太大的意义。

第7节 其他生活护理要点

349. 衣服、被褥、床、玩具

衣服

本月龄婴儿穿的衣服,要舒适、宽大、柔软、安全、易穿易脱、吸水性强、透气性好、色彩鲜艳、款式漂亮。5-6月龄的婴儿,感觉更灵敏了,如果穿着不舒适,就会哭。衣服瘦小,会影响宝宝生长发育;衣服不柔软,会伤及婴儿稚嫩的皮肤。

这个月的婴儿很可能会拿起比较小的东西,而一旦拿到手里,就会马上放到嘴里。如果小钮扣或饰物被宝宝拽下来,放到嘴里,那是很危险的,气管异物危及生命。给婴儿选择衣服,安全性第一。

宝宝不能总是穿着衣服睡觉了。当妈妈给宝宝脱衣服时,宝宝会手脚乱动,不让脱;穿就更困难了。一般来说,小婴儿喜欢脱衣服,不喜欢穿衣服。所以给宝宝买衣服,一定要买那种易穿易脱的衣服。

宝宝容易出汗,要选吸水性强、透气好的衣服。宝宝对色彩已经有认识了,穿在身上的衣服,可通过镜子映照出来,对宝宝色彩感觉的正常发育有很好的刺激作用。妈妈最好能告诉宝宝这是什么颜色,那是什么颜色,宝宝通过自己的衣服就开始了解彩色的世界了。

宝宝穿着色彩鲜艳、款式漂亮的衣服,就会得到周围人的赞赏。宝宝已经能够感受陌生人说话的语气,周围人在夸奖宝宝时,宝宝会很愉快。这对婴儿社交能力的正常发育有很大好处。

被褥、床

被褥、床的要求,与上个月没有太大区

宝宝/尚潘柔美
熟睡中的宝宝。

别。床旁边要不断更换新玩具，让宝宝躺在床上踢玩具玩，用手摸打玩具。

这么大的婴儿，如果长时间躺在床上，他会大声哭叫以示抗议。也不应该让宝宝总躺在床上。尽管宝宝已经会翻身了，但无论仰卧、侧卧、还是俯卧，宝宝的视野都没有坐着或站着开阔。看到的东西少，宝宝会感到寂寞。多抱着宝宝到处走走，比俯身逗宝宝玩更好些。

玩具

这么大的宝宝，对玩具的兴趣增强了，但他真正感兴趣的还不是玩具，而是我们日常的东西。妈妈会发现，再高级的玩具，宝宝玩熟了，就会把它扔到一边，淘汰玩具的速度越来越快。可对日常生活中的东西，却表现出极大的兴趣。比如一把吃饭的小勺，宝宝会不厌其烦地玩好长时间，还很开心。

等宝宝会迈步走的时候，对户外的一草一木，会投入更大的兴趣。有位妈妈告诉我，她的儿子两岁多，家里玩具几乎应有尽有，可宝宝玩几下就够了，喜欢到外面玩地上的小树枝、小树叶、小石头，抓把土，看到小蚂蚁会兴奋得不得了，还拿着不同形状的树枝问妈妈：看这个像我的手！妈妈一看，还真像宝宝的小手。

妈妈不解，宝宝为什么喜欢那些"破玩意"，而不喜欢高档玩具呢？其实这是宝宝的天性，喜欢大自然不正是人的天性吗？再高级的玩具也代替不了自然界的"破玩意"，不让宝宝在外面玩，怕脏了，怕碰了，这会扼杀宝宝对外面世界的探索，扼杀宝宝的兴趣。不必买太多的玩具，把日常用的东西拿给宝宝玩，带宝宝到外边玩，边玩边认，这是引导宝宝认识世间万物的很好方法。

350. 睡眠护理

睡眠时间

这个月的宝宝晚上应该睡多少，白天应该睡多少，应该睡几觉等等，并没有统一标准。晚上睡10个小时当然是比较理想的，但有的宝宝会睡10多个小时，有的宝宝只睡8-9个小时。白天能睡两三觉也是比较好的，上午睡2个小时，下午睡3个小时，有的宝宝晚饭后还眯1小时。一天24小时能睡15-16个小时，甚至达18个小时。这是比较理想的。但有的宝宝一天24小时只睡12-14个小时，却也挺精神，吃得也不错，体重、身高增长也正常，妈妈就不要为宝宝睡眠少而着急了。

但宝宝晚上睡得过晚，会影响大人休息。因此晚饭前尽量不让宝宝睡觉，和宝宝做些游戏，把觉都赶到晚上去睡。如果宝宝不喜欢这样，那就依着他好了，别让宝宝哭个没完。睡眠时间经常哭的宝宝，会成为闹夜的宝宝。另外，爸爸妈妈和宝宝对着干，会挫伤宝宝自尊心，长大后可能性格孤僻，情感有障碍，社交能力差。

没必要非按书本上说的睡眠时间强迫宝宝就范，逐步养成规律的睡眠习惯是最好的事情。但有的宝宝就是不同寻常，睡眠时间令人大惑不解。或者从出生开始，父母无意间给宝宝养成了奇特的睡眠习惯。矫正是比较困难的，要慢慢来。

睡眠少

有的宝宝睡眠少，夜里可能醒1~2次，甚至2次以上。妈妈心中很是着急，不知宝宝是否正常。不必急，先回答这3个问题：第一，宝宝出生开始睡眠就差吗？第二，睡眠是逐渐变少的吗？第三，是从这个月（5~6月龄）才开始变少的吗？

同时，妈妈还要准确了解这样两个问题：第一，宝宝的生长发育是否正常？第二，睡眠少是否伴随其他异常？如果宝宝生长发育正常，也无任何其他异常，那么睡眠少可能就仅仅是单纯的睡眠不好，不意味有什么病变，妈妈就不必着急了。

如果宝宝生下来睡眠就少，那可能与遗传有关，属于睡眠少宝宝。如果睡眠是逐渐减少的，那可能是随着月龄的增加而改变了睡眠习惯。如果是从这个月才开始睡眠减少，就要寻找一下宝宝睡眠减少的直接原因了。

· 是否大人改变了睡眠习惯。

· 是否是季节问题，如在炎热的夏季。春季接受较多日光，宝宝血钙暂时降低，会造成睡眠不实，容易惊醒。冬季室内空气流通较差，气压低，氧浓度低，燥热，宝宝睡眠环境不舒服。

· 是否母乳不足，宝宝吃不饱，又不爱吃辅食。

· 是否宝宝因病扎针受了刺激，梦中惊醒。

宝宝/王震坤
宝宝还不到6月，独坐时间比较短暂，时间长点，小腰板就不是挺得直直的了。

· 是否户外小狗对着宝宝汪汪叫，吓着了宝宝。

· 是否宝宝生病不吃药，妈妈强行灌药，宝宝很生气，睡眠中仍心情不安。

· 是否宝宝近日曾掉到地上，或没有坐住突然仰过去了。

这些情况都可能使宝宝睡眠不安，妈妈要考虑到。常有这样的情况，小保姆看护宝宝没经验，宝宝掉到地上了，小保姆害怕主人责备，隐瞒了事实，这样宝宝睡眠不安，爸爸妈妈就不知道怎么回事。要仔细观察，多询问，不要动不动就带宝宝上医院，增加宝宝感染疾病的可能。如果掉到地上的宝宝常哭闹，精神差，睡眠增多，就要警惕是否摔伤了脑组织，及时看医生。如果宝宝突然在睡眠中哭闹，一阵阵的，不要忘记小儿肠套叠的可能。

不要动不动就认为宝宝缺钙，只要正规补着，就不会缺的，除非有疾病情况。宝宝睡眠多些，妈妈总是因为担心宝宝不聪明而把宝宝叫醒，这是非常不妥的。只有宝宝睡眠时间太长了，才有必要看一下医生，及时发现异常，解除疑虑。

351. 尿便护理

大便的变化

因为本月正式添加辅食，宝宝的大便可能会变稀、发绿，次数增多，有些奶瓣。这不是婴儿腹泻，不需服药。如果宝宝大便次数一天超过了8次，水分较多，确实不正常，要带宝宝到医院化验大便，确定是否有感染。

如果没有细菌感染性肠炎，就不要吃抗菌素。否则不但不能治疗好腹泻，还会破坏肠道内环境，加重腹泻。如果怀疑病毒性肠炎，要注意补充丢失的水和电解质。如果是新添加的辅食导致婴儿消化不良，就吃助消化药，并暂停添加那种辅食。

腹泻护理常见错误

·滥用广谱抗菌素

婴儿腹泻的治疗和护理中，最易出现的错误是在不该服用抗菌素的情况下，给宝宝吃抗菌素，而且吃很高级的广谱抗菌素，吃的时间还不短。这对宝宝的健康其实是一种伤害。

肠道内存在着大量的非致病菌，这些正常的菌群之间维持着一种生态平衡。每个孩子肠道自身都维持着这一生态平衡。不正确使用抗菌素，尤其是广谱抗菌素，会杀灭肠道内的正常菌群，导致菌群失调，使肠道内环境遭受破坏，从而出现肠道功能紊乱，致病菌就会乘虚而入引发细菌性肠炎。

只有确定孩子患了细菌性肠炎（如细菌性痢疾，致病大肠杆菌肠炎等）才使用抗菌素。而且必须在医生指导下合理选择抗菌素的种类和用药方式。随便使用，只能加重腹泻，破坏肠道正常菌群，严重者引起伪膜性肠炎，这是致命的抗菌素并发症。

·打针输液也有指征

孩子腹泻，在地段医院打针不见好转，孩子精神反而越来越差，有的甚至输液也无效。这是为什么？道理很简单，腹泻是肠道疾病，肌注抗菌素（甚至用青霉素）先吸收入血，再到肠道作用，效果当然不如直接肠道给药好。若是非感染性腹泻，肌注抗菌素就更无效了，采用灌肠疗法要比输液打针有效得多。况且，腹泻对小儿的危害主要是丢失电解质和水分，口服补液盐是补充电解质的重要措施，若能经口补充丢失的液体，要比输液具备更大的优势。

·把腹泻和辅食对立起来

这个月的宝宝，还会由于不添加辅食而引起腹泻。随着宝宝月龄的增加，乳类食品已经不能满足宝宝的需要，有的婴儿还会从这个月开始，对乳糖或牛奶蛋白质不耐受，而乳量不足和乳糖不耐受都会使宝宝肠蠕动增强，排出又稀又绿的大便，大便次数也增多了。所以，如果宝宝这时大便一直不好，妈妈就不敢添加辅食，那就错了，可能一添辅食，大便就好转了。

·限制食量

有的宝宝便稀时间比较长，妈妈就限制宝宝食量，造成宝宝营养不良。宝宝不是拉瘦的，而是饿瘦的，这一点也要提请妈妈注意。

便秘护理

母乳喂养儿本月大便次数还会保持一天4~5次。牛乳喂养而便秘的宝宝，会因为添加了辅食而使便秘有所改善。但从出生就便秘的婴儿，通过饮食调整改善便秘也是不容易的。

多吃香蕉、绿叶菜泥可能会改善便秘。但有的宝宝无论采取什么方法，都效果不佳。临床中遇到这种情况，往往让宝宝吃较多胡萝卜泥，喝胡萝卜水，效果明显。

蜂蜜和芝麻油对改善婴儿便秘的作用，并不像妈妈期望的那样明显。况且蜂蜜也不适宜1岁以内的婴儿服用。

给宝宝做腹部按摩也是比较有效的方法。从宝宝右下腹部轻轻向上、向左、向下揉到左下腹部，也就是从升结肠到降结肠，刺激大肠蠕动，使大便排出。

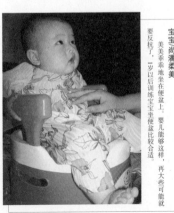

宝宝尚潘柔美

美美乖乖地坐在便盆上。婴儿能够这样，再大些就可能不会反抗了。1岁以后训练宝宝坐便盆比较合适。

护理婴儿便秘，无论如何也不能用导泻药。用开塞露或灌肠要有医嘱。

如果宝宝几天才大便一次，每次大便前腹部都很胀，一次拉得很多，就要及时到医院，诊断宝宝是否是巨结肠。

把便的尴尬

这个月宝宝大便时会脸发红，眼神发呆，肢体活动减少，突然变得安静等等。如果妈妈有经验，知道宝宝要大便了，可以让宝宝坐便盆，或把一把宝宝。宝宝顺利把大便拉出来，妈妈很高兴，以为这就是在训练宝宝大便，其实这是不切实际的。

这么大的婴儿还不会控制自己的大便，把便成功只是妈妈的经验，并不是宝宝的控制。把便不会每次都如愿以偿，有的时候宝宝就是打挺，不让妈妈把，可刚一放下，就拉了。妈妈很恼火，而这恰恰是再正常不过的事情。不要把精力用在训练宝宝拉大便上，同样也不用训练宝宝解小便。能够把到便盆中，就把一把；一时不能，也很正常。

夜里小便

夜里排大便的宝宝不多，但夜里尿尿的宝宝不少。有的宝宝即使排尿，也不醒，妈妈换尿布，也不影响宝宝睡眠。有的宝宝排尿前就醒，甚至还哭，排尿后不能马上入睡，可

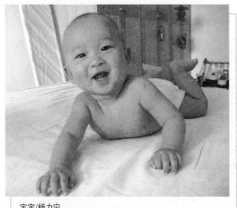

宝宝/杨力宁

宝宝6个月，夏天，摄于家里，当时他长出了两颗牙，一乐就露出来了，很自豪的样子。

能会玩一会儿，也可能会哭一会儿。有的宝宝尿在了尿布上，妈妈怕宝宝淹屁股，就换尿布，结果宝宝醒了，还大声哭。如果宝宝并没有尿布疹，尿湿了也并不哭闹，就不必急着换尿布。宝宝睡眠不受打扰是最重要的，换不换尿布，要看宝宝睡眠的需要。

疾病怀疑

冬天或宝宝缺水分，便盆中的尿会有白色沉淀，这是尿酸盐析出，不是宝宝病变的反映。如果尿黄，恐怕也与缺水无关，因为多喝了橘子汁，就会排出黄黄的尿。

男婴排尿时哭闹，要看是否包皮过长或臀红。女婴排尿时哭闹，要看是否尿道口发炎。宝宝排大便时哭闹，要看是否有肛门疾患，如肛周感染、肛门裂伤、臀红等。

如果把尿把屎宝宝就哭闹打挺，自己排尿排便并不哭闹，那就不要再把了，不用怀疑宝宝有什么不正常。

352. 户外活动护理

户外活动的有关内容，已经在前面章节叙述过了，这里不再赘述。我只想重点说说，老人和保姆看管婴儿到户外活动，要特别注意的几个问题。

老人带宝宝户外活动

老人带宝宝到户外活动，大多是把宝宝放在婴儿车里，找一处阴凉地，坐在婴儿车旁看着宝宝，说说话，推一推车，像摇婴儿的摇篮。这样的户外活动，安全系数很高，但利用外界景观开发婴儿潜能的努力是不够的。

爸爸妈妈一方面要尽量通过游戏、画报、电视、玩具、实物等方式开发宝宝潜能，一方面也要告诉老人，多抱抱宝宝。抱的方法是：宝宝背靠老人前胸，坐在老人腿上，老人用一只胳膊揽住婴儿胸部（从婴儿两腋下绕过），另一只胳膊揽住婴儿的下腹部。这样抱着宝宝，宝宝的视野会增大，对外界景

宝宝/吴怡萱

5个月又18天，看到小区的小朋友坐在小三轮车里很开心，家妮很喜欢，妈妈就也给她买了一辆，刚坐在车里，家妮笑得小嘴都合不拢了。

物的观察也比较容易了。

保姆带宝宝户外活动

年轻保姆看护宝宝的情形，常常体现着她的品行、性格、受教育程度、家庭背景、责任心、生长环境等因素。但也有共同之处，那就是她们一般不是做了母亲的女性。她们对宝宝的感情，更多的是像对待小弟弟小妹妹，有喜欢，有疼爱，有讨厌，有气愤。喜欢时会和宝宝疯玩，讨厌时会怒视宝宝，表情比较丰富，随意性很强。如果居住区有几个年轻保姆，她们带宝宝户外活动时，常会凑在一起说笑，交流主人家的种种情况，而把宝宝晾在一边，有意外事故发生的隐患。年轻的父母们一定要提醒小保姆注意，防止意外事故发生。

户外活动常出现的意外

意外摔伤。看护人坐着，帮助宝宝站立在自己腿上。这时宝宝两脚不断在看护人腿上跳跃，如果看护人没有揽住宝宝上身，只注意跳跃的小脚，宝宝很可能会栽下去，头脸部被擦伤，甚至伤及脑组织。

呛奶。看护人在户外喂宝宝奶瓶时，可能忙着和别人说话，把奶瓶就放在婴儿车的枕头旁边，让婴儿自己吸吮，极有可能发生呛奶。

意外烫伤。在户外给宝宝冲奶，暖水瓶很有可能随手放在了婴儿能碰到的地方，发生意外烫伤。

意外窒息。推着婴儿车扭头看街景，一阵风可能把小小的塑料薄膜吹起，罩住了婴儿的口鼻，而看护人还完全不知道"眼下"正在发生的悲剧！另外，能引发呼吸道堵塞的东西，一定不要让婴儿抓到。这一点在室内是清楚的，但到室外，警惕性常常放松了。

宠物抓伤。带婴儿到户外，不要让婴儿触摸别人养的小宠物，更不能让宠物舔到婴儿。宠物狗抓伤宝宝，会带来狂犬病等，爸爸妈妈可就紧张了。

随着生活水平和文明程度的提高，受过专门培训的保姆，婴儿看护水平大大提高了。让专业人员看护婴儿会减轻爸爸妈妈的负担。双职工家庭把宝宝送到服务质量好的托婴机构，也是不错的选择。

353. 免疫接种

5～6月龄的婴儿，应该接种第3针百白破疫苗了。接种后7～8个小时可能会出现低热，一般不需要处理，1～2天后就不发烧了。如果出现高热且持续不退，或伴有其他异常，应及时看医生。

宝宝/王思琪

春暖花开时节多带宝宝到户外活动是提高宝宝抵御疾病能力的好方法。宝宝的衣袖有些长了，这样不利于宝宝手的活动。宝宝穿的衣服要力求合体，以免影响宝宝活动。

第8节 本月护理几大难题

354. 把尿打挺，放下就尿

本月宝宝经过训练能否建立排尿规律？能否控制小便？答案是否定的。婴儿大小便是无条件反射，这么大的婴儿神经系统发育尚未完善，对大小便是不能自主的，全靠先天的生理机能自动排便，还不会主动地通过小腹肌运动来挤压排便，更不会意识到大小便来临，有意控制使其不出。

妈妈通过声音、姿势，可以建立宝宝大小便的条件反射。但这种条件反射与训练宝宝大小便，是概念不同的两件事。5-6月龄婴儿对尿便排泄没有什么意识，不会参与主观控制。当婴儿的直肠或膀胱充满以后，就会产生一系列连锁反应，排出尿便。

通过嘘嘘的声音，或通过把尿、坐盆的动作，建立起来的条件反射，不是宝宝学会了控制大小便，而是妈妈学会了观察宝宝排泄的信号（眼神发呆、脸发红、突然停止玩耍、放屁、肚子咕噜咕噜响、小鸡鸡挺立、暗暗使劲等等）。

过早训练宝宝大便，让婴儿长时间坐便盆，这是不好的。如果妈妈能够判断宝宝马上要大便，可以让宝宝坐便盆。如果不能判断，就不要长时间把着宝宝了，这样可能会造成宝宝能力衰退。总是把小便，宝宝建立了排尿非主观意识反射，妈妈一把，尽管宝宝膀胱并没充盈到排尿的程度，宝宝也会排尿，造成尿频。

355. 闹夜

满3个月以后，生理性哭闹的宝宝很少，哭闹多出于社会性或心理上的原因。5-6月龄

宝宝/尚潘柔美
妈妈这样举着宝宝，宝宝一脸的严肃，这是因为宝宝有些害怕。

婴儿闹夜的较多，原因不是有什么疾病，而是闹着玩。

一般的闹夜是不用就医的，只有突然的闹夜，或与往常完全不同的闹夜，才有可能是疾病所致。5-6月龄婴儿突然闹夜，最有可能的病因仍是肠套叠。一般情况下，妈妈无论如何也找不到宝宝闹夜的原因，也没有对付闹夜的方法。就在妈妈烦恼至极时，宝宝突然不再闹夜了，变成了乖宝宝。妈妈心头一热，"我的宝宝长大了"。是的，宝宝不会总闹夜的。

另外，新手爸爸妈妈如果能冷静对待宝宝闹夜，尽最大可能寻找闹夜的原因，想尽办法平息宝宝哭闹，宝宝闹夜的持续时间就会缩短，乖宝宝的日子就会早日到来。如果新手爸爸妈妈面对宝宝闹夜焦躁不安，并把

宝宝/李昊谦

烦恼、生气、无可奈何、相互抱怨、吵架等不良情绪传递给宝宝，宝宝会越闹越凶，闹夜也会持续更长的时间。

356. 添加辅食困难

尽管这个月婴儿喜欢吃乳类以外的食品，但仍会有辅食添加困难的婴儿。妈妈最想知道也最难知道，怎样才能使婴儿爱吃辅食。其实知道这些并不难，只需分析一下宝宝不爱吃辅食的原因就可以了。

宝宝不爱吃辅食，可能有以下原因：

1. 母乳充足，吃不下辅食。

2. 依恋母乳。

3. 厌食牛乳刚刚结束，一时很喜欢吃牛乳。

4. 喂完奶不长时间就喂辅食，宝宝根本没有食欲。

5. 辅食太没有滋味了。

6. 不喜欢吃购买的现成辅食。

7. 不喜欢使用喂辅食的餐具（母乳喂养儿不喜欢吸吮人工乳头，不喜欢用小勺往嘴里送饭）。

8. 喂辅食时烫着过宝宝或呛过宝宝等（婴儿已经有记性了）。

9. 用喂过苦药的奶瓶、小勺、小杯、小碗喂宝宝辅食（这事宝宝记得清楚着呢，他不想上当）。

10. 喂奶时抱着宝宝，喂辅食时却让宝

宝宝丁琪瑄

坐在毛绒绒的毯子上，嘴笑得像一条线。

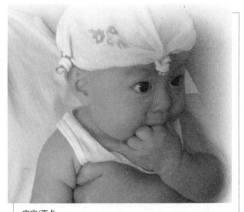

宝宝/雨点

现在对镜子特别感兴趣，瞧他专心致志照镜子的同时，还不忘认真地吃着手指，怎一个可爱了得。

宝坐在小车里；喂奶是妈妈抱着，喂辅食却让爸爸或其他人抱着（婴儿认为"还是吃奶好"）。

11. 早就缺铁了，食欲已经下来了，什么也吃不出味道来，开始厌食了。缺锌也一样，连奶都不爱吃了，辅食就更别提。

12. 宝宝还不能消化谷物，对肉、油消化也不是太好，肚子总是胀胀的，实在不舒服。

13. 辅食消毒不严，细菌感染了肠道，患了肠炎，不用说辅食，就是奶也要少吃了。

14. 没有把放在冰箱中的辅食熬沸，只是热热，虽然不凉，但吃了肚子不舒服，影响了下一顿辅食添加。

15. 天气太热了，成人消化功能都减低了，对小婴儿的影响就更大。

16. 宝宝爱吃某种辅食，就多喂，就上顿下顿地喂，直到吃够了，什么辅食也不想吃了。

17. 宝宝本来不想吃了，可爸爸妈妈认为（按照某个标准）今天辅食添加的任务还没有完成，就合起来对付宝宝，生往嘴里灌，哭也不管，正好张开嘴巴，顺势把辅食往嘴里放，宝宝能爱吃辅食吗？！这样的爸爸妈妈虽然不多，但也大有人在。

18. 宝宝睡得迷迷糊糊的，把奶嘴塞进宝宝嘴巴，让宝宝迷迷糊糊地把辅食喝进去，宝宝会非常反感。

19. 宝宝积食了，应该歇歇了。

20. 宝宝真的生病了。

这20条，可不是教爸爸妈妈如何对付宝宝的，是提醒爸爸妈妈引以为戒的，针对不同的可能，分析宝宝不爱吃辅食的原因，提高喂养技巧。

357. 不会翻身

有的宝宝3-4月龄就总试图翻身，满5月后就能翻身自如了，从仰卧位翻到侧卧位（反之亦然），再从侧卧位翻到俯卧位，但还不能从俯卧位翻到侧卧位或仰卧位。

5-6月龄的宝宝如果仍然不会翻身，应首先考虑护理方面的问题。1.是不是冬季宝宝穿得比较多，影响自由活动；2.是不是新生儿时期（0-28天）用了"蜡烛包"，盖被时用沙袋或枕头压在宝宝两边，限制了宝宝的活动；3.是不是看护人对宝宝训练不够。

训练宝宝翻身的办法是很简单的。首先要给宝宝穿少些，盖少些。可以先教宝宝向右翻身，方法是：把宝宝头偏向右侧，托住宝宝左肩和臀部，使宝宝向右侧卧。从右侧

宝宝/王美泽

能够体会到父母的情绪和快乐。父母高兴，宝宝自然欢快。

卧转向俯卧的方法是：妈妈一手托住宝宝前胸，另一手轻轻推宝宝背部，使其俯卧；如果右侧上肢压在了身下，就轻轻帮助宝宝抽出来。宝宝的头会自动抬起来，这时再让婴儿用双手或用前臂撑起前胸。经过这样的锻炼，宝宝就学会翻身了。

如果练习多次宝宝仍然不会翻身，应该带宝宝看医生，排除运动功能障碍的可能。一般来说，运动功能障碍会出现一系列运动能力的落后，不会单单翻身落后。

358. 什么都放在嘴里啃

婴儿出生后不久，就会把小手放到嘴边吸吮。开始是把紧握的小拳头放到嘴上吸吮，随着月龄的增长，就开始吸吮拇指和其他手指了。6个月以前的婴儿，吸吮手指是发育过程中的正常表现，科学研究证实，大约50%的婴儿会吸吮手指，有关专家还发现胎儿就有吸吮手指的现象。

这个时期吸吮手指与"吮指癖"是两码回事。6个月以前的婴儿，差不多都有吸吮手指的欲望，6个月以后就逐渐减弱了。牛乳喂养儿吸吮手指的时间跨度，可能会更短些。但如果不能满足婴儿的吸吮欲望，怕婴儿养成"吮指癖"，强制性地把手从嘴里拿出来，这样不但不会制止婴儿吮指，还可能会挫伤宝宝的自尊心。

看到婴儿吸吮手指，应该用更积极的态度来对待，比如抱起宝宝亲亲小手，把玩具送到宝宝手中，喂宝宝一些果汁、水等。不要试图管住宝宝吸吮手指，而是要尽量避免宝宝吸吮手指，以免发展成吸吮手指癖。

除了吸吮手指外，这个月的宝宝会把拿到手里的任何东西放到嘴里啃，这也是婴儿特有的表现。所以给婴儿的东西要卫生、安全，能啃下来的玩具（如软塑料玩具）不要给宝宝玩，能放到宝宝嘴里的东西不要给宝宝

宝宝/王美泽

婴儿有强烈的好奇心,当宝宝对某种物品感兴趣时,要让宝宝摸一摸、看一看,给宝宝讲一讲,尽管宝宝还不能完全理解,也应该这样做。因为认识事物就是从不知到知,如果认为宝宝不懂就不给宝宝讲,宝宝怎么能认识呢。

玩,如小球、糖块、纽扣等,以免出现气管异物危险。

359. 流口水

　　这个月婴儿唾液腺分泌增加了,添加辅食后唾液分泌更多,再加上出乳牙,宝宝流口水就很多了。在婴儿胸前戴一个小兜嘴,同时多备几个,只要湿了就换下来。口水会把宝宝下巴淹红,因此不要用手绢或毛巾擦,而应用干爽的毛巾沾干,以免擦伤皮肤。如果喂

了有盐、有刺激皮肤可能的辅食,就要先用清水洗一下,不能只是用毛巾沾,那样刺激物的成分仍会留在宝宝下巴上。

360. 蚊蝇叮咬

　　蚊虫叮咬可传播痢疾、乙脑、肝炎等多种疾病。夏季防止蚊虫叮咬,最好的办法就是挂蚊帐。

　　蚊香的主要成分是杀虫剂,通常是除虫菊酯类,毒性较小。但也有一些蚊香选用了有机氯农药、有机磷农药、氨基甲酸酯类农药等,这类蚊香虽然加大了驱蚊作用,但它的毒性相对就大得多,一般情况下,宝宝的房间不宜用蚊香。

　　电蚊香毒性较小,但由于婴儿新陈代谢旺盛,皮肤吸收能力也强,最好也不要常用电蚊香;如果一定要用,尽量放在通风好的地方,切忌长时间使用。

　　宝宝房间绝对禁止喷洒杀虫剂,婴儿如吸入过量杀虫剂,会发生急性溶血反应,器官缺氧,严重者导致心力衰竭,脏器受损,或转为再生障碍性贫血。

　　采用纱门纱窗和挂蚊帐等物理方法避蚊,是最有效且无副作用的好办法。

第七章
6-7个月的婴儿

（180—209天）

本月婴儿已经能用各种独特的方式和爸爸妈妈及周围人进行交流了。

有的孩子会独坐了，会把眼前的玩具拿起来，这对手眼协调能力有很大帮助。

第 **1** 节　本月婴儿特点

361. 有了更丰富的表情

本月婴儿虽然还不能用语言和妈妈爸爸交流，但是已经能用各种独特的方式和妈妈爸爸及周围人进行交流了。

婴儿的表情越来越丰富，高兴时欢娱的笑容让爸爸妈妈感到极大的欣慰；不高兴时，五官向一起皱，哼哼唧唧的，妈妈能很快判断这是孩子不耐烦了。有经验的妈妈还能通过孩子的表情判断是要吃还是要拉尿。会通过眼神，判断孩子是否要睡觉了。

362. 父母与孩子情感互动

孩子更依恋妈妈爸爸，看不到妈妈就会不安，甚至哭闹；看到妈妈会手舞足蹈，欢天喜地，有时会做出类似鼓掌欢迎的动作。妈妈会被孩子的表现所感染，会急不可待地奔向孩子，抱起宝宝。母子之间、父子之间这种情感的互动，对婴儿身体、心理健康发展起着极其重要的作用。

如果是全职妈妈，也要有意安排这种场面，让婴儿感受短暂分离后重逢的喜悦。每天，妈妈抱着孩子一起迎接爸爸的到来，会使婴儿感受到和妈妈共同分享快乐的喜悦，使孩子心理更加健康，从小体会到共同的快乐。

363. 父母要坚信孩子会不断进步

有的孩子到了6个月开始会独坐了。具有了独坐能力，婴儿就能够自由地活动双手和胳膊了，会把跟前的玩具拿起来，这对手眼协调能力有很大帮助。

但父母也不要忘了，每个孩子发展速度、水平、性格都不一样，存在着一定的差异，如果你的孩子还没有达到某种能力，也不要着急，只要不是病态，会在父母的呵护下不断进步，在不久的将来或许比其他孩子更加出色。在努力和奉献中坚信孩子会发展，会进步，这种自信本身对孩子就是激励，是孩子的精神食粮。

364. 本月添加辅食的常见错误和烦恼

添加辅食不是这个月的头等大事

这个月的婴儿，会比较喜欢吃辅食，父母可以按辅食添加顺序和孩子适应程度逐渐增加种类和剂量。

但这个时期仅仅是半断奶的开始，辅食，顾名思义，就是辅助食品，主食仍然是奶。添加辅食的目的是让婴儿逐渐适应吃奶以外的食品，补充奶类中不足的营养成分。如果妈妈把添加辅食作为这个月的头等大事，整天忙着做辅食，就会顾此失彼，忘记了更重要的事。

父母常常有这样的错误

· 要孩子把所做的辅食都吃掉。

· 吃不了就会硬塞。

· 认为孩子消化不好，不想吃饭。

· 认为孩子胃口不好了。

· 怀疑孩子厌食了。

· 吃不了妈妈做的辅食，心里就不好受。

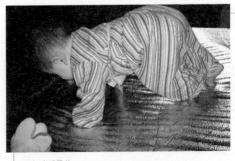

宝宝/尚潘柔美

188

殊不知，做惯了一家饭菜的妈妈，即使给孩子做一点点辅食，对于孩子来说已经是满满一大碗了，不要忘了，孩子的主要饭食是奶。大人的一口就是孩子一餐的量。

在添加辅食过程中，孩子可能会出现大便改变，没有致病菌感染时，不能给孩子服用抗生素，尤其是长期服用。

365. 孩子最需要的是快乐

孩子有权享受快快乐乐的生活。想想父母东奔西走，为孩子忙前忙后，盯着孩子的吃喝拉撒睡，盯着孩子的高矮胖瘦，盯着孩子的一举一动，可谓是关心备至。说父母不对，太冤枉了。这些都是孩子生长发育中不可缺少的哺育，可大多父母往往忽视了：最应该给孩子的是什么？孩子最应该得到的是什么？孩子最需要的是什么？答案是，孩子最需要快乐。

父母不要这样养育孩子

·为了孩子长得胖，长得高，采取填鸭式的喂养方式。

·为了孩子快快长，使劲哄孩子睡觉。

·为了孩子健康，吃各式各样的营养品。

·为了孩子的"病"（多数根本不是病），走遍各家医院，多贵的检查费都舍得掏，多贵的药也舍得买。一丝不苟地喂药，尽管因为喂药孩子已经拒绝吃奶瓶，用小勺了。

·为了做美味的辅食，花去了大量时间，以至没了和孩子玩的时间。

·训练排尿排便（这个时期并不需要），尽管孩子打挺哭闹，妈妈仍是不厌其烦。

希望多些自然的养育

父母的这些劳累并没有给孩子带来快乐。现代的妈妈不缺少哺育知识，对孩子不是关心的不够，而是太过了。现代的父母应该学会给孩子多些自由的时间，多些自然的养育，多些孩子自己的选择，懂得孩子真正所需，玩是婴儿的天性。多和孩子玩是对孩子最大的爱。

第2节 本月婴儿生长发育

366. 身高

这个月婴儿身高平均增长2.0厘米。但这只是平均值，实际可能会有较大的差异。婴儿身高增长有时也像芝麻开花一样，一节一节的。这个月没怎么长，下个月却长得很快。父母要动态观察孩子的生长。

367. 体重

这个月婴儿体重平均增长0.45-0.75公斤。这也是平均值。体重与身高相比，有更大的波动性，受喂养因素影响比较大。对于孩子的体重问题，父母要学会分析，不要盲目认为孩子有病了，不要随便给孩子吃各种各样的消化药，那样会破坏孩子肠道内环境。

孩子不是越胖越好，胖可爱，但不能为了儿时的可爱，埋下疾病的祸根。有一些儿童成人病的形成，肥胖就是元凶。胖不是孩子健康的标志。

368. 头围测量要精益求精

这个月婴儿头围平均增长1.0厘米。1.0厘

宝宝/尚潘柔美
婴儿有了更多与父母和周围人交流的能力和愿望，宝宝丰富的面部表情能给他周围的人以很大感染力。

米的增长, 对于头围来说, 测量起来可能比较不出太大的差别。必须是比较精确的测量。

369. 前囟真假闭合与是否接受X光检查

一般情况下, 6、7个月的婴儿前囟不会闭合, 但也不会很大了, 一般是在0.5-1.5之间。极个别的已经出现膜性闭合, 就是外观检查似乎闭合了, 但经X线检查并没有真正闭合。

遇到前囟闭合父母会很着急, 怕囟门过早闭合影响孩子大脑发育。在门诊和健康咨询中也大量遇到这样的问题。为了这个问题, 给婴儿照射X线是不值得的。如果婴儿头围发育是正常的, 也没有其他异常体征和症状, 没有贫血, 没有过多摄入维生素D和钙剂, 可动态观察, 监测头围增长情况。如果头围正常增长, 就不必着急, 可能仅仅是膜性闭合, 不是真正的囟门闭合。

第3节 本月婴儿营养需求

370. 添加辅食的目的

这个月婴儿, 营养的主要来源还是母乳或牛乳, 辅食只是补充部分营养素的不足, 培养婴儿吃乳类以外的食品, 为过渡到以饭菜为主要食品做好准备。

371. 辅食品种和分量不可主次颠倒

这个时期是半断乳期的开始。需要添加的辅食是以含蛋白质, 维生素, 矿物质为主要营养素的食品: 包括蛋、肉、蔬菜、水果, 其次才是碳水化合物。所以, 妈妈把喂了多少

宝宝/邢语桐
宝宝洗澡时的快乐表情。

粥、多少面条、多少米粉作为添加辅食的标准是不对的。奶与米面相比, 其营养成分要高得多, 如果由于吃了小半碗粥, 而使婴儿少吃了一大瓶奶, 那是不值得的。

372. 不能用辅食削弱奶的作用

这个时期婴儿主要以奶为主, 辅食主要通过吃蛋黄、绿叶蔬菜补充铁剂和蛋白质, 通过吃新鲜水果、蔬菜补充维生素。

第4节 本月婴儿喂养方法

373. 母乳喂养儿

不要浪费母乳

如果这个月母乳分泌仍然很好, 妈妈还不时感到奶胀, 甚至向外喷奶, 那是很好的事情, 除了添加一些辅食外, 没有必要减少孩子吃母乳的次数, 只要孩子想吃, 就给孩子吃, 不要为了给孩子加辅食而把母乳浪费掉。

如果孩子在晚上仍然起来要奶吃, 妈妈不要因为已经开始添加辅食了, 开始进入半断奶期了, 就有意减少喂母乳。妈妈还是要喂奶, 不然的话, 孩子可能会成"夜哭郎"。

不要忘了牛乳

如果母乳不够吃，通过添加蛋、菜等辅食，仍不能满足孩子的需要，孩子就会出现饥饿性哭泣，本来夜里睡眠很好的孩子，突然变得爱哭了。这时就要给孩子添加牛乳了，最好给婴儿加配方奶，因为鲜奶中含有较高的脂肪，可导致婴儿消化不良。

但是极个别孩子不吃配方奶，只喝鲜奶。那就把鲜奶煮沸，去掉上面的奶皮，再给孩子喝。偶尔配方奶吃完了，暂时只有鲜奶代替，也要这么做。

不吃牛乳也常见

有的婴儿在这个月开始吃牛乳，可能会遇到困难——孩子根本就不吃，甚至连奶瓶的瓶嘴都不沾，塞进去就吐出来，一口也不喝。如果是这样的，不要强迫孩子，如等孩子睡得迷迷糊糊的时候，把奶瓶塞进孩子的嘴里；或先饿着孩子，再塞给他。这样做的结果，可能会使孩子出现厌食。

可以尝试不用奶瓶，试着用小勺喂，或小杯子喂。如果仍然不喝，就暂时停一周，先以辅食补充，一周后再试着喂。可能那时他会很愉快地接受牛乳了。

不要照本宣科

这个月的婴儿，到底应该吃几次母乳，

宝宝郑果
大多数宝宝都是需要大人逗着玩，我每次到奶奶家，果果都想尽方法逗我乐。以此来挽留姑姑。为此，我常常不能按时回到家里。果果照相很容易乐。

宝宝/韩知恩
宝宝把三个手指一起放到嘴里吃。

添几顿辅食，加几次牛奶，并没有硬性规定。要根据婴儿的具体情况而定，以孩子爱吃，进食快乐为原则。不要和孩子较劲，不要以妈妈的意愿去喂养孩子，也不能照本宣科。

几点建议

·一天喂两次辅食，吃三次母乳，晚上再喂两次母乳（大多是在睡前和醒后）是不错的。

·如果一天喂两次辅食，婴儿就只吃一两次母乳了，晚上也不吃，妈妈感到奶有些发胀，就不要喂两次辅食了，可改为一次。

·如果仍然不好好吃母乳，使得妈妈感到乳胀，就只给孩子加蛋、菜、果，不加米面。如果还吃着牛乳，就减少牛乳的摄入量。

·如果婴儿仅爱吃辅食，不爱吃母乳，也不爱吃牛乳，断乳的时间还是为时过早。把一岁以内的婴儿叫乳儿，就是因为婴儿是以乳类食品为主的。过早断乳不利于婴儿生长发育。

·如果母乳已经很少了，吃不吃意义不大了，可以停了母乳，喂牛乳和辅食。

·如果孩子也不吃牛乳，可以给孩子吃吃酸奶、奶酪等奶制品，试着喂鲜奶。

·如果还是不吃，就在早晨孩子刚起来时给孩子喂，这时孩子愿意喝。或把奶瓶带到户外，到了户外孩子高兴，可能会喝牛奶了。

三点提示：

·不能完全断了奶制品。即使今天不喝，明天还要试一试，培养婴儿喝奶的习惯。

·不要让孩子半夜哭，现成的好办法就是立即给孩子吃母乳，如果很快使孩子入睡，就不会养成孩子夜啼的毛病。

·乳类仍是这个时期婴儿的主要营养来源。

374. 牛乳喂养儿

牛乳仍然重要

牛乳喂养的婴儿，可能比母乳喂养的婴儿喜欢吃辅食。但是，父母不要认为孩子又长了一个月，饭量就应该明显增加。如果这次孩子把妈妈做的辅食全吃光了，妈妈会非常高兴，下顿会多做些。这样一来二去的，可能会使孩子积食，或使孩子吃奶量大减。这是不对的。妈妈应该掌握好辅食的量，即便是牛乳，对这个月的婴儿来说，其营养价值也是远远超过米面食品的。所以牛乳仍是这个月婴儿营养的主要来源，不能完全用辅食替代。

确实不爱吃牛奶时

如果孩子确实不爱吃牛奶，可以把鸡蛋和在牛奶里，或做牛奶面包粥，或给孩子调些奶酪吃，吃些酸奶。人工喂养儿，可以多添加辅食的品种，除了蛋、菜外，可以加鱼肉、动物肝等。在粥里放糖，酱油是不好的，这样只能让孩子发胖，不能增加所需的蛋白质。

第5节 本月婴儿辅食添加

375. 添加辅食方法要灵活

这个月，辅食添加的方法，要根据辅食添加的时间、量、婴儿对辅食的喜欢程度、母乳的多少、婴儿的睡眠类型等情况灵活掌握。

宝宝/高锦华 乳名/想想
宝宝坐得比上个月稳多了，可以把脊椎挺得直直的。

对于习惯辅食的婴儿

有的婴儿出了满月就吃辅食，但多数婴儿还是从3、4个月开始添加辅食。较早就添加辅食的婴儿，对辅食已经很熟悉了，妈妈和看护人也基本掌握了婴儿吃辅食的规律。对于这样的婴儿，妈妈可继续按照自己的习惯喂养孩子，只要孩子生长发育很正常就行了。

对于吞咽半固体食物有困难的婴儿

有的孩子，已经会吞咽半固体食物了，可有的孩子却一点也不会，对于喂到嘴里的半固体食物，到了嗓子眼就干呕。还有的可能被噎着，那就只能喂流质辅食了。

对于吃辅食慢的婴儿

有的孩子，一天吃两次辅食，也用不上一小时，可有的孩子，喂一次辅食就要花一个多小时的时间。对于这样的孩子，就不能为了多加一次辅食而花费过多时间，占用孩子睡觉或活动时间是不值得的。

对于吃辅食而减少吃奶的婴儿

如果一天吃两次辅食，孩子只吃三次以下的奶，那就要减一次辅食，增加奶的摄入量。因为奶仍是这个月婴儿主要营养来源。什么时候添加辅食，要结合孩子睡眠习惯，不要因为要添加辅食而把熟睡的孩子叫醒。

对于半夜要吃奶的婴儿

如果是母乳喂养，可以在傍晚或前半夜，孩子醒了或换尿布时喂1-2次。如果是后半夜，即使醒了也不哭闹，换完尿布2-3分钟就睡了，就没有必要吃母乳了。有的孩子晚上睡得早，或睡前不能吃足够的奶，半夜会醒了要奶吃，不给就会哭，那就不要怕养成坏毛病而任孩子哭下去，那会使孩子成为夜啼郎。孩子长大后，自然就不再吃奶了。

对吞咽能力好的婴儿

如果婴儿吞咽能力很好，可给面包或饼

宝宝/马澳琪
享受阳光。

干（磨牙棒）让婴儿自己拿着吃，既可增加孩子进食兴趣，也可锻炼孩子用手能力。

376. 添加辅食注意事项

食谱并不重要

妈妈要明白，添加辅食的方法并不是固定不变的。按照这个月辅食的食谱，喂养不成功并不能说明孩子不正常。离断奶还有很长时间，在1岁以前的这段时间里，只要让婴儿练习着吃辅食就可以了。

创造好的进餐环境

这个时期的婴儿，对奶以外的食品会有兴趣。要让婴儿愉快地进食，妈妈轻松地做和喂，布置一个轻松愉快的进餐环境。

不要追求标准量

不要追求一定达到奶瓶、配方奶说明、书本等标出的该月婴儿应该摄入的量，如果是食量小的婴儿就会让妈妈担心了，尽管孩子是在健康成长。还是请妈妈宽心吧。

377. 添加辅食的几点建议

不使孩子吃厌鸡蛋

菜泥可以和在粥或面条里。菜汤伴着蛋黄吃，这样还不容易噎着，还可避免孩子厌烦蛋黄的味道（每天都吃蛋黄会让孩子厌烦的，菜汤可以每天更换种类和味道）。如果总是把蛋黄和奶一块吃，容易使孩子也

厌烦奶了。

食量小的婴儿辅食

如果给孩子吃肉汤，可以把菜、面条等放在肉汤里，饭菜都一起吃了，喂起来比较省事，比较适合食量小的婴儿。不要在粥里放肉汤，粥可以搭配菜泥吃。

鱼汤不宜混菜饭

如果给孩子喂鱼汤，不能和其他食品混合，单纯喂鱼汤就行了。每天可喝菜汤90毫升左右，果汁90毫升左右，菜泥1-3勺，蛋黄1个，烂粥或烂面条几口。

制作辅食的要求

辅食的制作方法同以前一样，要注意卫生。不必花费太多时间，可以借助大人吃的饭菜，能节省不少时间，但要注意：不要咸了，要煮得烂些，油要少放，不放味精或花椒等调味料。鱼汤中一定不要有鱼刺。

可以这样安排辅食

这个月的孩子，大多是白天睡2-3次，如果睡前给200毫升以上的奶，可能会一直睡到早晨6-8点钟。可以在上午睡前添一次辅食，午睡后再添一次辅食。早、中、晚吃三次奶。

第6节 本月婴儿能力

378. 听的能力：已接近成人

这个月婴儿，听的能力已经接近成人了，能区别简单的音调，从这时起进行音乐训

宝宝/夏思馨
宝宝喜欢玩水，对于宝宝来说洗澡就是玩水。

宝宝/尚潘柔美

宝宝不但能稳当地独坐，还会转过头，侧过身子看妈妈呢。

练，成人后对音乐的感知能力会非常强。其他内容与上月相同。

偏爱看有意义的物像

随着运动能力的增强，扫视周围的环境更加容易，婴儿视觉更加发展，更加偏爱看有意义的物像，如母亲，食物，玩具。

能较长时间注意物像

开始注意数量多、体积小的东西。对比较复杂，细致的物像保持很长的注意时间。注视后，辨别差异的能力和转换注意的能力增强。父母要利用婴儿不断发展的视觉能力，开发婴儿的智力。让孩子认识更多的人，增强婴儿记忆人物特征的能力，也为将来上幼儿园打基础。

能辨别不同物像

对玩具有了更强的兴趣。父母可以把更多的东西拿给孩子看，而不单单是玩具。这会使婴儿更早认识事物。这个月的婴儿能够注视较长时间，父母可以拿图画，物体等给孩子看，讲解给孩子听，这时的婴儿，已经具备了初步辨别不同物像的能力，再讲给孩子听，会使孩子潜能充分发挥。

对陌生人表现出惊异

孩子见到陌生人会表现出惊奇的神态（大眼睛一眨不眨地盯着陌生人），也会表现出不快，还可能把脸和身体转向亲人。

看到吃的能认识

对吃的有认识了，这时妈妈可以告诉孩子什么是能吃的，什么是不能吃的，孩子就不会把什么都放在嘴里啃了。

让孩子认识更多的人

孩子接触的人少，一见到陌生人就胆怯。见到人就哭，这虽然没有什么，但毕竟让前来你家的人感到尴尬。多让婴儿认识人，可以锻炼人际交往能力，也让朋友和客人感到孩子可爱，给宝宝更多的接触交往机会和新鲜感。

与婴儿情感互动

婴儿看到亲人会非常高兴，如果与孩子分别后，再见到孩子时，要对孩子见到你时高兴的表示做出积极回应，形成互动。这有助于婴儿情感的健康发展，对以后建立良好的社会人际关系产生重要作用。

教婴儿认识照片上的父母

可以拿给宝宝看妈妈、爸爸的照片，孩子已经能够辨别出妈妈和爸爸了，但是，还不能从照片中认识宝宝自己。这时就可以让孩子看看爸爸的照片，再看看爸爸本人，看看妈妈照片，再看看妈妈本人。如果看了妈妈的照片，孩子对着妈妈笑，哇！宝宝已经认识照片上的妈妈了。

宝宝/尚潘柔美

拇指和四指配合拿东西，这是宝宝手的运动能力不小的进步。

潜能需要父母辛勤开发

才几个月的孩子，认识了妈妈爸爸的照片，这就是对婴儿潜能的开发。当然，这些都离不开妈妈爸爸的语言帮助。虽然孩子不会说话，但孩子能听懂你们的话。要不断和孩子说，在妈妈爸爸眼里，没有宝宝听不懂的。这就是这个月潜能开发的秘诀。

380. 说的能力：会配合表情发音

发出父母听不懂的语音

能无意发出爸妈等音，还能发出一些谁也听不懂的声音。有时好像要说话，有时还有不同的表情，发出不同的音，有高兴的、生气的。父母要鼓励孩子这种"语言创造"的能力。

交流是孩子学习语言必不可少的

宝宝虽然还不会说，但宝宝已经会通过各种方式和父母交流了，父母传给宝宝的话语，就是宝宝学习语言的基础。听在先，说在后。妈妈爸爸和看护人无论和宝宝做什么事情，都要跟上语言。慢慢地，婴儿就能够听懂很多话。

把语言和实际联系起来

如果妈妈每次出去都给孩子戴上小帽子，并说："我们要出去玩了，妈妈给宝宝戴上小帽子。"慢慢地，孩子就会认识了帽子，并把帽子和出去玩联系起来。以后，妈妈一说要出去玩，宝宝就会用眼睛寻找小帽子。相反，当宝宝看到小帽子时，就会想到出去玩，做出向门外走的动作。这种语言和实际的联系，就是宝宝学习语言的过程。

381. 运动能力：更加活跃

喜欢探索

有了深度知觉，随着活动能力增强，注意力已经不完全集中在看了，而是从更多的感觉方面和活动表现出来。如抓取物体来感

宝宝 姜杼君
宝宝仍然喜欢吃手，妈妈可不要认为宝宝有吮指癖。宝宝在用嘴认识事物

觉它的形状，大小。啃一啃感觉它的软硬，滋味。把握在手里的东西摇一摇，听一听它的声音，用手掰一掰，拍一拍，打一打，晃一晃，摸一摸，认识这种物体。对新鲜事感兴趣，有探索行为。

坐与爬的能力

6-7个月的婴儿，能够不倚靠东西独坐了。这是很大的进步。有了爬的愿望和动作，这时父母可以推一推孩子的足底，给孩子一点向前爬的外力，会帮助孩子体会向前爬的感觉和乐趣，为以后的爬打下基础。

运用手的能力

腿跳跃的力量更大了，手的运动能力有了很大的进步。会用双手同时握住较大的物体，两手开始了最初始的配合。抓物更准确了，最让妈妈爸爸感到惊奇是，能把一个物体，从一只手递到另一只手，这可是不小的进步。还有一个能耐，能手拿着奶瓶，把奶嘴放到口中吸吮，迈出了自己吃饭的第一步。

不高兴时，不喜欢手里的东西时，会把它扔掉，开始了自主选择。知道妈妈爸爸脸上戴的眼镜是能够拿下来的，所以，不断去抓，不让妈妈爸爸戴着多余的东西。看到喜欢的东西，就要去拿，拿不到就会哭。

喜欢到大自然中去

在屋里待不住了，会用小手指着门，会在妈妈怀里向门的方向使劲，会用眼睛盯着到

室外的门，表现出要出去的神情。如果妈妈这时用其他方法转移孩子的注意力，不是那么容易了。如果这时给他玩具，可能会把它摔到地上。

翻滚运动

这个月的婴儿，会在床上翻滚了，原来能从仰卧翻到侧卧和俯卧，从这个月开始，宝宝可能会从俯卧翻过来到侧卧仰卧了，这就开始了翻滚动作。这时应该放在大床上让婴儿练习翻滚。为了防止婴儿从床上掉下来，看护人不可以离开，或者用被垛挡上，或者放到铺了褥子的木地板上，或者放到婴儿围栏里。

382. 潜能开发

藏猫猫

这个游戏对婴儿智能体能发育有很大的帮助。上个月，藏猫猫游戏是很简单的，妈妈用手或手绢把脸蒙起来，再把手或手绢拿开，又让宝宝看到了妈妈。

从这个月开始，藏猫猫游戏的形式就多了起来：

·找爸爸

爸爸藏在妈妈身后，妈妈对着宝宝说："爸爸哪里去了？"宝宝会到处搜寻，是啊，刚才爸爸还在，这么一会儿哪去了？宝宝的表情很认真，疑惑的眼神很是招人喜爱。爸

宝宝/姜杯君
6个月以前，当宝宝把拇指放到嘴里时，总是不停地吸吮着，现在，宝宝只是把拇指放到嘴里含着，不再是不停地吸吮了。

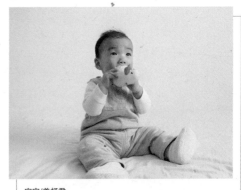

宝宝/姜杯君
把什么都放到嘴里尝一尝，也是宝宝认识事物的方法之一。

爸突然出现了："爸爸在这里呢。"宝宝高兴得手舞足蹈，甚至咯咯笑出声来。

·寻找妈妈手

妈妈把手藏在身后，问宝宝："妈妈的手哪去了？"宝宝不知道，这时妈妈把手拿出来："妈妈的手在这里呢。"在游戏中宝宝认识了妈妈的手。

·寻找宝宝手

妈妈拿着宝宝的手，放到宝宝的身后："宝宝的手哪去了"，再把宝宝的手拿过来："宝宝的手在这里"。宝宝也开始认识自己的手。

·寻找玩具·奶瓶

妈妈可以把玩具、奶瓶等物品藏到身后，再把它拿出来。在游戏中让宝宝认识更多的物品，知道更多物品的名称，这比单纯教宝宝认识东西要有趣得多。

藏猫猫游戏的形式多种多样，父母一同开动脑筋，在游戏中开发宝宝潜能。

认识人

情感是婴儿进行人际关系的重要手段。生后不久的婴儿对人是泛化的认识，见任何人都会微笑，到了6、7个月，婴儿开始表现怯生情绪，产生了与亲人相互依恋的情感，见到陌生人会哭，亲人不在时会表现出焦虑不安。

教孩子认识人，可以使孩子认识更多的人，可以让孩子理解人与称谓的关系。每当有

人进来，都要让宝宝猜一猜这是谁，宝宝肯定不会猜，也不会用语言表达，这不要紧。

当外公外婆来到时，妈妈对着宝宝说："宝宝，你看谁来了？""是宝宝的外公外婆。"以后随着年龄的增长，宝宝就会知道他的外公外婆就是他妈妈的父母。这样逐渐建立宝宝与人的交往。

这是很容易做到的，只是有时父母会忽视这些细节和培养孩子的机会。培养孩子是随时随地的，要比参加培训班重要的多。不能仅仅依靠婴儿潜能培训班，一周1~2个小时的时间作用不大，真正的训练还得在日常的生活中进行。

玩积木

用各种颜色的积木吸引孩子。做以下有目的的训练：

·两块积木

妈妈递给宝宝积木A，当宝宝握住后，再递给宝宝积木B。宝宝可能有三种接积木的方式。

1）把积木A扔掉，再接积木B。

2）用另一只手接积木B；积木A仍然握在手里。

3）把积木A传到另一只手，腾出手来接积木B。

三种不同接法表示出孩子对手的运用能力：

·如果用另一只手接积木B，宝宝已经懂得了两只手可以分开使用。

·如果把积木A传到另一只手，再去接积木B，宝宝已经会两手配合使用了。

·如果把积木A扔掉，再接积木B，宝宝可能还没有学会如何运用一双手。妈妈就要告诉宝宝，宝宝还有一只手啊，把积木递到另外一只手里。再教宝宝，把积木传到另外一只手里，再把积木接过来。这个游戏对于手的锻炼是非常有意义的。

·抓积木

手抓物体的动作先是大把的抓，后是拇指

和其他四指对捏，然后是拇指食指对捏。这个月可能会拇指和其他四指对捏，拇指和食指对捏能力还要经过2~3个月的时间。让孩子练习抓小积木，能够锻炼孩子手指的运动能力。锻炼指尖细小肌肉的协调动作，促进神经系统的发育。

亲子游戏

第一步：妈妈仰卧在床上，两腿屈曲。

第二步：让宝宝坐在妈妈的腹部，背靠在妈妈的大腿上，妈妈两手握住宝宝的小手。

第三步：当妈妈的两腿慢慢伸直的同时，妈妈也逐渐向上坐起（就像仰卧起坐），这时宝宝就成仰卧位躺在了妈妈的腿上。

第四步：妈妈再慢慢躺下，躺下的同时两腿慢慢屈曲。两手轻轻拉着宝宝的手（不要用力拽，以免拽伤宝宝的关节），宝宝又重新坐在了妈妈的腹部，靠在妈妈的腿上。

这个游戏，会锻炼婴儿的仰卧起坐，妈妈也锻炼了腹肌，宝宝会高兴地大笑。这是在愉快的亲子游戏中锻炼身体。

打转游戏

这个月的婴儿，会有一种让妈妈爸爸捧腹大笑的动作，当宝宝俯卧位时，会把下肢和上肢同时腾空离开床面，只是腹部着床。

这时，妈妈爸爸拿一个好玩的东西或吃的东西，在宝宝的眼前，宝宝会用手去够，妈妈爸爸就向一边移动手里的东西，宝宝就会

宝宝/张涵今
宝宝宁愿咬妈妈的乳头、自己的手指、玩具，也不愿意咬磨牙棒，为什么不得而知。

宝宝/王俊淇
我6个月了,磨牙饼干是我的最爱。

跟着移动,这时,宝宝就是以肚子为支点在床上打转,真是可爱极了。妈妈爸爸会高兴地笑,宝宝也会被妈妈爸爸的喜悦所感染,也高兴地笑。

可是,如果妈妈爸爸就是让宝宝够不到东西,宝宝不仅失去乐趣,还会因为受挫而哭。这时宝宝就会生气,对这种游戏失去兴趣。所以,妈妈爸爸要把握时机,适时让孩子够到东西。

点头yes,摇头no

妈妈爸爸站在宝宝跟前,妈妈指着爸爸问宝宝:"他是妈妈吗?"爸爸就摇摇头,并说"不。"

妈妈又问:"他是爸爸吗?"爸爸点点头,并说"是。"

游戏规则提示:

· 爸爸不要说"是的"或说"我是爸爸",也不要说"我不是妈妈,我是爸爸"或说"我是的",因为,这么大的孩子对一句话的理解比较难,对单字理解容易些。

· 用单字"是"或"不"配合点头或摇头,使孩子很快学会摇头和点头的含义。

· 不要用复杂的事物教孩子,那会让孩子感到为难。

· 反过来,爸爸也可以这样指着妈妈问。

· 用妈妈和爸爸来练习,宝宝最容易区分,因为这个时期的婴儿对爸爸妈妈已经比较熟悉了。宝宝第一个认识的是爸爸妈妈,会说的第一个词

也是"爸爸""妈妈"。利用宝宝对爸爸妈妈的认识和依恋来开发婴儿的智能是最好的办法。

照镜子

照镜子是婴儿喜欢的一项游戏,当看到镜子里的宝宝时,虽然宝宝意识不到这就是他自己,但宝宝会非常兴奋。对着镜子里的宝宝又是笑,又是说(发出音节,好像要和镜子里的宝宝说话),又是拍打,又是往镜子里抓。

这是小儿的天性,小儿都喜欢和小儿在一起,小婴儿也是一样,看到小婴儿要比看到大人兴奋得多。妈妈可以利用这一点。教孩子认识五官的名称和作用。

妈妈对着镜子,指着宝宝(宝宝本人,而不是指向镜子)的鼻子、眼睛、嘴等部位,告诉宝宝,它们的名称和作用。这是很有趣的活动。宝宝不但看到镜子中妈妈指的五官部位,还能感受到五官的存在。如果指向镜子,一是宝宝感觉不多;二是指的部位不准确。

唱儿歌学动作

适合婴儿的儿歌有不少,妈妈可以选择一些,边和孩子唱歌,边教孩子动作。这是一项很好的游戏。

如"小白兔,白又白,两只耳朵立起来,立呀立,跑下去"。妈妈一边唱着,一边比画着。这个儿歌使宝宝认识了小动物——兔子,接触白色概念,熟悉耳朵的位置,知道什么

宝宝/尚潘柔美
把磨牙棒给宝宝,宝宝咬着磨牙棒,一脸的不高兴,宝宝感到不舒服。

是跑。

妈妈可以买一只玩具兔，唱"小白兔，白又白"。然后，把两只手的食指和中指伸开，做成剪子样，放在自己头顶上，唱着"两只耳朵立起来"。这时妈妈就站起来，做出跑的样子，边唱着"立呀立，跑下去"，边跑几步，让孩子知道跑是怎么回事。

这比摸着玩具兔的耳朵，让白兔跑更能引起孩子的兴趣，因为婴儿持久的注意能力很差。对不断变化事物和场景，孩子不感到疲劳，不会失去兴趣。

教孩子战胜挫折

这个月的婴儿还不会爬，当孩子趴着时，在孩子的前面放一件玩具，这时孩子会用手够，但因为孩子不会向前爬，够不到他想够的东西，宝宝可能会哭。

·妈妈怎么办呢？

把玩具递到孩子手里。

把玩具推到孩子能够得着的地方。

帮助孩子向前爬，努力够着。

·哪种方法更好呢？

当然是第三种方法最好了，使孩子的身体和心理都得到了锻炼。这是让孩子通过努力达到目的，使孩子有自信心。

·怎么帮助呢？

爸爸妈妈用手掌轻轻推孩子的足底，使孩子借助外力向前爬，够到他想要的东西。

宝宝尚潘柔美
宝宝看着眼前的不倒翁很是兴奋

如果不帮助孩子，冷眼看孩子，这是不对的。孩子还没有这个能力，就会在心理上受到挫伤，产生孤独无助的消极情绪。

第7节 本月婴儿护理要点

383. 春季护理要点

婴儿过了6个月，从母体中获得的抗体慢慢消失，自身抗体尚未产生，所以对病毒细菌的抵抗能力下降；如果是人工喂养儿，缺乏初乳中抗体的摄入，尤其是IgA抗体缺乏，容易引起呼吸道感染，较之母乳喂养儿抵抗力可能低些。

春季气候不稳定，冷热不均。如果一冬天也没怎么做户外活动，到了开春带到户外，呼吸道对冷空气的抵御能力低下，容易患呼吸道感染。

如果一冬天都坚持户外活动，到了开春就不会出现这种情况。

不要急于减衣服，带婴儿外出时，时间不要过长，多给孩子喝水。

这个月的孩子，容易发生出疹性疾病。如幼儿急疹、疱疹性咽峡炎、无名病毒疹等（详见十三章）。

384. 夏季护理要点

避免积食

炎热夏季，婴儿食欲会有不同程度下降，如果是在夏季开始添加辅食，就比较困难，孩子本来就不爱吃奶，也不会喜欢吃辅食。妈妈不要强迫婴儿吃你认定的辅食和奶量，这会使婴儿积食，甚至腹泻。

餐具清洁

要注意奶瓶及配奶器具的消毒灭菌。

最好买桶装配方奶粉，放在冰箱冷藏室内。鲜奶很容易变质，所以夏季最好不选择鲜奶喂养。

及时处理脓包疮

婴儿长痱子后，如果被抓破，感染化脓菌后形成脓包，可能会引起婴儿发热。脓包也会出现疼痛，婴儿会为此哭闹，应及时治疗，可涂用雷夫奴尔霜。

防夏季热病

夏季，如果婴儿缺水，或天气过热，可能会发生夏季热病。

防蚊虫叮咬

这个月的婴儿，可能没有赶上接种乙脑疫苗，但有感染乙脑病毒的危险。蚊虫叮咬是传播乙脑病毒的主要途径。

防皮肤糜烂

胖孩子容易发生皮肤皱摺处糜烂，要勤洗皮肤皱摺处。对于爱出汗的婴儿，使用爽身粉或痱子粉是不适合的。用清水勤洗是预防皮肤糜烂和痱子的最好方法。

不提倡吃冷饮

过冷的食品进入婴儿胃内，会使婴儿胃内血管收缩，胃黏膜缺血，使胃分泌功能受到抑制，消化酶减少，影响婴儿的消化吸收功能。婴儿不宜吃过凉过热的食品。可以把常温的酸奶，作为冷饮给孩子喝，对孩子的消化有益。

宝宝/尚潘柔美

宝宝不厌其烦地弹着电子琴。这个月龄的宝宝已经能够区分简单的声音，音调不准的玩具琴具不宜给宝宝玩。

385. 秋季护理要点

秋季少病

秋季是个好季节，是婴儿最不爱患病的季节，食欲也会随着天气的凉爽而增加。

爱吃奶也要适量

值得注意的是，不要因为孩子爱吃饭了，就拼命给孩子吃，这会使孩子积食的。尽管孩子很爱吃奶，也要适当掌握奶量。

应对爱咳嗽的孩子

随着天气转凉，有的孩子会逐渐开始出现咳嗽，嗓子里呼噜呼噜的，好像有很多的痰，爱长湿疹的孩子更是如此。妈妈就以为是患了气管炎，开始吃药打针，结果，一冬天孩子也没好，吃了一冬天的药。

其实，孩子根本不是感冒，也不是气管炎，更不是肺炎。这样的孩子，就是气管分泌物多。天气一凉下来，就会这样。如果一看孩子咳嗽了，就不敢带孩子到户外了，一直到第二年开春，才敢把孩子带出去，会使孩子气管分泌物更多。户外锻炼是很重要的，尽管孩子嗓子里呼噜呼噜的，也不妨碍带孩子进行耐寒锻炼，会改善这种状况。

386. 冬季护理要点

冬季呼吸道感染高发

这个月的孩子爱患感冒，冬季是感冒的高发季节。所以，这个月的婴儿要注意预防感冒。室内空气新鲜，定时开窗开门通风。室内温湿度适宜（温度18-22℃，湿度40%-50%）。在室内，不要给孩子穿得过多，如果孩子总是有汗，脸红红的，到室外就会受凉外感风寒。

父母预防感冒也重要

父母预防感冒也是很重要的，这个月婴儿，被父母传上感冒是最常见的。父母一但感冒，要注意与婴儿隔离，给婴儿喂奶喂饭时或抱孩子时，最好戴上口罩，以免喷嚏、咳嗽飞

宝宝：尚潘柔美

几乎对任何事都不感到陌生，也没有恐惧，因为家里的人总是络绎不绝。妈妈还经常带宝宝到学校去玩。

沫传到孩子的呼吸道。爸爸妈妈患感冒后，会经常擦鼻涕，病毒会沾在手上，如果没有清洗干净，可能会传到孩子手上，孩子吃手时，可能会感染病毒。还有给孩子用的餐巾手绢等都要注意，不要被大人手上的病毒污染。

387. 衣物被褥床玩具

带栏杆的床不适合醒着的婴儿

这个月婴儿开始会在床上翻滚，也开始学习爬，坐得也比较稳了。当婴儿醒着时，最好放在成人的大床上，或放在铺着地毯或木地板的地板上，使孩子有足够的空间锻炼翻滚、爬、坐着也舒服。如果是坐在带栏杆的床里，会挡孩子的视线，让婴儿感到很不舒服。婴儿床比较小，孩子翻滚时很容易撞在栏杆上，孩子的头会磕一个大包，脚也可能被卡在栏杆缝隙中。所以，妈妈不要为了安全而不顾孩子的感受。

开始喜欢电玩

这个月的婴儿，对电动玩具会非常感兴趣，把电动玩具放在离婴儿一米远的地方，孩子趴着时，会努力向前爬（尽管这时还不会爬，但爬的愿望促使婴儿学习爬行）。

当婴儿坐着时，把电动玩具放在婴儿一米远的地方时，婴儿会非常高兴地看着玩具，还可能会由坐位向前倾斜变成俯卧位，企图去够玩具，这是个比较复杂的体位变换，即使不能成功，对婴儿运动能力的提高

也是有好处的。

带响的玩具仍是婴儿喜欢的，婴儿会更加熟练地摇晃拨浪鼓、花铃棒。

玩具导致的气管异物

玩玩具时，应该注意的还是安全问题，气管异物可危及婴儿生命，一定要时刻想到。给孩子玩具前，每次都要仔细检查是否有破损（掉下的破损碎片可能会被孩子吃到嘴里，也可能会划破孩子皮肤），有无易脱落的螺丝和其他部件，还要注意玩具清洁。

谁来保护稚嫩的生命？

作为儿科大夫，我注意到近年来，非食品类呼吸道异物患儿的比例不断上升。看到每一个稚嫩的生命承受痛苦，我都不禁要问：谁是罪魁？

我给许多婴幼儿检查过服装和玩具，但这不是儿科医生的职责。3岁前，幼童并没有明确的安全意识，因此从半岁到3岁这段时期，一个微乎其微的小疏忽都足以酿成大祸，甚至葬送幼小的生命。

危害幼儿隐患表现在各个方面，作为一名儿科医生，我认为最主要防范的是呼吸道异物对婴幼儿的危害。过去，造成呼吸道异物主要的是食品，如果仁、豆粒、果核、鱼刺等，这些，通过提醒父母注意是可以避免的。近年来，非食品类呼吸道异物比例不断上升，主要是玩具零部件脱落；儿童服装上的

宝宝：尚潘柔美

这么大的宝宝还不会和小朋友一起玩，美美和其他小朋友有些不同，很喜欢和小朋友交流。

宝宝/郑果

快7个月了，妈妈把儿子放在海滨沙滩的冲气垫上，趴在凹凸不平晃动的垫子上，宝宝起初有些害怕。

宝宝/郑果

开始尝试着，这是婴儿在晃晃悠悠的垫子上掌握高难度爬行技术。

宝宝/郑果

找到感觉了，两只小手插在垫子沟里，勇敢地向前爬了起来。果果的运动发育一直比较超前，一般情况下8个月才开始用四肢爬行，此前只会用肚皮匍匐爬行。

纽扣及装饰物；商品上粘贴的各种标签；比较薄软的塑料包装袋等等。这种现象，必须引起社会的高度重视。

还有胶皮玩具底座的金属响笛、玩具上的球珠、铅笔上的铁环橡皮、曲别针等等造成呼吸道异物，不胜枚举。异物堵住口、鼻、咽部，往往造成缺氧后脑损伤、脑瘫，甚至死亡。异物卡在气管、支气管中，则引起肺不张、肺感染、气胸、气管—食管瘘等，危害严重。

我在某儿童医院夜班急诊中，因气管异物就诊的患儿竟高达15%。在一些偏僻落后的地方，医院设备不完善，无法去除呼吸道异物。同时，此症具有发病急、恶化快的特点，不少婴幼儿不幸死于就医途中。

作为一名医生和母亲，我要发出呼吁：

第一，婴幼儿服装、玩具、用品设计生产者，应具备婴幼儿用品安全意识。有关行业管理机构应将婴幼儿用品是否对婴幼儿安全这一指标纳入产品生产标准。另外，国外玩具上有适宜年龄的明显标识值得借鉴。

第二，技术监督机构及工商管理部门，对市场上流通的危及婴幼儿安全的产品及劣质产品，应坚决取缔。

第三，家长为婴幼儿购物时，要仔细检查有无可能脱落的异物；不要购买来路不明的劣质商品；衣服、玩具在用过一段时间之后，应注意纽扣、部件等是否可能脱落。

让全社会都来保护幼小的孩子，消除他们身边的隐患，是我们义不容辞的责任。

388. 睡眠

白天睡眠减少

从这个月起，婴儿的睡眠时间可能会有明显的变化，白天的睡眠减少了，玩的时间延长了，还可以留出时间吃辅食，晚上睡觉时间也向后推迟了。有的婴儿可能到了晚上10点还没有睡意，可早晨却起得很晚。

晚上睡得晚

父母都上班，保姆作为孩子的看护人，会以喂饱了，喝足了为目的，至于和孩子玩，做户外活动等，都不放在重要位置上。孩子又天生亲妈妈，所以，妈妈回来后，就不舍得睡觉，妈妈也会和孩子做游戏，逗孩子玩，母乳喂养的孩子还会喂母乳，这就使得婴儿睡眠时间向后逐渐推延。有的孩子，到了傍晚还补上一觉，要等到妈妈7-8点回来后又醒来，孩子就不可能早睡。

父母的担忧

到了11点以后孩子还不睡觉，父母就开始担心了。孩子会不会睡眠太少，影响孩子的长个？爸爸妈妈知道，晚上是生长激素分泌的高峰，错过了这个时期，就会导致生长激素分泌减少，孩子可能会长不高。有这种担心的父母，往往会带着孩子看医生。但是，这个问题医生往往是解决不了的，只能提些

建议。

如果是保姆看护的孩子，要改变这种状况，需要和保姆谈话，让保姆帮助改变这种睡眠习惯，早晨尽量叫醒孩子，带孩子到户外活动，傍晚不要让孩子再睡上一觉。这样会使孩子晚上8-9点入睡。但是，如果孩子已经养成了这种睡眠习惯，即使不让傍晚睡，早晨也早早把孩子叫醒，孩子还是很晚才入睡，那就不能勉强了，以免孩子睡眠不足，真的影响长个。

到底应该睡多长

父母会问，这么大的孩子一天应该睡多长时间，答案并不是统一的。有的孩子要睡14-16个小时，可有的孩子睡12个小时就够了。这要看孩子的生长发育是否正常，醒后是否有精神。

如果一切正常，即使睡得不如别的孩子长，也不必担心，这就是睡眠少的孩子，可能父母也不是那种很能睡的。

有的孩子，睡的时间比较长，妈妈就以为是孩子不很机灵，总是睡着。有的孩子就喜欢睡觉，妈妈也不要干预。

如果孩子一夜都不醒，能睡十几个小时，白天睡得少，父母也没有必要非要延长孩子白天睡眠时间。白天睡得少，就增加白天活动的时间。

389. 大便

一天1-2次大便

婴儿的大便比较固定了。自从婴儿适应了添加辅食，有的婴儿，会从每天5-6次大便，改为每天1-2次大便。也有的婴儿，隔一两天大便一次，这会让父母着急，如果是第一次，妈妈就会向医生咨询，或抱着孩子上医院。如果总是这样，父母也就习以为常了。如果干燥得排不出来，才会着急。

隔一两天一次大便

尽管孩子隔一两天大便一次，如果大便不干燥，拉得很痛快，孩子也没有什么不适，父母就要分析：

· 父母也是这样吗？

· 有便秘家族史吗？

· 孩子从来都没有发生过大便干燥？

· 是否有喂养不当的地方？比如母乳不足，孩子又吃很少的辅食。

· 孩子生长发育正常吗？

如果没有什么问题，隔一两天大便一次就不能视为异常。

宝宝/吕春娟

半岁以后的宝宝开始认识更多的东西，可以给孩子看色彩丰富的画报。宝宝也开始学会和爸爸妈妈交流，看到他感兴趣的东西，会啊啊地告诉妈妈。

宝宝/尚潘柔美

爸爸准备练习宝宝上肢的力量。看宝宝多厉害，用两只胳膊支撑起了身体。爸爸还不甘心，结果让宝宝来了个嘴啃地。美美一点也不害怕，还咯咯地笑呢。宝宝已经完全腾空，顺手把毯子抓了起来，给自己壮胆。

避免大便干燥很重要

大便干燥，可能会把肛门撑破，肛门的疼痛会让孩子不敢大便，结果大便就更干燥。一旦孩子出现大便干燥，要及时看医生，不要自行使用开塞露或服用泻药。

这不是停止添加辅食的原因

添加蔬菜和水果可使大便变软。以母乳为主的婴儿，大便次数多达3~4次，增加辅食种类时，可能使大便变稀，色绿，只要不是水样便，没有消化不良，肠炎，就不要停止添加辅食。

有的时候添加辅食后，出现了大便次数增加，妈妈可能会停止喂辅食，结果很长时间也不能使大便转为正常，孩子还会不停地哭闹，体重增长也不理想了，这可能是饥饿性腹泻。已经习惯吃辅食的婴儿，重新以牛奶或母乳为主，就会出现这种情况。所以，即使是添加辅食后出现了稀便，消化不良等，也不能长期停止添加辅食，要考虑饥饿性腹泻的可能。

390. 小便

小便次数

小便次数多数在10次左右，夏季出汗，皮肤蒸发水分多，尿量可能会有所减少，次数也可能在6~7次，注意多喝水。夏季容易患尿布疹，要勤换尿布。

不要勤把尿

这么大的婴儿，对于妈妈把尿，多不会反抗，有时很容易成功，但这并不是真的控制小便的表现。如果正赶上孩子没有尿，妈妈可能会把的时间长些，有的婴儿就会不满意了，打挺或哭闹。有的婴儿，似乎很识相，一把就尿，妈妈就频繁把尿，几乎是一两个小时就把一次。这并不是好事，这样会使孩子的尿泡变得越来越小，到了该自行控制排尿的时候反而会很困难。

对于这个月的婴儿训练尿便要掌握火候。如果能够观察出孩子要排泄，把一分钟就能排，可以把尿便，甚至可以坐便盆，如果不是这样，就不要勉强。即使周围的孩子被妈妈训练得很好，也不要着急，1岁以后才进入训练排便时期。

当婴儿排尿哭闹时

婴儿的尿发浑，尤其是女婴，排尿时哭闹，要想到患了尿道炎，要及时到医院化验尿常规。男婴排尿时哭闹，要看一看尿道口是否发红，小婴儿的尿道口可以发炎，致使排尿疼痛，可以用很淡的高锰酸钾水浸泡几分钟阴茎。是否有包皮过长，要请医生诊断。但小婴儿即使有包皮过长，也不要轻易手术，随着年龄的增长，包皮可能并不过长。过早切除，会导致包皮过短，使龟头裸露。

391. 免疫接种

婴儿满6月应该接种第三针乙肝疫苗了。

第8节 护理中常见问题

392. 夜啼

这个月的婴儿，可能会出现夜啼；原来有夜啼的孩子，到了这个月，夜啼也许会消失，也有可能变得更加严重。

真正的夜啼儿——"高要求"的孩子

对于真正的夜啼儿，要寻找夜啼的原因和解决办法是不容易的，针对夜啼的一些对策也很少能够奏效。对于这样的夜啼，可能会使父母感到带孩子异常艰辛。医生也很同情这种情况，但却没有好的解决方法。

这样的婴儿可以被称为是"高要求"的孩子。既然是"高要求"，父母也要给予更高的照顾，不然的话，可能会使这样的孩子变得灰心丧气，烦躁不安，哭得就更频繁，更剧烈了。

· 不理睬，让他哭个够行吗？

当然不行。或许会有人告诉你，对付夜啼的婴儿就是不理睬他，让他尽管哭个够，这是消极的办法，可能会使情况变得更糟。

· 父母耐下心来才是上策

对于高要求的孩子，父母要耐下心来，共同担当起养育孩子的重任，而不是相互埋怨，甚至影响到婚姻的稳定。

· 不可忽视爸爸的作用

要想使这样的孩子度过夜啼期，爸爸的作用是不可低估的。只靠妈妈是不行的，即使是全职妈妈，也很难达到高要求儿的需要。白天，妈妈要给孩子做辅食，喂奶，喂饭，做户外活动，洗涮，收拾家务。晚上，妈妈要哄孩子，不能好好睡觉，妈妈会感到筋疲力尽。

· 爸爸不该这样

如果爸爸因为白天上班，孩子影响他的睡眠，会对妻子大吼："连孩子也看不好，明天带孩子到医院。"或者干脆搬到另一间屋子里，可孩子的哭声仍然不绝于耳。爸爸可能会气愤不已。夫妻间产生了隔阂，但婴儿仍然是我行我素，还是哭个没完，而且在爸爸的吼声和妈妈的抱怨中越哭越厉害。

· 我的请求

在这里，我替夜啼儿向父母请求，如果您的孩子是个高要求儿，就应该正确面对。多给孩子一些关心和爱护，孩子不会一直哭下去的，在爸爸妈妈耐心呵护下，终会有一那么一天，孩子突然不哭了，夜间能睡整觉了。

假性夜啼儿——有原因可寻

有些婴儿夜啼是有原因可寻的：

1）吃不饱。

2）白天活动过少。

3）白天受到刺激，夜间被噩梦惊醒。

4）对母乳依赖，不吸着乳头就睡不安稳。

5）肚子不舒服，可能是吃得太多，消化不了。

6）室内空气不新鲜，缺氧，孩子感到出气不畅快。

7）温度太高，热得睡不着觉。

宝宝/杨昊辰
拍于辰辰6个多月时，他喜欢玩水，平时还让他在家游泳。

8）室内温度太低，冻得睡不塌实。

9）有蚊子叮咬。

10）空气干燥，嗓子不舒服。

11）咳嗽以至于把奶都吐出来了，很不舒服。

12）大便干燥，晚上肛门堵着大便。

13）肚子发胀气，又不能把气排出来。

14）感冒鼻塞；嗓子里有痰，通气不畅。

15）皮肤湿疹，痒得慌；尿布疹，臀部又痒又痛。

16）要出牙了，可能多少有些痛。

这些原因可能是医生找不出来的，还要靠父母仔细观察，寻找可能的原因，试着改善一下，孩子可能就不会再夜啼了。

393. 趴着睡

为什么开始趴着睡

从这个月开始，有的婴儿会趴着睡，父母不知道孩子趴着睡是否正常，有的老人就会告诉年轻的妈妈，小儿趴着睡，可能是肚子有虫子或小儿肚子痛。

其实，这个月的婴儿，由于能自由翻身了，所以，虽然睡觉时妈妈明明看到孩子是仰着睡的，怎么现在趴过来了呢？而且，有许多婴儿开始喜欢上了这种睡觉姿势。妈妈把孩子变成仰卧，可是不一会，孩子就又趴过来了。

宝宝/张士儒
宝宝不但能被逗得咯咯大笑，看到令他高兴和新奇的事，宝宝也会自己发自内心地大笑。

趴着睡正常吗？

婴儿如果能够自由地变换体位，大多是采取他舒服的姿势睡眠。喜欢趴着睡的婴儿，大多是感觉这样睡比较舒服，而不是有什么疾病。婴儿可能也不会整个晚上都采取趴着睡的姿势，可能会仰卧或侧卧一会，再俯卧一会，不断地变换睡姿，这是很正常的。

趴着睡安全吗？

父母对此不必担心。前面提过，婴儿应该采取仰卧位睡眠比较安全，那是针对3个月前的小小婴儿。小小婴儿还不会竖立头，趴着睡有堵塞口鼻引起窒息的危险。即使是侧着睡也会因为吐奶，堵塞口鼻，引发危险。婴儿大了，能自由转动头部和颈部了，即使俯卧时也会把头转过来，脸朝一边躺着，而不会把脸埋在床上或枕头上。

可能有的异常情况

如果脑后或背部臀部有疖肿，挨到床会疼，婴儿会被动采取俯卧位睡眠。但是，长疖肿的孩子，当妈妈让他仰卧时，会因为疼痛而哭闹。

394. 吸吮手指

半岁前吸吮手指

通常情况下，婴儿在生后最初的3个月里，非常渴望吸吮，如果哪一天，碰巧婴儿的手指挨到了嘴唇，孩子就会吸吮起来，而且往往是一发不可收拾，吸吮得很来劲。如果妈妈试图拿开婴儿的手，婴儿就会大哭。可是，过了3个月以后的婴儿，吸吮欲望逐渐开始减弱了。多数婴儿，半岁以后，这种欲望就消失了。

半岁后吸吮手指

6个月以后的婴儿，如果还是不断地吸吮手指，或从来不吸吮手指的婴儿，在这个月的某一天，开始吸吮手指了，就不是本能了，也不表示这个婴儿需要吸吮。

吸吮手指缘由

·通常认为,吃母乳的婴儿吸吮手指的要少于人工喂养的婴儿。事实也许并非如此。

为什么人工喂养儿要比母乳喂养儿更易吸吮手指呢? 可能的原因是:

1) 吸吮母乳的婴儿,能够较长时间地吸吮(一次吃两侧乳房,一侧乳房能吃十几分钟);

2) 母乳喂养次数多,是按需哺乳;

3) 人工喂养儿,吸吮时间很短(吸吮力强的婴儿几分钟就能把奶瓶吸空);

4) 人工喂养次数少,是按时哺乳。

以上情况,使得人工喂养儿不能满足吸吮的欲望,吸吮手指正好弥补了这种不足。婴儿长期得不到满足,吸吮的欲望不但不会随着月龄的增加而减轻到消失,反而会增强这种难以满足的欲望,结果过了6个月,婴儿吸吮手指的现象就延续下来,而且会越演越烈,最终发展成"吮指癖"。

但是,为什么母乳喂养儿,也有"吮指癖"呢?

·有的学者认为,有"吮指癖"的孩子,缺乏母爱,比较孤独,性格内向。然而,大多数吸吮手指的孩子,也是很开朗的,并不缺乏母爱。

·更多的学者认为,恐惧心理是引起"吮指癖"的主要原因。但是,也并非都是这样。

·我在临床中遇到的情况是:在小婴儿阶段,无论是母乳喂养,还是人工喂养的婴儿,都会吸吮手指,比率并没有拉开距离。但是,真正发展到"吮指癖"的,确实是人工喂养儿多于母乳喂养儿。

如何对待吸吮手指的孩子

·做父母的,只能是帮助孩子改变这种状态。而且还要默默帮助,而不是大声训斥,或打孩子的手,或把孩子的手或胳膊绑起来。这些都是错误的做法,不能采取任何强制性的措施。

·如果是大孩子,你用强制性的办法管教,孩子在你面前,可能不吸吮了,当离开你的视线时,就会重新吸吮,而且越吸越厉害,没看到孩子吸吮,可孩子的手指却变形了。

宝宝/张洛宁
宝宝喜欢到户外活动活动,看各种运动着的物体。你看小家伙那么兴致高昂。

·对小婴儿也是一样,当孩子吸吮手指时,要通过转移注意力,和孩子玩耍,把玩具递到孩子手中。不论你采取什么措施阻止,都不要采取强制性的。

·有的医生会建议,给爱吸吮手指的孩子吸安慰奶头,我不赞成这种做法。尽管橡皮奶头,可以避免孩子吸吮手指,但吸橡皮奶头同样是不可取的,只是让孩子换了吸吮的物体,孩子仍然有吸吮依赖。这对于孩子的牙齿发育是不好的,可能会出现"地包天"或"天包地",或乳牙不整齐,对牙槽骨的发育和以后恒牙萌出也有影响。

·孩子在长牙期间,如果偶尔出现吸吮手指或啃手指的现象,可能会随着牙齿的萌出而很快消失,不必介意。

395. 耍脾气

这样耍脾气

·如果你喂他辅食,他不喜欢吃时,会用手打翻你拿着的饭勺或饭碗。

·如果你非要把尿,就会打挺哭闹。把两腿伸直,甚至把尿盆弄翻。

耍脾气是好还是坏?

这时的婴儿,情感丰富了。如果父母不尊重孩子的选择,会得到反抗的。

婴儿耍脾气,并不是坏事,说明孩子已经有了自己的主见,不能一遇到孩子耍脾气,就一味的认为:"这样的孩子应该管教,否则,长大了就管不了了"。对于这么大的婴儿,这样认为是不对的。

如何面对耍脾气的孩子

教育孩子以讲道理为主，而不能在孩子耍脾气时，父母就要态度。况且，这么大的婴儿还不能明白一些事理。如果孩子要脾气时，父母生气，或抱怨，或要态度，都是不应该的，这会加剧孩子耍脾气的势头。以温和的态度对待孩子是最好的。

396. 厌食

厌食孩子真的那么多吗？

什么阶段，都可能会有不爱吃饭的孩子。但是，真正厌食的孩子，并没有那么多。大多数孩子根本不是厌食，而是妈妈在喂养方式和观念上有问题。

真正厌食的孩子是什么样？

食欲低下，什么也不肯吃，看到吃的就会不高兴。把放在嘴里的奶头吐出来，把喂进的辅食吐出来。如果强迫喂进去，可能会发生干呕。体重增长缓慢，生长发育落后，头发稀疏，缺乏光泽。对于这样的孩子，要看医生，做必要的检查，服用必要的药物。

如何预防孩子发生厌食

·在添加辅食过程中，妈妈按照食谱或书上推荐的食量喂孩子，如果不能把妈妈做的辅食吃下去，或不喜欢妈妈做的辅食，这可不是孩子厌食，是妈妈错怪了孩子。

宝宝/张亦弛

闹闹看到那么多的小朋友，高兴得手足舞蹈。这么大的宝宝常常会自发的大笑，妈妈不知道宝宝为何这么高兴，宝宝眼里的高兴事和妈妈眼里高兴事不一样啊。

·如果孩子很爱吃某种食物，妈妈就没有限制地喂给孩子，而且第二天又喂给孩子吃。这样，就会使孩子吃腻了。孩子不但不再吃他喜欢的这种食物，还会影响其他食物的摄入。

·有的父母，不知给孩子吃什么好，很喜欢听周围人的经验之谈，周围人说什么好，就不假思索地买给自己的孩子吃。你的孩子也许不适合吃这些，如你孩子添加辅食时间晚，是5个月才添加的辅食，而那人的孩子是3个月开始添加的，那个孩子是人工喂养，你的孩子是母乳喂养，那人推荐的恰好是含油脂大的食品，不适合给刚添加辅食不久的孩子吃。结果导致孩子消化功能障碍，积食了，孩子辅食量和奶量都下降了，也不爱吃了。

凡此种种，父母都要加以辨别，不要动辄就认为孩子是厌食症。

397. 不会坐

6个月以后的婴儿，基本上会坐了，而且能坐得比较稳当了。但有的婴儿到了6个月，仍然坐不稳，后背还需要倚靠着东西，有时会往前倾，这都是正常的。有的孩子到了7~8个月才能坐得很稳，不能就此认为是孩子发育落后。但是，如果这个月孩子还一点也不会坐，甚至倚靠着东西也不能坐，头向前倾，下巴抵住前胸部，甚至倾到腿部，那就需要看医生了。

398. 不出牙

孩子出牙的早晚，是有个体差异的。一般情况下，生后6个月，开始有乳牙萌出。但有的婴儿，早在生后4个月，就会有乳牙萌出。有的婴儿迟至生后10个月，甚至到了1岁，还没有乳牙萌出。

小女孩悦悦的故事

悦悦，直到1岁零2个月，才开始出牙。父母急得团团转，看了一位医生又一位医生，走了一家医院又一家医院，没有发现任何问题，也没有发现器质性疾病。不但不出牙，悦悦的

宝宝尚潘柔美

宝宝手的精细活动能力增强，会玩比较复杂的玩具了。这么大的宝宝喜欢把手指伸到有孔的地方，妈妈要格外小心，不要给宝宝玩孔很小的玩具，以免宝宝的手指插进去，拿不出来。

身高也略低（妈妈身高是1.62米，爸爸身高是1.76米）。没有发现骨骼发育异常，也没有佝偻病。牙科检查也没有发现异常。

我询问病史，悦悦在新生儿期，只有妈妈爸爸，没有人帮忙，产妇心情不快，奶水很少，是混合喂养，但他们配的牛奶浓度很淡。结果，出了满月，悦悦的体重一点儿也没长，还比出生体重低了100克。3个月前，悦悦一直比较瘦小。直到1岁零两个月，开始萌出了下面的两颗乳牙。两周后，上面又萌出了两颗乳牙，以后在短短的10个月里，萌出了所有的乳牙，整整是20颗，出齐时，悦悦整整是两岁。和书上写的，大约在两岁左右出齐乳牙相吻合。现在，悦悦已经3岁多了，身高还高于同龄儿的平均值。

在我指导下没采取任何治疗措施，只是好好地喂养，尽管没出牙，也没有耽误添加辅食。没有向后推迟固体食物添加时间，没有补充过多的维生素D和钙剂，没有吃什么补品和保健药品。按我的建议，给悦悦吃所有能在菜市场买到的蔬菜，吃新鲜的水果，吃自己做的食物。即使冬天也坚持户外活动，一天不少于2小时。春夏秋三季，几乎在户外活动近4-5个小时，悦悦脸粉红粉红的，看起来健康极了。悦悦说话比较早，妈妈让悦悦叫我阿姨，悦悦总是调皮地纠正："不是

阿姨，是郑大夫。"我就问，"郑大夫是干什么的呀？"悦悦会笑眯眯的对着我说："是给悦悦看病的。"紧接着马上补充一句，"郑大夫不让悦悦打针，也不让悦悦吃药，郑大夫最疼悦悦。"是的，悦悦非常懂事，因为，在这以前，悦悦受了许多罪。悦悦最怕的是医院和大夫。

我讲这个故事的目的不是让家长都不要看病，不给孩子吃药打针。只是要告诉家长，不要盲目给孩子吃药打针，能不吃药就不要吃药，能不打针就不要打针，能不输液就不要输液。药物治疗是一种最无奈的补救措施，孩子大多数问题和疾病，应该通过正确的喂养和护理来解决和预防。我之所以在这里说了这么多，就是在工作中，遇到太多的这类问题，孩子出牙晚一些了，出牙数与月份不符了，妈妈都会到处看病，吃很多的药，这是没有必要的。孩子间是存在着个体差异的。

399. 湿疹

到了这个月，大多数婴儿的湿疹就减轻了，有的就基本消失了。但是，也有的婴儿，不但不减轻，可能还会加重。这样的婴儿，多是对异体蛋白过敏。如鸡蛋蛋清、鲜牛奶等。

湿疹严重的婴儿，多是嗓子里呼噜呼噜有痰，到了医院，医生往往诊断为气管炎或

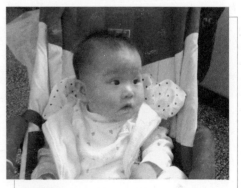

宝宝/张洛宁

宝宝在全神贯注地看着眼前的东西。这个年龄段的宝宝能够有几分钟的集中注意力了。

第七章 6—7个月 （180—209天）

宝宝/代源钧
宝宝已经会给妈妈做怪相。

喘息性气管炎。这样的孩子一般比较胖，医学上称为渗出体质。对于这样的孩子，妈妈不必着急湿疹问题，随着月龄的增加，从以奶类为主食，逐渐向以饭菜为主食过度，湿疹会逐渐减轻的，无论多么严重的湿疹都会好的，不会留下瘢痕。

父母应该做的

湿疹严重的婴儿，在添加辅食时，妈妈要注意是什么使婴儿湿疹加重，如果吃海产品时湿疹加重，再进一步观察是虾类，还是鱼类。如果是改喝鲜奶后湿疹加重，可把鲜奶多煮沸几次，以使乳蛋白变性，或再改为配方奶。如果是对蛋清过敏就暂时只吃蛋黄。如果是母乳喂养，母亲要少吃海产品和辛辣食品。

有的父母试图通过医学检查，查出过敏原来，没有这个必要，婴儿要接受扎针的痛苦，也不一定能够查出来。况且，婴儿湿疹是可以自愈的，不是永久的，也没有必要做脱敏疗法，查过敏原也就没有什么意义了。

湿疹有不同类型

· 湿润型：此类型比较多见，婴儿多较胖，多发于头顶、额、面颊等部位，对称分布。可有红斑、丘疹、小包、糜烂、结痂等表现，以渗出湿润为突出表现。

· 干燥型：多见于较消瘦婴儿，多见于面部及躯干四肢，主要是潮红、丘疹及糠状鳞屑。

· 脂溢型：好发于头皮、面部、两眉间及眉

弓，皮肤潮红，有淡黄色透明物渗出，含有较多皮脂，渗出后结痂。

湿疹治疗要得法

1）湿疹的治疗要根据湿疹类型选择外用药物。

2）湿疹的治疗一般不需要全身用药，如果选用，可使用扑尔敏、维生素C、维生素B、钙，不能使用激素类药物。

3）局部治疗也有一定的原则。

· 湿润型应选用安抚性温和无刺激、具有收敛性保护作用的药物，不适宜使用洗剂、霜剂、软膏类。

· 干燥型的可用苯海拉明霜、肤轻松霜、炉甘石洗剂，以收敛止痒。

· 脂溢型可用硫磺霜、匹拉米洞霜。

· 结痂较厚的，用氧化锌软膏或鱼肝油软膏，把结痂浸软后，再用甘油轻轻擦洗，使结痂自行脱落，不能硬揭。

· 湿疹感染时可选择抗菌素软膏。湿疹部位不能用各种洗涤剂，只能用清水冲洗。

父母应该注意的

· 热使湿疹加重，所以不能给婴儿穿得过多、过厚。

· 室温也不能过高，越热湿疹越重。凉爽一点，会使湿疹减轻，尤其是能使瘙痒减轻。所以长湿疹的婴儿凉爽时比较安静，热时就会烦躁。

· 妈妈认为孩子有湿疹看着比较脏，总是给婴儿用水洗，甚至用各种浴液、婴儿皂及各种市

宝宝/天瑾
宝宝正在品尝草莓的味道，吃得非常认真。这是宝宝认识事物的方法。用心体会着，从此宝宝对草莓有了记忆，当宝宝再见到草莓时，会要；如果吃过积木，以后见到就不会着急想吃。

售的洗液给婴儿勤洗，这是错误的。越是有湿疹的部位，越不能勤洗。

·湿疹痒，婴儿会用手挠，妈妈不容易限制，要把婴儿指甲剪短，磨圆。妈妈不能替婴儿挠，如果婴儿痒得厉害，通过涂药解决，不能抓挠。

400. 拒绝奶瓶

为什么不吃奶瓶

单纯母乳喂养儿，平时没有使用奶瓶习惯，由于母乳不足，开始用奶瓶喂牛奶了，有的婴儿拒绝使用奶瓶。这是很正常的现象。

奶瓶的奶嘴和母乳的乳头有很大的差别。婴儿不接受这种奶嘴也是情有可原的。妈妈不要为了婴儿不吃奶瓶就急得不得了。

如果原来用奶瓶喝水、喝果汁或菜汁都很好，偏偏用奶瓶喂牛奶就拒绝奶瓶。最让妈妈难以理解的是，不但不喝奶瓶里的牛奶，现在连奶瓶里的果汁和菜水也不喝了。这种情况也是正常的。

父母不要着急

·不要为此不知所措，这没有关系。

·不要为此绞尽脑汁想方设法非要婴儿吃奶瓶不可，方法不当反而会使婴儿更加拒绝奶瓶了。

·如果孩子不喜欢使用奶瓶，就暂时用杯子或小勺喂，也许过一段时间，孩子自然而然的就使用奶瓶了。

·妈妈可以隔三差五给婴儿奶瓶试一试，即使一直都不喜欢用也不要紧的，再过几个月孩子就开始断奶过渡到正常饮食了，那时喝水、喝奶、喝饮料都可以使用杯子了。

401. 不喝白开水

宝宝为什么不喜欢白开水

即使从一出生就给婴儿喂白开水，也可能有那么一天，孩子会不喜欢白开水了。越明白事的孩子越不爱喝没有味道的白开水，就像成人一样。

宝宝为什么不喜欢喝白开水？新生儿的

宝宝/王震坤
有爸爸妈妈陪伴着，宝宝会很踏实地自己玩耍。

味觉已经比较发达了，喜欢甜味。如果出生后给新生儿喝糖水，再给白开水时就很不情愿。到了6~7个月，婴儿对味道的品尝能力已经很强了。喝惯了果汁、配方奶、咸淡适中的菜水、菜汁，对白开水就不感兴趣了。六个月以前，婴儿的吸吮欲望比较强，放到嘴里的奶瓶会很自然地去吸吮，尽管白开水没有什么味道，但是却能满足吸吮的欲望。六个月以后，婴儿天生的吸吮欲望减退，对于吸吮已经有更具体的目的了，那就是喝他喜欢喝的东西。所以，婴儿不喜欢喝白开水是很自然的。

不给孩子喝白开水行吗？

是不是孩子不愿意喝就可以不给孩子喝白开水了？这不能像吃奶瓶那样对待。任何饮料都不能代替水，6个月以前纯母乳喂养儿，可以不额外补充水，但在炎热的夏季和干燥的春季，还是要适当补充水分的，如果乳母口比较重，就更应该补充水了。所以，尽管婴儿不爱喝白开水，也要想办法喂一些水。哪怕喝几口也是好的。这个月的婴儿每天也应该喝30~80毫升的水，如果是牛乳喂养，应该喝100~150毫升水。用奶瓶喝水是比较省事的，如果用小杯子或小勺喂水就比较麻烦了。还是养成用奶瓶喝水的习惯。

使孩子喜欢喝的办法

让婴儿自己拿着奶瓶喝水是最好的方

喜欢自己做事,把喝水的任务交给婴
⋯妈妈在一旁看着,孩子会喝下不少
⋯个方法很有效。妈妈不要怕婴儿自
⋯子奶瓶。不要担心,你只要在一旁看
⋯会出什么问题的。

添加辅食困难

哪些孩子添加辅食困难

· 食量小的婴儿比食量大的婴儿添加辅食
难。

· 很爱吃奶的婴儿,可能不爱吃辅食。

· 有的婴儿不喜欢吃奶,也不喜欢吃辅食。

不要强迫孩子吃辅食

一般来说,到了这个月添加辅食很困难
的并不多。只是不那么喜欢吃,或吃得少。

这个月的婴儿,添加辅食仍然是初期。
只要孩子吃就行,不要求必须按照这个月婴
儿辅食添加的种类和量。每个孩子对于辅食
的需要程度是不同的,不能千篇一律要求每
一个婴儿。

推荐辅食添加方法

这个月的婴儿推荐果汁或菜汁的量是
180毫升。每天分两次喝,但有的婴儿一次就
可以喝180毫升的果汁,下顿又喝180毫升的
菜汁。有的婴儿一次只喝80毫升果汁,菜汁只

喝50毫升。

一个鸡蛋的量是比较小的,但有的婴儿
就是像咽药那样难以把一个鸡蛋吃进去。可
有的婴儿三下五除二,几口就吃光了。

这个月,可以试着吃些固体食物,如面
包、磨牙棒、馒头。有的婴儿吃半固体的粥
还咽不痛快呢,吃固体食物就咽不下去,还
会出现干呕,最后还是把它吐出来了。老人
就说这孩子嗓子眼细。其实成人也一样,有
的人吃饭狼吞虎咽,不挑食,吃什么都香,可
有的人吃饭细嚼慢咽,不爱的一口也难以
下咽。这就是个体差异,不能说前者健康没
病,后者就有病。

添加辅食困难的原因是什么?

1)添加的辅食不适合婴儿的口味。

2)添加辅食过晚了。

3)母乳很充足。

4)牛乳吃得很多。

5)不喜欢使用辅食的小勺小杯。

6)被妈妈撑着了,已经积食了。

如果没有以上这些可能的原因,就要考
虑疾病问题了。

如果添加辅食困难,又找不出什么原
因,就要少加,只要吃一点就可以。如果一点
也不吃,就改一改辅食的种类。一口辅食也
不吃的孩子,还是很少见的。

403. 意外隐患

能力强了,也多了意外隐患

1)这个月的孩子活跃多了,会坐、翻身、
打滚等运动;

2)趴着时脚蹬着东西可能会向前跳,像
个青蛙似的;

3)坐着时会试图变成俯卧位或仰卧位;

4)会拿起他周围的东西,不知道热的东
西不能摸,也不知道刀子会扎手;

5)还会把小的东西放到嘴里;

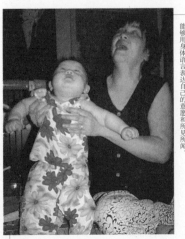

宝宝尚潘柔美
宝宝能够认识家中的很多物体了,姥姥问电风扇在哪里。宝宝还不会用语言表达,但能够用身体语言表达自己的意愿和所见所闻。头望着电风扇,表示她知道电风扇在哪里。宝宝抬起

宝宝/张涵今
把一双手同时放到嘴里是这么大宝宝最喜欢做的。

6）躺着时会顺手把身边的毛巾、小被子、尿布等放在嘴里吃，还会蒙在脸上。当影响他呼吸时，不能意识到是他脸上的东西阻碍了他的呼吸，不会把它拿掉；

7）孩子在翻滚时，意识不到会摔到床下。

意外事故重在预防

一切危险孩子都不能预料。孩子可能会对高度有感觉，如果把孩子放在床边，孩子看看床下，似乎能意识到下面危险，不再向前爬了。但在多数情况下，这么大的婴儿不能意识到危险。

·不要把危险的东西放在婴儿能够得到的地方。

·不要让婴儿自己在床上玩耍。

·婴儿在没有栏杆的床上睡觉时，身边没有人，孩子醒后可能会掉到床下。切记不要把能够堵住婴儿呼吸道的物品放在孩子能够拿到的地方，尤其是塑料薄膜。

孩子从床上摔下来怎么办？

婴儿是头重脚轻，从床上摔下来往往是头部着地，头部受伤的几率最大。当孩子从床上摔下来时，父母常常是惊慌失措，抱着孩子就向医院跑，到了医院当然是先做头颅CT，甚至做头颅核磁共振。孩子从床上摔下来是不是一定要到医院看医生？一定要做头颅CT？父母应该怎么办呢？

·摔下后，孩子马上就哭了，哭声响亮有力，

哭一会儿，大约十分钟左右，面色和好，精神也不错，看不出有什么异常表现，又开始正常玩耍、喝水、吃奶了，这种情况下孩子大脑受伤的可能性几乎为零，不必抱到医院，可在家继续观察孩子的变化。

·在观察过程中，孩子出现不爱吃东西、精神欠佳、嗜睡（比平时爱睡觉，醒了也不精神，或醒了又睡了）、不像伤前安静或过于安静。出现上述情况之一，就应该看医生。

·在观察过程中出现呕吐应立即看医生。

·在观察过程中，出现发烧也要看医生。

·摔下后，孩子没有马上就哭，似乎有片刻的失去知觉，不哭不闹，面色发白，把孩子抱起时，感觉到孩子有些发软。无论有无其他异常，都应该到医院看医生。

·摔下后，头部有出血，应到医院处理。

·头部仅仅是磕个包块，表皮没有可见伤，也没有任何异常表现，不用看医生。

·不要给孩子揉头部的包块（有些父母可能会这样做，认为揉一揉不但可以缓解孩子的疼痛，还能使包块变小，把淤血揉开。这是错误的做法）。

·头部有包块，无论有无皮肤损伤，都不要热敷。如果头皮没有损伤，可适当冷敷。

·如果皮肤有擦伤，可用消毒水（双氧水）、酒精、碘酒消毒后，涂少许红药水。但不要包扎。如果伤口比较大，比较深，或出血比较多，就要到医院了。

·无论有无异常，有无可见的外伤，只要是头部受伤，都要仔细观察48小时。出现异常及时看医生。

宝宝/尚潘柔美
宝宝开始和玩具进行交流。

404. 流口水

6个月以后，大部分婴儿开始萌出乳牙，原来就爱流口水的婴儿，到了这个时期，口水流得更厉害了。原来不流口水的婴儿，从这个时期开始流口水了。要为婴儿多准备几个小布围嘴，湿了要及时更换，以免潮湿的围嘴浸坏了孩子的下颌和颈部皮肤，长出湿疹。有的婴儿流口水比较严重，下颌总是湿湿的，把皮肤都淹了。可以用清水洗净下颌后，涂一点香油，能够保护皮肤不被口水浸破。婴儿流口水不需要药物治疗。

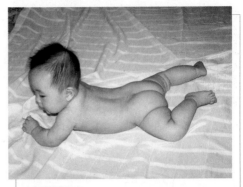

宝宝/尚潘柔美
已经能满床打滚了。把宝宝放在没有栏杆的大床上，可是一步也不能离开宝宝。如果不能保证的话，就应该让宝宝在平地上玩耍。

第八章

7-8个月的婴儿

（210—239天）

这个月婴儿的活动能力更强了，能坐得很稳，会在床上打滚，有了更丰富的情感。

对别人叫自己的名字有反应，对"爸爸""妈妈"有强烈的反应。

第1节　本月婴儿特点

405. 保姆看的孩子问题多起来了

这个月龄的婴儿较易得病，活动能力进一步增强，婴儿开始从以乳类为主食向正常饮食过渡，需要增加辅食种类。白天睡眠时间缩短，婴儿情感更丰富了。保姆的工作量会因此有较大幅度的增加，可能会因此忽视婴儿的安全问题。如果保姆责任心不是很强，缺乏对婴儿疾病的预防知识，可能会出现意外或罹患疾病。父母要在肯定保姆的成绩，理解保姆的辛苦的基础上提请保姆注意各方面的护理。父母要抽出时间多和孩子在一起，使婴儿能够健康地成长。

406. 活动能力更强了

上个月还坐不很稳的婴儿，到了这个月就能坐得很稳了。坐着时能自如地弯下腰取床上的东西。有的婴儿还会勇敢地向后倒在床上，躺着玩一会儿。也许宝宝往后倒时会磕着后脑勺，但他不会哭的。

上个月如果还不会在床上打滚，这个月可能突然会在床上打滚了。胳膊和手的运动能力也强了。趴着时总是伸胳膊够他前面的

东西，够不到，还会一拱一拱地向前爬。但手脚配合还不协调。可以两手自如地倒换手里的玩具。

仍然喜欢把玩具放在嘴里，但已经不是吸吮了，而是开始啃了，如果长牙了，还会啃得咯吱咯吱响。

宝宝/李悦宁
这是我的经典动作，我还常常把我的小脚丫伸进我的嘴里品尝一番：味道不错哦。

宝宝/李悦宁
从侧卧位变成俯卧位，对我来说已经是非常容易的事了。

宝宝/李悦宁
这是我7个月时趴着时候的照片，尽管我的额头抬得还不是特别的高，可和小时候的我比起来，能耐大了很多，动作也娴熟多了。

宝宝/李悦宁
妈妈告诉爸爸开车不能走神，我现在走神了，可我不是开车，是在开飞机，走神没关系吧。天呐！

407. 情感更丰富了

把手中的玩具拿走，宝宝会大声地哭，但也有比较"憨厚大方"的宝宝，拿走就拿走，不在乎，如果眼前还有别的玩具，拿起来照玩不误。

见不到妈妈会不安，甚至哭闹；如果爸爸经常看孩子，抱孩子，宝宝也会和爸爸非常亲。

见到生人可能会一脸严肃。如果经常接触人，宝宝见到陌生人就不会哭了，但也不怎么笑。如果生人能和宝宝玩儿一会，那很快就能混熟，走时说不定宝宝还不愿意呢。宝宝对待生人或对待父母的态度，其实就是宝宝的性格。随着月龄的增加，宝宝的性格也逐渐变得明显了，个体间的性格差异也慢慢区别开来了。

408. 辅食问题仍然存在

有的婴儿会喜欢吃辅食，奶量开始减少，但一天喝的量如果少于500毫升，那是不正常的，至少也要喝500毫升以上。如果是母乳喂养，每天哺乳不应该少于3次。

有很多宝宝也不喜欢吃妈妈做的肉蛋菜辅食，只喜欢吃粥和面条。妈妈要尝试着改变宝宝不吃蔬菜蛋肉辅食的习惯。

409. 尿便问题也大致一样

便秘的宝宝可能并没有因为添加辅食而结束便秘；而大便次数多的宝宝，倒有可能在这个月出现大便减少。宝宝仍不会告诉妈妈"我要拉"，只是有的宝宝便前有所表现，妈妈能及时"捕捉"到，帮助宝宝把大便排到便盆里。喝奶的减少，导致尿的次数不那么频繁了，但一天也得有十来次。

410. 睡眠时间昼短夜长

宝宝白天的睡眠时间继续缩短，夜间睡眠时间相对延长，这是爸爸妈妈最高兴的事情了。但也有的宝宝恰恰相反，白天贪睡，晚上却不睡了。要改变宝宝这种不良的睡眠习惯，不能迁就，当然解决的方法也要宝宝慢慢来适应。

411. 户外活动仍很重要

这个月的婴儿户外活动仍然是很重要的。户外活动能够很好地实现婴儿"三浴（日光浴、空气浴、水浴）"中两浴的需求。这个月的婴儿每日户外活动至少需要1小时，如果能达到2小时是比较理想的。可分上下午每天两次，也可每天三次，一次户外活动时间过长会使婴儿感到疲劳，耽误喂养。

412. 合理控制做辅食的时间

要合理安排好时间，全职妈妈可以有较多的时间为婴儿制作辅助食品，上班族妈妈时间比较宝贵，应该腾出更多的时间和宝宝在一起，这比为宝宝制作辅助食品更重要。可以购买适合婴儿食用的婴儿配方食品。当然了，有时间自己动手为宝宝制作辅助食品是最好不过的了。

413. 安全措施不能放松

随着月龄的增加，婴儿的活动能力增强了，发生意外的几率也随之增加。因此，父母

宝宝/李悦宁
刚刚起床的我精力充沛，我能四肢腾空而起，像一架真正的飞机。不信你看！

217

不能放松安全防范措施。要时刻记住您的宝宝不会自己保护自己，时刻需要父母的呵护。

414. 本月宝宝较易得病

随着宝宝月龄的增加，活动范围大了，接触的人也多了，父母会带孩子到一些场所玩耍，会带宝宝走亲访友，和其他小朋友接触的机会也多了起来。6个月以后的宝宝从母体中得到的抗体逐渐减少，自身抗体的产生相对比较慢。如果是人工喂养的宝宝，未能从母乳中获得抗体，比母乳喂养的宝宝更易患病。所以，父母要注意保护宝宝，减少患病机会。宝宝得病关键的问题还是治疗，一般来讲妈妈总是相信各种各样药物的作用，忽视宝宝的自疗能力，不相信自我调整、自我恢复的积极作用。

宝宝/李悦宁

哭通常被认为是不好的情绪，父母可不能把宝宝的情绪定为坏情绪和好情绪，当宝宝不高兴或哭闹或耍脾气，甚至发怒的时候，说明宝宝目前有些负面情绪，父母需要的是接受宝宝的负面情绪，并加以疏导。

宝宝/李悦宁

宝宝睁着眼睛哭，说明宝宝有要求了，如果宝宝会用语言表达自己的要求，就不会动不动就用哭来说话了。

第2节 本月婴儿生长发育

415. 体重

体重增长呈上升抛物线

7—8月龄的宝宝本月体重有望增加0.22-0.37公斤。我们回顾一下宝宝体重增加的规律：从出生到满3个月，宝宝体重增长速度最快，每月增长0.9-1.25公斤；4—6月龄宝宝体重每月增长0.45-0.75公斤；7—12月龄每月可增长0.22-0.37公斤。

宝宝在满月里（出生后第1个月）体重增长最快，达到1.5公斤。此后在1周岁以内，宝宝每月体重增长趋势是逐渐减缓的，增长曲线为一条不规则的上升抛物线。

连续检测

虽然月体重增长速度逐渐缓慢，但宝宝体重的绝对值是上升的。妈妈可以根据男婴和女婴不同的体重百分位曲线图，来监测宝宝体重增长趋势是否正常。连续性检测的结果要比偶尔一次测量的具体数值更有意义，因为婴儿体重不是每天均匀增长的，而是呈现跳跃性，存在"补长"的现象，不连续检测就不能跟踪宝宝体重发育的内在规律。

宝宝/李悦宁

当宝宝的要求没能得到及时的回应，不耐烦了，就会闭着眼睛哭，这时即使满足了宝宝的要求，宝宝也会继续哭一会。

疾病影响

体重增长受营养、护理方式、疾病等因素影响较大。婴儿患病期间体重会下降。

护理不当

护理不当导致营养不足，这是婴儿体重增长缓慢的又一主要原因。肥胖儿和消瘦儿都与喂养存在着密切的关系。应科学喂养婴儿，既要注意营养供给，又要注意营养过剩。现代社会营养不良儿不多见了，肥胖儿却越来越多，新手爸爸妈妈们应该高度重视。

416. 身高

渐缓的上升抛物线

7-8月龄婴儿本月身高有望增长1.0-1.5厘米。我们也回顾一下宝宝身高的发展规律：从出生到满3个月，宝宝身高每月平均增长3.5厘米；4-6月龄身高每月平均增长2.0厘米。7-12月龄每月平均增长1.0-1.5厘米。宝宝身高增长和体重增长都遵循一个规律：逐渐减缓。

婴儿身高增长也呈现一条不规则的上升抛物线，可根据男婴或女婴身高增长百分位曲线图，监测婴儿身高增长情况，及时发现异常。和检测体重一样，连续、动态的监测，要比一次具体测量的数值有意义。婴儿身高每月增长速度并不是均衡的，跳跃性更大，"补长"更显著。

什么影响身高

影响身高增长的主要因素是种族、遗传、性别，个体间的差异也比较大。3岁以后的宝宝，身高发育会越来越显示出种族、遗传的影响，而到青春期前后，性别对身高的影响突然显露出来。

测量结果比平均标准值稍低，爸爸妈妈就担心宝宝是不是有什么病，或者营养不够。理智的分析是，要将自己宝宝的身高，和相同种族、相同社会文化背景、相同性别、相同父母身高的孩子比较，一句话，要和有可比性的比。

417. 头围

本月宝宝头围增长进一步放缓，平均数值在0.6-0.7厘米之间。头围增长规律和身高、体重的增长规律也是一样的，月龄越小，增长越快；月龄越大，增长越慢。

出生后第一个月（新生儿期），宝宝头围增长速度最快，平均值为2.8厘米；第二个月平均增长1.9厘米；第三个月平均增长1.4厘米；第四个月以后平均增长1.0厘米。

从7-8月龄开始，头围月平均增长就在0.67厘米左右了。如果出生时头围是34厘米，

宝宝/李悦宁

父母要学会正确处理宝宝的情绪。心理学家认为，哭泣是不好的，不要让宝宝养成要情绪的毛病。父母应该明确告诉宝宝，难受、就痛痛快快哭出来，妈妈知道你不好受，像高兴一样丝毫不掩饰。父母不同意的，毫无商量余地，第一次就严厉制止，让孩子没有要的理由。

按照平均速度增长，到了满7个月时宝宝头围就可达43.1厘米，满8个月时可达43.8厘米。

这是以出生时头围34厘米为基数计算出来的平均值，实际上每个婴儿的头围，都不会按平均速度增长的。不要因为自己宝宝的头围与平均值有所差异就焦躁不安，小题大做跑医院，搭工、花钱、受罪。重要的是使用正确的测量方法，动态监测宝宝头围的增长情况，冷静、客观地看待宝宝头围的发育状况。

418. 前囟

这个月婴儿前囟发育没有大的变化，和上个月差不多。

第3节 本月婴儿营养需求

419. 总热量需求

这个月婴儿每日所需热量与上个月一样，也是每公斤体重约95-100卡。

蛋白质摄入量仍是每天每公斤体重1.5-3.0克。脂肪摄入量比上个月有所减少，上个月脂肪占总热量的50%左右（半岁前都是如此），本月开始降到了40%左右。

宝宝/李悦宁
你们看我看得多认真呀，妈妈说我以后能当小博士，我高兴得口水都流出来了，心里那一个美呀。

铁的需要量明显增加。半岁前每日需铁0.3毫克，但从本月起，每日需要10毫克的铁，增加了3倍以上。鱼肝油的需要量没有什么变化，维生素D仍是每日400IU，维生素A仍是每日1300IU。其他维生素和矿物质的需要量也没有多大变化。

420. 营养需求重点

这个月营养需求的重点，是增加含铁食物的摄入量，适当减少脂肪（牛奶）的摄入量，减少的部分由碳水化合物（粮食）来代替。

第4节 本月婴儿喂养方法

421. 母乳喂养儿

爱吃辅食的宝宝可能多了起来

如果母乳很充足，吸吮时并不费力，婴儿还是比较喜欢吃母乳的。但如果母乳少了，吸吮时比较费力，吸几口就没有了，婴儿可能就不爱吃母乳了，原来对母乳的那份热爱和依恋，也慢慢消失了——宝宝开始喜欢饭菜了。

只在夜里喂母乳

这个阶段，妈妈该下决心断母乳了。宝

宝宝/李悦宁
宝宝不是在读书中的字，而是在看书中的画，对于宝宝来说，画是画，字也是画。

宝断母乳晚上不停地哭闹怎么办? 唯一的办法就是只在夜里喂母乳。这不等于没断吗? 是的，对于"顽固"贪恋母乳的宝宝，妈妈只能这样。孩子夜啼不但影响大人休息，还有可能养成夜啼的毛病，影响健康。所以只好白天喂辅食，夜里喂母乳。随着月龄的增加，宝宝会慢慢忘掉夜里吃奶这回事。另外，妈妈要想尽办法帮助宝宝好好吃辅食，否则宝宝体重增长速度可能会较正常同龄儿差很多，会消瘦下来的。

添加辅食不等于断奶

如果母乳比较充足，就因为孩子不爱吃辅食而把母乳断掉，这是不应该的。母乳毕竟是宝宝很好的食品，不要轻易断掉。

必须要添加辅食了

半岁以后绝不能单纯以母乳喂养了，必须添加其他辅食。添加辅食的主要目的是补充铁，而母乳中铁的含量比较低，需要通过辅食补充铁，否则宝宝可能会出现贫血。

贫血会使婴儿食欲减低，食欲差，就不能通过辅食摄入足够的铁，形成恶性循环。通过补铁药来补铁，一是吸收困难，二是铁剂会使婴儿感到恶心，不爱吃饭，因此不是好的选择。

喂辅食的条件反射法

妈妈尽量改善辅食的制作方法，增加宝宝吃辅食的欲望。喂辅食时，妈妈要边喂边和宝宝交流："宝宝真乖，能吃妈妈做的饭，妈妈非常喜欢宝宝，吃饱了带宝宝出去玩。"记住，宝宝吃辅食前不带他到户外活动，但吃完辅食后，一定带宝宝出去玩。这样宝宝就形成了一种条件反射: 吃完妈妈的饭，就可以和妈妈一起出去玩了。这种条件刺激是很有效的。

422. 牛乳喂养儿

爱吃辅食的宝宝

即使婴儿很爱吃辅食，每天也要保证喝500毫升以上的牛乳，配方奶和鲜牛奶都可以。夏季天气较热，鲜牛奶容易变质，对储藏条件要求较高，喂养时一定要注意。

牛奶与辅食的合理安排

如果宝宝一次能喝150-180毫升的牛奶，那就在一天的早、中、晚让宝宝喝三次奶。然后在上午和下午加两次辅食，再临时调配两次点心、果汁等。

如果宝宝一次只能喝80-100毫升的奶，那一天就要喝5-6次牛奶。这会给爸爸妈妈或看护人带来麻烦，但为了宝宝能补充足够

宝宝/李悦宁
　　8个月的小悦宁很认真地和爸爸一起读书。培养宝宝的阅读习惯和读书能力是从小开始的。宝宝喜欢模仿，如果希望孩子喜欢读书，父母自己也要这么做，可以培养宝宝阅读的兴趣。

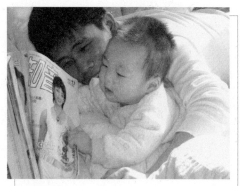
宝宝/李悦宁
　　自己拿着书看，宝宝感到有了主动权。

宝宝/李悦宁

从宝宝的表情上能看得出来，宝宝很满足。多给宝宝创造自己动手的机会，是促进宝宝发育的好方法。

的蛋白质和脂肪，要尽量克服困难鼓励婴儿多喝。

可以这样安排进食：早晨一起来就喂牛奶，9-10点钟喂辅食，中午喂牛奶，下午午睡前喂辅食，午睡后喂牛奶，带到户外活动，点心、水果穿插喂，傍晚喂奶一次，睡前再喂奶一次。

喂养的方法并不是一成不变的，要根据孩子吃奶和辅食的情况适当调整。两次喂奶间隔和两次辅食间隔都不要短于4个小时，奶与辅食间隔不要短于2个小时，点心、水果与奶或辅食间隔不要短于1个小时。应该是奶、辅食在前，点心、水果在后，就是说吃奶或辅食1个小时后才可吃水果、点心。

食量小不是病

有的宝宝一天无论如何也吃不了500毫升奶，辅食、点心、水果添加得也不理想，爸爸妈妈很着急。如果宝宝生长、发育很正常，精神、睡眠也很好，爸爸妈妈就不要计较食量了，宝宝就是食量小，消化功能没问题，更不是什么病。

混合喂养的宝宝少了

7-8月龄的宝宝，混合喂养的不多了，要不就是牛奶加辅食，要不就是母乳加辅食。如果是母乳、牛乳、辅食再加上点心、水果，妈妈劳累不说，宝宝也会感到不知吃什

么好了。

混合喂养是留下母乳，还是留下牛乳，要视具体情况而定。母乳还很好的，当然是喂母乳和辅食；如果母乳已经不能维持一天三顿，一天吃一次，乳房还是不充盈，就干脆断了母乳，选择牛乳加辅食更好些。

别忘户外活动

不管怎样喂养，都不要忘了带孩子到户外活动，和孩子开心地玩。这个时期婴儿潜能开发是很重要的，爸爸妈妈或看护人把大量时间用在制作辅食和喂养上，总是和"吃"较劲，把宝宝弄得见吃就烦，最后厌食。爸爸妈妈需要的就是掌握好膳食结构，科学喂养，而不是逼着孩子吃掉父母认为应该吃掉的所有东西。每个孩子食量不同，对各种饮食喜好程度是有差异的，这种差异随着月龄增加，越来越显著，照着书本"填鸭"是完全不可取的。

423. 本月婴儿辅食特点

不能一次添两种

本月宝宝除了继续添加上个月添加的辅食，还可以添加肉末、豆腐、一整个鸡蛋、一整个苹果等水果、猪肝泥、鱼肉丸子、各种菜泥或碎菜。

未曾添加过的新辅食，不能一次添加两

宝宝/李悦宁

婴儿具有很强的模仿能力。父母喜欢看杂志，宝宝也会学着父母的样子。8个月的小悦宁似乎从书中读懂了点什么。

种或两种以上；一天之内，也不能添加两种或两种以上的肉类食品、蛋类食品、豆制品或水果。

饭菜肉蛋要分开

从这个月开始，可以把粮食和肉蛋、蔬菜分开吃了，这样能使宝宝品尝出不同食品的味道，增添吃饭的乐趣，增加食欲，也为以后转入饭菜为主打下基础。

白米粥就是白米粥

许多妈妈反映，宝宝喜欢吃这样的白米粥——里面和上酱油、香油、菜汤、肉汤等。作为儿科医生，我不赞成给宝宝吃这样不清不白的白米粥。菜汤、肉汤里有盐，酱油里更有盐，一股脑和在粥里，容易盐分过量，而盐摄入过量的直接后果，就是加重宝宝肾脏负担。

把酱油和在粥里，这是在给宝宝生吃酱油，而宝宝对细菌的抵抗能力，还远远达不到生吃酱油的程度。一口粥，一口菜，一口汤；白米粥就是白米粥，肉就是肉，汤就是汤。让宝宝嘴里的滋味不断变化，这是本月添加辅食的新要求。

应该吃固体食物了

无论是否长出乳牙，都应该给婴儿吃固体食物。面包片、馒头片、饼干、磨牙棒等都可以给宝宝吃。许多宝宝到了这个月就不爱吃烂熟的粥或面条了，妈妈做的时候适当控制好火候。如果宝宝爱吃米饭，就把米饭蒸得熟烂些喂他好了。爸爸妈妈总是担心宝宝没长牙，不能嚼这些固体食物，其实宝宝会用牙床咀嚼的，能很好地咽下去。

不要总是比

如果你的宝宝还不能吃固体食物，吞咽还比较困难，也不要紧，并不能以此说明宝宝发育落后。

在吃的方面，孩子间的个体差异是比较大的。不要和周围的婴儿比，也不要听过来人说"我的孩子到了这么大什么都能吃了"，因为听信这样的话，会给你心理上很大压力，觉得自己喂养孩子很失败，自己的宝宝不如人家的能耐……

在大小便控制等生存能力方面，宝宝还有可能出现一时的倒退呢，这种暂时的倒退，都是生长发育中的正常现象，不必过于担心。只要宝宝总体在进步，你就要坚信宝宝发育是正常的，短时倒退会很快消失，大的进步正在到来。

第5节 本月婴儿护理要点

424. 不同季节护理要点

春季护理要点

较前易得病

春季病毒开始活跃，宝宝比以前易得病了。常见的疾病是春季小儿疱疹性咽峡炎、风疹、幼儿急疹、无名病毒疹、咽结合膜热等。

儿童之间易传染

如果宝宝患病了，能在社区医院解决的，就不要非去大医院了，那里就诊的病儿多，肺炎、气管炎等疾病完全可能交叉传染。

宝宝/陈天一

宝宝这样躺着玩，妈妈不会有什么担心，但是如宝宝睡觉时总是这样扭着脖子，妈妈可能会担心宝宝有什么问题，其实，宝宝没有任何问题，这个姿势会让宝宝感觉呼吸道更通畅。

要保证孩子与患有流脑的病儿脱离接触，作好隔离。

适当补钙

冬天很少有户外活动的婴儿，到了开春终于可以出来沐浴阳光了。这个月宝宝白天睡眠少了，一天可以在户外活动3-4个小时。户外活动的增加，可能会造成宝宝血钙暂时降低。轻的可能会出现睡眠不安、易惊等症，重的会出现婴儿手足搐搦症。妈妈不必紧张，适当补充一两周钙剂即可。

避风、补水

春季风沙大，扬尘天气不要带孩子到户外。有风时，抱宝宝到户外，要让宝宝背对风向。带孩子出去活动一定要带上水，随时补充水分对孩子咽部有益处，在比较干燥的北方地区尤为必要。

夏季护理要点

7-8月龄宝宝还没有接种乙脑疫苗，盛夏护理重中之重就是防止蚊虫叮咬，因为蚊子是传播乙脑病毒的媒介，预防蚊子叮咬就是预防乙脑病毒感染，爸爸妈妈决不可掉以轻心。

在南方或中原一带，春季或春末就有蚊子了，乙脑病毒5-6月份就有可能流行，传染高峰是7、8、9三个月。及时挂上蚊帐是很好的预防措施；傍晚到户外活动，不要带孩子到草多的地方。

夏季宝宝护理，预防痱子也同样重

宝宝杨力宁　他很喜欢出去玩都带着这个有熊头的小三轮车，虽然不会骑，但很次出去玩都带着，腿短够不着蹬子，也要有模有样地坐在车上，然后灿烂一笑，好像比谁酷一样。

要，预防方法与前几个月龄大致相同。

秋季护理要点

比较胖的宝宝、长了湿疹的宝宝、食物过敏的宝宝，都容易在气候渐冷的秋季，重新出现痰鸣，就是呼吸时嗓子发出呼噜呼噜的声响。摸摸宝宝的后背、前胸，你会感到宝宝像小猫一样发喘。越到秋末，痰鸣就越严重了。

痰鸣要不要就医？这要看具体情况。如果宝宝只是嗓子里呼噜呼噜的，睡眠时偶尔咳嗽几声，可能还会吐奶，但并不发热，也没有流鼻涕、打喷嚏等感冒症状，吃饭、睡眠、精神状态都还好，那就不用紧张。

其实秋季痰鸣无非两种可能，一是支气管哮喘前期，一是小儿体质问题。体质问题造成痰鸣的宝宝，多是渗出体质，即虚胖、爱出汗、少活动、长湿疹、起风包、不爱吃菜和水果、爱吃甜食、水里不加奶就不喝、大便总是发稀、对牛奶和鸡蛋过敏、户外活动时间少，像温室里的幼苗等等。对于这样的宝宝，解决痰鸣的根本办法不是药物，而是多做户外活动，锻炼孩子的耐寒能力，增加孩子的运动量。如果痰鸣是支气管哮喘前期，就要在医生指导下给宝宝服用药物。

冬季护理要点

7-8月龄的宝宝，即使在北方寒冷地区，也可以每天到户外活动了。天气好，就多活动一会儿；天气不好，就活动几分钟。最好是每天都能到户外，如果隔几天不出去，再出去时，宝宝可能会受凉感冒。

冬季要坚持给宝宝洗澡。不见得要一天一次，但一周要洗2-3次。一冬天都不洗澡的婴儿，开春一洗澡就会患病。

冬季室内空气要流通，不能闷得燥热难耐。另外，这么大的婴儿在室内不要穿得太多了，宝宝活动量在增大，穿得过多容易出汗，冬季出汗易外感风寒，发高烧。穿得过多也限制宝宝活动，7-8月龄正是学爬时期，穿得

宝宝/吕艾麟(女) 吕怡麟（男）

夏天两个宝宝坐在床上玩，小艾还坐不太稳。一般双胞胎从相貌和外观上很难辨别出是男孩，还是女孩，我们多是通过发型和穿着来判断。可这两个双胞胎却很容易判断出哪个是女孩，哪个是男孩。

女孩的眉毛比较细，而男孩的眉毛比较粗，男孩肤色比女孩黑，一眼望去，男孩具有壮实的感觉，女孩则显得很文静。

太多，学爬进度自然减慢，而爬对促进小儿智力开发是有极大益处的。越早学会爬，智力发育就越好。

425. 衣物、被褥、玩具

本月在衣服、被褥、床、玩具等方面的要求，和上个月差不多。值得一提的是，7-8月龄的宝宝特别容易发生气管异物。宝宝可能会把玩具上不结实的零件鼓捣下来，放到嘴里，也可能会把已经啃坏的玩具啃一块下来。宝宝长乳牙了，动手能力也增强了，危险系数也增加了，气管异物的危险一定要注意、注意、再注意。

426. 尿便的护理

宝宝大便护理

7-8月龄宝宝通常每天有1-2次大便，呈细条形；也可能是黏稠的稀便，无便水分离现象，可呈黄色或黄绿色，有的也呈黄褐色，这与添加的辅食种类有关；本月宝宝的大便臭味增加了，不再像单纯乳类喂养时那样"清淡"了。

个别宝宝可能一天要大便3-4次，但只要不是水样便，宝宝也没什么异常表现，就

不用担心了。添加不同的辅食，宝宝大便就会出现不同的改变，比如次数增多了，大便不成形了，颜色发绿了等等。这样的变化都属正常，不要停喂辅食。如果回到单纯乳类喂养，宝宝会发生饥饿性腹泻，而且不会自愈。

与此相反，有的宝宝却是隔天或两天才大便一次，爸爸妈妈很是担心。担心没必要，但要注意观察。只要宝宝大便不干燥，排便也不困难，喂养方面也很正常，就没什么可担心的了。可以用这样的办法训练宝宝排便：每天在固定时间让宝宝坐便盆一次，不超过2分钟；宝宝坐便盆时，妈妈在旁边发出"嗯、嗯"的声音，做出使劲排便的样子。这样持之以恒，宝宝排便问题就迎刃而解了。

7-8月龄宝宝易患感冒，感冒后多数宝宝会出现大便异常，主要是腹泻。这主要是因为宝宝受病毒感染后，服用了清热解毒的感冒退热药物。停用药物后可逐渐好转，如果同时合并了病毒性肠炎，腹泻症状比较重，就需要治疗了，如果是药物所致，感冒后，特别是发烧时，可使胃肠道消化功能减弱，食量会减少，妈妈不要强迫孩子吃更多的东西，增加肠道负担，出现消化不良或腹泻。

如果妈妈能够掌握孩子的排便规律，可成功地把孩子的大便接到便盆里，那就这样做；如果让孩子坐便盆，孩子很反感，甚至会

宝宝/余嘉翔

宝宝和爸爸在颐和园赏花。

宝宝/郑果
宝宝正在和妈妈趴在海滩上找贝壳，用小贝壳当铲子把沙子倒进大贝壳里。那认真劲像个生物学家在研究。

以哭来抗议，就不要强迫婴儿必须把大便排到便盆中，对于这个月的婴儿来说，排便训练是没有效果的。

小便问题

这个月的婴儿是离不开尿布的，小便次数仍然不少，如果妈妈每次都试图让孩子把尿排在尿盆里，就会很劳累。倘若孩子小便比较有规律，妈妈已经掌握了这些规律，能把大部分的尿接在尿盆里，那也是很好的。

假如妈妈为了不让孩子尿湿尿布，总是把孩子尿尿，就有可能使孩子出现尿频；不如放开，让孩子随便尿在尿布上。

对于那些喜欢把尿的婴儿，妈妈要掌握好时间，不要频繁地把孩子，找到孩子排尿的规律，适时地把尿，对以后尿便训练是有帮助的。

小便是反映孩子是否缺水的一项指标，如果婴儿小便量少、色黄，就是孩子缺水的信号。夏季孩子通过皮肤丢失的水分比较多，尿量会比冬天有所减少，但如果尿色发黄，就说明尿液被浓缩了，应该多喝水以稀释尿液，否则会加重肾脏负担，对婴儿的健康不利。

冬天，小便排到便盆中，妈妈偶尔发现孩子的尿发白，甚至像米汤样的，这是尿中尿酸盐较多，遇冷后结晶析出所致，把尿液稍微加热乳白色结晶即消失。父母不要害怕，

这种情况在冬季时有发生，让孩子多喝水，尿酸盐浓度就会得到稀释。

427. 睡眠

婴儿睡眠时间和踏实程度有了更明显的个体差异。大部分婴儿在这个月里，白天只睡两觉，上午10点左右，下午3点左右，能睡1、2个小时。长的可睡2、3个小时，一般下午睡的时间长些。

如果妈妈陪伴着睡眠，会睡得踏实些，时间也相对长些。

如果傍晚不再眯一觉的婴儿，晚上睡的比较早，多在8、9点钟睡觉，一直睡到第二天早晨6、7点。贪睡的孩子可睡到7、8点。

睡前能好好吃奶的孩子，半夜多不再醒来要奶喝。喂养母乳的，多在半夜醒了要奶，但不能很彻底醒来，只要妈妈把奶头塞入孩子的嘴里，就会边睡边吸吮着，再慢慢地把奶头吐出来，又进入甜甜的梦乡。

大部分婴儿都能安稳地睡上一夜。即使孩子在睡眠中翻来覆去地滚动，还不时地出声，或哼哼唧唧的，或有一两声的抽啼，或咳嗽一两声，或干呕几下，但并不呕吐，或用手臂狠狠地蹭几下脸，或用小嘴来回地找妈妈的奶头……这都是孩子在睡眠中出现的正常

宝宝/尚潘柔美
妈妈亲亲是最让宝宝兴奋的。美美甜蜜的笑脸映衬着妈妈幸福的笑容，多么幸福的母女俩。

表现,睡在一旁的父母不要介意,不要去打扰孩子。

常常有这样的父母,把宝宝上述的正常现象视为异常,总是不放心,就把大灯打开,又是把尿,又是换尿布,又是喂奶,看看这儿,摸摸那,结果把孩子真的弄醒了。

结果出现了这些情况:

* 如果是安静的孩子,可能会玩一会就睡了;

* 如果是爱闹的孩子,就会要求父母陪同一起玩,否则的话就会哭闹;

* 正睡在劲头上的孩子可能会因为父母的打搅而大耍脾气,父母就会又哄又抱,不奏效就只好用吃的把孩子嘴堵上了。

* 食量好的孩子会吃饱了接着睡,食量不好的孩子,会拒绝吃,还可能会为此哭得更厉害。

这一连串的问题,都是父母自己找的。如果孩子从此养成了半夜醒来吃奶的习惯,半夜醒来让父母陪着玩的习惯,半夜醒来啼哭(夜啼郎)的习惯,父母"困得痛不欲生"的育儿生活就来临了。父母会感到很冤枉,但事实就是如此。绝大多数孩子的疾病(先天性疾病中与遗传有关的疾病除外),诱因或直接因素都是父母及看护人喂养、护理造成的。对某一环节的忽视或疏忽,或错误认识,或对护理知识理解上有偏差,或固执己见等等,导致孩子不能健康成长。

为什么那么多婴儿厌食?为什么那么多婴儿闹夜?为什么那么多儿童肥胖?为什么那么多儿童患了成人病?为什么那么多父母总抱孩子跑医院?⋯⋯是爸爸妈妈没有学习育儿知识吗?不是。父母案头育儿书籍摆了一大堆,看得明明白白,可到了实际操作就不是那么回事了。是什么原因?我认为还是根本的育儿理念有问题。

我给妈妈们的医嘱,不是让妈妈怎样对付孩子,而是怎样理解孩子,怎样缓解护理中的压力和矛盾,让父母在困惑中解脱出来,纠正错误观念,矫正偏差,使父母回到正确、轻松、愉快的养育孩子的轨道上来。当然,这一切,都要建立在对孩子问题的正确分析、对疾病的准确诊断、合理的治疗、传授切实可行的正确护理方法的基础之上的。

428. 出牙

婴儿大多在生后6个月开始有乳牙萌出,萌出的顺序是:先萌出一对下乳中切牙;到了8个月,萌出一对上乳中切牙;以后其他乳牙大致顺序由前向后,左右相继成对萌出,一般是左右对称,同时萌出,先出下牙,后出上牙。到了9个月,萌出一对下乳侧切牙,再萌出一对上乳侧切牙;到了1岁2个月,先萌出一对下第一乳磨牙,再萌出一对上第一乳磨牙;到了1岁半,先萌出一对下乳尖牙,再萌出一对上乳尖牙;到了2周岁,先萌出一对下第二乳磨牙,再萌出一对上第二乳磨牙。这样,到了2周岁,20颗乳牙就出齐了。

乳牙数计算的方法是:2周岁以前的婴儿,月数减4~6。如8个月婴儿乳牙数是:8-(4~6)=4-2。8个月婴儿应该萌出乳牙2-4颗。

但并不是所有的婴儿都是如此规律地

宝宝/王雪萌

　　都说爱美之心人皆有之,没错,婴儿也爱美,给丁丁戴上一个发卡,她美得不得了。

按照书本上写的萌出乳牙。有的婴儿早在生后4个月就开始有乳牙萌出了，可有的婴儿迟到生后一岁才开始长牙。妈妈如果因为孩子乳牙萌出迟了，就认为孩子缺钙，给孩子喂钙片钙水，是没有必要的，如果孩子吸收不了这些钙，会使孩子大便干燥。吸收了过多的钙对孩子的身体同样是有害的。况且乳牙早在胎儿期就开始生长了，只是没有萌出牙床，妈妈看不到而已，父母尽管放心。

第6节 本月婴儿能力

429. 看的能力：有了初步看的记忆

具有了直观思维能力

这个月龄的婴儿对看到的东西能有直观的思维了。如看到奶瓶就会与他吃奶联系起来，看到妈妈端着饭碗过来，就知道妈妈要喂他吃饭。这是教孩子认识物品名称并与物品的功能联系起来的好时机。

认识了物质是客观存在的

通过游戏活动，孩子逐渐理解了，一种物品被另一种物品挡住了，那种物品还存在，只是被挡住或蒙上了，这是认识能力质的飞跃。玩具看不见了，不是没有了，而是蒙在布的后面。一开始，不能把玩具全蒙上，露出一点。孩子根据露出来的那一点，知道整个玩具是蒙在了布后面；慢慢地，妈妈就在婴儿

宝宝/尚蕾柔美
宝宝已经能带着学步车走了。

的眼前，把玩具全部蒙起来。孩子会用手把布掀开，看到蒙在后面的玩具又重新回到了他的眼前，会很开心地笑。

开始有兴趣有选择地看

这个时期已经不用教婴儿看什么了，训练婴儿把看到的东西和其功能、形状、颜色、大小等结合起来，进行直观思维和想象，是潜能开发的重点。这时的婴儿开始有兴趣、有选择地看，会记住某种他感兴趣的东西，如果看不到了，可能会用眼睛到处寻找。当听到某种他熟悉的物品名称时，孩子会用眼睛寻找。如果父母经常指着灯告诉宝宝：这是灯，晚上天黑了，会把房子照亮。慢慢地，妈妈问：灯在哪里？宝宝就会抬起头看房顶上的灯。这是了不起的能力，父母要鼓励孩子。

有了初步看的记忆

开始认识谁是生人，谁是熟人。生人不容易把孩子抱走。可以给孩子买婴儿画册。让孩子认识简单的色彩和图形。在画册上认识人物，动物，日常用品，再和实物比较。帮助孩子记忆看到的东西。

430. 听的能力：对自己的名字有反应

7个月以后婴儿对某些特定的音节会产生反应，如对自己的名字有反应。对"妈妈、爸爸"有比较强烈的反应。

婴儿已经拥有这样的能力，听到妈妈爸爸说话声，即使看不到妈妈爸爸，也知道这是妈妈或爸爸在说话。

能够辨别人说话的语气，喜欢听亲切和蔼的语气，听到训斥的语气会害怕、哭啼。父母可以利用孩子的这种辨别能力，培养孩子知道什么是应该的，什么是不应该的。

听到有节奏的音乐，会坐在那里随着节拍左右摇晃身体。

会听小动物的叫声。

宝宝：尚潘柔美
这样扶着宝宝练习走，姥姥不用弯着腰，感觉轻松了许多。

能够把听到的和看到的结合起来。这对婴儿的语言发育有很大的帮助。

431. 说的能力：会说"妈妈"，"爸爸"

开始发出简单的音节，如："妈妈"，"爸爸"，"打打"，"奶奶"等。对婴儿语言能力的训练，要靠妈妈爸爸及看护人，不断通过婴儿听和看的能力来进行，随时随地向婴儿传授语言。这时的婴儿已经开始逐渐懂得语言的意义，通过听到的语言来认识周围事物。

432. 活动能力：手的运动更灵活

坐得稳了

婴儿开始坐得比较稳当了，孩子能够自由地利用胳膊和手，能自由地转动头颈部，视野扩大了；能自由地转动上半身，活动空间增大了。

手的能力

孩子手的活动能力也增强了，能有目的地够眼前的玩具，会用拇指和四指对捏抓起物体，能把物体从一只手倒到另一只手，会把物体主动放下，再拿起来，但大多数情况下，还是不自主地把手里的物体掉下来。会把两只手往一块够，有时好像在鼓掌欢迎，但总是不能很好的把两只手合在一起。妈妈可以帮助宝宝做出拍巴掌的动作。

会把手里的物体拿到眼前端详一会。如果妈妈不断地教孩子再见，当爸爸出门上班时，宝宝可能会向爸爸摆摆手。但也许就这么

一次，妈妈不要气馁，这已经是非常不错了。大多数宝宝要在1岁才学会和别人再见。

这个月的孩子喜欢撕纸张，妈妈可以找些不带字的干净白纸让孩子撕着玩，这对锻炼手指运动有好处，但不要给孩子画报或带字的纸，因为这样会养成孩子撕书的习惯，而且孩子把撕下的纸放到嘴里，油墨或墨迹会被吃下。宝宝把纸放进嘴里，要及时抠出来，以免噎着孩子。

大一些的宝宝知道了人要走时，就要再见，如果你夸"这个小家伙多聪明"，他会反过来运用再见，催促他不喜欢的人离开。

有这样一个小故事：我到朋友家里给孩子看病，帮助妈妈给宝宝喂药，这使孩子很不高兴，妈妈说"谢谢阿姨"，可宝宝不是把两手合在一起上下摇动表示谢谢，而是伸出一只手，左右摆动要和我再见，妈妈以为孩子把再见和谢谢弄混了。可事实却不是的，孩子一点也没有弄混，他就是要和我再见，让这位惹他的阿姨离开他了，利用再见下了一条"逐客令"。孩子的能力远远超出了我们的想象。

爬的能力

这个月的婴儿还不能很好地爬，快到8个月了，可能会肚子不离床匍匐爬行，但四肢运动是不协调的。

有的婴儿比较早就会爬，有的婴儿很晚了才会爬。但无论早晚，父母都要把爬作为训练的重点。

宝宝：陈天一
胖嘟嘟的宝宝着实让人喜欢。

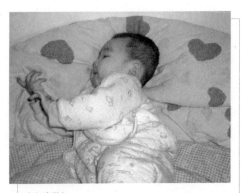

宝宝/李悦宁
玩手是宝宝手的精细能力一种体现。

爬行是一种非常好的全身运动。身体各部位都要参与，锻炼全身肌肉，使肌肉发达起来，为以后的站立行走做准备。爬行时肢体相互协调运动，身体平衡稳固，姿势不断变换，都可促进小脑平衡功能的发展，手、眼、脚的协调运动也促进了大脑的发育。

爬行还可以促进婴儿的位置觉，产生距离感。爬行还有很多好处，父母不要因为怕孩子危险就不让孩子爬，要让孩子在床上爬，在地上爬（铺木地板或地毯或婴儿玩具拼图）。利用各种方式鼓励孩子爬行。

刚开始学习爬的婴儿，不但不会向前爬，可能还会向后倒退，父母为此奇怪了，一直在教孩子向前爬，怎么没学会向前爬，却向后倒退呢？在我们看来，向前爬，要比向后倒退容易的多，让我们向前走或跑是很容易的，但要是向后退着走或跑就难了。孩子却恰恰与成人相反。父母要帮助孩子，使其克服害怕向前爬的心理，克服距离障碍。要让孩子知道，向前爬并没有危险。可在孩子面前放上他喜欢的玩具，鼓励孩子向前爬，够到玩具，并给予鼓励。妈妈或爸爸可站在孩子前面，呼唤着孩子的名字：点点，快爬过来，妈妈在这里，爬过来，让妈妈抱抱。当孩子爬到你的跟前时，把孩子抱起来，并高兴的说：点点真勇敢。如果宝宝还是不敢向前

爬，爸爸可以用手掌心抵住孩子的足，施以外力，使孩子在后面阻力的作用下，向前爬。也可以在孩子的脚底放上可以蹬的东西，作为一种阻力使孩子向前爬，但不如父母用手施以的向前的推力作用大。

433. 在玩中开发潜能

藏猫猫

随着婴儿月龄的增长，藏猫猫游戏也有了新的内容。

一开始是妈妈把手绢蒙在脸上，以后可以藏在婴儿的身后，把手藏在身后，把奶瓶、玩具藏在身后，通过藏猫猫认识物品。

从这个月起，妈妈和爸爸可以互相配合，让爸爸藏在不同的角落或房间，妈妈抱着宝宝寻找，边找边不断地说："爸爸藏到哪里去了呢？让我们看看是不是在那个房间里"。让宝宝感受到空间的距离，爸爸可以在另外一间房子，为以后让宝宝自己睡打基础。爸爸妈妈可以常常和孩子说："宝宝长大了就在这个房间睡，妈妈爸爸在另一个房间，随时会来到宝宝的房间。"

如果爸爸藏在某个角落，可以不断小声地说："爸爸在这里，宝宝能找到吗？"妈妈这时就对宝宝说："爸爸的声音是从哪里传出来的呀？"宝宝就会倾听爸爸的声音。让

宝宝/尚潘柔美
喜欢抓东西是这个年龄段宝宝的特点之一。多给宝宝创造这样的动手机会，对开发宝宝智力有很大帮助。

宝宝学会寻声找人。

也可以把玩具藏到某处，和宝宝一起找，使孩子知道物体客观存在的事实，玩具虽然不见了，但是它却仍然存在，只是放到哪里，暂时看不到了，找一找，会找到的。宝宝长大了，发现什么没有了，会主动去找，而不是向妈妈嚷嚷着东西不见。学会独立处理事情的能力。

妈妈爸爸可根据具体情况，开发更多藏猫猫的方法，在有趣的游戏中开发孩子潜能。

照镜子

继续上个月的游戏，让孩子认识身体各部位的名称和功能。妈妈可先说："宝宝的鼻子呢？"这时就指着宝宝的鼻子说："鼻子在这里。"这要比指着宝宝的鼻子说这是鼻子又进了一步。让宝宝有一个想的过程，培养孩子思维能力。宝宝对镜子里的妈妈开始有了认识，镜子里的妈妈和抱着他的妈妈是一个人。当妈妈问宝宝的鼻子在哪里，宝宝能用手指着鼻子，那可是太大的进步了，妈妈应该非常高兴地亲孩子，大加赞赏，鼓励孩子反复练习。

找玩具

把几种差异显著的玩具放在一起，让宝宝认识不同玩具的名称，然后说出一种玩具的名称让宝宝找出来。如果宝宝不能够找出来，妈妈就帮助宝宝找出来并说："是这个吗？是的，这个就是小布熊。"反复多次，宝宝就能准确地找到了。

有的婴儿不喜欢这种游戏，就不要强迫，可以换一种宝宝能够接受的游戏。只要能够让宝宝在快乐的游戏中得到体能锻炼和潜力开发，不拘泥形式，父母要开动脑筋，找到适合宝宝的最佳游戏。

婴儿自己用杯子喝水，用勺吃饭

妈妈总是怕孩子把衣服弄脏了，把水洒了，不让孩子自己拿杯子、奶瓶或饭勺，这是

宝宝/韩宜珊
洗完澡，换身白的看看效果怎么样。戴的是爸爸出差在云南特意买的相思豆。

不对的。这时的婴儿对自己拿着奶瓶喝奶，拿着杯子喝水，拿着小勺吃饭，已经开始感兴趣了，妈妈要不失时机地给孩子锻炼的机会，哪怕一天一次，也要给孩子创造这个条件。

这个月的孩子对玩也开始表现出独立的愿望。孩子对周围的事物充满了好奇心。喜欢探索周围的环境，见什么都想抓，不喜欢父母的摆布和限制了。父母要在安全的前提下，给孩子一定的空间，让孩子有独立玩耍的机会。当需要父母帮助时，父母再及时过来帮助一下，不是完全代劳。孩子在自己玩的过程中，不断发展了大脑的潜能。

语言训练

孩子虽然还不会说话，但已经开始理解语言，要帮助婴儿逐渐建立起语言与动作的联系。教孩子每种能力时，都要使用确切的语言。

如客人走了，要教宝宝说再见，并教宝宝做出再见的动作。如果外公外婆给宝宝送东西来了，要教宝宝说谢谢，并教宝宝做出谢谢的动作。这不但锻炼了宝宝的语言能力，还使孩子与人交往能力得到了提高。

听到小动物叫声时，要指着耳朵，问宝宝听到小狗叫了吗？使宝宝明白耳朵是用来听声音的。宝宝已经认识了一些玩具和日常用品，妈妈有意让宝宝把奶瓶、小勺、布熊、

拨浪鼓递过来，让宝宝能在几件物品中找到你要的。这是训练婴儿理解语言的一种简便易行的方法。孩子还感到有趣，找到了妈妈要的东西，妈妈不断赞扬宝宝，使宝宝得到母爱。

对宝宝输送的语言信息越多，宝宝掌握的语言能力越强，一旦会说话了，就会释放出极大的语言能力。会让父母大吃一惊，好像一夜之间就学会了说话。其实，宝宝学习语言的基础是从出生就开始了，再早些，是从胎儿期就开始了；父母日复一日、不厌其烦和孩子交流，为孩子创造了丰富的语言环境，开发了孩子的语言能力。3岁的幼儿已经基本掌握了母语的语言基础，能比较自由地用语言来表达了。1岁以前是婴儿语言能力开发的关键期。

手指练习

婴儿的手指活动能力与智力发展密切相关，父母要锻炼孩子的动手能力，如让婴儿拿各种物品，锻炼孩子以内感拇指和食指捏取小的物品。这是很重要的一个动作，要反复不断地让孩子练习。

拇指和食指对捏动作，是婴儿两手精细动作的开端。能捏起越小的东西，捏得越准确，说明孩子手的动作能力越强，开展精细动作的时间越早，对大脑的发育越有利。

宝宝/姚静怡
宝宝能把双手的手指相互插起来，说明宝宝手的精细活动能力发育非常好。

父母可以给孩子找不同大小、不同形状、不同硬度、不同质地的物体让孩子用手去捏取。训练时，必须有人在场看护，因为这个月的婴儿还是喜欢把拿到的东西放到嘴里。小的物体如果被孩子吃到嘴里是很危险的，可发生气管异物。

也可以给孩子购买一个算盘，算盘上的珠子很适合婴儿用手指拨拉，这样即安全，又能锻炼孩子手的运动能力，孩子也比较有兴趣。孩子会把算盘当做玩具来玩。带按键的玩具琴也可以用来锻炼孩子的手指活动。

让孩子懂得"不"的含义

婴儿已经能够感受妈妈爸爸的语气了，也会看父母的表情了，开始有了独立活动的意愿。这时父母要巧妙地让孩子知道什么是不应该做的，什么是不能吃的，什么要求不能得到满足。这是训练孩子心理承受能力的开始，是训练分辨是非能力的开端。

当父母告诉孩子这样不行，这个不能放到嘴里时，要同时用动作表现出来，如摇头，摆手，很严肃的表情。让宝宝逐渐理解，父母在告诉他这个事情是不能做的，是错误的。但这时的婴儿还是很难理解不能做的含义。不要过分表现，也不要使用带有惩罚性质的办法，让孩子有承受能力，但不要伤害孩子。

户外活动

这个月，孩子的各项能力有了明显的增强，户外活动的意义就更大了，也更重要了。父母及看护人要尽最大可能，多带孩子做户外活动，不要老是把孩子闷在家里教孩子"知识"，这是最愚蠢的育儿方法。

春秋夏季可以每天进行3个小时以上的户外活动，可以把孩子带到远一些的公园、海边、河边、动物园等场所，开阔孩子的眼界。

孩子户外活动的范围大了，要避免危险，如周围有踢球的儿童，要防止球砸在孩子头上；周围玩耍的小儿，可能会互相扔石子，如果恰好砸在孩子头上也是比较危险的。

在树下乘凉时,听到树上小鸟叫声,孩子可能会寻声抬头向树上望去,如果这时恰巧有鸟粪或小虫子掉下来,要及时替孩子清理,如果掉到眼睛上,要立即轻轻取出,用沾湿的手绢擦干净。如果有感冒咳嗽的小儿围看孩子,告诉小儿不要冲着孩子咳嗽,不要摸孩子的手,会把病毒传给孩子。因为这个月的孩子是比较易患感冒的,要注意预防。

夏季要预防烈日晒伤皮肤,不要把孩子皮肤直接暴露在烈日下。不能给孩子戴墨镜防光照,戴有沿的帽子挡光最好。不要这么早就让孩子坐在学步车里。要推大一点的童车,并带有顶棚,当孩子睡着时,能让孩子舒服地躺在车里睡觉。

如果到远一些的地方游玩,要带足孩子喝的,吃的,尿布,备好天气变化时的衣服被褥和雨具。

带孩子到比较远的地方,一定要有充分的准备。要考虑携带物品的数量与乘坐交通工具的方便度。

带孩子到户外不是单为了晒太阳,呼吸新鲜空气,还为了孩子认识外面的世界。父母要不断地把看到的事物讲给孩子听,不要认为孩子听不懂,就沉默不语。父母说的每个字,每句话都对孩子有作用。

宝宝/钟伊林
多带宝宝在这样的环境中玩耍,非常有利于宝宝的健康。

宝宝/尚潘柔美
宝宝能够扶着床栏站着了,有的宝宝还会把小腿伸上来,想爬到床外,还会弯下身子看他,这时,当宝宝站着时,要保证床栏杆的高度达到宝宝的腋下。

第7节 护理中常见问题

434. 不好好吃

这个月的婴儿开始有了个人爱好,出现不好好吃的问题也多了起来。

有的婴儿就是不喜欢吃粥,爱吃米饭。妈妈不敢喂米饭,怕呛着孩子,认为孩子还没有牙,不会咀嚼。这种担心是没有必要的,做烂一些的米饭,并不会呛着、噎着孩子。

有的孩子不爱吃蔬菜,这可能是前几个月给菜水或菜汤吃,味道比较单调,孩子吃够了。试着给孩子一口大人吃的菜,如果孩子很爱吃,说明孩子已经喜欢美味了,做菜时就要讲究味道,不能是水煮菜了。

有的孩子不喜欢剁得非常碎的菜,看起来像菜泥,更喜欢吃大一点的菜了。

有的孩子喜欢吃香的,在菜里放上肉汤,会很喜欢吃,孩子长大了,开始喜欢吃滋味浓厚的菜。

有的父母一直不敢给孩子吃盐,这是不对的,应该少放些,肉类食品如果不放些盐,一顿就会让孩子吃够。有的蔬菜可以没有咸淡味,有的菜没有咸淡味是很难吃的。不能给孩子吃咸的,并不是不能放盐,要适量,不

宝宝/陈天一

现在很少看到这样的儿童车了，这是竹制的，夏天使用非常凉快。

能放多。

到了这个月，孩子最不爱吃的可能是蛋，有的婴儿从生后3-4个月就开始吃蛋黄，而且都是吃不放盐的蛋黄，有时还放到奶里。如果也不爱吃牛奶了，就会更不爱吃蛋。孩子不爱吃蛋了，没有关系，肉里的蛋白质也是很丰富的，而且更有利于蔬菜中铁的吸收，可以暂时停蛋一段时间，再吃时也许就喜欢吃了。做鸡蛋的方法要不断更换，不能每天都是鸡蛋羹、鸡蛋汤，很容易吃够的。

这个时期，可吃的食品种类多了，肉类食品可以代替蛋类了，要不断更换食物种类。在合理搭配营养前提下，一定要兼顾孩子喜好，不喜欢吃的食物，不能硬塞，玩使孩子快乐，吃也要使孩子快乐。

有的孩子食量小，和食量大的孩子相比，对食物就比较挑剔，妈妈总是希望孩子吃得多，这就会使一些食量小的婴儿被妈妈当做不好好吃，而硬是喂足妈妈认为应该吃的量，这对孩子是很不公平的。

孩子已经会反抗了。可能出现以下情况：

·用手把勺推开（"我不想吃了！"）。

·用小手把饭碗打翻（"为什么还有这么多的饭，已经撑着我了！"）。

·把妈妈塞进的食物吐出来。

·或根本就不张嘴（"给我也得吐出来，还不如不张嘴，省事。"）。

·当你把饭勺送到孩子嘴边时，婴儿却把头扭开了（"妈妈也真是的，我可不理你了。"）。

·如果妈妈还是追着喂，孩子就哭了（"不亮这最后一招，妈妈是不饶我了。"）。

不要让孩子亮这最后一招，以后会把这当做对付父母的武器，可就不好了。

孩子已经知道自己该吃多少，胃长在孩子的肚子里，食欲受孩子自己大脑支配，孩子不吃了，就是告诉妈妈：我吃饱了。不要让上面的事情发生。

当你认为孩子不好好吃的时候，首先要看孩子的生长发育是否正常，如果一切都正常，孩子吃的就不少，偶尔吃得少也是正常的。

有的孩子自从添加副食后，就不喜欢吃牛奶了。如果无论如何孩子也不吃牛奶，就不要想着必须喝500毫升的牛奶，蛋和肉也能提供足够的蛋白质。如果不喝奶，也不吃蛋肉，只吃粮食和蔬菜就不能提供足够的蛋白质了，应该减少粮食的摄入量，鼓励孩子吃蛋肉或奶，鲜奶和奶粉都可以。

如果孩子爱吃甜食，就只好在鲜奶中适当添加白糖或奶糕。

如果孩子爱吃面食，就把肉或蛋包在饺子和馄饨里。

有的孩子比较爱吃海产品，可以做虾汤或鱼肉丸子。

总之，至少要给孩子一种含蛋白质的食物。有的孩子爱吃豆制品，妈妈就会认为豆里也含有蛋白质，但是豆里含的是粗质蛋白，不易吸收消化，吃多了会引起腹胀，只能吃很小量的豆食品。

不管孩子多爱吃的食品，总吃都会吃够的，所以妈妈不要无限制地让孩子吃，也不能每天都吃同一种食品。要穿插着，不断更换食品种类，才能使孩子不厌食某种食品。

宝宝/姜杼君

宝宝在吃磨牙饼干。磨牙饼干有利于牙齿萌出，有的宝宝不喜欢吃磨牙饼干，妈妈不必强迫，吃其他固体食物同样有效。

435. 不好好睡

随着婴儿月龄的增长，睡眠问题会出现较大的差异性。

睡眠好的孩子，到了这个月，可以睡一整夜不醒，也不吃奶，即使更换尿布，把尿也不醒。

白天睡眠时间长的孩子，妈妈还会为一天几次辅食和点心犯愁。到了该喂辅食的时间了，可孩子还不醒。如果妈妈为此而把熟睡的宝宝拉起来喂辅食，就显得很愚蠢了，这不是找着让孩子闹吗？不是逼着孩子厌食吗？让孩子睡个够，肚子饿了，孩子自然会醒来要吃的，如果是刚出生的孩子，长时间睡可能发生低血糖，但这么大的婴儿就没有这个可能了。

有的孩子白天睡得多，晚上却精神得像个小兔子。对于这样的孩子，妈妈还是要想想办法，把睡眠习惯改正过来。吃是不会耽误的，晚上会补足，可户外活动就无法进行了，总不能半夜带孩子出去做户外活动吧。如果是晚上睡得晚，傍晚时就不要让孩子睡觉，午后睡觉稍向后推移，傍晚就不容易睡那一觉了。如果傍晚并不睡觉，那就把午睡向前移，不要让孩子睡到5、6点钟，晚上可能会早睡些。如果晚上睡得很晚，早上也醒得很晚，甚至能睡到9、10点钟，就慢慢让早晨早些醒，把白天的觉往前提，晚上就可能早睡了。

无论孩子睡眠习惯如何，每天睡眠时间是相对固定的，不会今天睡10个小时，明天睡15个小时的，所以父母可以合理安排孩子的睡眠时间。虽然比较困难，但只要有耐心，慢慢都能改过来的。

保姆看护的孩子，可能会晚上睡得晚，一种可能是保姆白天总是哄孩子睡觉，晚上孩子就不困了；还有可能是孩子一天没有见到父母，喜欢和父母玩，父母也觉得没有时间和孩子游戏，所以就利用晚上的时间和孩子玩，结果使孩子睡得越来越晚。

事情就是这样，习惯好养成，改就麻烦了，就像"毛病"不知道什么时候有的一样，可一旦发现了，想改掉毛病，可能要剥一层皮。比如吸吮拇指癖，咬指甲癖，挖鼻孔癖，揪"小鸡鸡"的毛病，改起来是很困难的。所以父母对待孩子的不良习惯，要防患于未然。一旦习惯养成了，生气的是父母，遭殃的是孩子。父母管孩子肯定会生气，孩子也就没有好日子过了。

有一些睡眠问题是正常现象，妈妈不必多虑。比如：

·孩子睡觉时不老实，总是翻来覆去的。

·爱趴着睡，孩子睡觉时有时会突然抽啼几声。

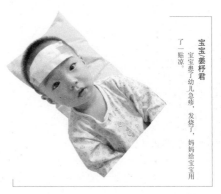

宝宝/姜杼君 宝宝患了幼儿急疹，发烧了，妈妈给宝宝用了一贴凉。

·有时会睁开眼睛看看（妈妈可千万不要去搭理孩子，孩子很快会入睡的）。

·孩子撅着屁股睡。

·睡觉时会突然地惊咋。

·睡觉时特别爱出汗。

·总是踢被子，即使在冬天也如此。

·不枕枕头睡觉。

·睡觉时倒嚼（反刍）。

这些都是婴儿睡眠时出现的一些表现，这些表现不能视为是异常情况。如果一夜孩子都是老老实实一动不动的，那倒是不正常了。

家长的以下做法是不对的：

·孩子困得睁不开眼了，还和孩子做游戏。

·孩子想睡觉，却还逼着孩子吃饭。

·没睡醒就把孩子叫起来喝奶吃饭（纠正不良睡眠习惯时除外，但即使是这样，也要保证孩子总睡眠时间的需要）。

·睡得正香时让孩子坐盆或把尿（这个月的婴儿尿湿尿布、拉尿布上是应该的）。

·尽管到了做户外活动时间，可孩子还在睡梦中，就强把孩子弄醒……

总之不能剥夺孩子的睡眠时间。

436. 能力倒退

婴儿的能力包括很多方面，语言、运动、感觉、尿便、吃等。在婴儿的整个发育过程中，发育水平存在着很大的差异性。不但存在着个体差异，就是同一个婴儿，发育水

宝宝/李悦宁
小悦宁表情非常丰富，情绪饱满，是个快乐的宝宝。

宝宝/刘祎瑶
宝宝喜欢把小嘴撅起来，是在给爸爸妈妈说故事，带给爸爸妈妈快乐。给他人带来快乐是与生俱来的，如果常常给婴儿不愉快的经历，给他人带来快乐的天性就会被遏止，甚至发展成以给人带来痛苦为乐。宝宝良好品格与父母后天的塑造有很密切的关系。

平也不是均等的。有时会出现暂时的倒退现象。如果父母不认识这点，就会有许多不必要的担心，可能还会远道把孩子抱到医院看医生。孩子能力的暂时倒退现象，可存在于各个方面，也可有各种不同的表现形式，程度也各有不同，时间也不尽相同，所以在书中很难面面俱到，父母要从思想上认识这种现象的存在。

一般来说，运动方面的能力倒退现象并不很多见，生活能力方面的倒退现象比较常见，比如：

1岁的孩子已经能够自己坐便盆拉屎了，可到了1岁半，却无论如何也不坐便盆拉屎，总是拉裤子。这就是生活能力的倒退现象。父母不要为此而恼火，恼火的结果只能使这种倒退现象持续更长的时间。如果能冷静地对待，并用正确的方法和态度帮助孩子，会使孩子再次具备这个能力，而且比原来做得更好，甚至能自己主动坐到便盆上，而不再要父母把孩子抱到便盆上。这就是我要说的倒退后的进步。

所以，父母不必为你的孩子能力倒退（父母往往抱怨：这孩子还不如以前了，越来越差了。）而抱怨，抱怨只能挫伤孩子的自尊

心。不要认为小婴儿什么也不懂，婴儿也有丰富的情感。也会看脸色，也会听语气，能够感受父母是爱他，还是不爱他。对于小婴儿来说，鼓励的作用总是胜过批评的作用。婴儿快乐，是身心健康成长的重要因素。父母要送给孩子更多的快乐。

437. 出牙延迟

父母从书本上，或医生那里，或朋友的孩子那里，可能有如下认识：

· 孩子到了这个月应该出牙了。

· 至少应该出下面的两颗门牙。

· 明天就8个月了，一点出牙的迹象也没有。

· 书上说了，出牙前孩子会流口水，原来就流口水的婴儿会更厉害，可我们的孩子没有啊，这离出牙肯定还远着呢。

· 书上还说，要出牙的孩子，总是发出布——布的声音，像吹气似的。

· 书上还说，这种现象早在出牙前一个月就会出现。

· 可我们的孩子到现在也没有发出这样的声音，9个月也不一定长牙啊。

· 邻居、同事的孩子，还不如我们的孩子大，也不如我们孩子胖，可人家已经出了4颗牙了。

面对这些疑问，父母不需要着急。详见428条相关内容。

438. 认生

有的孩子很早就认生。可有的孩子到了这个月仍然不认生。谁抱都跟，见谁都笑。爸爸妈妈怀疑了，孩子是不是不聪明啊？这太冤枉孩子了！

认生的早晚与聪明与否没有直接的联系。这与孩子的性格有关，很小就认生的孩子，有的到了很大还是认生，不喜欢和小朋友玩，小朋友喊他（她）的名字反应也不热情。倒是有些不认生的孩子，很喜欢和人交往，人缘好。

但这也不是绝对的，有的孩子从2个月就开始认生，可长大了却很随和。认生的早晚并没有关系。父母不必为此担心。怀疑孩子不聪明（如果是智障儿，连父母认得也晚），从认生这一个现象上，不能说明孩子智力及其他发育程度的好坏。

父母会担心，孩子不认生会被生人抱走，长大了容易受骗，这更是没有根据、没有意义的担心。不认生的孩子也会很容易被人抱走，只要那人想抱走，几个月的婴儿会反抗吗？无论是认生还是不认生的孩子，父母都要好好看着。

439. 流口水加重

爸爸妈妈可能会发现这样现象：

孩子的下巴一直是干干的，从来没有流过口水，怎么大了反而流起口水来啦？

孩子以前流口水也没有这么重，以前一天换一次围嘴就可以了，现在一天换3-4次也是湿的，怎么越大，口水流得越重了？

父母不能诠释这种现象，只好跑到医院看医生。医生看看孩子的口腔，没有溃疡，也没有疱疹，没有糜烂，也没有红肿，口腔黏膜、嗓子、牙龈都没有异常。下牙床有隐隐的小白牙要出来了。医生告诉妈妈：孩子是要出牙了，在乳牙萌出时小儿会流口水。

宝宝刘祎璠

宝宝慢慢开始有了占有欲，宝宝喜欢的东西不允许别人碰，就更不让拿了。这可不是抠门的表现，是宝宝认识这个陌生世界。

宝宝/王雪萌
宝宝生下来就喜欢红色，其他颜色是后来才慢慢认识的。

添加辅食后，孩子的唾液腺分泌增加，但婴儿吞咽唾液的能力还不够，所以婴儿会流口水。

其实，不用医生看，父母也能判断，如果婴儿口腔里有病，孩子会很好地吃奶吗？会不疼得哭吗？会不发烧吗？会睡得安稳吗？不会的，至少要有一种异常。孩子不会因为出牙发烧，但有口腔炎症可免不了发烧。

有的孩子出牙时可能会有疼痛感，但那是很轻微的，可能仅仅在晚上睡觉前闹一会儿，或半夜醒了哭一会儿，不会很严重的。

如果孩子只是流口水或较前加重，这是乳牙萌出期，没有必要带孩子上医院。这个月的孩子容易感染上病毒和传染病。跑到病人聚集的医院去，是不安全的，说不定，明天还真的有病了。如果不放心，可以派爸爸咨询一下。有必要再带孩子上医院。

440. 爱磕脑袋

这可是父母和看护人要注意的事情。人们都说小孩的脑袋抗磕，认为婴儿颅骨的骨缝没有闭合，还有变形能力，对外力的缓冲能力也比较强。

尽管婴儿有这些特点，婴儿的头也不是随便能磕的啊。而且婴儿是头重身子轻，头大身子小，只要从床上摔下来，就会头着地，

最易磕的是头部。头里是脑组织，纵横交错着神经中枢，是人的指挥部，是枢纽。保护还来不急呢，怎么能让随便磕呢！可偏偏婴儿受伤最多的地方就是头部。挨磕，挨碰的就是头部。说孩子头不怕磕完全是错误的。

441. 无缘无故要闹

这个月的孩子独立玩的愿望比较强，表现在：

· 开始会把不喜欢的东西扔掉。

· 会把不喜欢吃的东西吐出来。

· 开始挑抱的人，愿意让妈妈抱时，如果是奶奶抱，就会不干。

· 对玩具开始有了偏爱。

· 喜欢到户外活动，喜欢人多。

· 有了自己朦胧的意愿。

· 能听懂一些语言的意义。

· 喜欢干不会干的事情。

· 不会站，可就是喜欢站着。

· 不会走，就是要妈妈扶着走。

· 不会爬，就是想爬到他想爬的地方。

· 对身体的不适开始比较敏感了，但不能辨别，肠管蠕动，会让孩子感觉到，但不知道是正常的，会哭（功能性腹痛性哭闹）。

· 有病的频率高了，但有时轻微的感冒并没有可发现的症状，只是不舒服（可孩子不会说，妈妈也看不出来）。

· 吃多了，肚子胀，肯定不好受，晚上会哭闹。

· 受了刺激，如白天磕着了，从床上摔下来

宝宝/王雪萌
这个时候对玩具还没有发展出喜欢的感情，这个时候最喜欢的是妈妈和亲人，玩具拿起来就咬，当食物呢！

了，保姆看着时摔着了，没敢和父母说，父母也就不知道了。

还有很多这样的情况，父母可能都不知道，医生不一定能够分析得很全面，孩子情感上的事情，就更不了解了。孩子耍闹，在父母眼里就成了无缘无故的了。如果父母找不出原因，医生也找不出病因，父母就可能认为孩子气人，会对孩子很不客气，这可能冤枉了孩子，孩子的情感受到伤害。不能不知道孩子为什么闹，就怪罪孩子。

442. 顽固的大便干燥

有的婴儿出了满月大便次数减少，就开始出现大便干燥，为此从生后两个月就开始喝果汁、菜水、蜂蜜水、凉茶水、米汤、四磨汤（米、荞麦、小米、薏米磨面炒焦冲汤）等，还时常使用开塞露，但该做的都做了，该吃的也都吃了，可孩子的这种排便习惯就是改变不了。

有些孩子经过饮食结构的调整，腹部按摩，灌肠，药物等处理，便秘问题就有了不同程度的改善，但是，尽管把所有治疗便秘的办法都用上了，对一些婴儿就是无效。经多家医院检查，排除了疾病所致。

对于这样的孩子，我的办法是：

1）饮食：花生酱，胡萝卜泥，芹菜、菠菜、白萝卜泥，全粉面包渣和小米汤和在一起做成小米面包粥，香蕉泥，这些食物交替使用。把橘子汁改为葡萄汁、西瓜汁、梨汁、草莓汁，桃汁（要自己榨的鲜汁，不是现成的罐头汁）。每天喝白开水，以孩子能喝下的量为准。

2）腹部按摩：妈妈或爸爸的手充分展开，以脐为中心捂在婴儿腹部，从右下向右上、左上、左下按摩。手掌不在婴儿皮肤上滑动，每次5分钟，每天一次，按摩后，让孩子坐便盆，或把孩子，最长不超过5分钟，以2、

3分钟为好，如果孩子反抗随时停止把便。每天在固定时间按摩把便。持之以恒，定会收效。在万不得以的情况下，不要使用开塞露，也不要使用灌肠的方法。

443. 干呕

这个时期的婴儿可能会出现干呕。其原因可能是：

·这可能与出牙有关。

·如果孩子爱吃手，可能会把手指伸到嘴里，刺激软腭而发生干呕。

·这个时期婴儿唾液腺分泌旺盛，唾液增加，孩子不能很好地吞咽，仰卧时可能会呛到气管里，而发生干呕。

·出牙也使口水增多，过多的口水会流到咽部，孩子没来得及吞咽，一下噎着孩子了，结果就开始干呕起来。只要孩子没有其他异常，干呕过后，还能很高兴玩耍，就不要紧，也不用什么治疗。

444. 咬乳头

这个月的婴儿已经开始长牙了，即使没有萌出，也就在牙床里，已经是兵临城下，咬劲不小了，出牙期间的婴儿还就爱咬乳头。如果是咬了妈妈的乳头，可能会把乳头咬破，妈妈可能会为此遭受乳腺炎的痛苦，即使不患乳腺炎，咬乳头也是很疼的，有的妈妈无

宝宝/吴右

看我的帽子像不像范伟的帽子？

239

奈断了母乳。如果咬的是人工奶头，可能会咬下一块橡胶来，咽到了嗓子眼，如果能顺利咽到食管里，还没有危险，如果卡在气管里，可就危险了。所以有咬奶头习惯的婴儿，妈妈要多加注意，可给孩子固体食物，让婴儿有磨牙的机会，让孩子自己拿着磨牙饼干吃。这个月的孩子不会因为妈妈痛得叫而不再咬妈妈的奶头，孩子还不知道心疼妈妈。如果孩子把奶头咬破了，要涂上龙胆紫，把奶挤出吃，或套上奶罩。发现孩子咬人工奶头，妈妈要时不时把奶头拿出来，如果咬破了，要及时把咬掉的那块橡胶从婴儿口里取出。

445. 免疫接种

满8个月那天，不要忘记给孩子接种麻疹疫苗。

宝宝/吴右
宝宝还太小，小区的健身器械都不能玩，妈妈要注意保护宝宝的安全。

第九章
8-9个月的婴儿
（240—269天）

这个月的婴儿开始喜欢小朋友，看到小朋友会高兴得小脚乱蹬。有的孩子见什么人都笑，有的孩子则更加认生。

会独坐。能用四肢把整个身体撑起来。

446. 最让爸爸妈妈惊喜的变化

更加活跃

8个月以后的婴儿，运动能力更强了，显得更加活跃，醒着时一刻也不停息地运动，已经不需要妈妈的体操训练，但妈妈要时刻注意看着宝宝避免意外发生。

与爸妈的交流多了起来

开始追妈妈，妈妈上班可能会哭，见到下班回来的爸爸妈妈会很高兴。开始认识妈妈爸爸的长相了。如果把一幅妈妈爸爸的照片拿给婴儿看，会认出照片上的妈妈爸爸，高兴地用手拍，看到其他人的照片则反应比较平淡。

像个小外交家

开始喜欢小朋友，看到小朋友开始高兴得小脚乱蹬，去抓小朋友的头或脸。喜欢看电视上的广告，能盯着广告片看上几分钟。有的孩子见什么人都笑，喜欢让人抱，像个小外交家。有的孩子更加认生。

会抗议了

不容易把婴儿喜欢的东西，从他的手中夺走，如果是硬抢，婴儿会大声哭，以示抗议。妈妈把手伸过去，要宝宝手里的东西，宝宝会递到妈妈手里。还会把身边的东西拿起来递到妈妈手里。

447. 看护上的变化

喜欢和妈妈睡在一起

睡眠上有的婴儿变化不大，有的婴儿上午开始不睡了，晚上可能睡得更晚。夜啼减少。起来要奶吃的也不多了，但夜里起来小便的多了，这是好事，为不再尿床做准备。婴儿更喜欢和妈妈睡在一起，如果自己睡在小床上，半夜醒来时，妈妈不过来，可能就不会很快入睡，甚至要哭闹一番。妈妈如果怕惯坏而置之不理，明天夜里可能会哭得更厉害。

大小便训练仍不重要

大小便的训练可有可无，如果能顺利让婴儿把尿便撒在便盆中当然是好事，但是，这并不意味着会自己大小便，也不意味着能按妈妈的口令排便。

辅食喂养变得容易

吃辅食变得容易了。有时可以把大人吃的饭菜喂几口给婴儿。大便随着辅食的添加，奶的减少，颜色开始变深，味变臭。大便不再那样稳定了，开始随着辅食的种类不同而变化，便秘的婴儿可能仍然很难调理。随

宝宝/吕艾麟(女)、吕怡麟(男)
看得出来，哥哥比妹妹淘气。

宝宝/吕艾麟(女)、吕怡麟(男)
夏天，宝宝们喜欢到院子里去玩，当把他们放在车上准备推出去的时候，两个人很高兴的样子。

着月龄的增加，婴儿肠道内正常菌群增多，肠道内环境变得稳定，发生生理性腹泻的婴儿减少了。

有时省心，有时忙乱

到了这个月，父母似乎已经忘记了半岁以前的小婴儿是怎样让他们担心和不安，感觉小婴儿一直太乖了，白天可以睡很长时间的觉。妈妈可以把屋子收拾得干干净净，尿布叠得整整齐齐，还能躺下休息一会；爸爸下班回来，看着安睡的宝宝，一天工作的疲劳会消失得无影无踪；如果有老人或保姆帮忙，就更省心了。

但这个月的婴儿给父母带来欢乐的同时，也开始添乱了。因为醒时的婴儿活动能力大大增强，妈妈的眼睛一刻也不能离开婴儿了。睡觉醒来可能会翻到床下，自己玩耍时可能会把什么东西放到嘴里，放在有栏杆的床上，可能会把脚卡在栏杆的缝隙里或因为头磕在床栏上哭了起来……如果不倍加小心，婴儿磕伤、摔伤、从床上坠落的事情随时可能发生，婴儿周围的东西对婴儿成了潜在危险物。要把可能伤及孩子的东西统统拿开，不要心存侥幸，意外就是这样发生的。

第2节 本月婴儿生长发育

这个月婴儿生长发育规律与上个月差不多，体重是每月平均增长0.22-0.37公斤。身高每月平均增长1.0-1.5厘米。头围每月平均增长0.67厘米。在前面的章节中，已经比较详细阐述了关于身高、体重、头围和前囟的生长规律，婴儿间个体的差异性、监测方法等，在这一节中就不复述了。

这个月龄婴儿身高平均值是：71.3-72.5

宝宝：姜杼君
宝宝的表情越来越丰富，常常出各样的怪相。

厘米（男婴），69.7-71.0厘米（女婴）。

这个月龄婴儿体重平均值是：9.00-9.22公斤（男婴），8.36-8.58公斤（女婴）。

第3节 能力增长与潜能开发

448. 看的能力：会有目的地看

记忆看到的东西

婴儿看的能力进一步增强，对看到的东西记忆能力能够充分反映出来了。不但能认识父母的长相，还能认识父母的身体和父母穿的衣服。父母从婴儿身边走过去，婴儿尽管没有看到父母的脸，但也能认出父母来，会用眼睛追随父母的身影；如果没有理他，会发出啊啊的声音，告诉父母："我在这里，怎么不抱我啊？"如果父母彻底消失了，婴儿可能会放声大哭。如果妈妈穿一件新买的衣服，婴儿会盯上一阵子，他的意思是："怎么从来没见过妈妈穿这件衣服啊？"

有目的地看

对外界事物能够有目的地去看了。不再是泛泛地有什么看什么，而是有选择地看他喜欢看的东西，如在路上奔跑的汽车，玩耍中的儿童，小动物，能看到比较小的物体了。婴儿非常喜欢看会动的物体或运动着的物体，比如时钟的秒针、钟摆，滚动的扶梯，旋转的小摆设，飞翔的蝴蝶，移动的昆虫等等，也喜欢看迅速变幻的电视广告画面。

认识颜色的开端

对颜色的认识能力增强了，妈妈要不断教孩子："这是红气球，这是黄气球，这是绿气球。"尽管婴儿对颜色的变化还不理解，也不能分辨，但能够记住颜色了，把不同颜色的气球放在不同的地方，妈妈问："红气球呢？"孩子会把头转向红气球。"黄气球呢？"孩子又会把头转向黄气球。

初识性别

尽管不会表达，通过对父母的认识，对性别有了初步认识，总是爸爸抱着玩的孩子，喜欢让和爸爸年龄差不多的男人抱。妈妈抱得多的孩子，喜欢让和妈妈年龄差不多的女人抱。

宝宝眼疾早发现

这个时期，父母要注意婴儿看人视物时的表现，是否喜欢歪着头看东西，是否斜着脸看人，是否总是仰着头看电视或图画（和眯眼睛看是一个道理）。是否总是用手揉眼睛，眼睛是否总流泪，是否一到户外眼睛就流泪，眼睛是否很明亮，等等。通过对婴儿眼睛的观察，及时发现问题。

449. 说的能力：会积极和人交流

会发出喃喃复音

这个月的婴儿仍然不会用语言表达意思，有的婴儿能不时发出比较清晰的"妈——""爸——""拜——"等单音，还能不断地发出不清晰的"妈妈，爸爸，奶奶，打打，布布"等喃喃复音。

认识宝宝身体语言

当有某种要求时，会利用身体语言和父母交流，同时嘴里发出让父母听不明白的音。如果大便干，会有特别的表情和动作，同时发出"嗯——嗯——"的声音。爸爸妈妈要学会看懂宝宝的身体语言。

语言不是与生俱来的

父母不要认为随着时间的推移，孩子不断长大，就会自然而然学会说话。父母创造的语言环境，父母和孩子日复一日的语言"交流"，妈妈不厌其烦一遍遍的重复，妈妈的语言、动作、实物及环境的自然结合和交融，给孩子创造了丰富的语言环境。这是婴儿学习语言的基础条件，必不可少。

父母是孩子第一语言老师

这时的父母要尽量用清晰标准的发音和孩子进行语言交流。说话时，让婴儿看到你的口形，把语速放慢些。有父母认为播音员语音标准，就时常给孩子播放电视或广播，以期达到婴儿学习标准语言的目的。这是错误的想法。婴儿学习语言要有语言环境，要与动作、实物等联系起来。婴儿不能通过看电视、听广播学习语言。

如果妈妈总是喜欢开着电视或广播，婴儿就很难听清妈妈的话。电视、广播缺乏交流和互动，更没有对婴儿最初始"语言"和身体语言的理解，即使宝宝会模仿个别词语，但对宝宝语言能力和心理成长没有太多益处。哺育生活与语言有着千丝万缕的联系，一个眼神，一个动作，一个别人听起来没有任何意义的音节，父母和宝宝都能准确理

宝宝/尚潘柔美
　　婴儿喜欢和自己一般大的小伙伴，但还不具备和同龄伙伴一起玩耍、一起游戏的能力，婴儿更多的时间喜欢和爸爸妈妈在一起。美美总是主动和她周围的人打招呼，即使是第一次见面的陌生人，也表现得非常友好，美美的沟通能力可谓一流。

宝宝/尚潘柔美
美美在研究伙伴的小手,这小手怎么和我一样啊。这么大的宝宝开始认识身体部位名称,开始是认识自己的身体,以后开始认识他人。

解,进行融洽互动的交流,这是婴儿学习语言无法代替的亲情环境。不要把宝宝扔给电视或光盘,更不要过早、过度对婴儿进行所谓外语和电脑的"智力开发。"

宝宝和父母交流远非这些

婴儿虽然不会用语言来表达自己的愿望,但通过特定的动作表示自己的愿望,妈妈从中可以看出婴儿在想什么,要干什么,当婴儿躺够了,就会一边挺肚子,一边"哼,哼"地表示不满,这时如果妈妈能抱起婴儿,婴儿会很高兴。如果婴儿想让妈妈抱,就会把双手伸向妈妈,脸上露出着急的神情。

450. 听的能力:能听懂一些语意

宝宝都听懂了什么

婴儿能听懂父母一些语意。如"吃饭了","喝奶了","撒尿了","把把了","妈妈来了","爸爸来了","妈妈上班了","和爸爸再见了","上外面玩去了","回家了","宝宝乖了","妈妈不喜欢宝宝了","宝宝气妈妈了"等,知道有人在叫他的名字。但宝宝在理解这些语言时,需要靠当时的情景,宝宝还缺乏抽象理解语言的能力。

听对语言学习的帮助

婴儿把这些语言能和实际动作联系起来,开始了语言的记忆和模仿。听对语言的学

习是至关重要的。婴儿从这时起可以形成第一批语言-动作的条件反射,如家里有小朋友来了,妈妈说"欢迎,欢迎",婴儿就会拍起手来。爸爸上班了,对婴儿说"和爸爸再见",婴儿就会扬起胳膊摆手。有了这种条件反射,婴儿就有了学习与人交往的能力。

451. 运动能力:坐得很稳

独坐给婴儿生活带来巨变

这个月的婴儿坐得比较稳了,不再需要倚靠,能坐比较长的时间了,能自由向左右扭动身体,拿起旁边的物体。要使婴儿能够独立利用双手玩眼前的玩具,进一步促进手的协调活动能力和手指的精细动作。独坐给婴儿的生活带来了巨大的变化。婴儿的视觉和听觉发生了根本的改变,看的视野开阔了,增强了认识周围事物的能力。从这个月开始,可以让婴儿多坐。有的婴儿能从坐位自己改变成俯卧了,两个胳膊和手也不被压在身下,通过自己的努力可以把压在身下的手抽出来,放在身体的两边,并向后或向前爬行。

四肢把整个身体支撑起来

肢体有劲的婴儿可能会用上肢把上身支撑起来,离床很高,如果床不滑,可能会用脚蹬着床,四肢把整个身体支撑起来片刻,但很快就扑腾一下趴在床上。爱运动的婴儿会

宝宝/尚潘柔美
美美又主动和小朋友打招呼了,小朋友没理会美美。

宝宝/尚潘柔美
周围的人很多, 宝宝最喜欢人多热闹的场面, 美美和小朋友的注意力都被吸引过去了。

用四肢把身体支撑起来, 屁股撅得高高的, 头低下去, 能够看到自己的脚。这个动作让婴儿很高兴, 尽管不断被重重地摔在床上, 还是一次次尝试。

爬行能力仍在不断学习中

有的婴儿可以用四肢爬了, 但动作不协调, 有的婴儿还是用肚子匍匐爬行。有的婴儿一点也不会爬, 甚至不会向后爬, 如果父母给一点力, 孩子会像个青蛙, 向前跃, 而不是爬。这主要是孩子还不能协调四肢运动。

如何锻炼宝宝爬行

爸爸妈妈和宝宝一起爬

·妈妈在前握着两只手, 一前一后交替向前移动, 爸爸在后握住两脚, 与妈妈同步向前推。

·如果婴儿不会把肚子离开床面, 不会用四肢支撑身体, 父母可把手放在孩子的胸腹部, 轻轻用力向上抬起, 让婴儿用四肢支撑, 再帮助向前移动。

爬向妈妈

·父母要在前面引导婴儿向前爬。妈妈一边拍手一边说: "宝宝快快爬到妈妈这里来。"

·当宝宝要向前爬时, 妈妈张开手臂迎接婴儿, 做出拥抱孩子的动作, 嘴里不断说: "宝宝爬过来, 让妈妈抱抱。"

爬向玩具

·在婴儿前面放上会动会响的玩具, 婴儿会努力向前爬, 当婴儿就要够到时, 妈妈要不断鼓励婴儿。

·婴儿靠自己的努力够到了玩具时, 父母应该怎么办呢? 把孩子抱起来, 亲一亲, 表示赞许, 让婴儿体会到胜利的喜悦。

·婴儿够不到玩具怎么办呢?

不要把玩具递到手里, 这样会使婴儿放弃努力的欲望, 养成饭来张口衣来伸手的毛病。经过努力, 孩子确实够不到玩具, 可能会急哭, 心理受到挫伤, 或干脆不要了, 失去了战胜困难的信心。这时父母要不失时机地帮助孩子, 在婴儿的足底稍稍施以微力, 促使孩子向前爬, 直到够到玩具为止。

452. 潜能开发

全方位训练综合能力

对于这个月婴儿的潜能开发, 仍然应该建立在玩的基础上, 让婴儿在快乐的玩中学习, 在有趣的游戏中发挥最大的潜能, 不能拔苗助长, 也不能让婴儿接受更多的超前教育。传授婴儿知识不是目的, 应该全方位地训练婴儿的综合能力。

手的技能训练

半岁以前, 婴儿是用手掌握物, 五指不起什么作用。这个月的婴儿已经会用拇指和食指捏弄小的东西了, 初步掌握了精细动作的技巧, 已经会手指间的配合。

·把蒙在脸上的手绢拉下来

前面已经说过, 当手绢、纱巾、塑料薄膜蒙到婴儿脸上时, 婴儿不会把它拿开, 这就使得婴儿面临着一种危险, 一旦蒙在婴儿脸

宝宝凯捷
凯捷拍照片时刚满3个月。正扯窗纱玩呢。我吸引他回过头来抓拍的。

上的东西堵住了婴儿的呼吸道,孩子没有反抗的能力,就会危机孩子的生命。因此,婴儿这个月发展起来的这一能力是非常重要的。

·两手同时抓起胶皮球

以前,当婴儿手里拿着一个物体时,如果再递给另一个物体,婴儿就会松开手里的物体,去拿另一个物体。现在可以同时用另一只手来接另一件物体,两手还能同时抓握起比较大的物体,比如,婴儿可以两手配合抓起皮球。

·两手来回交换玩具

过去抓住玩具时,只会单纯地摇晃,现在可以把玩具在两手间来回交换玩耍了。把玩具从单手抓握到双手配合一起玩耍,这是婴儿手的技能的进一步发展。

·用手劳动

教孩子学会把物体放到玩具筐里,把物体递到妈妈手里,在玩具筐里把玩具取出来,把皮球抛出去,把小盒里的物体倒出来等技巧。

·手不是用来打人的

如果婴儿用手打妈妈爸爸的脸,父母不但不能鼓励,还要制止,不能报以笑脸,否则的话,就是鼓励孩子形成打人的习惯,以后见谁都打,客人也不好意思管孩子,变成令人讨厌的孩子,长大了再打人,就不是好玩的事了,所以从婴儿起就应该制止打人。

开发手的精细活动

1)让婴儿够放在不同距离的物体,可以训练婴儿触觉、视觉、运动功能及活动技巧。

2)让婴儿够与婴儿有一定距离的物体,可以训练婴儿目测物体距离的能力,使手、眼协调。

3)伸手够物,举手够物,爬过去够,妈妈举着够物,妈妈扶着站起来够物,使婴儿有一种主动参与游戏的兴致。

4)教会婴儿用动作表达意愿,学习与

宝宝/王震坤

这个时期的婴儿能抓物变成坐位,但大多数宝宝还不能抓扶站立起来。有的玩具带有抓环,而这个圆环玩具太单薄,不能承受宝宝的体重,是吊玩具用的。让宝宝抓圆环比妈妈抓宝宝的手安全,不易发生肘关节脱位。说起肘关节脱位,我还想多说两句,发生肘关节脱位的常见的原因是:妈妈牵着宝宝的手练习站立或走路,当从坐位拉起宝宝站立,或宝宝站立的宝宝突然要摔倒时,妈妈不意识地向上牵拉宝宝的胳膊。

人交流。教婴儿双手抱在一起谢谢,举手前后摇摆表示再见,双手掌互拍表示欢迎,举手左右摇摆表示不要,手放到头部一侧表示敬礼,手指一抓抓地给客人表演"抓挠",用手指灯在哪,小床在哪,不再只是用眼睛示意了。

初识物体性质

婴儿在玩的实践中,逐渐理解了物体的性质,知道皮球会滚,橡皮娃娃会被捏响,勺子是用来吃饭的……通过这样的认识过程,婴儿会慢慢理解,什么可以放到嘴里,什么不能放到嘴里。如果妈妈不断向婴儿强化这种概念,就会加快婴儿的理解步伐。但也不能处处限制孩子,即使是不能吃的东西,只要没有危险,很干净,就不必加以制止。孩子把东西放到嘴里,也是对物体的一种体验。用眼看,用手摸,用嘴尝,用牙咬,用舌头舔,都是孩子认识事物的有效方法。

初识危险

如果婴儿把在地上滚的皮球放在嘴边啃,妈妈应该摇头并告诉孩子,皮球不能吃,在地上滚是不卫生的;拿出一片饼干,告诉孩子,这个才能吃;如果婴儿不听,妈妈就现出不高兴的样子,并坚决地说,不能啃脏皮球。

如果孩子不再啃皮球了，妈妈就高兴地鼓励孩子。遇到绝不能让婴儿动的东西，如打火机等危险物，妈妈必须坚决制止，不能怕孩子哭，越怕孩子越可能用哭来要挟父母。

体能训练

父母可以利用体能训练的大好时机，进一步开发婴儿的运动能力。

·反应与运动训练

婴儿能独立坐稳了，并能自由转动身体，父母可以训练婴儿最大限度扭转身体，妈妈可以在婴儿身后呼唤宝宝的名字，宝宝会寻声扭过头和上身，从不同的方向呼唤，让婴儿左右扭动，锻炼婴儿的反应能力和脊椎的

宝宝/尚潘柔美
宝宝很聪明，一爬到床旁，就停止不爬了。有时还俯下身去看一看床下的高度。这么大的婴儿已经有了朦胧的危险意识，但还不能把握，父母仍要防止宝宝从高处摔下。

宝宝/尚潘柔美
如果妈妈怕宝宝从床上摔下来，在床旁挡上沙发圆垫等障碍物，那是徒劳的，宝宝几乎能够越过妈妈设置的所有障碍物爬到床下，除非宝宝不想这么做。美美并不想越过圆垫去做什么。

运动能力。

·从坐到趴再到向前爬

锻炼婴儿从坐位到趴着并向前爬，妈妈在婴儿前边放置一个婴儿喜欢的物体或食物，婴儿坐着伸手是拿不到的，就会俯下身去，爬着够到他想要的东西。这一连串的动作，既可锻炼婴儿视觉、距离感及手眼协调能力，又可锻炼孩子的精神品质——通过自己的努力获得自己想要的东西。

·快速爬

锻炼婴儿向前爬的速度感。妈妈在婴儿前，不断说宝宝快快爬，当宝宝加快速度时，妈妈马上说宝宝爬得真快；当宝宝爬行速度减慢时，妈妈就说宝宝是不是累了，怎么爬得这样慢啊，让婴儿在体能训练中理解快慢的含义，体会出什么叫快，什么就叫慢。在事物的对比中理解事物的本质，理解语言的含义。

·不同体位转换

这个月的婴儿，可能会坐得很稳，还可能从坐位变成俯卧位，又从俯卧位变成侧卧位、仰卧位，再从仰卧位变成侧卧位、俯卧位。

·从坐到站的训练

这个月的婴儿可能还不会从仰卧位、侧卧位或俯卧位变成坐位。更不能从坐位变成站立位。但婴儿有这种潜能，妈妈应该加以训练。训练时尽量不要直接用手抓婴儿的手，而是让婴儿自己借助物体来完成。当婴儿坐位时，妈妈可以用一个结实的圆环锻炼婴儿，让婴儿双手抓住圆环，妈妈向上拉圆环，孩子会抓着圆环站起来，这样，不但锻炼了婴儿体位变换能力，还锻炼了婴儿手的握力。

圆环可以避免训练导致的宝宝关节脱位！

如果妈妈直接抓握婴儿的手或胳膊，掌握不准，可能会使婴儿的肘关节或肩关节脱位。这是妈妈最不希望的。用圆环就可避免这种意外发生，如果妈妈用力大了，婴儿握住圆环的手就会脱开。

·从卧到坐

训练婴儿从躺着变为坐着。可以让婴儿右侧卧，妈妈抬起婴儿的头颈肩部，同时让婴儿先用肘部支撑起身体，当抬到正好用肘部可以支撑身体的位置时，妈妈再使婴儿向上抬起上身，同时慢慢让婴儿用手掌支撑起上身，臀部着床，变成坐位。大多数婴儿自己都是从俯卧位借助四肢的支撑力变为坐位的。无论采取哪种形式，让婴儿尝试从躺着到自己坐起来的锻炼。

·挖掘婴儿潜能的内在动力

这么大的婴儿已经不喜欢躺着了，他们喜欢坐起来，看到更广阔的天地。喜欢爬，去探索世界，拿到他想拿的东西，想站起来走，走到外面的世界，这种潜在的欲望和能力，是婴儿不断进取的内在动力。父母是外在推动力，父母不能扼杀婴儿潜在的欲望和能力，也不能超乎寻常地训练，拔苗助长只会伤害婴儿，父母应该有一颗平常心，让婴儿在快乐中自然成长。

这个月父母可以继续上个月的游戏项目。

第4节 本月婴儿营养需求

宝宝：尚潘柔美
我决定对沙发上的陈设重新设计一下。

宝宝：尚潘柔美
恩，趴在这里睡觉还挺具有挑战性，那就美美地在这里睡一觉吧。

453. 喂养问题

不要使婴儿失去进食的快乐

这个月婴儿营养需求与上个月没有什么差异。妈妈不要认为，孩子长了一个月，辅食的量就该增加了，奶量也应该增加了。这样认为就会使妈妈在喂养中遇到困难，也会使婴儿失去进食的快乐。

食量大与食量小的孩子

如果是食量大的孩子，会从这个月开始变成小胖墩，还会使孩子积食，要注意稍加限制食量。食量小的孩子，会让父母认为得了厌食症，如果这时再化验头发微量元素什么的，可能会被判为营养缺乏。妈妈很是内疚："给孩子喂得都缺乏营养了，真是太失败了。"如果你的孩子各方面发育都正常，母乳、牛乳吃得都很好，辅食添加也很顺利，只是食量小，这不等于营养不良。

454. 营养评价问题

缺铁的可能性还是有的

有可能是妈妈孕期摄铁不足，孕期贫血，造成胎儿铁储备不足；分娩过程中发生了胎母输血现象（在新生儿娩出脐带未剪断前，新生儿的位置高于胎盘位置，致使新生儿体内血液流入胎盘，造成新生儿向胎盘输血的现象）；过早喂鲜牛奶，5个月以后没有及时补充上缺乏的铁。所以即使母乳很充足，婴儿也很爱吃牛乳，在出生后4个月也要开始添加辅食，以补充铁。如果是早产儿，应该从生后2个月开始补充铁剂。

不要过量补钙

"全民缺钙"，可以说"补过之而无不足"。但父母甚至个别医生，还是喜欢把孩子的"睡眠不踏实，不好好睡觉"、"爱出汗"、"头发黄"、"个长得慢"等都归于"缺钙"，超量补充。

钙补充过量导致中毒的现象

有的父母认为鱼肝油和钙是营养品，认为越多越好，这是错误的。补充过量的鱼肝油和钙可导致中毒现象。维生素A过量，可出现类似"缺钙"的表现，如烦躁不安、多汗、周身疼痛，尤其是肢体疼痛、食欲减低。维生素D过量，可导致软组织钙化，如肝、肾、脑组织钙化。

第5节 本月婴儿喂养方式

455. 母乳喂养

母乳喂养的重要性开始减弱

母乳喂养的重要性从生后6个月开始减弱，到了这个月，母乳的作用再次减弱，一天喂3-4次母乳就可以了，而且妈妈乳汁的分泌量也开始减少，爱吃饭菜的婴儿多了起来。

减少孩子对乳头的依恋

爱吸吮母乳的婴儿已经不再是为了解除饥饿，更多的是对母亲的依恋，躺在妈妈的怀里，享受着妈妈的拥抱，尤其是夜深人静

时，妈妈的乳头是对付夜啼儿的有效方法。

从这个月开始，妈妈要注意减少婴儿对吸吮乳头的依恋倾向。如果乳汁不是很多，应该在早晨起来、晚睡前、半夜醒来时喂母乳。吃完饭菜或牛奶后，婴儿是不会饿的，即使婴儿有吃奶的要求（妈妈抱着时，头往妈妈怀里钻，用手拽妈妈的衣服等）妈妈也不要让婴儿吸吮乳头。如果已经没有奶水了，就不要让婴儿继续吸着乳头玩。

如果婴儿没有对妈妈乳头的依恋，到了断奶期，会很自然地顺利断奶（甚至是婴儿主动就不吃了），不需要强制性断奶。这个月虽然没有面临断奶的问题，但是，为了以后顺利断奶，可以作些必要的准备。

半断奶期不宜与孩子发生冲突

我不赞成在这个月因为喂母乳问题和婴儿发生冲突。并不是1岁后就必须断奶，1岁半断奶也是可以的。发生对母乳依恋的婴儿也不是多数，大部分婴儿会很容易就断掉母乳的，妈妈不要因为已经进入半断奶期，就严格限制母乳的喂养。只要还有母乳、不影响孩子吃饭菜、不影响孩子睡眠、不使孩子产生依恋乳头倾向，就没有必要严格限制哺乳次数。如果妈妈的乳汁已经非常少了，只是象征性的，就要以牛乳填补婴儿每日应该喝的乳量。

宝宝/姜柏林
虽然有8个月没到姥姥家了，但是，到姥姥家一点都不认生，一见如故，这就是他自己拿奶瓶喝水的照片。

456. 牛乳喂养儿

牛奶的基数是500毫升

这个月的婴儿每日牛乳的摄入量仍是以500毫升为基数,最好不要少于500毫升,也不要多于800毫升。最合适的量是500毫升,每天分2～3次喂养,但也要根据每个婴儿的具体情况决定。

这个月宝宝可以加"点心"。这里的"点心"指的不是大人常吃的糕点,而是父母做的辅食以外的现成小食品,如苹果、橘子等水果和饼干、蛋糕、奶片、肉松等,为了和奶、辅食相区别。这是医生普遍的一种叫法,请妈妈注意区别。

· 如果孩子胃口比较小,一次只能喝100毫升左右,就多喝几次,或与点心一起添加。

· 如果一次就能喝250毫升,就可以每天喝2次,最好是每次喝180～220毫升,分3次喝,两次辅食,两次点心。

· 如果辅食吃得不好,可以把点心取消。

拒食牛奶怎么办

婴儿就是不吃牛乳,如果强喂,一次也只喝30～50毫升,有时一天只能喝100毫升左右,而且,每次都要在婴儿睡得迷迷糊糊时喂进去。这让妈妈很着急。

孩子为什么不喜欢吃牛奶?与3个月时的厌食牛奶不同,主要是婴儿的食品爱好问题。这样的婴儿可能开始喜欢吃咸的食品,

宝宝/姜杼君

这么大的婴儿正是淘气的时候,宝宝有意见了,睁着眼睛又要又闹。

宝宝/尚潘柔美

好动是婴儿的天性,给宝宝创造安全的环境很重要,当宝宝站在高处时,要防止宝宝落地。

而不再喜欢吃甜的食品,更多的男婴喜欢吃咸的食品。

遇到这种情况怎么办呢?

· 如果是喂奶粉,就改成鲜牛奶,鲜牛奶的味道比较淡;

· 如果鲜牛奶也不喜欢吃,可以加一些酸乳酪,有更多的女婴喜欢吃酸甜的食品。

· 不爱喝奶的孩子,也可以吃奶酪、奶糕。

· 这个月给孩子吃奶的目的是补充足量的蛋白质和钙剂。如果婴儿就是不吃奶类食品,可以暂时停一小段时间,不足的蛋白质和钙,通过肉蛋来补充。但是也不要彻底停掉,即便一次吃几十毫升也可以。如果长时间不给婴儿喝奶,婴儿对奶的味道可能会更加反感。

· 有的婴儿半夜会醒来啼哭,如果喂牛奶后,可以使孩子安稳入睡,就不要坚持晚上不给孩子喂奶的原则。实际上,到了半断奶期的婴儿,晚上喂奶并非像人们认为的那样有害。妈妈可能会担心,吸着奶头入睡,婴儿发生龋齿几率会增加。但如果为此而让婴儿哭下去,养成夜啼的习惯,对婴儿的正常生长发育更不利。

第6节 本月婴儿辅食添加

457. 本月喂食添加要点

基本原则

· 每日两顿,第一顿上午11点左右,第二顿下

午6点左右,一天也可以穿插加两次点心。

· 辅食的量要根据婴儿的食量而定。一般情况下,每次是100克左右。

· 辅食的种类可以是多种多样的。主食有面条、粥、馄饨、饺子、面包。有的婴儿能吃米饭和馒头等固体食物。只要婴儿能吃,也喜欢吃,是完全可以的,米饭要烂些。副食有各种蔬菜、鱼、蛋、肉类,可以吃猪肉和鸡肉,肉制品必须剁成肉末,至少也要剁成肉馅那样大小。

添加辅食需注意的几点

1)妈妈为了省事,就把辅食和粥放在一起喂,这样不好,应该分开喂,让婴儿能够品尝到不同饮食味道,享受进食的乐趣。

2)在辅食添加中,父母不能机械照搬书本上的东西,要根据婴儿的饮食爱好、进食习惯、睡眠习惯等灵活掌握。

3)没有千篇一律的喂养方式,添加辅食也是这样。有的婴儿一天只能吃一次辅食,第二次辅食说什么也喂不进去,但能喝较多的牛奶,还吃母乳。妈妈不能强迫婴儿一定要吃两次辅食。

4)有的婴儿吃一次辅食需要1个多小时,妈妈为了腾出时间带孩子到户外活动,一天喂一次辅食,不足部分用鲜奶补足,这也未尝不可。

5)充足的户外活动,要比多给孩子吃一次辅食更加重要。

458. 和大人一起吃饭

有的婴儿喜欢和大人一起吃饭,也喜欢吃大人的饭菜,妈妈完全可以利用婴儿的这一特点,在大人午餐和晚餐时添加两次辅食,只要孩子能吃,不呛,咽得很好,能和大人一起进餐是很好的。这不但满足了婴儿的喜好,也可以节省父母的时间。用节省下来的时间陪婴儿做户外活动、各种游戏。

注意事项

1)在烹饪时,要合婴儿的胃口,饭菜要烂,少放食盐,不放味精、胡椒面等刺激性调料。

2)吃鱼时注意鱼刺。

3)抱孩子到饭桌旁,一定要注意安全,热的饭菜不能放在婴儿身边,婴儿已经会把饭菜弄翻,比如热汤会烫伤孩子。婴儿皮肤娇嫩,即使大人感觉不很烫的食物,也可能会把婴儿烫伤。

4)不要让婴儿拿着筷子或饭勺玩耍,可能会戳着孩子的眼睛或喉咙。

5)有的婴儿就喜欢吃辅食,无论如何也不爱吃奶,就要多给孩子吃些鱼蛋肉,补充蛋白质。

459. 仔细看护

看护人尽量不要离开

这个时期带孩子的任务是很重的,常常顾此失彼。妈妈忙着给婴儿做辅食的片刻,可能会发生意想不到的事故,因为这个月的婴儿会爬,会坐,会到处翻身,有的婴儿还能扶着床栏杆站起来,会把东西放到嘴里。这些能力,都潜藏着发生意外事故的危险。即使是孩子睡着了,醒来几分钟内,就可能发生不该发生的事情。这个月的孩子,不能离开看护人的眼睛。

最好两个人看护

如果父母都是双职工,只有一个保姆看

宝宝/高锦华

护，既能很好喂养，又能训练婴儿能力，保证足够的户外活动，是很难办到的，尽量再有一个老人做帮手。如果是妈妈一个人看护婴儿，爸爸又不能帮很大的忙，花钱请一位保姆是值得的。3岁以内婴儿潜能开发是很重要的，而1岁以前是重中之重。多一个人手，除了喂养好孩子，培养孩子也同样重要。

460. 添加辅食举例

例一：有母乳喝的婴儿

早晨6~7点起床：吃母乳；有的婴儿吃一会母乳又开始睡1个小时。

8点：洗脸，洗屁股，做体操，和婴儿在室内做亲子游戏。

9点：喝鲜奶180~220毫升。

9：30：户外活动。

12：00：辅食：粥或米饭80~100克，鸡蛋半个，可以和在粥里，也可以单吃，肉汤炖碎菜（胡萝卜、白瓜、菠菜等都可以）约30克。室内活动。

1：00：午睡。起来喂水果点心。

3：00：鲜奶或奶粉180~200毫升。室内活动。

4：00~6：00：户外活动。出去前喂些水果点心。

6：00：辅食：面条、粥、米饭、面包都可以，约100克。蛋半个（鸡蛋羹或水煎蛋），鱼汤炖豆腐约30~50克。开水烫青菜（圆白菜、菠菜等）1~2勺。

8：00：吃母乳，睡觉。

如果半夜醒来换尿布，孩子哭闹，吃奶能够很快入睡，可以喂1~2次母乳。

例二：没有母乳喝的婴儿

早6点起床：喂鲜奶或奶粉200~220毫升。

7：00：洗脸，洗屁股，做操，室内活动，睡觉1个小时。

9：00：吃些点心水果后进行户外活动

11：00：辅食：粥或面条米粉等约100克，猪肉丸子（肉馅内放鸡蛋半个杏核大小）2~3个。丸子汤内放冬瓜香菜等碎菜，吃1~2勺。室内活动。

12：00：午睡。

2：30：鲜牛奶或奶粉200毫升左右。

3：00：户外活动。

5：00：点心水果。

6：00：辅食：粥约80克，对虾汤约30~50毫升，对虾一个剁碎，开水烫碎青菜1~2勺。室内活动。

9：00：鲜奶或奶粉200毫升左右。

例三：不爱喝牛奶的婴儿

6~7点：喝鲜奶或奶粉100~150毫升。

8：00：点心水果，睡觉。

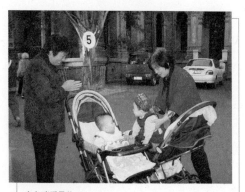

宝宝/尚潘柔美
两个宝宝开始交流了，姥姥在为宝宝鼓掌。

9：00-9：30：辅食：粥50克，鸡蛋一个（鸡蛋羹或水煎蛋），室内活动。

10：30：户外活动。

12：00-12：30：辅食：粥或面条，面包，100克。鱼肉或猪肉汤炖菜，鱼肉或猪肉一小勺。

1：00：午睡。

3：30：水果点心后户外活动。

5：30-6：00：辅食：菜粥100克左右。青菜豆腐30-50克，一寸虾一个。

8：00：牛奶150毫升左右。

例四：不爱吃辅食的婴儿

7：00：牛奶200毫升左右。睡觉。

8：30：做操，室内活动，水果点心。

9：30：辅食：粥30-50克，鸡蛋半个，牛奶80-100毫升。

10：00：户外活动。

12：00：牛奶200毫升左右。

1：00：午睡。

3：00-3：30：水果点心，牛奶100毫升。

6：00：青菜豆腐50克左右。

8：00：牛奶200毫升左右。

如果夜间哭闹，不吃几十毫升牛奶就不入睡的婴儿可以喂牛奶。

几点提示：

·以上四个例子不足以说明这个月婴儿

宝宝/姜柏林
宝宝的视觉处在高度发育阶段，电视画面长时间刺激，对宝宝视觉发育不好，即使宝宝不是总盯着电视看，也不要长时间开着电视。

饮食、睡眠习惯的所有特性，更不能涵盖这个月婴儿喂养的全部特点。

·父母应该在实践中总结经验，找到适合孩子的喂养方式和作息时间。

·只要婴儿生长发育正常，能快乐玩，快乐吃，快乐睡，您就是最棒的父母。您就是最理解孩子的好父母。

·不要拘泥形式，只有适合您孩子的喂养方法才是最好的方法。

第7节 本月婴儿护理要点

461. 春季护理要点

父母可能会这样做

·父母也敢抱孩子到比较远的地方游玩了。

·也敢带孩子串门了，到奶奶家、姥姥家看看去。接触人的机会增加了。

·对婴儿穿的、盖的不再那样小心翼翼了。

·父母开始把注意力集中在如何培养孩子的能力上，而不再是吃、喝、拉、撒、睡。

父母可能会这样想

·婴儿的能力迅速发展起来。

·能吃的食物种类多了起来。

·抵抗力不断增强起来。

可能出现这样的结果

·婴儿需要找医生的时候多了起来。

·所接触的人尤其是孩子中间，难免有感冒及患病的人。

事实并非如此

·这个月的婴儿从母体获得的抗病抗体已经消失殆尽了，自身的抗体尚未产生。

·这个月的婴儿活动范围加大，患病的机会增加了。

·春季气候不稳定，病毒细菌复苏，自然患病机会也增加。应该注意防病。

妈妈不必担心

这个月婴儿易患的病是比较单纯的，常见的有：

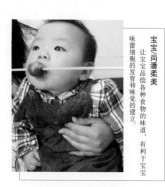

宝宝/尚潘柔美
让宝宝品偿各种食物的味道，有利于宝宝味蕾细胞的发育和味觉的建立。

感冒、出疹性发热、热惊、腹泻、口腔疾病等。

护理的要点

·不要过早给孩子脱衣服。

·也不能很热还捂着冬天的衣服，比大人多一层单衣就可以。

·大人换了薄被，也要给婴儿换薄被，如果一直盖厚被，孩子就会踢掉被子，出汗更容易着凉。

·春季虽然天气转暖，但风沙比较大，要注意空气质量，污染指数大时，比如扬沙天、雾天时，不要带孩子到户外。

·北方春季干燥，要注意补充水分。

·在户外玩耍的儿童多了起来，要注意预防皮球、石子等砸到婴儿。

462. 夏季护理要点

勤洗澡

这个月的婴儿汗腺比较发达了，也爱活动，出汗比较多，尤其是睡觉时和吃奶时，会出很多汗。汗液和空气中的尘土和在一起，堵塞汗毛孔，引起痱子和脓包疹。皮肤的皱摺处更容易被汗液浸泡发生糜烂，尤其是比较胖的孩子更易发生。要勤给婴儿洗澡。

防蚊蝇

这个月的婴儿几乎没有接种乙脑疫苗的，但却有可能患乙脑，来自于母体的抗体已经消失了。所以预防乙脑是很重要的，蚊子是传播乙脑病毒的媒介，一定要防蚊虫叮咬。

可以使用冷气设备吗？

关于使用冷气设备问题同前几个月。

可以带孩子游泳吗？

有的父母会问，这个月可以带孩子到海边或游泳池游泳吗？不是绝对不能去，但要注意安全。

463. 秋季护理要点

不要过早加衣服

秋季是比较好过的季节，但要注意，不要天刚有些凉，就马上给孩子添加比较厚的衣服，让婴儿自身有个适应天气变化的过程，使婴儿能顺利度过寒冷季节。

坚持户外活动

不要天气刚凉，就不敢带孩子到户外活动，或明显缩短户外活动时间。这个月的婴儿，即使在寒冷的季节，也要到户外活动，哪怕是十几分钟。这样才能使婴儿呼吸道能够抵御寒冷刺激，不易患呼吸道感染。

防秋季腹泻

北方地区，秋末季节，可能会流行小儿秋季腹泻，要注意预防。一旦发现孩子腹泻，首先想到的是病毒感染引起的秋季腹泻，而不要仅仅认为是消化不良。及时补充丢失的水分和电解质。不要等到脱水，需要静脉补液的程度，那会给婴儿带来痛苦。

宝宝/尚潘柔美
美美喜欢这样认真地研究她手里的东西。

宝宝/刘映彤
婴儿手的运动能力不断进步，多让宝宝动手对智力开发有很大帮助。

464. 冬季护理要点

嗓子里呼噜呼噜的

·父母的烦恼

刚刚进入冬季，孩子可能就开始呼噜呼噜的，喉咙中总是有痰，晚上咳嗽时，可能会把吃的奶吐出来。由于婴儿不会咯痰，总有一口痰在嗓子里来回滑动。当婴儿咳嗽时，如果能够把痰咽到食管，会清静一会，可不久，又会有痰出现。当婴儿睡眠时，如果出现这种情况，动一动体位，可能会有所减轻。

如果出现鼻塞，症状会严重得多。吃奶时，由于鼻塞，会阻碍呼吸，而使婴儿烦躁，有的婴儿会持续一冬天不好。

·为什么会这样？

患有比较严重的湿疹、比较胖、有哮喘家族史的婴儿，容易出现这种情况；感冒后，也可能出现类似表现。与婴儿体质有关，也与父母护理婴儿方法有关。最主要是父母没有注意随着环境温度的变化，随时增减衣服被褥，孩子总是汗津津的。

·看医生的时候

如果孩子把奶都吐出来了，妈妈会急得连夜到医院。医生检查后，会诊断为气管炎或喘息性气管炎。如果不发热，一般医生不会留院治疗，开一些口服药物，但是，难以收到预期效果。由于治疗效果不满意，妈妈可

能会走遍各家医院。有的医生可能会建议拍X线胸片，结果报告是肺纹理增粗，放射医生诊断为气管炎，或支气管肺炎，吃过不少药物，甚至是打针输液，效果均不佳。

治疗和护理对策

对于这样的婴儿，单纯的药物治疗，往往难以奏效，要针对可能的原因加以治疗。

1）如果婴儿比较胖（超过同龄儿标准平均体重的第97百分位），应调整饮食结构，降低体重增长速度；

2）如果缺乏维生素AD或钙，婴儿气管内膜功能低下，要给予补充。

3）缺锌的婴儿可反复感冒，食欲低下。要在医生指导下积极补充。

4）婴儿贫血时，抵抗力和食欲均较差，补血治疗后会显著改善。

5）过敏体质或家族中有哮喘病史，婴儿发生支气管哮喘的几率偏高，应进行抗过敏和预防支气管哮喘的治疗。

6）婴儿生活环境也很重要。如果室内温度过高，湿度小，空气不流通，婴儿总是汗津津的；室内人流比较大，总有感冒人员接触孩子，请加以改变。

7）天气一凉，就马上把孩子困在室内，过早添加衣物，使孩子对冷空气的耐受性很差。纵使不把孩子带到室外，不受冷空气的

宝宝尚潘柔美
看看窗外的世界。

侵袭,气管内膜也会很脆弱。稍一疏忽,就会感冒。对婴儿进行耐寒锻炼。

8)婴儿不会咳痰,如果痰液很多,可购买家庭用的吸痰器,帮助婴儿清理痰液。

9)多给孩子喝水,使痰液变稀薄,容易咳出。咳到嗓子眼的痰液容易被清理。

10)要清理气管内的痰液是比较困难的,请医生帮助。

来年秋冬季的做法

有的婴儿虽然嗓子总是呼噜呼噜的,但精神很好,不影响吃,也不影响睡,生长发育也很好,婴儿很快乐。除了注意日常护理外,尽量不要使用抗菌素,也不必让婴儿遭受治疗的痛苦,天气转暖后,孩子会自愈的。

来年的秋季到来时,对婴儿进行冷空气浴锻炼,坚持让婴儿每天在户外活动,即使在寒冷的冬季也要坚持。提高呼吸道黏膜抵御风寒能力,来年的冬季情况会有所好转。

465. 衣物、被褥、玩具

一点重要提示

这个月龄的婴儿对于衣服、被褥、玩具与上个月相比,没有特殊的要求。但有一点要特别提醒父母,这个月婴儿手的活动能力增强了,有发生气管异物的危险。

气管异物潜在隐患

·如果衣服上的纽扣钉得不牢,会揪下来放到嘴里。

·衣服上的小饰物、小带子等如果钉得不结实,会被婴儿放到嘴里。

·玩具上的螺丝、各部位的零部件、粘贴的商标、镶嵌在玩具上的零碎部件,如塑料娃娃眼、金属响笛等,都可能成为气管异物的隐患。

如何消除隐患

·在购买衣物、儿童用品、玩具时,一定要充分考虑其安全性和可靠性。

·注意儿童用品上适用年龄的标志。不要给婴儿购买超过其年龄的用品。

·应该选择质地安全(如撕不烂、可以啃咬的布书)以及整体性(如不能卸下轱辘的整体小玩具车,没有钉粘硬塑料粒作为眼睛的玩偶)儿童用品。

·不能购买生产厂家不明,没有注册商标的小商品。不要在没有高信誉的商家手中购买儿童商品。

·要严格检查亲朋好友赠送、转赠的儿童用品。一旦发现不安全因素,要舍弃不用。

·婴儿正在使用的用品,如童车、婴儿床、玩具、衣服和被褥等,也要定期检查,保证其安全性。这一点是非常重要的。

不要有侥幸心理

父母也许会感觉到我讲的太严重了,哪里有这么多的危险?这是我们医生几十年临床工作看到的惨痛教训的总结。即使是万分之一的危险,也要彻底消灭,一旦发生意外事故,那就是百分之百的不幸了。请记住:侥幸心理是意外事故的根源。要消除孩子周围的隐患,父母担负着最重要的责任。在这里,我们还要呼吁婴儿用品制造商、销售商、监管部门承担起相应的责任,保障婴幼儿的安全。

466. 睡眠问题

这个月婴儿睡眠和作息时间与上个月相比,差异不是很大。可能会有这些情况。

宝宝尚潘柔美
看不到,宝宝很聪明,爬到窗台上不就能够看到了吗?宝宝开始有往高处上的愿望。

午前不再睡觉

有的婴儿午前可能不再睡觉了，这对增加户外活动有好处，也会给喂养带来方便。但是这样的婴儿中，午前不睡觉的原因，大都是因为早晨起得比较晚；有的婴儿，能睡到早晨8-9点钟，甚至到9-10点钟。晚起的原因是头天晚上睡得比较晚，可能要到晚上11点以后才入睡。有的婴儿是因为晚上夜啼，天快亮了，才开始睡得香甜了。

晚上睡得很晚

晚上睡得很晚的原因：傍晚睡了一觉，醒来已经是晚上7-8点钟，看到妈妈爸爸，开始兴奋，又是玩，又是闹，又是吃，一直兴奋到很晚。或许您的孩子并不是这样，就是喜欢晚睡晚起，睡眠时间比其他孩子少，但很精神。可以通过逐渐改变孩子的作息时间，来改变孩子不合理的睡眠习惯。

不要轻易放弃养成良好睡眠习惯的决心

这个月的婴儿，养成难以更改的睡眠习惯的并不多。父母不要轻易放弃帮助孩子养成良好睡眠习惯的决心。当然了，绝不能采取强制办法。要合理安排婴儿的生活节奏，尊重婴儿的某些个性。随着婴儿的成长，个体间的差异会越来越明显。现在养成良好的作息习惯，对将来的养成教育和健康大有好处。

关于睡眠的几点提示

· 白天睡两觉，午前睡的时间稍微短些，一般是1-2个小时。

· 有的婴儿午前不睡，午后睡的时间稍长，一般是2-3个小时。

· 晚上一般是在8-9点钟入睡，半夜醒1-2次（计算在睡眠时间内），早晨6-7点起床；

· 一天睡14个小时的婴儿比较多。也有的婴儿一天只睡12个小时左右。

· 睡10个小时以下的婴儿是很少的。睡16个小时以上的婴儿更少。

· 如果婴儿白天睡眠时间比较短，但是晚上能连续睡上12个小时左右（半夜醒来吃奶，撒尿或玩一会都计算在睡眠里，醒一个小时以上时，

要从睡眠时间中扣除掉），即使白天睡的时间短些，也不要紧。

· 如果婴儿喜欢活动，喜欢白天到户外活动，喜欢和大人一起玩耍，精力旺盛，吃得也正常，即使一天只睡11-12小时，父母也不要着急。

· 孩子睡得少，父母最担心的是影响婴儿的生长发育，尤其怕影响身高的增长。父母知道，睡眠时，体内生长激素才会分泌。道理是这样的，但是并没有证据表明，每天睡眠时间在14个小时以下的婴儿，要比每天睡眠时间在14个小时以上的婴儿身高增长慢。

· 这个月的婴儿每天睡眠时间不少于10个小时，精神好，吃得好，生长发育正常，就不要要求孩子睡得更多。如果为了增加孩子的睡眠时间，总是不断哄孩子睡觉，会导致孩子入睡困难，养成孩子必须靠哄才肯入睡的毛病，不利于培养孩子的独立生活能力。

467. 尿便护理

不会控制排便是正常的

这个月的婴儿抵抗坐便盆的不多，如果父母能够掌握婴儿的排便习惯，不失时机地让婴儿坐便盆，大部分婴儿能够把大便排在便盆中。如果一天排大便1-2次，或隔天一次，接大便的任务是比较好完成的；如果孩子一天排3-4次（这个月龄的婴儿很少会有这么多的大便了），大便又不是很成形，婴儿拉起来不费劲，妈妈难以捕捉到婴儿排便信号

宝宝尚潘柔美
宝宝扶着床头站立，正在研究床头的金属设计构造。

时，就不容易让婴儿把大便排在便盆中，这也是很正常的。

这个月的婴儿还不具备控制大便的能力，尽管一直能把大便排在便盆中，也不能说明妈妈已经成功地训练出婴儿的排便能力，以后还是要重新开始。所以，当周围的妈妈说她的孩子已经会在便盆中排大便了，你的孩子还不行，也不要着急。不能要求这个月的婴儿控制排便。

辅食与大便

这个月婴儿辅食添加种类比较多了，大便比原来会发臭。屁也增多了，大便的色泽也开始多变了，与辅食种类有关，尤其是蔬菜的种类对大便色泽影响较大。大便颜色比以牛乳为主时变深、变黄，比以母乳为主时变硬、变绿。

大便异常要治疗

这个月没有生理性腹泻，只要大便成稀水样，次数多，就是异常大便，应该及时化验、治疗。但不能乱用药物，尤其是抗菌素，一定要在诊断以后，确诊有细菌感染性肠炎时才能使用。

不要扩大化治疗

偶尔一次大便不好，不要马上给孩子吃药，再观察下一次大便，如果比上一次大便变好，就继续观察。只有连续3天排不正常大便，或一天排两次稀水大便时，才需要化验大便。

如果除了大便不好，婴儿没有什么异常，也不发烧，没有必要带孩子去医院，带着大便到医院就可以（大便装在小瓶子里，不能拿纸包着，或放在纸盒中，大便干了，就不能化验了），以免增加孩子到医院后被传染疾病的可能。

不要轻易停辅食

不要一见到孩子排一次不太正常的大便，就马上停止辅食或减少乳量，也要观察1～2次大便情况。轻易停辅食或减少乳量，会导致营养摄入不足，使婴儿发生营养不良。

小便的变化

· 小便还是一天10次左右，有的婴儿尿泡大，小便次数少，有的婴儿尿泡小，小便次数多些；

· 夏季小便次数少，冬季小便次数多，这都是正常的；

· 冬季如果把小便尿在盆里，可能会发白、发浑，加热后会消失，这是尿酸盐结晶析出。不是婴儿肾脏出了毛病，没有必要看医生，也不用带尿到医院化验。

· 吃辅食了，尿的颜色会比原来黄，不会像清水似的。随着肾脏功能的不断完善，婴儿饮水量的不断增加，尿液就不会那么黄了。

· 这个月的婴儿可能会让妈妈成功地把尿。但妈妈希望孩子把所有的尿都排在尿盆中，是有

宝宝/尚潘柔美

看看能不能踢得动床头或者能不能爬上去，宝宝就是一刻也不停地探索世界。

宝宝/尚潘柔美

回头看看有谁能帮助，尽管还不能用语言表达，宝宝开始学着用身体语言表达自己的需求和愿望。说话了。

些苛刻了，孩子还不能控制小便。

·这个月的婴儿，晚上可能会因为有尿醒来，如果把完尿或换尿布后，孩子很快入睡的话，就不用给孩子喂奶。如果啼哭，喂奶后能使孩子很快入睡，就不妨给孩子喂奶。认为这个月的孩子晚上不应再喝奶了，而一直让孩子哭下去是不对的。

468. 户外活动

看更多的东西

户外活动的范围可以增大了。可以到远一些的街心公园去，让孩子看到更多的外界景观。

让孩子看到更多的自然现象。可以让婴儿认识真实的太阳、月亮、星星、雨、雾、风等，告诉宝宝，太阳一出来，天就亮了；天一黑，月亮就会爬上天空，还有许多星星，像宝宝的眼睛一样，一眨一眨的。

感受更多的东西

下雨时，让婴儿伸出小手，接一接雨水，感受一下雨水打在手上的感觉，和在脸盆里用水洗手是不同的，和在自来水上接水是不一样的。但是不要让婴儿头和身上淋到雨水。

下雾时，看不清楚远处的东西了，婴儿虽然不能理解，但是这种实际的感受会给婴儿留下记忆。

宝宝/姜柏林
和姥姥一起在小区里晒太阳。

风可以把树叶刮得摆动，会把树枝刮得摇动。父母也可以用嘴吹动一张纸，告诉婴儿这就是风，是爸爸吹出来的风。

告诉更多的东西

先把能看到的告诉孩子，不要认为孩子不懂而不和孩子讲，孩子能学会的东西会自然学会的。要让孩子在游戏中开发能力，在快乐的游玩中学习知识，不要枯燥地传授知识。

注意安全

不要带孩子到危险的地方，如小河沟旁，不小心会把孩子掉到水里。不要在高压线旁、电线旁玩耍，不要在建筑工地旁玩耍。父母带婴儿到户外活动，最重要的是安全问题。

第8节 本月护理常见问题

469. 不会爬

这个月的婴儿基本上会用四肢向前爬了，但是有的婴儿可能会有这样的表现：1）不会用四肢向前爬，还是用肚子匍匐向前。2）还是向后爬。3）不是爬，而是向前拱，先把腿收起来，屁股翘起，上身再向前一拱，就向前进了。

这样的婴儿有向前爬的动机，但是四肢不能协调地运动。在父母的帮助下，慢慢会协调的，这都不能算运动能力发育落后，更不能认为孩子是笨的表现。有的婴儿到了10个月才会爬。尽管如此，父母还是要尽最大努力，让孩子早爬，因为爬对促进孩子大脑发育是很有益处的。

470. 不爱吃鸡蛋和蔬菜

不爱吃辅食的孩子，多是不爱吃蔬菜和鸡蛋，多数婴儿是比较爱吃鱼虾和肉的，爱

宝宝/尚潘柔美
带宝宝多在绿树成荫、鸟语花香的环境玩耍，非常有利于宝宝的健康。

吃大米粥或大米饭的婴儿比较多。

寻找可能的原因（详见第八章第7节）

饮食特点

这个月的婴儿添加的辅食不再是菜粥、鸡蛋面了，开始了半断奶饮食。

应该是主食（粮食）和副食配合着吃了，和大人的饭菜更接近了。

应对方法

·应对不爱吃蔬菜的婴儿，最直接的解决办法就是给孩子吃大人的炒菜。

·用炖肉汤做的面条或菜汤，孩子会很爱吃的。即使很不爱吃辅食的婴儿闻到饭桌上的饭菜味，都会着急的。

·把孩子放在大人吃饭的饭桌上一同进餐会增加孩子食欲。

·主食和副食分开喂，会增加婴儿食欲，让婴儿品尝出不同食物的味道，如果都是放在一起吃，饭菜混合着，孩子就总是吃味道不明确的饭食，不利于刺激孩子吃饭的兴趣。

·吃一口饭，吃一口菜，再喝一口汤，婴儿会在不断的饮食变换中增加进餐兴趣。

·每天要尽量不吃同样的食品，一周尽量不重复上一周的菜谱。如果种类相同，做法要更换一下。

471. 不吃牛奶

爱吃辅食的孩子，在这个月里，可能一点也不爱吃牛奶了。只要婴儿很爱吃辅食中的蛋、肉、豆腐、猪肝、羊肝等副食品，保证蛋白质和钙的摄入量，不吃牛奶是可以的，可以在晚上夜里醒来或早晨刚刚醒来时喝些奶。

如果这时也不喝，也不必着急，过一两个月也许会重新喜欢，不会一直不喜欢喝的。不喝鲜奶，喝奶粉也可以，也可以喝酸奶、吃奶酪、奶片、黄油等奶制品。

472. 晚上睡觉晚

探究原因

1）婴儿本身睡眠习惯问题（婴儿自身个性）。

2）从小养成的睡眠习惯（父母的问题）。

3）客观原因造成的（保姆看护的孩子或其他原因）。

解决办法

1）如果是婴儿自身个性问题，纠正是比较困难的。

2）如果是从小养成的睡眠习惯，有些婴儿比较容易改正过来。对比较固执的婴儿，需要父母下很大的力量，即使能制服，也不能采取强制措施。这么大的婴儿孩子没有这样的思维能力，能被父母的强硬态度制服。

3）客观的原因是比较容易更改的。

宝宝/尚潘柔美
宝宝不会老老实实地坐在车子里了。

宝宝 刘映彤 一眼便可以看出宝宝是混血儿，很有西方人的相貌特征。

·没有经过培训的保姆，不能利用白天时间对孩子进行体能训练，户外活动也少，喜欢孩子睡觉，既安全又省事。孩子白天睡多了，晚上睡眠自然就减少了。

·双职工的家庭，晚上回来后，婴儿见到父母很兴奋，父母也是一天没见到孩子，也想陪孩子玩一会，做做亲子游戏，使孩子的睡眠时间渐渐地向后延迟了。睡得越来越晚，起得也越来越晚，即使早早起来，还会再睡回笼觉。

·有的孩子傍晚睡过觉，晚上就睡得很晚。

·有的家庭父母都是夜猫子，喜欢夜生活或工作到深夜；有的家庭朋友比较多，喜欢晚上聚会，前半夜总是灯火通明，电视开着，甚至唱卡拉OK，孩子没有安静的睡眠环境。

医生提示

当孩子晚上睡得很晚时，不要首先想这孩子是怎么回事，应该先想想客观原因，想想前几个月有没有培养良好的睡眠习惯，最后才考虑孩子本身问题。

473. 夜间醒来哭

家有夜哭郎

闹夜的孩子到了这个月可能仍然如故，这使得上班一族的父母苦不堪言。夜间哭闹不止，会扰到邻居，每当邻居问起孩子是不是有什么毛病了，做父母的会感到一种失败感，仿佛自己带不好孩子。

排除疾病所致，什么原因也找不到的夜哭郎是最常见的。因此，也就难以找到应对的办法。即使父母从育儿书中、夜间育儿手册中、看医生、咨询等得到一些办法，用到自己孩子身上也往往是难以奏效的。

事实上，夜哭郎与父母的教养没有什么关联。婴儿是很难一觉睡到天明的，有的婴儿醒后并不哭闹，或把把尿，或喂喂奶，或干脆不用父母管，就自己入睡了。可有的婴儿就是哭闹，自己不哭够，是不会停止的，尽管父母使出浑身解数也无济于事。如果父母有这样的认识，就不会对孩子的闹夜感到气愤了。

我的几点看法

·无论是什么原因引起孩子夜间醒来，采取不予理睬的办法都是不对的。

哭是婴儿的语言，孩子哭了，就是在和父母交流，而父母却拒绝和孩子交流，这会极大地挫伤孩子的自信心。

有妈妈说："昨天晚上，孩子又是醒来哭，我们不理睬，结果哭了十几分钟自己就睡了，这招不错。"但是，这位妈妈没有想到这对孩子以后的成长是不利的，孩子的屈服，是因为不自信，这样的心理可能会发展为对亲人、外人和社会的不信任。长大后，这种信任危机会使孩子变得孤僻，与人难以相处，社会交往能力很差。

·怕把孩子惯坏了，而让孩子一味地哭个够，也是不明智的方法。

实践证明，当孩子醒来哭时，父母反应越早，孩子哭的时间越短，停止闹夜的年龄越小。

温馨提示

·当孩子醒来哭时，父母的第一反应就是自问孩子为什么哭。

1）有尿了？2）尿布湿了？3）饿了想吃奶？4）睡前吃多了？5）孩子胃不舒服？6）室内太热了？7）太冷了？8）室内空气不好？9）氧

气稀薄? 10) 湿度太小? 孩子嗓子发干? 要水喝? ……

· 如果没有答案，妈妈就把孩子抱起来或搂到自己怀里。轻轻拍着孩子，轻轻哼着曲子，孩子可能会慢慢入睡。

· 如果孩子哭得打挺，抱也抱不住（这常常是让孩子哭了一会儿，孩子已经很冤屈了），父母也不要急燥，还是要和风细雨地哄着孩子。不要又是颠，又是晃，大声"哦，哦，哦"，比孩子闹得还欢，这会让孩子更难以安静下来。

· 如果孩子从来没有这样闹过，这夜很特殊，就要想到疾病的可能，打个电话给医生，咨询一下，是否需要请医生看一看。

· 如果孩子哭闹一阵，就安静下来，一会又哭闹一阵，又安静下来，要想到婴儿肠套叠的可能。如果是比较胖的男孩，或这两天有些闹肚子，就更应该高度怀疑了，请医生看一下是必要的。

474. 夜间不让把尿

不让把尿很正常

膀胱里有尿不舒服，睡眠轻的婴儿可能会醒来，妈妈习惯这时把尿，孩子也能很快把尿排出来，放下又睡了，这是很好的。并不是每次把尿都如此顺利，妈妈把尿，孩子不但不顺利排尿，还表示反抗，不让妈妈把，或哭闹，或打挺。这都是正常的表现，妈妈没有必要着急，也不必想不通。

宝宝尚潘柔美
这样的交流，宝宝心里美滋滋的，妈妈心里甜丝丝的。

替孩子着想一下

冬天把孩子从温暖的被窝中抱出来，孩子是不满意的。孩子睡得正香，不希望妈妈打扰他，他会自己把尿尿在尿布上，妈妈替他换了干爽的尿布，马上又会进入深睡眠状态。妈妈不要总是按照自己的想法护理婴儿，应该时时刻刻想到婴儿是怎样感受的。

475. 能力倒退

能力暂时倒退，常常令父母不安

这孩子怎么越大越不行了! 比如:

原来总是顺利地把大便排在便盆中，可现在不灵了;

原来已经不怎么用尿布了，可近来，总是要洗很多的尿布;

原来扶着床栏杆能站着，可现在一站起来就摔倒;

……

确实如此吗?

其实，说能力倒退不确切，因为表面上看是能力倒退，实质上不是的。请看下面例子:

我的孩子上个月就能把尿便排在便盆里了，可这个月却不行了，越把越不尿，放下来，马上就尿床。

· 点评:

婴儿本来还不具备控制大小便能力，妈妈是根据孩子在排便前的外在表现分析出孩子可能要排便，就顺势接在了便盆里。如果妈妈的判断失误了，或婴儿这时不服从妈妈指挥，就会失败，这不是孩子能力的倒退。

我的孩子上个月就能扶着栏杆站一会，这个月却不行了，总是摔倒，是不是缺钙或有其他问题了?

· 点评:

这个月的孩子已经不满足扶着栏杆站着了，有向前走的愿望，可这个月的孩子还不会自己向前迈步，当婴儿试图向前迈步时就会摔倒，婴儿的身体向前，腿却不会向前迈步，重心倾斜，肯定会摔倒的。这不是能力倒退，是在增长新的能力。

所以，父母不要一遇到疑惑，就认为是孩子能力倒退了,如果孩子没有疾病,怎么会倒退呢?!

476. 用手指抠嘴

婴儿为何会这样?

婴儿手的活动能力比上个月灵活了,会把手指头伸到嘴里抠。

乳牙萌出时,婴儿会感到轻微的不适,婴儿有了支配手指的能力,嘴里不舒服,就会用手指去抠。

引起父母不安的现象

当婴儿把手指伸得很深,抠到上腭,会引起干呕,甚至把吃进去的奶吐出来。这会令父母很不安。

父母不该做的

当孩子用手抠嘴或由此而引起干呕,甚至呕吐时,父母不应该有类似这样的言词:"这孩子怎么有这个坏毛病!""不要抠了!看把奶都吐出来了吧。""再抠,就打你的手!"孩子看到父母的严肃表情,听到严厉语气,可能会吓得哭起来,但并不能奏效。

把握"管"的尺度

这么大的孩子还听不懂道理,但会看脸色、听语气。当孩子抠嘴时,如果父母把孩子的手拿出来,表现出不高兴的样子,这就足够了。如果父母要给孩子讲道理,也要和颜悦色的,尽管不能收到很好的效果,但是利用这样的机会,让孩子开始认识什么是让妈妈

宝宝 姜杼君

生气的事情,"不好"和"好"的概念会慢慢地灌输给孩子。不能超越婴儿所能接受的程度,以爱为前提,对婴儿进行必要的约束是应该的。

477. 咬衣物

应削弱这种倾向

喜欢吸吮手指的婴儿,到了这个月,可能开始吸吮身边的物品,如枕头上的小枕巾,毛巾被角,衣服袖口等。这种吸吮物品的倾向,发展下去,也许会成为恋物癖的开端。父母应该努力削弱这种倾向,咬衣物毕竟不是正常现象。

不希望出现的

婴儿离不开他常常吸吮和咬吃的衣物。

所依恋的衣物不在身边,睡觉就不踏实,就难以入睡。

看不见、摸不着、闻不到所依恋衣物,就不好好吃奶。

给生活带来不便

倘若发展到这种程度,就麻烦了,到哪里都要带上它,尽管已经很破旧了,还是不离身边,这会给孩子的生活带来不便,也会使父母很难堪。

父母应该做的

如果发现您的孩子有这种倾向,要不断更换孩子身边的衣物,让孩子没有固定的衣物可以依恋。

478. 咬指甲

可能有的现象

·婴儿咬指甲的现象是比较少见的。

·吸吮手指的婴儿可能会转成咬指甲。

·在乳牙萌出时,可能会出现这种现象。

正确做法

·没有任何干预地让婴儿咬下去是不对的。

·不能采取强硬的措施。

·转移婴儿注意力，当发现婴儿咬指甲时，用玩具来占据孩子的手。

·在向婴儿表示不能咬指甲的同时，和孩子做亲子游戏。

·父母和看护人把和孩子玩当做重要任务，而不是收拾卫生、做辅食、抱着孩子看电视；

·忽视婴儿，就可能导致婴儿养成不好的习惯。

479. 不出牙

到了这个月，有的婴儿已经萌出4颗乳牙了。出牙早的可以萌出6颗。有的婴儿只萌出两颗。但仍然会有为数不少的婴儿，快到9个月了，一颗乳牙也没有萌出。这些都是正常的。（详见第六章第5节相关内容。）

480. 顽固便秘

请医生治疗

纯牛乳喂养儿的大便干燥，会由于添加了辅食变软。但是有些婴儿的便秘，无论如何也解决不了，只能靠灌肠，打开塞露，塞肥皂条，不能根本解决问题。尽管试了育儿书中对付便秘的方法，换了许多家医院和专家，但是收效仍是微乎其微。小婴儿不能使用泻药，面对找不到原因的顽固性便秘，医生也无能为力。

宝宝/尚潘柔美
婴儿集中在某一件事情上的时间很短暂，再有趣的事也不能引起婴儿长时间的兴趣。美美和其他小朋友不同，对事物的兴趣点广泛，时间也比较长。

每次看病几乎都会换医生，缺乏对病情观察的连续性，只能给您个普遍的建议。最好挑选一位您信得过，熟悉您孩子情况的医生，连续挂他的号，请他有计划地治疗。

食疗是否有效

除了外科手术，解决婴儿顽固性便秘，切实可行的仍然是食疗，在前一章里，介绍了有关食疗治疗便秘的方法。

这个月婴儿能吃的食物多了起来，能起到润肠作用的食物有：红薯、花生酱、蜂蜜、芝麻油、芹菜、菠菜、大萝卜、胡萝卜、全麦粉、小米、玉米面等。

多数婴儿吃了胡萝卜会有效，但有的婴儿却一点效果也没有。红薯有极佳的润肠功能，不便秘的婴儿吃了会发生腹泻，可有的孩子吃了，大便仍然干燥。什么食物对治疗便秘有效？没有一致的答案，父母只能一种一种地试。一种没有效，两种一起吃可能就有效了。

不要忘记钙片会使孩子便秘，食物过于精细也会使孩子便秘。

481. 小腿发弯

随着月龄的增长，婴儿小腿也长了，开始会站立片刻。这时，父母可能会发现孩子小腿发弯，这让父母很着急，这不成了罗圈腿吗？急着抱到医院。

有的医生可能会给您开张X线申请单，拍照胫腓骨片，顺便了解一下骨骼发育情况，是否有佝偻病。经验不足的医生可能会说缺钙，开点钙剂了事。有的医生还会让孩子做更多的检查。

这么大的婴儿小腿发弯是正常的（当然医生能看出弯的程度是否在正常范围）。父母尽管放心，可以继续训练孩子站立，还可以帮助孩子向前迈几步。但时间不要太长，一天2~3次，一次几分钟就可以。

482. 头发稀黄

出生时头发黑亮浓密,可慢慢地,头发变稀黄了,父母担心是营养不良或缺乏什么微量元素了。

·婴儿出生时的发质与母孕期的营养有很大的关系,出生后,婴儿发质与自身的营养关系密切了,如果生后营养不足,头发会变得稀疏发黄,缺乏光泽,缺锌、缺钙也会使发质变差。但是,现在的孩子,真正由于营养不良引起的发质差的很少见。

·发质的好坏,除了与营养有关外,还与遗传有关,也与对头发的护理有关。如果父母或直系亲属中有发质很差的,会遗传给婴儿,即使出生时头发很黑,也可能会慢慢变黄。

·是否是营养不良所致,可以从发质上初步判断。虽然发黄,但是有光泽,比较柔顺,就不是营养不良。营养不良的发质,不但发黄,发稀,还缺乏光泽,杂乱无章地乍着。

483. 爱出汗

随着婴儿的增长,汗腺发达了,活动量增多,婴儿越来越爱出汗了。吃饭、睡觉、活动时,总是汗津津的,尤其天气热的时候,更是这样。不要把爱出汗的婴儿视为异常,缺钙什么的,这种担心是没有必要的。对于爱出汗的婴儿,妈妈不要给孩子穿得过多,睡觉时,也不要盖得过厚。

484. 免疫接种

满8个月的婴儿不要忘记接种麻疹疫苗。

第十章

9-10个月的婴儿

（270-299天）

把这个月的婴儿放在床里，婴儿会自己站起来，甚至会两手攥着栏杆使劲摇晃，让床发出咯吱咯吱的响声。

会用拇指和食指捏起很小的物体。会用两手捏弄手里的玩具。什么都想摸一摸，动一动。

第1节 本月婴儿特点

485. 抓物站起并行走

过了9个月将满10个月的婴儿，和前几个月比较起来，活动能力明显增强，自己可能会抓着床栏杆站起来，还能横着走两步，这真是让父母惊讶。

486. 把床摇得咯咯响

把这个月的婴儿放在床里，婴儿会自己站起来，这个本事也许上个月就会了。令父母更惊讶的是，孩子会两手攥着栏杆使劲摇晃，让床发出咯吱咯吱的响声。妈妈真担心有一天会把婴儿床摇晃散了。

487. 从站立转为坐

刚才还站着，现在却坐下了，这是婴儿又一个能力，会从站着变成坐着了。这是很大的进步，这个动作很不容易，需要婴儿的胆量和运动技巧，也需要腿部肌肉力量。

488. 离会蹲不远了

如果不再是吧哒一下坐下（好像摔个屁股蹲儿）而是很自然地坐下，那离会蹲就不远了。蹲可是要点功夫的，需要全身肌肉和关节的协调运动，还要有平衡能力。孩子的运动能力发展快慢是有一定差异的，即使这个月婴儿还不会站立和坐下，也不能说明发育落后。

489. 技巧性地用手

手的活动能力更强了，会用拇指和食指捏起很小的物体。会用两手摆弄手里的玩具，递来递去的，已经比较灵活了；拿着两个小玩具，能相互敲打着，如果能敲出响声，婴儿会高兴地笑出声来；对玩具兴趣增强，对家里的一些实用品也开始感兴趣，什么都想摸一摸，动一动。喜欢的东西，父母若硬是抢过来，婴儿会号啕大哭；如果父母妥协了，慢慢就会用号啕大哭达到自己的目的。所以不能让婴儿拿的东西，最好要从婴儿的视线中拿开。

490. 独立玩耍

不用人陪着，自己会玩一会儿了。但对于好动的孩子，大人一刻也不能离开，连吃饭都要轮换着吃，否则一顿饭可能要停下来几次管孩子。如果让婴儿上桌和大人一起吃饭，那可要看好，婴儿会出其不意地把菜汤弄洒。弄脏衣服是小事，很容易把孩子烫伤。不要心存侥幸，这个月婴儿动作之快，出乎你的想象。

491. 脚尖站着不是病

站在父母的腿上，会用脚尖站着，使妈妈感到腿有些疼。妈妈也许会怀疑，孩子用脚尖站着是不是异常。这个月的婴儿，对于站着的危险性有了认识，站在妈妈的腿上面不但不平，还软软的，很不稳当，婴儿就会用脚尖抠着，防止摔倒。

宝宝：尚潘柔美
宝宝会独自站立了！

宝宝/王震坤

雪过天晴,带宝宝欣赏雪景,呼吸干干净净的空气,很利于宝宝呼吸道的健康,即使在寒冷的冬季,也不要给宝宝戴口罩,这样才能让宝宝的呼吸道得到耐寒锻炼。雪天太阳高照时,要注意保护宝宝视力,不要让强光映衬着白雪刺激宝宝的眼睛。

492. 不宜长时间站立

有的婴儿不到10个月就能扶着床沿横着走几步,有的婴儿可能还不会很稳地站立,还需要妈妈牵着手。能够撒开手自己独站的婴儿不多,即使站,也可能只能站几秒钟。不能让这么大的婴儿站很长时间,一天可以站2-3次,一次3-5分钟就可以了,过早学走和站并不是很好,还是得让婴儿多爬。

493. 爬的能力增强

从这个月开始,婴儿爬得可能很快了,也许会往叠着的被垛上爬了,还时常用四肢支撑着身体,把屁股翘得老高,低下头看自己的脚丫。这是四肢很有劲的婴儿,男婴更喜欢这样玩。这个月还不会很好地爬的婴儿仍然存在,其他运动能力都不错,就是不会爬,父母不要放弃对婴儿爬的训练,尽管婴儿已经站得很好了,也会向前迈一两步了,还是要训练婴儿爬。不会爬就会走的婴儿,长大后,运动协调能力可能要差些。

494. 不断求新是婴儿的特性

这个月的婴儿坐得已经很稳了,但不喜欢安静的婴儿,却不爱坐了。会坐的不坐,越不会的越喜欢坐,当婴儿不会走时,总是喜欢让妈妈领着走,等到走得很好了,可能就会总是张着小胳膊,站在父母前面,拦住父母要抱。原来,不断求新,是婴幼儿的特点,长大的儿童也多是这样的。妈妈不要认为是能力倒退,不要认为是孩子调皮。

父母要充分利用婴儿这一特点,不断教给孩子新的能力,总是让孩子做老一套,会使孩子厌烦的。越来越多的父母注重传授孩子知识,而忽略了婴儿的天性,玩是婴儿的天性。一味追求孩子学到了什么,枯燥地教婴儿识字,教儿歌,学说话,拔苗助长,宝宝很厌烦。玩中学,游戏中练,实践中认识,总是给孩子展现新奇的世界。

495. 户外活动仍然重要

多到户外活动仍然是很重要的,如果没有人帮忙,父母要尽量简化食谱,腾出更多的时间和孩子玩,到户外去。这个月的婴儿,有的已经能吃大人的米饭和副食了,这会给父母减轻不少负担。

496. 肥胖和营养不良都是病

每天500-800毫升牛奶,2-3顿辅食,再添些点心水果,婴儿的营养已经是比较充足

宝宝/王震坤

放开宝宝,让宝宝在雪地尽情地玩耍翻滚,宝宝一定很开心,对大雪的感受也会更深刻。

宝宝/王震坤
和爸爸打雪仗，爸爸也像孩子一样疯玩，宝宝更欢喜，玩得更开心。

了。如果把孩子养成肥胖儿，和养成营养不良儿是一样糟糕的。现代社会，营养不良儿越来越少，肥胖儿越来越多。肥胖为儿童成人病、成人后的心脑血管病、代谢疾病埋下了隐患。胖胖的婴儿，父母看着很开心，可宝宝会为此付出健康的代价。逼着孩子吃的结果有两种，一是多了一个肥胖儿（至少是超重儿）；二是多了一个厌食儿（至少是没有吃饭的乐趣）。

497. 对训练排便的反抗

会对妈妈把尿，把便，坐便盆开始有反抗行为。不高兴让妈妈把时，不是弓腰，就是打挺，不高兴坐便盆时，不是把便盆弄翻，就是把尿撒在便盆外，越把越不尿，放下就尿。这不是婴儿的问题。当孩子不喜欢把尿把便时，妈妈及时放手，会使婴儿的反抗情绪平息下来。

498. 睡眠变化不大

睡眠习惯不会有多大变化。爱睡觉的婴儿，睡眠更深了，不易被吵醒，晚上即使有尿，也是尿完就睡，不用哄，也不吃奶。可是，不爱睡觉的婴儿，睡眠可能更轻了，似乎总是半睁着眼，看着妈妈，妈妈一离开就知道，就会醒来要妈妈，还喂母乳的婴儿更会

这样。白天是"狗眨眼"睡一会就醒来，晚上睡得晚，夜里还要醒几次，不是哭，就是吃，父母很疲劳。不要把这样的孩子一律归于缺钙，而大补特补。补多了，闹得更厉害。

499. 情感丰富起来

这个月的婴儿会和人再见，会拍巴掌表示欢迎，会举起小手做出抓挠的样子，会用两个食指对上又分开（"斗斗飞"这个能力有的婴儿到了1岁才会），会很清晰地发出"妈妈、爸爸"的发音，开始比较清晰地发一个完整的音节，如"打、拜"。但是，不会的婴儿仍是很多的。这个月的婴儿已经能够听懂父母一些话的含义了，这是学习语言的基础，只有听懂了，婴儿就会不断积累词汇，最后说出来。所以，父母要不断和孩子说话，才能使孩子早开口说话。

500. 防意外更重要

防止意外事故更加重要。能够到的东西、药品、化学产品、重物、玻璃陶瓷等易碎品以及剪刀、针等危险工具，孩子都可能会拿到，父母一定要将所有对婴儿可能造成伤害的东西放到安全的地方。

如果从高处跌落下来，可能会摔伤婴儿的头部。烫伤的发生也比较多见，爸爸手里的

宝宝/王震坤
室外活动对宝宝特别好，三九天也不应该间断。等宝宝适应室外温度后，应该把披风脱掉，放开宝宝尽情运动。

烟头、打火机、熄灭不彻底的火柴、妈妈的熨斗、暖水瓶、热水杯、热汤、热奶等所有可能会烫伤婴儿的东西，都要远离婴儿。

501. 发高烧与婴儿急诊

这个月的婴儿可能是第一次发高烧，父母没有经验，可能会不断跑医院，因为总是不退烧，4-5天后，终于退烧了，可又出了一身红疹，父母再次把孩子抱到医院。这就是婴幼儿急疹，这是良性病，热退疹出，疹子出来了，病就好了。

502. 可能患的病

这个月的孩子还可能患肠炎、感冒、气管炎。患重症肺炎的很少，但是患肺炎的还是不少的，只是症状比较轻，有的也不需要住院治疗。小保姆看护的婴儿父母要不断提醒，防止意外事故。老人看护的婴儿一般不用担心意外事故，但要鼓励老人多带孩子活动。送到托幼机构的婴儿一般比较爱有病，过多的婴儿在一起生活，被传播上疾病的可能性大。

第2节　本月婴儿生长发育

503. 身高

身高的增长速度与上个月相同，一个月可以增长1.0-1.5厘米。

这个月龄的平均身高，男婴是72.5-73.8厘米，女婴是71.0-72.3厘米。婴儿身高存在着个体差异。对照婴儿身高增长曲线图（见附录），若低于同龄儿正常身高第3百分位或高于第97百分位，可视为身高异常，需要到医院检查。

504. 体重的生长发育规律

体重的增长速度与上个月没有大的差别。一个月可以增长0.22-0.37公斤。男婴是9.22-9.44公斤。女婴平均体重是8.58-8.80公斤。

要根据婴儿体重增长曲线图（见附录），所测数值如果低于第3百分位数，或高于第97百分位数，可视为体重异常，需要到医院检查。

<u>体重偏高的婴儿</u>

婴儿体重的差异性更大，有的婴儿到了这个月就已经超过了10公斤。如果每天体重增长如果超过20克，就应该注意了。

1）调整饮食结构，少吃米面，少吃高热量低蛋白的饮食，多吃蔬菜水果。

2）如果食量比较大，在喂奶前，可以喝些果汁或白开水。

3）每天牛奶量不要超过1000毫升，晚上尽量不喂奶。

4）多让孩子活动。

5）喂鲜牛奶，要加热后把上面的奶皮去掉，降低脂肪摄入量。

6）少吃含糖饮食，降低热量供应，增加蛋白质、维生素、矿物质的摄入。

7）即使是肥胖的婴儿也不能减肥，在控制总热量的同时，不减少蛋白质等营养物的摄入。

宝宝尚潘柔美

美美站在窗台上。宝宝喜欢冒险，越悬越能引起宝宝的兴趣。

体重偏低的婴儿

排除疾病或喂养不当，如果精神很好，其他方面发育也很正常，仅仅是体重偏低，父母不必过虑。这种情形多见于食量小、睡眠少或活动量大的婴儿。

如果快到10个月了，体重还不足7.36公斤（男婴）和6.96公斤（女婴），就要引起父母高度注意，必要时看医生。

505. 头围

这个月婴儿的头围增长速度还是和上个月一样，平均一个月增长0.67厘米。头围的测量需要经验，最好由医生测量分析，父母做的话，可能会有些误差，给父母带来不必要的烦恼。

其实，头围和身高体重一样，也存在着个体差异，只要在标准范围内，大一些，小一些，都是正常的，不必为此而担心。几毫米，甚至1厘米的误差都是可能出现的。如果有病，会有明显改变的。

506. 前囟

这个月囟门特点

1) 有的婴儿到了这个月，前囟可能还是比较明显，妈妈还能清晰地看到孩子的囟门跳动；

宝宝/朱子奇
这个年龄段的宝宝面部表情多多，喜欢出怪相，扮鬼脸。乐乐的表现让人忍俊不禁。

宝宝/尚潘柔美
妈妈说美美非常喜欢站在窗台上，趴在窗户上往外望，我比较担心宝宝的安全，怕窗户没闩好，怕窗户不结实。医生在医院见的是异常，担心的是意外。

2) 大部分婴儿到了这个月，已经很难看到前囟博动了，可能会在婴儿发高烧时见到，平时，仅仅看到一个小小的浅凹；

3) 头发浓密的婴儿，什么也看不出来。

这是囟门闭合吗?

由于随着颅骨的增长，婴儿头皮张力增大，前囟门也不像很小时那样软了，会误以为孩子的囟门就要闭合了。

这会让父母很着急，父母会认为，一旦婴儿囟门提前闭合，头颅可能就停止增长了，可能会影响孩子大脑发育，这种担心是不必要的，"就要闭合"不等于闭合，囟门再小，也是有囟门，孩子的颅骨缝没有形成最终的骨性闭合，孩子的头颅还会增长。

同样也不要动辄就认为孩子囟门大了，是缺钙；孩子囟门小了，是维生素AD吃多了。如果妈妈不放心，让医生认真测量一下头围和囟门。

科学对待孩子的囟门

年轻的父母大多就这么一个宝贝，又赶上知识经济年代，父母都非常注意孩子的智力发育，把婴儿的前囟、头围看得很重要，小点、大点都害怕。真正的脑积水，小头畸形不会只是表现在头围差几毫米，前囟大一点、小一点的。父母不要草木皆兵。

钙的问题也是一样，如果维生素D中毒钙超量了，也不单单表现囟门早闭，维生素D

中毒还有其他表现。严重缺钙可以使囟门闭合延迟，但不会使囟门比出生时还大。

父母是和孩子朝夕相处的，孩子的异常表现，父母都是第一个发现。在婴儿没有任何异常情况下，一次偶然的测量是不能说明问题的。对于一些需要动态观察的指标，要综合考虑。当您发现孩子确实异常而且还伴有某些疾病征兆时，才需要看医生。

第3节 本月婴儿能力

507. 看的能力：能认形状、识颜色

能观察物体形状了

这个月的婴儿，开始会看镜子里的形象，有的婴儿通过看镜子里的自己，能意识到自己的存在，会对着镜子里的自己发笑。具有了观察物体不同形状和结构的能力，眼睛已经成为婴儿认识事物、观察事物、指导运动不可缺少的器官。

眼手配合完成活动

能眼手配合完成一些活动，如把玩具放在箱子里，把手指头插到玩具的小孔中，用手拧玩具上的螺丝，掰玩具上的零件，看到什么就想拿什么。

初步认识吃的玩的

通过看，初步了解是玩的，还是吃的，但是仍然喜欢把手里的东西放到嘴里。

看图画认识物体

婴儿可通过看图画来认识物体。很喜欢看画册上的人物和动物。

察颜观色

婴儿学会了察颜观色，尤其是对父母和看护人的表情，有比较准确的把握了。如果妈妈笑，婴儿知道妈妈高兴，对他做的事情认可了，是在赞赏他，他可以这么做。如果妈妈面带怒色，婴儿知道妈妈不高兴了，是在

责备他，他不能这么做。父母可以利用婴儿的这个能力，教育婴儿什么该做，什么不该做。但这时的婴儿还不具备辨别是非的能力，不能给婴儿讲大道理，否则会使婴儿感

宝宝/尚潘柔美

美美要给大家演奏了。说每个婴儿都是音乐天才并不过分，每个孩子都有成为音乐家的潜质。

宝宝/尚潘柔美

先测试一下调子，婴儿的模仿力堪称一流。

宝宝/尚潘柔美

演奏开始，美美非常投入。

273

宝宝/尚潘柔美
浑身都用力，嘴巴也张开了，宝宝已经进入状态。

宝宝/尚潘柔美
一曲结束，这个POSE摆得好。

到无所适从。

举例：宝宝打别人脸的不同反应

·如果婴儿打妈妈的脸，妈妈绝不能对孩子笑，应该露出严肃的表情。并告诉孩子，打妈妈不好，打人不对。事情虽然简单，但婴儿会有深刻的印象。

·如果婴儿打妈妈的脸，妈妈还对着孩子笑，爸爸也站在旁边乐。孩子就会认为打人是对的，会得到父母的赞赏，妈妈爸爸高兴他这么做。

·有客人来到家里，孩子也会打客人的脸。客人不会说什么，但是父母却一脸的严肃，孩子可能会感到迷惑。以前打脸不是很高兴吗，这次爸爸妈妈怎么生气了？父母如果制止，孩子可能会委屈地哭。

·如果客人和父母都一笑了之，孩子会收到这样信息：打人是对的，这就埋下了孩子爱打人的祸根，长大了可能会成为惹是生非的孩子。

508. 说的能力：语言能力快速增长

语言学习快速增长期

这个月的婴儿开始进入语言学习能力的快速增长期，是语言的最佳模仿期，父母要充分利用这些有利时机，抓紧婴儿的语言训练。

婴儿开始学习语言的特点

1) 说出词的速度很慢，但听懂词的速度很快。

2) 对词的理解进展速度快，宝宝学会几十个词，虽然真正能说出来的不过是1-2个词。

3) 男婴比女婴表现出更大的差异，男婴到了两岁还不开口说话的并不少，一旦开口说话，就能比较准确地表达意思，可能一下子会说十几个词。

不要以会说什么为基准

父母在训练婴儿说话过程中，不要以孩子会说什么为基准，如果孩子不说话，就认为是没有教会。最主要的不是要教孩子会说几个词，而是要给孩子创造一个良好的语言环境。

父母最好这样做

·要不断和孩子说话。

·一定要在宝宝愉快舒畅时，教婴儿说话。

·尽量和婴儿说看见的东西和事物。

·说正在做的事情，使婴儿把语言和事物很好地联系起来学习，这样学习的目的性就比较强，孩子也容易接受，学得也快。

·要面对面和婴儿说话，这样婴儿不但听到发音，还能看到口形变化，让听、看、说结合起来，使孩子能更早学会说。

·父母在和婴儿说话时，要一字一句的，吐字清晰，使用普通话是最好的，节奏要缓慢，让婴儿有逐字接受的过程。

·表达要清楚，准确，不要故意使用儿语或者模仿孩子不清晰的发音。让婴儿学习到标准的语言。

·学习语言是一项枯燥的事情，父母要把学习语言变成婴儿感兴趣的事情，说婴儿感兴趣的

宝宝/尚潘柔美
宝宝不想练习走路了，爸爸快来抱抱我吧。

·会把头转过去看身后的东西；

·也会把手伸到前面，左右两侧，够东西；

·会从坐位变成仰卧位或俯卧位；

·会从俯卧位变成坐位（这个能力有的婴儿到了一岁才会）；

·坐着会向前、向后、向左右蹭着移动。

会徒手站立了

好动的婴儿到了这个月就坐不住了，总是要爬或站，闹着上户外玩。一只手扶着东西可能就会站起来，徒手能站立几秒钟。到了这个月婴儿爬得很好了。

手能自由伸张五指

手的精细动作有了很大进步，能自由伸张五指。拿东西更准确了，会用手指捏起比较小的物体，并能比较准确地放到嘴里，有时不小心还会放到鼻孔里，婴儿看到什么就想拿什么。

防呼吸道异物更重要

一定要把对婴儿有危害的物品放到安全地方。小小的药粒，可能都会被婴儿捏起来放到嘴里，这是很危险的。即使有人在跟前看护，也很难照顾到，可能一眨眼，孩子就把东西放到嘴里了，等孩子被异物卡了，看护人才发现，就已经晚了。

话题，在游戏中学习。

·当听到孩子发音时，要尽量理解孩子的语意。当孩子会说一个词时，要给予鼓励。不要总是纠正孩子的发音，让孩子大胆地说。

·这个月的婴儿可能还什么也不会说，但能听懂父母很多话，父母要不断和孩子进行语言交流，促使婴儿尽早说话。

509. 听的能力：能听懂父母说话

这个时期的婴儿能够听懂父母说话的意思。在一些语境中，婴儿能用身体语言和父母进行交流，通过听、看来理解父母的意思。

父母要充分利用婴儿听的能力，多让孩子听，听多了，听懂了，慢慢就开口说话了。

婴儿已经不单单是听到了什么，而是把听到的进行记忆、思维、分析、整合，运用听来认识世界。

510. 运动能力：全身协调性进一步
增强

坐着时的表现

·两手能比较熟练地玩玩具；

·会伸出手来要东西；

宝宝/尚潘柔美
用毛巾拖着，防止宝宝练习走路时摔倒是不错的方法。

婴儿运动能力发育也是不尽相同的,有的发育快些,有的发育慢些,如果相差得不是很大,就不要着急,孩子运动能力发育快慢,与婴儿所处季节、父母训练程度、看护人是否帮助训练等一些客观因素有一定的关系。正赶上冬季,穿的比较多,这些运动能力可能会比较晚出现。夏季,婴儿运动能力发育比较快。

511. 对婴儿的体能训练

舐犊之情最重要

让婴儿在快乐中学习运动能力,加深母子感情,激励婴儿进取精神,简单的亲子游戏可以达到这一目的。亲子游戏随时可做,不需要特意安排,越是自然地玩耍,越能使婴儿感到亲切,学习起来也有兴趣,学得也快。

父母在和孩子的交往中,不要刻意去做什么,母子间、父子间流露的自然感情,都是最好的游戏活动,也是最好的训练方式,是任何潜能开发机构都不能代替的。父母不要寄希望高级的婴儿潜能开发机构,父母学到的只是方法,婴儿学到的只是技能,往往忽略舐犊之情。

宝宝/尚潘柔美

美美没有和小朋友交流,而是和看护小朋友的老人交流。那是因为阿姨在和美美说话,美美开始对其他人的话语感兴趣,会有片刻的集中注意时间听周围人说话。

宝宝/王美泽

看宝宝漂亮的大眼睛。

用亲子游戏进行体能训练

父母不要小瞧这些简简单单的一举手,一投足的亲子运动。这对培养孩子健康的心理素质是极其重要的。

·帮助孩子站立

给孩子准备能扶着站的东西,比如沙发墩、小木箱、椅子、婴儿床等,都可以作为婴儿练习站的物体。婴儿扶着这些物体能够站立着,为1岁以后走打基础。站立后,婴儿脊椎的三个生理弯曲就都形成了。婴儿可以扶着物体站立,刚刚开始自己学站时,可能是摇摇晃晃的,像个不倒翁,慢慢就能站稳了。当婴儿能扶着东西站稳后,就让婴儿靠在物体上,两手不再扶物,父母在旁边保护着不要向前趴下,锻炼婴儿独站片刻。

不要怕孩子摔倒,婴儿已经有了自我保护能力。但是,要给婴儿腾出运动空间,周围不要有坚硬的物体,即使摔倒,不至于被周围的物体磕碰。

·从站立到坐下

从站立到坐下的动作,需要婴儿手和身体的稳定协调配合。一开始,婴儿可能会啪嗒坐在地上,这不要紧,注意安全就可以了,父母可以稍稍扶一下婴儿的腋下,把持一下身体的稳定,婴儿就能顺利地从站立位到坐位了,把玩具放在婴儿脚下,婴儿就会主动做这个动作的练习。

宝宝/王美泽

· 站起蹲下

这个动作比较难，有的婴儿要到快1岁时才能学会。这是需要全身协调的动作，婴儿四肢还要有力，平衡感也好。从坐着到站立，这个月的婴儿需要父母用手拉一下，或自己扶着物体站起来。自己徒手站起来需要有个过程，父母可以用手指轻轻勾着婴儿的手指，边说宝宝站起来，边用力向上拉。如果宝宝站起来了，就鼓励婴儿说："宝宝站起来了，宝宝长高了，宝宝真棒。"

以后，妈妈把手指伸给婴儿，先不接触婴儿的手指，对婴儿说："宝宝站起来，够妈妈的手。"这时婴儿就会伸出小手，勾住妈妈的手指，妈妈顺势轻轻拉起，并说："宝宝够到妈妈手了，宝宝自己站起来了。"婴儿会很高兴的。

· 向前迈步走

这个月的婴儿可能会扶着床沿、沙发墩、木箱等横着走几步，有的婴儿推着能滑动的物体向前迈步，但不敢离开物体向前走，父母可以进行这方面的训练，让婴儿靠着物体站在那里，妈妈蹲在孩子前面，把手伸向孩子，做出要抱的动作，并对孩子说："宝宝走过来，让妈妈抱一抱。"（当然要离孩子很近）这时，宝宝可能会试着让身体离开倚靠物体，两只小手伸向妈妈，要向前迈步，如果婴儿还不能向前迈出，身体已经向前倾斜，妈妈就及时向前抱住孩子，并鼓励孩子："宝宝真勇敢。"

这样不断训练，婴儿就会向前走了，在训练中，婴儿学会了和父母配合，培养婴儿与人交往能力。

· 捡东西训练

让婴儿捡东西，是很好的游戏，不但能训练婴儿的体能，还能训练手眼协调能力，思维能力，手的精细动作，对物品名称的认识，和父母的交往能力。这个月的婴儿已经能听懂父母的一些话了，也认识了一些物品的名称，会站起来，会坐下，有的婴儿还会蹲下了，会爬，会翻身。这些都是捡东西不可缺少的运动能力。

妈妈把几个玩具放在一个箱子里或盆子里，放在地上，让婴儿站在盆子旁边，妈妈对婴儿说："宝宝把小布熊拿给妈妈好吗？"宝宝听到妈妈的请求，就会用眼睛看看盆子里的玩具：噢，小布熊在这里，就会慢慢地从站位变成蹲位或坐位，把小布熊递给妈妈，妈妈就说："宝宝真棒。"妈妈就抱起宝宝亲一亲，以示鼓励。

宝宝会有一种胜利感，非常喜欢看到妈妈的兴奋神情，即使妈妈不向宝宝发出命令，宝宝可能也会再把小布熊拿给妈妈。这时，妈妈千万不要没有反应，还要像第一次那样，表现出高兴的神情，并亲宝宝："宝宝本事真大，知道妈妈喜欢小布熊。"妈妈也确实应该高兴，因为宝宝已经记住并能够用行

宝宝/王震坤

先给孩子做示范，用两手把盒子打开，再把盒子盖上，在盒子里放一个小球发出哗啦哗啦的响声，增加孩子打开盒子的兴趣。

学会了打开盒盖，再教孩子拧瓶盖，这个动作更复杂，但是越复杂难学的动作，对婴儿越有益。父母要不厌其烦教孩子，这个时期的婴儿非常爱学习这些本领，总是乐此不疲地重复学到的本领。

· 使用小勺

这个时期的婴儿手的精细动作能力已经比较强了，可以训练婴儿自己使用小勺吃饭。这让许多父母无法接受，让婴儿自己拿勺吃饭，就意味着会把饭菜撒得哪都是，会弄脏宝宝的衣服，弄脏妈妈的裤子，弄脏桌椅和地面，会浪费饭菜。但是，如果父母为此而拒绝训练孩子，就会扼杀孩子自己动手的积极性，不但会降低婴儿的食欲，还会阻碍婴儿运动能力的发展。用勺吃饭，是这个月婴儿喜欢做的事情。从这个月开始训练的婴儿，1岁以后就能自己拿勺吃饭了。

因势利导的潜能开发

做婴儿不喜欢做的事，不但不利于婴儿个性发展，还会使孩子失去学习兴趣，结果

动表达：妈妈喜欢小布熊，拿给妈妈，妈妈会很高兴。宝宝不但对事物有了记忆能力，还有了思维能力，开始学会给妈妈带来欢乐，这是多么了不起的进步啊。

· 把物体投进小桶里

这个游戏也很好，训练婴儿手的精细动作和准确性、手眼的协调性。妈妈拿着一个小桶，婴儿手里拿着小玩具，妈妈对宝宝说："把你手里的玩具放到这个小桶里。"如果宝宝没有听明白，妈妈可以给孩子做示范，或让爸爸把他手里的物体投到桶里，宝宝就会模仿爸爸的动作，把玩具放到桶里。不断拉远宝宝与桶的距离，训练宝宝投物的准确性。

等到宝宝有了这个能力，妈妈就可以让婴儿把地上散乱的玩具，一个个放到容器里，收拾起来。培养孩子爱护环境，玩完了，自己动手收拾干净，妈妈要不断鼓励，使孩子认识到，自己会做的，应该自己做，父母最好不要代劳。

· 两手配合

给婴儿准备一些小瓶子、小盒子，锻炼婴儿两手配合能力。拿带盖的小盒子，妈妈

是事倍功半。比如训练婴儿大小便，这个月龄的婴儿还不具备控制大小便的能力，千方百计地训练，会使婴儿反感，为以后的训练设置了障碍。冬天，便盆比较凉，宝宝可能不会听从妈妈的安排。但是，越小的婴儿可能并不反抗妈妈，随着月龄的增长，开始就不那么"听话了"，开始做喜欢做的事情了，所以父母能因势利导开发婴儿才是正确的。

不要扼杀婴儿的好奇心

婴儿开始有了好奇心，什么都想看看，什么都想摸摸，什么都想拿到手里摆弄。如果父母总是告诉孩子，"这不能动"，"那不要动"，"这很危险"，除了玩具，几乎不让动屋子里的任何东西，这样不但不能满足孩子的好奇心，还会扼杀孩子求知欲望。

父母只需阻止孩子不要动有危险的物品，如电门、打火机、火柴、煤气开关、热水瓶等对孩子能造成危害的物品。如果孩子执意要拿暖水瓶，妈妈可以让孩子摸一摸比较热的水，但不要把孩子烫了，告诉孩子"这里盛的是热水，会烫着宝宝"。让孩子有感性认识，知道是因为热而不能碰，让婴儿认识到碰暖水瓶有危险。

这个月的婴儿对事情的记忆能力时间是很短的，有的可持续一天，有的可持续几天，甚至十几天。所以，今天告诉他了，明天可能还会去摸。这时就要不断告诉孩子，不断让孩子摸一摸比较热的水，慢慢就记住了。

第4节 本月婴儿喂养方法

512. 本月婴儿营养需求

这个月婴儿营养需求和上个月没有大的区别，添加辅食可以补充充足的维生素C、蛋白质、矿物质。鲜牛奶可以补充充足的钙质。

513. 开始喜欢吃辅食

这个月婴儿不能吃辅食的几乎是没有了，大部分婴儿都开始喜欢吃辅食，尤其是和大人一起进餐，是婴儿非常高兴的事情，如果不让婴儿上餐桌，婴儿闻到菜香味会很着急，会让大人把他抱到餐桌上。

514. 有母乳的婴儿

有母乳的婴儿，添加辅食可能会遇到困难，婴儿总是恋着妈妈的奶。这个月龄的婴儿不是因为饿，要吃母乳，吃母乳对婴儿来说是和妈妈撒娇。即使比较充足的母乳，也不能供给婴儿每日营养所需，必须添加辅食。所以，并不是到了这个月就要断母乳，但是要掌握好喂母乳的时间，一般是早晨起来、临睡前、半夜醒来时喂母乳，这样，白天婴儿就不会总是要吃母乳，和妈妈撒娇了，也就不影响吃辅食了。

515. 爱吃牛奶的婴儿

爱吃牛奶的婴儿每天能喝2~3次牛奶，每次喝100~200毫升左右。

516. 不爱吃牛奶的婴儿

对于不爱吃牛奶的婴儿，就要多吃些肉

宝宝/王震坤
婴儿很容易被逗笑，随着年龄的增加，就不那么容易了。

蛋类食品，以补充蛋白质。

517. 不爱吃蛋肉的婴儿

对于不爱吃蛋肉的婴儿，多喝牛奶，但每天不要超过1000毫升。

518. 不爱吃蔬菜的婴儿

对于不爱吃蔬菜的婴儿，要适当多吃些水果，婴儿已经能吃整水果了，没有必要再榨成果汁、果泥，把水果皮削掉，用勺刮或切成小片、小块，直接吃就可以。有的水果直接拿大块吃就行，如西瓜（一定要把西瓜籽去掉）、橘子（要把核和筋去掉）等。

519. 不爱吃水果的婴儿

对于不爱吃水果的婴儿（这样的婴儿不多），可以多让吃些蔬菜，尤其是西红柿（含有丰富的维生素C）。

520. 能吃更多的副食种类

这个月的婴儿能吃的副食种类增多了，能吃一些固体食物，吞咽、咀嚼功能都增强了，有的婴儿可以吃一部分大人饭菜，妈妈会感觉轻松些。无论如何，婴儿都能吃进去所需要的食物，妈妈不必总是担心婴儿吃得少，种类多了，一样吃一点，加起来就不少

宝宝/张一然
我也要吃大橙子。

了，出现营养不良的可能性太小了。如果妈妈总是严格按照婴儿食谱做，可能会遇到很多困难。

521. 不要把养育当饲养

这个月婴儿比以前更离不开人了，也更需要父母陪伴着玩了，如果是全职妈妈，可能还会抽出时间按食谱给婴儿做辅食。如果是上班族的妈妈，就很难这样办了。要根据每个家庭的具体情况而定，也要兼顾婴儿自身的需要，有的婴儿就是喜欢和大人一起吃饭。为什么不腾出更多的时间带孩子到户外活动，陪孩子做游戏呢？供给婴儿足够的营养固然很重要，但是，如果妈妈为此花大量的时间，忽视了婴儿精神上的需求，就不是养育婴儿了，成了饲养孩子。

522. 喂养方法举例

举例一：有母乳

7：00：母乳。

8：00：面包牛奶粥100毫升，鸡蛋一个，水果。

12：00：米饭或米粥，肉末青菜。

宝宝/尚潘柔美
已经会从坐位变成蹲位。这不但需要宝宝的平衡能力，还需要宝宝肢体运动的协调能力。

宝宝/尚潘柔美
不但能从坐位变成蹲位，还能从蹲位变成站立位。这可是不小的进步。

15：00：牛奶200毫升，水果。

19：00：米饭或面条，蔬菜，鱼肉或虾。

21：00：母乳。

半夜醒来，如果喂母乳后能很快入睡，可喂母乳。

举例二：没有母乳

7：00：鲜牛奶或奶粉200毫升。

8：00：面包或饼干，鸡蛋，水果。

12：00：和家人一起吃午餐。

15：00：牛奶200毫升，水果。

19：00：和家人一起吃晚餐。

21：00：牛奶200毫升。

举例三：不爱喝牛奶

7：00：面包牛奶粥100毫升，鸡蛋一个。

9：00：点心，水果。

12：00：和大人一起吃午餐，必须有肉（鸡肉，猪肉或鱼肉）。

15：00：点心，水果。

19：00：和大人一起进晚餐，必须有肉（鸡肉，猪肉或鱼肉）。

21：00：菜粥或肉汤面条，牛奶100毫升。

举例四：不爱吃辅食

7：00：牛奶200毫升。

9：00：面包，鸡蛋，水果。

12：00：和大人一起进午餐，牛奶100毫升。

15：00：点心，水果。

16：00：牛奶200毫升。

19：00：和大人一起进晚餐，牛奶100毫升。

21：00：牛奶200毫升。

第5节 本月婴儿护理要点

523. 春季护理要点

户外活动好季节

春季是婴儿进行户外锻炼的好季节，春暖花开，柳树发芽，小草变绿，可以增加婴儿户外活动时间。

每天3小时以上

每天在户外活动3个小时以上是最理想的。

到公园去玩

如果能把孩子带到有动物，有花草，有假山，有人工湖，有小船穿梭，有小鱼游动的公园里，让婴儿接触更多的自然景象，比让婴儿看几本画报有用得多。

达到三浴目的

这么大的婴儿不是要教给多少知识，重

宝宝/闫锦

坐在床上叫妈妈过来。

要的是让婴儿认识周围事物,了解生活中的方方面面。而户外活动是婴儿了解周围事物最好的方法,既达到了三浴(空气浴、日光浴、水浴)目的,又能开发孩子潜能。

524. 夏季护理要点

易患疾病

夏季,天气炎热,孩子容易患热病,口腔炎,手足口病。

把住病从口入关

制作辅食要注意卫生,剩下的饭菜,只要是动过的,一定不能留到下顿吃,冰箱不是保险箱,放在冰箱里的食物也会变质的,不注意会使婴儿染上细菌性肠炎。

防皮肤伤

夏季孩子穿的少,这个月的婴儿活动多,缺乏衣服保护,要避免肢体破皮出血,不能洗澡是很麻烦的。

多饮水

水分蒸发快,出汗多,要注意多饮水。

防蚊咬

仍要避免蚊虫叮咬,以防乙脑。

认识苦夏

夏季婴儿食量会减少,不要要求孩子按辅食食谱吃饭。其实,到了夏季,大人也不爱吃饭,孩子和大人是一样的,也会"苦夏"。

体重增长不理想,也不要着急,天气凉爽下来,会有个补长的过程。

525. 秋季护理要点

不要老带孩子上医院

天气转冷后,易患咳嗽的孩子开始有痰,咳嗽,喉咙里总是呼噜呼噜的。只要孩子精神挺好的,也不发烧,吃饭不减少,睡觉时虽然出气很粗,但不憋醒;咳嗽重时可能会把饭吐出来,但吐后精神好,不影响吃饭,父母就不要着急,也不要老是带孩子到医院。

不要总是给孩子吃药

尽管医生说孩子没有什么病,妈妈还不相信,吃遍各种各样的药物。结果吃几个月的药也不见效,第二年春天,天气一暖和,喉咙中的痰就消失了。这样的孩子可能每到天气转凉时都会有痰。1岁半以后,可能就好了。

修复气管内膜

如果没有吃鱼肝油,只是补充维生素D,可改服维生素AD(鱼肝油),或每天补充维生素A 1200IU,对气管内膜有一定的修复作用,对痰多的孩子和易感冒的婴儿有用。

526. 冬季护理要点

坚持户外活动

这个月的婴儿,即使在寒冷的北方地区,也不应停止户外活动。如果一冬天都不

宝宝/姚静怡

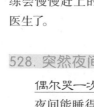

宝宝/姚静怡

为了能够让孩子多熟悉外界的环境，我们经常带她去不同公园去玩。用随身携带的数码相机，在公园中特定的景点抓拍到的一些生活镜头。

到户外，孩子可能会出现睡眠困难、闹夜现象，甚至成了夜哭郎。到了第二年的春天，再出去，很可能会感冒，患上春季肺炎。也可能会因为捂一冬天，没见阳光，患上佝偻病，或婴儿手足搐搦症。

坚持洗澡

这么大的婴儿，冬天也不应该停止每天洗澡。洗澡有利于婴儿身体抵抗力的提高。

要想小儿安，三分饥与寒

不要给婴儿穿得过多，会影响孩子活动，"要想小儿安，三分饥与寒"。如果冬季总是让婴儿满头大汗，给婴儿穿得太多，或室内温度太高，孩子对寒冷的适应能力就不能提高，成了温室里的弱苗。

爱感冒的孩子更需要耐寒锻炼

耐寒锻炼对于总是患感冒的婴儿更加重要。因为孩子患感冒，嗓子里总是有痰，就不敢让孩子到户外，总是怕孩子冻着，那就错了。不到户外活动，孩子抵御寒冷的能力更差，更易患感冒。

第6节 本月护理常见问题

527. 不会站立

这个月婴儿不会站立的不多了，但是有的婴儿不会自己站起来，这不能说明婴儿的运动能力差，如果婴儿正赶上冬季，穿的很多，运动不灵活，可能就不会自己站起来了。如果是老人或保姆帮助看护，对婴儿缺乏训练，运动能力可能就相对落后，不过经过训

练会慢慢赶上的。如果确实不会站，就要看医生了。

528. 突然夜间啼哭

偶尔哭一次的婴儿

夜间能睡得很安稳的婴儿，到了这个月突然在夜间啼哭起来。没有经历过孩子夜间啼哭的父母，会不知所措。如果哭得不厉害，哄一哄可能就会停止啼哭；如果哄不好，父母就会带到医院看急诊。偶尔哭一次就上医院是没有必要的。

应想到肠套叠

从来不哭的婴儿突然啼哭，哭一阵子后，就安静下来了，父母以为没有事了，躺下睡了，可没有几分钟，又开始哭了起来，比上次可能更厉害，反复几次，父母首先要想到是不是肠套叠。如果是比较胖的男孩子，就更应该想到这个病。这个月的婴儿仍是肠套叠易发月龄。

闹夜的婴儿

如果只是啼哭一会，哄一哄就睡了，父母不会在意的。如果哭的时间很长，即使没有什么疾病征兆，父母也会很着急，把孩子带到医院看医生。到了医院后，孩子不哭了，可能会香香地睡着了，也可能对着妈妈笑，什么事也没有，回到家里孩子不再哭了。第二天

宝宝/吕春娟

当她第一次从滑梯上滑下时，她开心地笑了！

再哭的时候，父母就不那么着急了，但是父母还是感到很疑惑，原来睡得一直很好，怎么都快10个月了，开始闹夜了。这种现象是有的，并不一定有什么原因。

闹夜儿可能的原因

1）如果是在冬季出现这种情况，可能是因为寒冷，婴儿自己睡，被窝里凉凉的，婴儿就会哭闹。

·缓解办法：如果妈妈摸摸孩子身上很凉，搂到自己被窝暖一暖，孩子就不哭闹了。

2）如果因为冬季寒冷，孩子到户外活动少，孩子也会有夜眠不安、哭闹现象。

·缓解办法：在天气好的时候带孩子到户外活动。

3）肚子不舒服，做噩梦等，都会出现夜啼。

·缓解办法：妈妈可以给孩子揉揉肚子，搂一搂孩子，给孩子一些安慰和温暖，会有效缓解孩子的哭闹和不安。

对夜哭的婴儿置之不理的做法是不对的，让孩子哭个够更是不对的。

529. 把喂到嘴里的饭菜吐出来

这个月的婴儿自我意识强了，小小婴儿大多是妈妈给什么吃什么，随着婴儿的不断增长，个性越来越明显了，在饮食方面有了自己的选择，爱吃的就会很喜欢吃，不爱吃

宝宝/尚潘柔美
宝宝在想事。

的就会把它吐出来。这是很正常的反应。如果婴儿是很理性地把饭菜吐出来，而不是呕吐，也没有什么异常情况，多是表示不喜欢吃，或不想吃（不饿、吃饱了都会这样）。这不是疾病症状，是婴儿自己的问题，如果婴儿把喂进去的饭菜吐出来，父母就不要再喂了。

530. 白天不睡觉

白天不睡觉是否异常表现

这个月的婴儿一般白天能睡两觉，午前睡1-2个小时，午后可能会睡2-3个小时。有的婴儿到了这个月，可能一天只睡一次，午前不再睡觉，午后睡2-3个小时，甚至是3-4个小时。

白天不睡觉的孩子并非没有，好动的孩子可能一白天都不眨眼，玩得很开心，一点倦意也没有，这不是异常的表现。这样的孩子晚上睡得比较早，睡眠质量也好，深睡眠时间相对长。白天尽管不睡觉，精神却很好。从晚上7-8点或8-9点一直睡到早晨8-9点钟，精神很好，活动能力很强，生长发育也正常，父母就不要为婴儿白天不睡觉而焦虑。

保姆面对这样的婴儿

保姆看护这样的孩子，总是和主人叫苦不迭，这孩子太累人，整天不闲着，一分钟也不睡觉。如果是善良的保姆，也就抱怨一下，让主人知道这一天的不易。如果是自私和愚昧的保姆，会给孩子吃某些导致睡觉的药，这是很恶劣的。如果保姆向你抱怨孩子不爱睡觉，你应该理解保姆的辛苦；对保姆的抱怨不理不睬，或者对保姆心存不满甚至恶语相加，保姆可能会出现过激反应。这样的保姆虽然非常少，但也是有的。

保姆与主人关系对婴儿很重要

保姆和主人关系的融洽和相互理解，对婴儿是很重要的。如果不能和保姆好好相

宝宝/尚潘柔美
宝宝能够徒手站立，尝试着向前迈步，小嘴闭着，小手张着，做出最大努力保持身体平衡，别让自己倒下。

处，就不如重新换一名。当然，总更换保姆对婴儿也是不利的。频繁更换保姆会导致孩子与人交往的适应性差、交往障碍和自闭症，引发心理疾病。

531. 训练排便困难

妈妈的抱怨

妈妈会抱怨："这孩子就是气人，怎么把也不尿，可一放下，哗! 就尿起来了。"

还有的妈妈会这样说："从4个月，孩子就很识把，一把准尿。一天用不上几块尿布，从6个月就能坐便盆排便了。可是，快10个月了，却倒退了，不但不识把，还不让把，一把尿就打挺，弓腰，把尿盆也踢翻了，让坐便盆就更难了，就是不坐! "

这是婴儿的错吗?

不是。几个月前，婴儿没有这么大的"能耐"，也就不会出现这样的"倒退"，孩子长大了，有了自己的选择。

现在开始训练不晚

从现在开始学习排大小便，虽然路还很长，在父母的帮助下，会最终学会控制大小便的，妈妈不必着急，2岁以后大小便都会控制得很好。妈妈要求几个月的婴儿就会控制大小便，会嚷嚷着要尿尿，拉屎，这是不现实的。

532. 吸吮手指

吮指程度减轻了吗?

上个月还吸吮手指的婴儿，到了这个月就不吸了的情况是很少见的，其程度可能会有所减轻，如果只是在睡觉前或醒来时，或妈妈不在身边时，才吸吮手指，到了1岁以后，大多能够停止吸吮了。

什么时候该重视?

如果到了这个月，吸吮手指不但没有减轻，反而加重了，或没有什么变化的婴儿，可能会一直吸下去，最终形成吮指癖。这样的话，父母就要重视了。

如何重视呢?

我所说的重视，不是针对婴儿的，是针对父母的。干预婴儿吸吮手指，父母应该:

· 对婴儿不能采取任何强制措施。
· 要不露声色地转移孩子注意力。
· 把手从婴儿的嘴里拿开，把玩具放到婴儿手里。
· 妈妈掰着孩子的小手，数一、二、三，和孩子做游戏。
· 多带孩子到户外活动。
· 睡前吸吮手指的婴儿，不要在婴儿不困时就哄睡觉。

是否需要替代安慰物

有的医生建议，让吸吮手指的婴儿吸吮

宝宝/尚潘柔美
宝宝喜欢这样吸吮嘴唇，曾有妈妈因此向我咨询，宝宝是不是嘴唇不舒服或有什么病？是不是缺什么？都不是，宝宝只是在玩而已。

285

宝宝/王戈雨

宝宝每月看保健医，都被诊断为"缺钙"，是因为他那大大的脑袋和宽宽的前额。其实，宝宝的头型极像爸爸。

橡皮奶头作为安慰物。我认为用橡皮奶头做安慰物不是好办法。

这个月龄的婴儿已经没有吸吮欲望了，吸吮手指成了一种习惯，用橡皮奶头代替手指的方法，并不能阻止婴儿吸吮手指的习惯。父母应该做的，就是采取非强制性方法，改变婴儿非进食性吸吮习惯。

533. 仍然不出牙

到了这个月仍然不出牙，妈妈可能会着急。如果和同事或邻居谈及，多说孩子缺钙。如果带到儿科看医生，有的医生也会开些钙片，并让多吃含钙食物。如果带到牙科看医生，可能会照一张牙槽骨片，乳牙根发育正常，乳牙冠还没有萌出齿龈。就是说，乳牙还没有破床而出。

婴儿乳牙萌出时间存在着个体差异，1岁以后才开始萌乳牙的也为数不少。为了让婴儿快长牙，过多补钙是没有用的，所以妈妈不用担心。

534. 不吃菜

不爱吃菜的可能原因

不爱吃菜的婴儿是比较多的，就是到了幼儿期或儿童期，不爱吃菜的也不少。是什么原因呢？说不很清楚，可能的原因：

1）初次添加蔬菜时，大多是菜水、菜汁、菜泥之类的，是菜的原汁原味，没有烹饪菜香味道。

2）很小的婴儿，对饮食的好恶不分明；越大的孩子，个性开始发展，对饮食的好恶也开始泾渭分明了。大多数婴儿不再喜欢吃那种原汁原味的蔬菜，喜欢吃有滋有味，经过烹饪的炒菜。

3）父母很少给这么小的孩子吃炒菜，还是用水烫一下，放到汤里煮。市售的专供婴儿添加辅食的菜泥，也很容易让孩子吃腻。

如何让孩子爱吃菜

·到了这个月，大多数婴儿能够吃炒菜或炖菜了。市售的蔬菜罐头最好不要再给婴儿吃了。

·如果婴儿连炒菜炖菜也不爱吃，还可做蔬菜馄饨、饺子、丸子等。

·一定要鼓励婴儿吃蔬菜，哪怕少一些。有的妈妈说，她的孩子就喜欢吃米饭加酱油再加香油，一点菜也不吃，这就是妈妈的问题了。爱吃米饭和酱油、香油，是婴儿告诉妈妈的吗？肯定不是的，妈妈起初就不能这样配餐。

·婴儿的一些好恶，有的是自己个性所致，有的就是父母潜移默化的引导。一些喂养上的问题，有的就是来源于父母，而不是婴儿本身的问题。不爱吃菜的婴儿有，父母总是能想出办法让婴儿吃的，哪怕是一口。吃的少，可以多吃些水果

宝宝/王进

宝宝10个半月，妈妈把她放在凹凸不平的小土坡上，很不高兴：我可不喜欢在这坐着，快把我抱走吧。

宝宝/点点
爸爸帮助学习走路，爸爸的动作看起来笨手笨脚的，但这并不能减弱爸爸的兴致，宝宝也特别喜欢爸爸的粗笨，甚至比妈妈带还乐。

补充维生素，但不能就此一点也不给吃了。

535. 不爱奶瓶

如果到了这个月，婴儿不爱喝奶瓶了，倒不是什么坏事。婴儿已经开始一天吃2、3次饭菜，只吃2、3次奶了。用奶瓶喝奶，父母比较省事，但也容易养成婴儿吃着奶瓶就睡的习惯，对牙齿发育不好。不喝奶瓶，可以用小杯喂奶，虽然麻烦些，只要孩子愿意，也就是多占用5、6分钟。爱喝牛奶的孩子，用杯子几分钟就能喝掉200毫升。妈妈就此取消奶瓶，也未尝不可。

536. 不吃固体食物

婴儿尽管没有牙齿，但早在4、5个月时，

宝宝/李孟容
容容在草地和花丛中玩耍，什么东西吸引了他的注意力。大自然给予婴儿的比认为的训练开发要丰富有趣的多。

有的婴儿就能吃固体食物了，如饼干（磨牙棒）、面包片，但有的婴儿连半固体食物也不能吃。在吃固体食物方面，婴儿间存在着很大的差异。有的婴儿不但会把固体食物嚼碎，还能吞咽下去；有的婴儿能把固体食物嚼碎，但不能吞咽下去，不是吐出来，就是被噎着，或呛得咳嗽。

让婴儿吃固体食物，能加快乳牙萌出。到了这个月仍不能吃固体食物的很少。如果妈妈总是怕孩子噎着，呛着，不敢大胆地给孩子固体食物，孩子就没有锻炼的机会。

537. 男婴抓"小鸡鸡"

有这个现象，但不是男婴固有的习惯。究其原因，是大人造成的。

导致这种现象的原因

·无论是爸爸妈妈、爷爷奶奶、外公外婆，还是亲朋好友；无论是男人，还是女人；无论是年轻的，还是年老的；没有避讳男婴的"小鸡鸡"的。

·拿男婴的"小鸡鸡"开玩笑的人很多，把这当做一种喜欢孩子的方式；

·总是有这样的现象，"来个小蛋吃"，手做出揪"小鸡"的样子；有的人干脆就真的去揪一下；

·总是有人把婴儿的注意力，转到他的"小鸡鸡"上；

婴儿的反应

·慢慢地，婴儿自己开始认识了自己的小鸡鸡；

·还会产生一种误解，人人都喜欢他的"小鸡鸡"；

·所以，婴儿自己开始模仿大人，揪"小鸡鸡"；

·如果有的人没有想起"揪"他的小鸡鸡，他自己还会揪给那人。这时，在一旁的爸爸可能会说，给叔叔"揪蛋"吃呢。来的人很高兴，爸爸也很高兴，孩子自然很高兴，这再一次强化了孩子的这种行为。

男婴抓小鸡鸡带来的不良后果

婴儿尿道口黏膜薄嫩, 经常用手触摸可引起尿道口发炎, 表现为尿道口发红, 肿胀, 痒, 排尿时引起尿道口疼痛。这种做法不但引起婴儿生理疾患, 还可能对婴儿的心理健康产生不良影响。极个别男婴长大后有可能发展成手淫。建议父母尽量给男婴穿死裆裤。

男婴爱抓小鸡鸡, 是大人训练的结果。婴儿是一张白纸。写的时候, 画的时候, 父母要想一想。

宝宝/张一然
他们在干什么呢? 宝宝开始喜欢用手指这指那, 这是宝宝肢体语言表达的一种方式。

538. 免疫接种

这个月没有国家计划内的疫苗。

第十一章
10-11个月的婴儿
（300—329天）

大多数婴儿，能很好地独坐，自由地爬行被垛等高处。

有的婴儿会颤巍巍地向前迈步；有的婴儿会单手扶着床沿走几步，会推着小车向前走。

第1节 本月婴儿特点

539. 能听懂妈妈的话

这个月的婴儿，各方面能力进一步增强，与父母关系更加亲密。虽然不会用语言和父母进行交流，却能以其他方式进行交流。尤其是妈妈，通过孩子的表情、举止，基本能够判断出婴儿的要求，婴儿也能够听懂妈妈说话的意思。这种交流对父母和婴儿都是很有意义的。

540. 会叫爸妈了

能叫"妈、爸"的婴儿多了起来，婴儿开始有意识地叫"妈、爸"，这让父母很激动。但这与孩子的智力发育关系不大。

不会喊妈爸的婴儿并不能说明语言发育慢，而是与父母同孩子说话的频率有关。保姆或老人不大爱对婴儿说话，孩子开口说话的年龄一般就比较晚。爱说话的婴儿，要比不爱说话的婴儿，更早开口说话。女婴比男婴开口说话要早，语言表达能力也强。但是，无论怎样训练，1岁以前能开口说话的孩子是极少的，不断地无意识地发一些音节是这个月婴儿的特点。

宝宝/尚潘柔美
美美站在窗台上，望着外面飞舞的雪花。

宝宝/尚潘柔美
宝宝会从站立位蹲下来拿地上的玩具，爸爸有些不放心，怕宝宝摔倒。

541. 开始迈步会走了

大多数婴儿，能很好地独坐，自由地爬行，有的婴儿能够爬到被垛等高处。扶着东西，能自己站起来，离开物体，能独站片刻的婴儿多了起来。

有的婴儿还会颤微微地向前迈步，但大多是不协调的交叉步，自己绊倒自己。有的婴儿已经会单手扶着床沿走几步，会推着小车向前走，大多数婴儿对这一运动乐此不疲。如果把婴儿放在学步车里，他会带着车呼呼地向前走。把婴儿单独放在学步车里，地上又很滑，是比较危险的，可能会连人带车一起翻倒。如果旁边没人，孩子自己不能起来，可能会别伤婴儿腿。

542. 不赞成使用学步车

最新研究结果认为，使用学步车对婴儿是不安全的。国外曾报道过，使用学步车的婴儿，不但活动能力没有增强，反而比不使用学步车的要晚，意外事故也由此增加很多。研究还认为，学步车对婴儿的智力发育没有任何帮助，可能还有阻碍。如果把婴儿放到学步车里，活动范围更大了，婴儿会利用自己移动能力，触摸各种物体，增加了不安全隐患。

543. 防意外更加重要

· 好奇心和探索精神：婴儿特有的好奇心，对事物的探索精神，使得婴儿能充分利用自己的能力做他所能做的事情。

· 能拿到一些东西：这个月的婴儿会用各种方法移动自己的身体，坐着向前蹭，向前爬，扶东西向前走。

· 能打开瓶盖：婴儿手的动作比以前更加灵活了，可能会把瓶盖打开，把盒盖打开。

· 能把小药片放到嘴里：婴儿不但能看到像药片那样的小东西，还能用拇指和食指把小药片那样小的东西捏起来，并很快放到嘴里，有的婴儿尝到苦味，就会吐出来，可有的婴儿没有这个能力。一定不能让婴儿拿到不能吃的东西。这是很重要的。

· 打翻物件：有劲的婴儿，可能还会把台灯、暖瓶、杯子、小凳等推翻。有危险的物件要远离婴儿。

· 活动能力的增强，意外事故发生的频率增加了。擦破点皮，磕出点血，都不要紧的，一定要避免从高处坠落、吞食异物、烫伤、刀伤、电伤、溺水。

544. 婴儿主动要到户外去

妈妈抱着孩子时，婴儿会指着门，身体向门那边使劲，想让妈妈把他抱到外面玩。即使婴儿不熟悉的生人，如果要抱他上外面玩去，也可能会很高兴地跟着去。父母要尽量满足孩子的愿望，多带孩子到户外活动。

545. 母乳与断奶

食量大的婴儿，到了这个月，如果不是和妈妈撒娇，可能不再缠着妈妈的奶头了。

食量小的孩子，可能还会把妈妈的奶水当回事，如果白天也给婴儿吃母乳，可能会使婴儿不爱吃饭或不爱喝牛奶。这对于母乳已经很少的妈妈来说，就会影响婴儿营养的摄入了。这样的话，最好就不要在白天喂母乳了，把母乳留在早晨、晚上睡觉前或半夜醒来时喂。

· 有的婴儿早晨起得很早，吃点母乳还会入睡，这样午前可能就不睡觉了，能增加户外活动时间。

· 有的婴儿晚上入睡比较困难，总是要哭上一阵子，或拼命吸吮手指，如果喂母乳能改变这种状况，那就太好了。

· 夜间醒来啼哭的婴儿，喂母乳可能是最有效的制止方法，这种情况下，即使母乳已经起不到供应营养的作用，也不要急着断母乳。

· 如果婴儿就是惦记着妈妈的奶，什么也不吃，整天吸着妈妈的空奶头，就不如彻底断母乳。

但这样给婴儿断奶是比较费劲的，可能要让孩子哭上几天。

断奶难的妈妈该怎么办呢？

宝宝/尚潘柔美
这么大婴儿多数情况下是自己玩自己的，还没有学会和小朋友分享玩的快乐。

宝宝/尚潘柔美
宝宝玩够手中的玩具，想要小朋友手中的东西。这么大的婴儿多不会从小朋友手中抢东西。

1）如果妈妈心疼，总是在万不得已的时候，给孩子吃，断奶就更艰难了。最好让妈妈临时离开孩子几天。

2）有的婴儿会产生焦虑感，夜间不停地哭，什么时候哭累了，才肯罢休。如果妈妈已经坚持了几天，那就再咬牙坚持一下，很快就有成效了。

3）如果孩子闹得很厉害，断奶就不要坚持好几天，一天不行就作罢。等到1岁半时，也会容易断掉的。

546. 有的婴儿吃饭菜很好

吃饭菜的情况个体差异更明显了，有的孩子吃饭菜一点不费事，喂得也很轻松，饭间的点心水果吃得也很香甜，还能大口大口喝奶，这是好事。但是，要监测孩子体重增长情况，如果有发胖倾向（平均每天增加20克以上），可要注意调整了，不能一味这样喂下去。

547. 有的婴儿吃饭菜很费劲

有的孩子吃饭菜很费劲，每顿饭都要花掉很长时间，忙活大半天，孩子可能就伸出舌头舔一舔，根本不吃，有的孩子用舌头把喂进去的饭菜再顶出来。这样的孩子如果体重

增长缓慢（平均每天增加5克以下），就要看看医生了。如果孩子吃得少，但体重增长正常（平均每天增长在10-15克），精神好，爱活动，父母就不要着急，也不要逼着孩子吃不爱吃的东西。

548. 认识到孩子间的差异性

怎样安排孩子的饭菜和奶，要根据孩子具体情况而定，书上介绍的食谱和喂养方法，并不一定适合每一个孩子。经过10个多月的喂养，妈妈已经很了解自己的孩子了，让孩子高高兴兴的，就是最合理的安排。

549. 训练大小便莫急于事功

1岁以前的孩子也不会告诉妈妈要撒尿拉屎。如果妈妈能成功地训练孩子大小便，可以继续这样做；如果从这个月开始，孩子不喜欢让妈妈把尿，不喜欢坐便盆了，那强求和训斥是没有用的，只能使孩子更加反抗，打挺，哭闹，这对以后的训练没有任何帮助，可能还会破坏以后的计划。干脆由着孩子去好了。

550. 体能训练的重点要转移

体能训练的重点开始转移。孩子希望自己有更多的自由活动时间，需要有自己的活

宝宝/闫锦
在小区内赏花。

宝宝/王震坤
和太姥姥、姥姥以及妈妈在一起。

动空间，开始喜欢和自己同龄或比自己大的孩子一起玩。妈妈虽然还是最亲的，但爱和孩子疯玩的爸爸更受孩子欢迎了。不再喜欢让妈妈抱在怀里，妈妈和孩子那些安安静静的小游戏，已经不能满足孩子的需要。孩子开始喜欢热闹的场面，喜欢到外面去。

第2节 本月婴儿 生长发育

551. 身高

这个月婴儿身高增长速度与上个月一样，平均每月增长1.0–1.5厘米。

这个月婴儿平均标准身高是：男婴：73.08–75.20厘米，女婴：72.30–73.70厘米。

低于或高于这一平均数，不能就认为孩子身高不正常，要结合婴儿身高增长曲线图进行判断。

552. 体重

体重的增长速度与上个月一样，平均每月增长0.22–0.37公斤。

这个月婴儿平均体重是：男婴：9.44–9.65公斤，女婴：8.80–9.02公斤。

低于或高于这一平均标准，不能就认为孩子的体重不正常，要根据婴儿体重增长曲线图进行评价。

在体重方面，父母更重视的是孩子体重低的问题，而往往忽视偏高问题，在父母看来，只有瘦是异常的，胖是正常的。现代儿童中，肥胖儿童的比例越来越高，应该引起家长的重视。

553. 头围

头围的增长速度仍然是每月0.67厘米。这个月的婴儿看起来头不是那么大了，与身体比例显得相称了。从外观上，比较容易发现孩子头颅大小的程度，是否正常，父母也就不用像孩子小的时候那么害怕了。

554. 前囟

前囟快闭合的孩子多了起来，囟门还是挺大的也有，要结合具体情况分析。

第3节 能力增长与 潜能开发

555. 看的能力：可看图画书了

__宝宝到了看图画书的时候了__

婴儿看的能力已经很强了，从这个月开始，可以让婴儿在画书上开始认图、认物、正确叫出事物的名称。

随着婴儿眼界的开阔，仅仅凭借眼前的实物和看到的东西，是有限的，有些东西是看不到的。婴儿看的能力增强，为婴儿看画书奠定了基础。可以通过认识画书上的图教婴儿认识更多的事物，增加认识事物的种类。

__怎么挑选画书__

·画书上的图画形象要真实。

宝宝/李彦睿杰
凯米手扶方向盘的照片是回姥姥家玩时拍的。车是凯米的最爱，无论是真的汽车还是玩具车，凯米都是特有兴趣。

· 图画形体要准确。

· 画书的色彩要鲜艳。

· 每张的图画力求单一、清晰。

· 不买有较多背景、看起来很乱的图画，避免婴儿眼睛疲劳，辨认困难。

· 最好先不要买卡通、漫画等图画书。

· 购买和实物一样的逼真的画书。

· 待孩子认识了大多数实物，再买卡通、漫画类的，可引起孩子看书的兴趣。

怎么使用图画书

· 把生活中能够见到的实物同书中图画比较着让婴儿认，更能增加婴儿对事物的认识。

· 每天只给孩子看一两次画书。

· 一次只认1~2种物品，时间不要太长。

这么大的婴儿注意能力是比较差的。不能贪多，以免婴儿腻烦了。第二天，再让婴儿看时，先看昨天看过的，加深印象，再学习新的。这样不断重复，婴儿才能记住。

· 在教婴儿物品名称时，命名一定要准确，不要随意发挥。

556. 听的能力：能听懂许多话

听是婴儿学习语言的基础

这个月的婴儿能听懂许多话了，尤其是妈妈的。父母要充分利用婴儿听的能力，训练婴儿说的能力。父母在这个时期，和婴儿说话，节奏要稍微放缓些，吐字要清晰，要使用普通话，一字一句的，让婴儿听懂，让婴儿能够看到父母说话的口型，每做一件事时，每看到一件东西时，都要配合语言，让婴儿听清、听懂，这是婴儿学习语言的基础。

不能听电视里的语言

如果一个婴儿从出生就很少听到父母对他说话，这个婴儿长到该说话的年龄，也不会说话。语言是要学习才能掌握的。有父母认为电视里的发音准确，就让婴儿看电视，开发听力。这是错误的，婴儿是听不懂电视里的语言的，还会影响婴儿听父母的语言。学习语言，父母是最好的老师。尤其是妈妈和婴儿朝夕相处，一定要让孩子多多听到妈妈的话。

557. 说的能力：会说简单单字

说话的早晚并不代表智力高低

这个月的孩子还不会说出一句完整的话，可能会说出简单的单字，"妈、爸、奶奶"。如果能说出"吃吃，撒撒"是相当不简单了。说话的早晚并不能说明智力的高低。父母能给创造良好语言环境的，孩子说话就早；如果父母是少言寡语或没有时间和孩子说话，或保姆、老人看的孩子，说话可能会晚些。

要多和孩子说话

怕耽误时间，总是干这干那的妈妈，是

宝宝/杨力宁
瞧我这真功夫！

宝宝/尚潘柔美
大多数宝宝不喜欢戴帽子,即使在很冷的时候,宝宝也戴不住帽子,妈妈一遍遍戴,宝宝一遍遍脱,如果是这样,就不要给宝宝戴了,以免使宝宝忽冷忽热。

不明智的。陪孩子玩,和孩子说话,比干什么家务都重要。

558. 玩的能力：什么都爱玩

有了独立性
这个月龄的婴儿玩的能力增强了,不但喜欢和父母玩,也开始喜欢和小孩玩了,看到小孩就要凑过去,还摸摸小孩的脸,开始有了交往能力。

会玩积木了
婴儿会玩积木了,虽然不会摆,但是会一个一个地装到桶里,再从桶里一块一块地拿出来。会用两个玩具互相碰幢,会把球扔出去。

喜欢玩出声音的玩具
喜欢能敲打出声音的玩具。喜欢推着小车走。玩是婴儿的第一需要,父母要给婴儿创造玩的环境。不要怕脏而把孩子局限在很小的一个空间里。

不再容易拿走他喜欢的东西
想从婴儿手里拿走他喜欢的东西,更难了。如果抢过来,婴儿会号啕大哭。不喜欢的东西,放到手里就马上扔掉,再给的话,就往外推,连接也不接。

婴儿没有自我保护能力

独立性强的婴儿自己能玩好大一会儿了,但妈妈可不要离开,婴儿没有保护自己的能力,也没有危险意识。千万别让孩子出意外。

559. 活动能力：站得非常稳

走的能力有了很大进步
这个月婴儿的运动能力有了明显的进步,不扶东西也能站起来了,能够独站片刻,可能会徒手向前迈几步,如果妈妈领着,会走很长时间。

练习走的三个要点：

·妈妈不要拉着孩子走。一是这个月龄的婴儿还不适合长时间走路,二是妈妈领着走,使孩子失去了自己锻炼的机会,自己走路是婴儿的一次探险。

·不要怕孩子摔倒,摔倒了,孩子可能会自己站起来,即使不会自己站起来,父母也不要马上就把孩子扶起来。

·要把第一次机会和尝试留给孩子,这是锻炼孩子独立性的好时机。

孩子爬出了花样
这个月还不会爬的不多了,不但会爬,爬得还非常灵活,能往高处爬了。如果床上有叠着的被垛,可能就会爬上去了。从被垛上摔下来,不但不哭,可能还很高兴,这是孩子在玩。

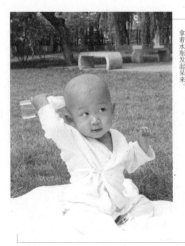

宝宝:杨力宁
宝宝坐在草地上玩,不知道想起了什么,还是看见了飞翔的鸟,拿着水瓶发起呆来。

宝宝/崔博智

在地板上练习爬是非常安全的，是一种很好的全身运动，能促进小脑功能平衡的发展，还可促进婴儿运动知觉，深浅感觉，方向感等。

活动能力的两点提示

·不要过多地干预孩子活动

婴儿喜欢冒险，只要没有危险，妈妈不要过多干预。真正面临危险，才阻止孩子。玩是孩子的天性，不要扼杀孩子的天性，玩是孩子认识、学习的过程。

比如：

孩子摔了，不要立即去扶，看看没有危险，就让孩子自己解决。

孩子刚要爬上被垛，妈妈就叫嚷着"不能爬被垛"，这是不对的，爬被垛并没有危险，为什么要阻止呢？

·客观对待孩子能力

孩子的运动能力是有差异的，并不是到了某一个月，就必须具备哪一种能力，可能会晚些，也可能会早些，父母不要担心。单纯一项运动能力稍微落后些，不能就认为孩子发育落后，要看孩子总体发育情况。

560. 婴儿的自我意识

这个月的婴儿开始萌发自我存在意识。婴儿自我存在意识是通过照镜子获得的。这就是为什么从很小的时候，就让妈妈和孩子玩照镜子游戏的原因之一。

婴儿照镜子可分为三个认识阶段

第一阶段（意识妈妈阶段）：

4个月左右的婴儿，当妈妈抱着孩子照镜子时，婴儿对自己并没有什么反应，而对妈妈的镜像有比较强的反应，会对着妈妈的镜像微笑，咿呀咿呀发出欢快的叫声。

第二阶段（伙伴阶段）：6个月左右的婴儿，开始注意镜子里的自己，但对自己的镜像反应是，把自己的镜像当做能和自己游戏的伙伴，婴儿会对着镜子里的自己做出拍打、招手、欢笑、亲嘴等游戏动作。

第三阶段（自我意识阶段）：快1岁的婴儿开始发现，镜子里婴儿的动作和自己的动作总是一样的，朦朦胧胧感到，镜子里的镜像可能就是自己。但是，还不能明确意识到镜子里的镜像就是他自己。1岁以后的婴儿，才逐渐真正认识到自己的镜像。

父母想一想，在前几个月，和孩子照镜子时，婴儿的表现是怎样的。

561. 婴儿的记忆

这个月的婴儿开始有了延迟记忆能力。可以把妈妈告诉的事情、物体的名称等记忆24小时以上，印象深的，可延迟记忆几天，甚至更长时间，这是对婴儿进行早期教育的前提。婴儿能够记忆一段时间的事物，就能够学习更多的知识，在玩中学习的意义就更大了。

宝宝/尚潘柔美

在成人眼里不在意的东西，在婴儿眼里可能非常新奇，对于婴儿来说，这个世界太奇妙了。

562. 婴儿的思维能力

这个月的婴儿开始有了最初的思维能力。所以和孩子做游戏时，不再都是直观的游戏了，要适当增加能促使婴儿思维的游戏项目。

一个有趣的思维训练示例

在桌子上蒙上台布，在台布上面放置一个小玩具。但是，这个玩具婴儿是够不到的。为此，婴儿就使劲够。在够的过程中，台布被拽动了，结果玩具跟着台布移动了。这一现象对于婴儿来说是奇迹般的。慢慢地，孩子可能开始意识到，台布可以帮助他够到玩具。结果，孩子开始拽台布。果然，台布带着玩具向前移动，孩子终于拿到了玩具。

这就是婴儿最初的思维。婴儿通过拽台布使玩具移动的现象，"分析"出了台布可以帮助他够到玩具这样的事实。父母可以自己发明一些类似的游戏，训练婴儿的思维能力。

563. 好奇心

好奇心的种种表现

婴儿具有很强的好奇心。这个月的婴儿，好奇心进一步增强了：

·对新奇的事情和物品非常感兴趣。

·越是没有看过、不知道的东西越是感兴趣。

宝宝/尚潘柔美
宝宝在琢磨这瓶里的水为什么动来动去。

·越是不让摸的，孩子越想摸。

·越是不让放到嘴里，孩子越是想啃一啃。

·对熟悉的东西，很快就失去兴趣。

·再好玩的玩具，也不会玩很长时间。

·只要是没见过的，什么都好。

·玩过的，看也不想看一眼。

鼓励宝宝的好奇心

当妈妈认为孩子开始淘气了，不好看护了的时候，就是婴儿具有了好奇心的时候。只要不是危险的事情，都要允许孩子做、让孩子摸。尽管不是食物，放到嘴里感受一下是什么味道，也是对事物的一种认识。

婴儿的探索精神，是认识世界的动力。父母可以利用婴儿强烈的好奇心，教婴儿认识更多的事物。父母一定不要压抑、扼杀婴儿的好奇心。

564. 游戏活动

以下所介绍的都是很简单的家庭游戏。父母不要忽视这些简单而古老的游戏，它对婴儿的益处是巨大的。并非只有到婴儿训练场、婴儿游戏中心、婴儿潜能开发中心去训练婴儿，才能训练出聪明健康的孩子。这些场所每周只能去一次，有条件的一天去一次，也仅仅是1-2个小时。父母要利用在家的点滴时间和孩子一起玩，一起做游戏，让孩子体味到家庭的温暖。

关心他人的游戏

妈妈抱着一个布娃娃，孩子抱着一个布娃娃，妈妈说："我的娃娃冷了，我要给娃娃穿衣服啦。"边说边给娃娃穿衣服。孩子就会学着妈妈的样，也给娃娃穿衣服。这个简单的游戏，训练婴儿的动手能力，学会了给娃娃穿衣服，为以后学习给自己穿衣服打下基础。最主要的是通过这个游戏培养孩子从小关心他人的优良品德。

练手指，认数字

婴儿出生后，两手是紧握着拳头，张力

比较大，所以手的活动能力很差。吃手时，吃的是小拳头。逐渐地，大拇指开始会伸开了，再吃手时就吸吮大拇指了。当五个手指都能伸开时，婴儿就会握东西了。但是，还不会用拇指与其他四指对捏。当婴儿的拇指和食指能对捏时，婴儿手的活动能力就明显增强，开始了手的精细活动。

到了这个月，如果让婴儿把手伸过来，张开手，往往是把五指同时伸开，只伸开一个手指时还是比较困难的。

妈妈可以和孩子进行手指锻炼。从食指开始，让婴儿伸开食指，并告诉婴儿这是"1"，"宝宝快1岁了"。这个练习是很有用的。不但训练了婴儿手的活动，还训练了婴儿数的概念和婴儿自己年龄的概念。促进婴儿的思维能力。让婴儿看、说、做、思维有机结合起来，训练婴儿的综合能力。

翻画册

妈妈一页一页翻画册，同时用手指着画册上的小动物，告诉宝宝动物的名称，并学这个动物的叫声。慢慢地，婴儿开始模仿妈妈，也开始这样翻画册，妈妈不要怕弄坏画册。

翻过一页后，看到画册上的动物，让孩子指认小动物，达到练习婴儿伸手指的目的。问孩子这个小动物叫什么名字，再想想它是怎么叫的。

宝宝/郑果
只抓球算什么，我还能把大球抱起来！

翻下一页时，妈妈在一旁先问一问："宝宝猜一猜，下一个是什么动物啊？""是啊，该是什么动物了？"宝宝开始想了。

这是练习手指灵活性的简单有趣的活动，锻炼了手的灵活运用能力、观察事物能力、思维能力、记忆能力。

敲打拍击出响声

这也是个很好的游戏。父母教宝宝拍巴掌，敲打物体。让婴儿知道用一种物体，打在另一种物体上，能发出声音；用不同的物体敲击不同的东西，可发出不同的声音；用同样的物体敲击物体不同的部位，会发出不同的声音。如用筷子敲击盆底和敲击盆体、盆沿，会发出不同的声音。用力大，声音就大；用力小，声音就小。训练婴儿的体能和对声音的辨别能力。

藏猫猫

这个月和孩子一起藏猫猫是很有意思的，爸爸妈妈和孩子三口人可以一起参与，爸爸藏起来，孩子和妈妈一起找爸爸，这样既保证了孩子的安全，还增加了孩子的乐趣。

这个月龄的婴儿不会因为看不到爸爸了，就认为爸爸不存在，爸爸不时发出声音"爸爸在这里，快来找吧"。这个简单的小游戏，可以训练婴儿的方位觉、寻声找东西的能力、运动的目的性。就是说，婴儿的每一个动作都是有目的的，就是要找到爸爸，无论是站、爬、走、转身等都是有目的和目标的，增加婴儿运动的积极性，从小锻炼婴儿做事的独立性和目的性。

玩大型玩具

这个月婴儿的活动能力增强了，小的玩具已经不能满足婴儿的需要，婴儿开始把兴趣转移到大的儿童玩具上。比如荡秋千、滑滑梯、骑木马等，能训练婴儿动作的协调性。夏季也可以带婴儿学游泳。

第4节 本月婴儿喂养

565. 这个月婴儿的营养需求

这个月婴儿营养需求和上个月差不多，所需热量仍然是每公斤体重110卡左右。蛋白质、脂肪、糖、矿物质、微量元素及维生素的量和比例没有大的变化。

父母需要注意的是，不要认为孩子又长了一个月，饭量就应该明显地增加了，这会使父母总是认为孩子吃得少，使劲喂孩子。总是嫌孩子吃得少，是父母的通病。要学会科学喂养婴儿，不要填鸭式喂养。

566. 这个月婴儿喂养问题

婴儿的个性化

这个月婴儿喂养问题，最突出的是饮食个性化的种种表现：

·有的婴儿能吃一儿童碗的饭。
·有的能吃半儿童碗。
·有的婴儿就只吃几小勺。
·更少的吃1～2勺。
·有的婴儿比较爱吃菜。
·有的婴儿就是不爱吃菜，喂小片菜叶，也要用舌头抵出来，如果把菜放到粥、面条、肉馅或丸子里，恐怕连粥、面、饺子、丸子也不吃了。
·有的婴儿很爱吃肉。

宝宝/陶禹熹
宝宝性格活泼，总是快快乐乐的。

宝宝/尚潘柔美
宝宝能用四指和拇指对捏拿起笔，还能握笔写字了呢。

·有的爱吃鱼。
·有的婴儿爱吃火腿肠等熟肉食品。
·有的婴儿爱吃妈妈做的辅食。
·有的婴儿还是不吃固体食物。
·有的婴儿不再爱吃半流食，而只爱吃固体食物。
·有的婴儿还像几个月那样，能咕噜咕噜地喝几奶瓶牛奶，不喝奶就不睡觉。
·有的婴儿开始不喜欢奶瓶了，爱用杯子喝奶。
·有的婴儿还是恋着妈妈的奶，尽管总是吸干瘪瘪的空奶头，也乐此不疲。半夜不让妈妈好好睡上一觉。总是哼唧哼唧地拱妈妈的奶头，白天看到妈妈就着急，抱过来，就要吃奶；
·有的婴儿能抱着整个苹果啃，也不噎、不卡。
·有的婴儿吃水果还是妈妈用勺刮着吃，或捣碎了吃，但需要挤成果汁才能吃水果的婴儿几乎没有了。
·有的婴儿特别爱吃小甜点，尤其是食量比较大的婴儿，什么时候给都不拒绝。
·爱喝饮料（碳酸软饮料，酸奶饮料，果汁饮料等）的婴儿多了起来，尤其是炎热的夏季，婴儿非常爱喝凉饮料，如果给几口冰激凌，会高兴得很。
·爱喝白开水的婴儿越来越少。原来一次能喝100毫升白开水的婴儿，现在只能喝30毫升，有的婴儿一口也不愿意喝。
·一天能和父母一起吃三餐的婴儿多了起来。

宝宝/崔博智
宝宝尽管像婴儿一样趴在床上，但和婴儿时趴的动作已经有很大区别。

这些现象都是婴儿的正常表现。还有更多现象也是正常的，这里就不一一提及了。

家庭与家庭间存在着差异，家庭成员间也存在个人差异，即使是同卵双胞胎，也存在着显著的个体差异。婴儿之间有共性，也有自己的个性，共性和个性是相互交叉的。随着月龄的增加，婴儿个性化越来越强了，开始表现出不同的好恶倾向。

所以，父母不能要求自己孩子的个性和其他孩子的个性相一致，父母要认识到婴儿间存在着差异性，这是父母建立正确育儿观念重要的思想基础。

不要认为自己孩子不正常

如果妈妈看到别的婴儿能吃一碗饭，而自己的孩子只吃几口饭，就开始着急，认为自己的孩子不正常，这是不对的。

别的孩子能吃一碗饭，情况可能是这样的：

·可能是食量大的孩子。
·可能是有肥胖倾向的孩子。
·可能是其他食物吃的少。
·可能是爱吃饭，不爱喝奶的孩子。

你的孩子不能吃一碗饭，情况可能是这样的：

·可能是爱喝奶，不爱吃饭的孩子。
·您的孩子就是正常食量的孩子。
·可能是食量小的孩子。

·可能是喜欢吃蛋肉的孩子。

你的孩子是不是像那个孩子能吃一碗饭并不重要，重要的是看孩子生长发育是否正常。

父母处理喂养问题的原则

父母在养育每个婴儿时，都会遇到这样那样的问题，如果每个小问题都要跑医院看医生，父母会很辛苦的。

在工作中，遇到这样的事情不少，除了进行个体化指导外，我更多的是告诉父母，学会处理个别事情的原则。

1）面对孩子喂养问题，无论孩子出现怎样的表现，最主要的要抓住一个问题，喂养的目的是保证婴儿正常的生长发育。包括体重、身高、头围、肌肉、骨骼、皮肤等可看可测的指标，还有专业机构提供的营养指标，这些是衡量喂养好坏的指标，如果这些指标都在正常范围，喂养就是成功的。

2）在保证婴儿正常生长发育的前提下，尊重婴儿的个性和好恶。让婴儿快乐进食是父母的责任。如果父母有这样的认识，一些喂养上的困惑，就不成为问题了。

567. 不同类型婴儿的喂养方法举例

例一：爱吃牛奶的婴儿

7：00：牛奶180-220毫升；

宝宝/高锦华
第一次去肯德基，特别好奇地到处看，妈妈把小杯子顶到他头上顶也顾不得理一下。

宝宝/荆羽萱

9：00：面包或饼干，鸡蛋一个（蛋羹或水煎蛋或蛋汤），水果；

12：00：米饭或米粥或面条，蔬菜，肉；

15：00：牛奶180-200毫升；

18：00：点心，水果；

21：00：牛奶180-220毫升。

例二：不爱吃牛奶的婴儿

7：00：面包或饼干，牛奶100毫升；

9：00：鸡蛋面条或肉末面条汤，水果；

12：00：米饭，蔬菜，肉或鱼虾；

15：00：点心，水果，乳酪或酸奶饮料；

19：00：米粥，蔬菜；

21：00牛奶掺米粉或面包牛奶粥200毫升。

例三：有母乳的婴儿

6：00：母乳；

8：00：面包，饼干鸡蛋，牛奶150-200毫升；

12：00：米饭，蔬菜，肉鱼虾；

13：00：喂母乳，午睡；

15：00：点心，水果，牛奶150-200毫升；

18：00：粥，蔬菜；

21：00：母乳。

例四：食量小的婴儿

6：00：牛奶100毫升；

8：00：鸡蛋，奶100毫升；

10：00：点心，水果；

12：00：虾或鱼，肉汤和米饭（喂1-2口

就行，要把鱼或虾喂进去），肉丸子或肉馅饺子；

15：00：点心，水果，牛奶100毫升；

18：00：肉菜丸子或肉菜馄饨；

21：00：牛奶150-200毫升，能喝多少就喝多少；半夜醒了，如果喝奶，也要给喝。

例五：食量大，有肥胖倾向的婴儿

7：00：牛奶200毫升；

9：00：水果，酸奶，乳酪；

12：00：蛋、肉、鱼、虾选一种，蔬菜，米饭；

15：00：水果，牛奶200毫升；

19：00：菜粥；

21：00：牛奶200毫升。

568. 这个月需要注意的喂养问题

防止肥胖儿

如果平均每天体重增长超过30克，要适当限制食量，多吃蔬菜，水果，吃饭前或喝奶前先喝些淡果汁。食量大的婴儿控制饮食量是比较困难的，只能从饮食结构上调整，少吃主食，多吃蔬菜水果，多喝水。要保证蛋白质的摄入，所以不能控制奶和蛋肉的摄入。控制总热量的摄入，保证营养成分的供给。

不要把时间都放在厨房

这个月婴儿能吃多种蔬菜种类和肉蛋鱼

宝宝/李彦睿杰
凯米趴在车窗上。

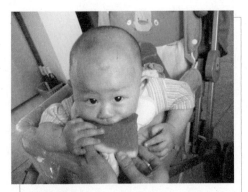

虾种类,能和大人一起进餐。大部分水果都能吃了。一日三餐,喝两次奶,不吃点心的婴儿多了起来。这就节省了很多时间,可以多带孩子到户外活动,多和孩子做游戏。不把时间全放在厨房里,不要让烹饪占用和孩子玩的时间。

不要忽视奶的营养价值

如果喂一顿饭需要好几十分钟,加上做,要一个多小时,就不如多喂一顿牛奶。一瓶牛奶的营养,并不比一顿饭的营养差,尤其是不以吃米饭和粥为主的孩子。只要肯喝牛奶,一天喝上500-800毫升奶,吃两顿辅食(中午、晚上和父母一同进餐)是完全可以的;如果一天能喝1000毫升奶,吃一顿辅食也未尝不可。

喝奶少就要多吃蛋肉。如果一天喝奶少于500毫升,就要吃比较多的蛋肉了,否则的话,蛋白质的摄入量就不够。

以喝奶为主也不对

也不能以喝牛奶为主。一是可能会使孩子发生缺铁性贫血,二是不能锻炼孩子的咀嚼和吞咽能力,也不能促进婴儿味觉的发育,减少了品尝各种食物味道的机会,可能会出现偏食。

孩子吃的能力是惊人的

怕孩子不会吃,总是把饭菜做得烂烂的,把菜剁得碎碎的,把水果弄成水果泥,用勺一点点地刮苹果,这是很保守的喂养方法。孩子的能力是需要锻炼的,应该给孩子创造锻炼的机会。父母不要主观认为孩子不能,应该给孩子机会,让孩子试一试。孩子的能力,有时是父母想象不出来的。不到1岁的孩子会抱着一个大桃啃,最后只剩下皮和核,这是我亲眼见到的事实。

婴儿在各方面的潜能都是惊人的。把孩子培养成智力超群,生活能力低下的孩子,对孩子来说是很悲哀的事情。父母应该放手给孩子更多的信任和机会,让孩子自己拿勺吃饭,让孩子自己抱着杯子喝奶,拿着奶瓶喝奶。这不但锻炼了孩子独立生活能力,还增加孩子吃饭的兴趣,有了兴趣就能刺激食欲。

不需要断母乳

母乳好的,就继续喂下去,母乳不好的,只要不影响孩子对其他食物的摄入,也不必停掉,吃母乳毕竟是婴儿幸福的事情。如果夜间母乳能让婴儿不啼哭,能让醒来的婴儿很快入睡,就继续使用这个武器,不要怕别人说,孩子都这么大了,半夜还奶孩子。这是您自己的事情,不要管别人说什么,并不是到了一岁就必须断掉母乳。

断母乳的情况

1)除了母乳,孩子什么也不吃,严重影响孩子的营养摄入。

宝宝李彦睿杰

在小区里没碰见小朋友，妈妈给他照相他不愿意，很不配合。妈妈正准备收相机，突然凯米表情变了，嘴里直喊，妈妈回头一看是个打扮得很酷的狗妹妹。

2）严重影响了母子的睡眠，一晚上总是频繁要奶吃。

3）母乳很少，但孩子就是恋母乳，饿得哭哭啼啼，可就是固执地不吃其他食物。

出现上述三种情况或有不宜再吃母乳的医学指征，就可彻底断母乳。

半夜仍然吃奶的孩子

半夜醒来不喝牛奶就不睡觉的孩子，就给他喝。让半夜醒来的孩子很快入睡是目的，让孩子不夜啼也是目的。能达到这个目的，夜间吃奶并非禁忌。让孩子哭，让孩子睡不好，才是不应该的。

其他需要注意的问题

·和父母同桌吃饭，是婴儿最高兴的事情，不要怕孩子捣乱。

·如果孩子喜欢自己用勺，就不要怕孩子把饭撒出来，也不要怕弄脏了衣服。

·孩子不想吃，不要逼着孩子吃。不可能每天都能吃同样的食物。老人常说孩子是"猫一天，狗一天"，其中也包含这个道理。

·天气炎热，有的人"苦夏"，孩子也有这种情况。食量可能会减少，父母要理解。

·有病不舒服，食量会减少。

·腹泻并非要控制饮食，如果孩子能吃就让孩子吃，需要停食，医生会告诉你的。不要擅自停掉孩子的饮食。

·偶尔在哪里看到种种信息，说不该这样，不该那样，也要分析。信息社会，信息量非常大，有的只是一家之言，不一定经过验证，也不一定是正确的，要学会辨别。更不能听"过来人"的个别经验，经验或许不适合您的孩子。

·购买一本权威性的育儿书，作为育儿指导，其他仅做参考，你就不会总是不知所措了。

第5节 本月婴儿护理要点

569. 春季护理要点

这个月的孩子患病的机会多了起来，注意防病，主要是病毒性感冒，如果一冬天，父母都没怎么带孩子到户外，开春后，孩子开始到户外活动，一开始可能会不适应，可能会感冒发烧。妈妈不要为此就不敢把孩子带到户外了。

570. 夏季护理要点

防尿布皮炎

夏季更易患尿布皮炎，所以尿布不要垫得过厚，也不能兜得过紧，尤其是不要使用塑料布。防止尿床，勤换尿布，洗净后要在日光下暴晒，不要使用尿布裤衩。

把住病从口入关

夏季气温高，有利于细菌的生长繁殖，婴儿本身也减少了消化酶的分泌，消化功能降低，所以一定要把住病从口入关，注意饮食卫生，不要强迫孩子过多进食，慎吃熟食成品。

防紫外线

婴儿夏季不宜长时间晒太阳，婴儿的真皮角化层的保护能力很差，且婴儿的体温调节系统尚不成熟，极易被阳光灼伤，发生中暑，造成脱水。因此婴儿夏季多补充水分也同样重要。

宝宝/王震坤

宝宝刚刚练习走路，难免磕磕碰碰，草地是很安全的地方。

防痱子

为了防止出痱子，为了使孩子更凉快，家长往往给孩子的头发剃得光光的。其实，这样不好，头发剃得过光，头皮完全暴露在日光下，被日光晒得"冒油"，会损伤毛囊。因此剃短寸就可以了。

防受凉

不要让冷风直接吹到孩子，不要让腹部着凉，可吃西瓜解暑，不要吃冰箱内储存的食品，这么大的孩子不宜吃冷饮。

不在夏季断母乳

不要在夏季断奶，夏季小儿的消化功能降低，食欲低下。断奶后小儿不适应，过度哭闹。牛乳不易吸收消化，容易被污染，母乳是最好的食品。因此，等到秋季断奶最好。

防蚊用蚊帐

夏季最好用蚊帐防蚊，而不用电蚊香或熏蚊香。选择凉席最好是选择亚麻凉席或软草席，不宜睡竹席、水褥或水枕，因为竹席和水褥过凉。

防膝关节磕伤

有的孩子不满1岁就已经会走了，要注意避免外伤，尤其是膝关节，是夏季最易伤到的部位，一定要注意保护。因为膝关节的损伤有时是很难恢复的，还可能留下永久的伤残。让孩子走时，最好穿上薄半长裤子，以保护膝盖。

571. 秋季护理要点

防冷热不均

炎热的夏季到秋季，气温不恒定，忽冷忽热，特别是一天之中温差较大，往往是早晚凉爽，正午也许就闷热，太阳灼人。如小儿不能及时增减衣物，就会造成凉热不均，易患感冒。秋季湿度下降，空气逐渐干燥，应多给小儿喝水，注意保持室内的湿度。

不要过早加衣服

孩子感冒最大的诱因是出汗后受凉。11个月的孩子正是学走路，有的刚刚学会走路，非常喜欢自己走路，活动量比较大，过早地加衣服会使小儿大量出汗，易致外感风寒，所以不要过早给孩子加衣服。

准备上托儿所的孩子

随着秋季的到来，有的家长开始给孩子断奶，准备送到托儿所，第一次上托儿所的孩子，相互感染的机会增加。玩具等公共设施都可以作为传播病毒和细菌的媒介，要勤剪指甲，用流动的水洗手，不用公共毛巾。显然，集体生活增加了患病的概率，但是不必为此而担心，随着孩子年龄的增长和抵抗能力的增强，患病的次数会逐渐减少。

防秋季腹泻

宝宝/崔博智

小绅士。

宝宝/杨力宁
姥姥真好看!

秋末,是秋季腹泻的流行季节。腹泻要及时看医生。(详细内容见第十三章相关内容。)

572. 冬季护理要点

不要停止户外活动

不要因为冬季到来而停止户外活动,每天至少也应该进行1个小时的户外活动。对婴儿进行初冬的耐寒锻炼,可提高呼吸道抵抗病毒侵袭能力。

防冻疮

寒冷季节,做户外活动时,要预防冻疮,主要是手脚和两腮容易受冻。从户外回来后,可用温水洗洗脸和手,轻轻揉一揉,促进血液循环,婴儿末梢循环差,即使戴手套,也会发生冻疮;在户外时,妈妈不时地给孩子捂捂手,捂捂小脸蛋,也是很有效的。如果今年冬天发生冻疮了,明年发生冻疮的机会就很高了,有时在初冬就可发生,所以要避免冻疮。

取暖的安全

冬季开始使用取暖设备,对于没有包上的暖气片,一定不能让婴儿触摸,如果使用电暖气,一定要放置在婴儿摸不到的地方。

有的妈妈把暖水袋放到婴儿脚下取暖,如果暖水袋的水太热,会烫了孩子;如果不是很热,半夜就可能凉了,所以没有必要使用暖水袋。更不能给婴儿使用电褥子。环境温度适宜了,局部温度就不会太凉。

如果晚上孩子因为冷而啼哭,妈妈可以把孩子搂到自己被窝里,大人的体温对婴儿的保暖是最安全的。这个月龄的婴儿不用担心妈妈会压到孩子而发生窒息。

第6节 本月护理常见问题

573. 喂饭困难

边吃边玩

孩子大了,开始淘气了,边吃边玩的现象是常见的,爱动的孩子,就像个小皮球似的,动来动去的,一会也不停息。追着喂总是不好的,会养成吃饭随便移动的习惯,想让这样的孩子一口气吃完饭是比较难的,把吃饭当玩,对于这样的婴儿,妈妈可适当给予制止,可以绷着脸看着孩子,告诉孩子这样不好。千万不要一个人喂饭,另一个人在旁边用玩具逗着,这样会让孩子养成边吃边玩的习惯。

饭送到嘴边用手打掉

当孩子不高兴,不爱吃,吃饱了时,妈妈把饭送到孩子跟前,孩子会抬手打翻小勺,饭撒了。遇到这种情况,妈妈千万不要再把饭送到孩子跟前,应该马上把饭菜拿走。

用手抓碗里的饭菜

这是很正常的事情,但是不能让孩子抓,让孩子拿着饭勺。即使不会使用,也要锻炼。能用手拿着吃的,就让用手拿着吃,不能用手拿着吃的,就让孩子使用餐具,规矩要从最初立下。

挑食

这是很常见的,什么都吃的孩子不多,每

个孩子都有饮食种类上的好恶,有的孩子就是不喜欢吃鸡蛋,有的孩子就是不喜欢吃蔬菜。要慢慢养成不偏食的习惯,但不能强迫孩子吃不爱吃的东西。可以想办法,如果孩子不爱吃鸡蛋,可以把鸡蛋做在蛋糕里,把鸡蛋和在饺子馅里,慢慢就适应了。

吐饭

从来不吐饭的孩子,突然开始吐饭了,首先要区分是孩子故意把吃进的饭菜吐出来的,还是由于恶心才把吃进的饭菜呕出来的。吐饭和呕吐不是一回事,到胃里后再吐出来的是呕吐,把嘴里的饭菜吐出来,是吐饭。呕吐多是疾病所致,吐饭多是孩子不想吃了。如果孩子把刚送进嘴里的饭菜吐出来,就不要再喂了。呕吐要看医生。

不会嚼固体食物

真正不会的孩子并不多,主要是父母或老人不敢喂,喂一点,孩子噎了一下,这没关系。就此不喂了,孩子就总也学不会吃固体食物。要大胆一些,慢慢训练,都能吃的。

喜欢上大人的餐桌抓饭

这是很自然的,哪个孩子都有这样的兴趣,不能为此就拒绝让孩子上餐桌。不要让孩子把饭菜抓翻,不要烫着孩子的小手。可以告诉孩子,给孩子禁止的信号,如妈妈绷着脸,说不能抓。但不能惩罚孩子,最常见的是

宝宝/李晋
嘿,好厉害,宝宝已经会反手扶着长凳,让自己稳当地站立着。

父母打孩子的手,这是不好的。

意外事故的发生

保姆看护的孩子,要不断提醒,一定要注意安全,这个月的婴儿,是意外事故高发时期。小的意外事故,也会给欢乐的家庭蒙上一层阴影。如果是大的意外,那对家庭可能就是灾难了,如大的烫伤、头部摔伤、需要缝针的脸部伤、电伤等。

一定要消除意外事故的隐患,爸爸抽烟的烟头、妈妈的化妆盒、煤气开关、电插头、开水瓶、药瓶都要注意。孩子睡觉时,妈妈即使干活也要在孩子房间里。

尿裤子

孩子还不会说要尿尿拉屎,这时把尿布撤了,尿裤子、拉裤子是很正常的。不要要求这个月的孩子就能控制大小便。如果孩子会蹲,告诉孩子有尿蹲下,如果知道这样做就已经是非常乖的宝宝了。

踢被子

有的婴儿无论春夏秋冬,都是踢被子,身上冻得冰凉,盖上被子,还是很快就踢下去。如果妈妈就这样踢了盖,盖了踢,那一夜恐怕也不能睡觉了。几乎所有的孩子都喜欢踢被子,这是管不了的,也不是教育的事,只有想办法,首先是不能盖得太多,热了就更踢被子。

如果不是冬天,盖被子时,把脚露在被子外面,这样孩子抬脚时,被子在腿上,踢也踢不下去,只是腿露出来,还盖着大半个身体,是冻不着孩子的。

有的孩子是满床滚,一会趴着,一会撅着,一会仰着,三下五除二,就把被子翻到身下了,就是盖不住被子。如果放到有栏杆的儿童床上,可能会一会磕头,一会磕腿,磕疼了,就哭起来;放到没有栏杆的大床上,可能

宝宝/荆羽萱

萱萱看见一个水杯，拿过来，放到脑后，好像在说，是我的。宝宝有自我意识了，会护着东西。妈妈可以开始引导宝宝学习分享了。

会滚到床下去；放在父母中间睡，肯定影响大人睡觉。如果是睡觉沉的爸爸，可能会把大胳膊或大腿压在孩子身上，是不安全的，所以不能让这样的爸爸和妈妈夹着孩子睡。

放在有栏杆的床上还是安全的。给孩子穿着贴身的棉质内衣睡觉，和被子的摩擦大，不容易踢掉被子。即使踢了，也冻不着孩子。不要把孩子放在睡袋里。

575. 睡眠困难

夜啼有无原因

无论哪个月龄的孩子，都有睡眠不好的，尤其是夜眠问题。从这个月开始出现夜啼的婴儿，可能是夜间做了噩梦。比如：白天摔了、打了预防针、小狗冲着他汪汪叫了、爸爸训斥了孩子，这些可能都会刺激孩子出现夜啼。

大部分夜啼是找不到原因的，不管使用什么方法，能让孩子很快入睡就行，不要让孩子哭个够；孩子哭，是向妈妈发出需要帮助的信号，妈妈应该帮助。但是，如果孩子要求半夜陪着玩耍，父母就不要答应这样做，要让孩子尽快入睡。

白天睡眠与夜晚睡眠关系

白天不再睡长觉的孩子多了起来。有的孩子晚上从8点一直睡到第二天早晨7-8点，这

样的孩子，可能白天只睡一觉，时间也不长；有的孩子能睡2-3觉，可一觉只睡不到一个小时。白天一觉能睡几个小时的孩子已经很少了。妈妈不要再希望孩子睡长觉，有的孩子下午能睡2-3个小时，妈妈就能休息或干些活。

孩子与父母睡眠习惯

有的孩子会按照自己的睡眠习惯，不管父母多晚睡觉，都是在固定的时间入睡，可有的孩子就不同了，如果父母不睡觉，单单哄他睡觉，他就是不睡。一直要等到父母睡觉为止。如果父母有晚睡晚起的习惯，让孩子早睡早起的话，也会影响父母休息，孩子5-6点就起床了，父母也就睡不成了。还不如让孩子晚睡1-2个小时，早7点左右起床，父母也不受影响。

总之，不管怎样的睡眠习惯，保证孩子充足的睡眠时间是很重要的。睡眠不足，会影响孩子的生长发育。

预防吸吮癖

到了这个月，有的婴儿不爱吃妈妈的奶头了，妈妈的奶头也就不再是哄孩子入睡的有力武器了，这时让孩子入睡可能是比较困难的。这种情况虽然少见，也有可能遇到，妈妈不要着急。孩子需要一段适应过程。慢慢就会自然入睡的，如果孩子不吃奶头，转而吃手指或吸吮其他物品了，应该慢慢纠正，不能

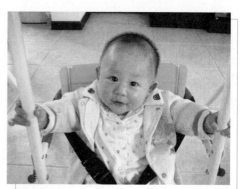

宝宝/崔博智

我喜欢荡秋千。

宝宝/李晋
宝宝满脸"沧桑"的样子。爸爸妈妈注意宝宝还不能把握住自己,更不能保证自己不从凳子上摔下来。

顺其自然。养成吸吮癖是不好改正的。

576. 其他育儿警示

不要让孩子养成不良习惯

孩子大了,个性明显了,开始有了自己的主见,想按自己的意愿做事。这个时期,可能会让孩子养成某种不良习惯,如抓"小鸡鸡";用哭要挟父母,达到目的;吸吮手指,恋自己的小毛巾被,不蹭着它就睡不着觉;打人;追着喂饭,边玩边吃饭,含着奶头睡觉等等。父母要帮助孩子克服这些毛病,不要使其发展为不良习惯。

及时发现舌系带过短

孩子进入了语言学习阶段,如果有舌系带过短,会影响孩子的发音,要及时发现,及时处理。舌系带过短,即孩子把舌头伸出来时,舌尖很短,严重者成W形。

被动接受向主动要求转变

以前孩子都是被动地接受父母的哺育,随着年龄的增长,孩子开始有了主动的要求:

· 要自己动手干事情了。
· 要求父母做什么了。
· 自己拿勺吃饭,下手抓饭。
· 自己选择玩具玩。
· 指着门,要妈妈带到外面去玩。
· 不想吃的就吐出来,扭过头去,不张开嘴。
· 递给他不喜欢的东西,或者不去接,或者推开,或者接过来扔掉。
· 喜欢的东西,要想从手里要过来,也难了,硬抢,可能会大哭以示不满。
· 动辄会大哭表示不满。
· 不喜欢妈妈领着走,要自己走了,尽管摔倒了,爬起来会接着走。

注重点滴培养

父母要学会尊重孩子的爱好,满足孩子的合理要求,鼓励孩子自己动手,给孩子自己锻炼的机会。如果一摔倒了,父母马上就把孩子扶起来,就会削弱孩子克服困难的决心和毅力。不要小看这一小小的举动,培养孩子就是从细节开始的。

577. 免疫接种

这个月没有国家计划免疫疫苗。

第十二章
11-12个月的婴儿
（330—365天）

　　快满周岁的婴儿能一眼认出人群中的爸爸妈妈。认识经常来串门的客人，会对着他们笑。拒绝让生人抱，如果勉强抱过去，可能会使劲挣扎，或许会哭。

　　有的婴儿已经离开妈妈自己蹒跚走路了。

第1节 本月婴儿特点

578. 从人群中认出父母

　　婴儿快满周岁了，能耐可不小了，能一眼认出人群中的爸爸妈妈。如果爷爷奶奶、外公外婆经常来看望孩子，他们一进门，婴儿就会非常高兴，会拍手欢迎，急着让他们抱；说话早的婴儿，还会一边把手伸过去，一边说"抱——抱——"。当爷爷奶奶抱的时候，婴儿会高兴地跳来跳去，有些抱不住了，好像要从怀里蹿出来。

579. 辨别生人和熟人

　　婴儿不但认识亲人，还能分辨生人和熟人，经常串门的客人，婴儿会一眼认出来，对着他们笑。如果是从来没有见过的生人，或很长时间没有见过面熟人，会瞪大眼睛看着他们。会拒绝让生人抱，如果勉强抱过去，可能会使劲挣扎，或许会哭。

580. 小外交家的气质

　　有的婴儿天生是个外交家，见什么人都笑，也喜欢让人抱，很随和的样子。这是婴儿

宝宝/王震坤
　　妈妈总是为宝宝出牙迟着急，其实，无论是出牙早还是迟，只要没病，到2岁半左右，都能出齐20颗乳牙。妈妈不必为宝宝没有周围小朋友牙齿出得多而焦急。

宝宝/王震坤
宝宝和小狗狗成了好朋友。

的性格，认生与否，并不是智力因素决定的。

581. 孩子的模仿能力

　　如果父母经常爱亲亲孩子的小脸蛋，婴儿也会模仿大人，亲亲妈妈爸爸的脸。婴儿已经理解了，这个举动是友好的。

　　教婴儿做过的动作，婴儿就会表演了。皱鼻子做怪相；努努嘴；用食指刮刮脸蛋"羞一个"；左右手食指尖对在一起再分开"飞一个"；用手比画；两手合在一起"谢谢"；问孩子几岁了，会伸出食指"1岁了"；能指出五官的位置；知道自己叫什么，不管谁叫他的名字，都会寻声望去，找一找"谁在叫我呀"；听到外面传来他熟悉的小动物叫声时，孩子会用手指着外面"嗯，嗯"地告诉你，他听到了小动物的叫声；说话早的婴儿还会模仿小动物的叫声。婴儿开始对外界的事情格外感兴趣了，看到什么，听到什么都要有所反应，显出机灵的样子。喜欢和孩子玩，看到孩子就会凑上去，摸摸人家，对小孩比对其他事物更感兴趣。

582. 显出更多的个性

　　和大人一天吃三顿饭的婴儿多了起来，能按妈妈意愿和要求吃饭的婴儿越来越少了，婴儿饮食习惯的个性化越来越明显。

越大的婴儿越有自己的好恶，对饮食、睡眠、玩耍等都开始有了自己的主见。逐渐从被动接受向主动要求转变。父母要了解婴儿的这种变化，非原则性的事情，尽量尊重婴儿的喜好。这是和婴儿和平相处，愉快生活，也是减少"厌食"的方法。

583. 会蹒跚走路了

婴儿的活动能力增强了，得到更多训练的婴儿，已经会离开妈妈自己蹒跚走路了。有的孩子还需要妈妈扶着。即使不会走路，父母也不要着急。1岁半才会走路的孩子也是正常的。

1岁还不会站、不会爬的孩子没有了。坐得稳，爬得快，站得直。放在学步车里，能走得很快，会撞这撞那的。如果地滑，会连人带车翻倒，也可能把腿别了，或手撞在家具上。所以，把孩子放在学步车里并不安全。

584. 睡觉好坏因人而异

· 睡觉好的婴儿能睡一大宿，半夜把尿时婴儿也不醒来，即使醒了，放下后很快就能入睡。

· 多数婴儿一天睡14个小时左右，白天睡1-2觉。有的婴儿晚上睡觉很好，白天不肯睡。

· 有的婴儿白天睡得很好，可晚上睡得不好。

· 有的婴儿晚上睡得很晚。

· 有的半夜醒来哭或玩。

宝宝/王震坤
小狗狗先来亲亲小宝宝。

宝宝/王震坤
小宝宝再来亲亲小狗狗。

· 有的是一会就醒，哭几声再睡，总是不踏实的样子，弄得父母也睡不好。

· 有的婴儿凌晨一大早就起来玩，快天亮，又开始睡了，一直睡到9-10点钟。

睡觉情况千差万别，什么样的都有。如果说是父母没有给婴儿养成好的睡眠习惯，有时真是冤枉了父母。有好的睡眠习惯的婴儿，父母可能什么也没有做。睡眠习惯不理想的婴儿，父母也费了很大劲，一直试图纠正，却难以实现。

只要孩子健康，随着月龄的增长，睡眠问题会解决的。想想新生儿期，多少令父母着急的事啊，不都过来了吗？孩子从妈妈的子宫来到这个世界，一切都要逐渐适应，我们不能苛刻地去要求孩子。我们也应该理解孩子，如果孩子"不好好睡"父母就生气，夫妇闹意见，对孩子不耐烦，会影响孩子的情绪。

585. 可以训练大小便了

从现在开始可以训练孩子大小便，但不能指望能很快奏效。1岁半以后会蹲下撒尿，晚上会醒来叫嚷着尿尿，已经是很不错了。2周岁以后会告诉排大便，不再拉裤子了说明训练是很成功的。如果孩子让妈妈把尿，也喜欢坐便盆，就这样训练下去。如果孩子反对妈妈这样做，把尿就打挺，坐便盆就闹，一定不要强求孩子，过一段再说。训练大小便

宝宝/王震坤
这个动作美不美。

宝宝/王震坤
表演结束了，大家给点掌声吧。

不能着急，欲速则不达。尤其在晚上把尿时导致孩子哭闹，影响孩子睡眠，就暂且停一停，这么大的婴儿不容易患尿布疹了。

586. 防意外事故仍是重点

随着婴儿长大，户外活动范围增加，游戏项目也增多了，意外事故发生的机会也随之增加了。父母仍要把预防意外事故当成重点。

587. 父母关心重点转移到智力发育

随着婴儿的长大，关心婴儿智力发育的父母迅速增加，对于婴儿的吃、喝、拉、撒、睡的关心程度有所降温，对于体格发育的关心程度也有不同程度的改变。几个星期测量一次身高体重头围的父母不多了，多是一季度或半年测量一次。一克一克计算体重、一毫米一毫米计算身高头围的父母也不多了。

更多的父母开始注意婴儿的智力发育。

588. 智力发育不易判断

在智力发育问题上，医生也会遇到一些难以解释和解决的问题。在工作中，时常有父母询问他们的孩子智力发育是否正常。其实，这个问题并不是一两句能回答的，要全面估计，较难判定。每个孩子的发育模式都不尽相同，受诸多因素影响。

589. 体格发育并不均衡

孩子体格发育是否正常，有一些客观指标，相对容易些，但小儿发育有时是不均衡的，可能一段时间发育加快，一段时间发育减慢，甚至略有倒退。这种倒退，也许正是"黎明前的黑暗"。

590. 父母的正确做法

不必担忧，更不要试图以各种方式加快孩子的发育速度，这会使父母气馁，孩子受罪。如果妈妈制订出计划，一天教孩子认识几个汉字，或几个数字，或几个英语单词，这对刚刚1岁的孩子来说，不但是比较困难的，也是枯燥乏味的，孩子没有兴趣这样死记硬背。现代的父母应给孩子更多自由发展的空间，创造更多自然发展的环境。父母强行推着孩子向前走，只能事与愿违，欲速则不达。

第2节 本月婴儿生长发育

591. 身高

11到12个月婴儿身高平均值是：75.2～76.5厘米（男婴），73.7～75.1厘米（女婴）。一般情况，全年身高可增长25厘米。

592. 体重

11到12个月婴儿体重平均值是9.65~9.87公斤（男婴），9.02~9.24公斤（女婴）。一般情况下，全年体重可增加6.5公斤。

593. 头围

这个月婴儿头围增长速度同上个月，一个月可增长0.67厘米，一般情况下，全年头围可增长13厘米。满1岁时，如果男婴头围小于43.6厘米，女婴头围小于42.6厘米，被认为头围过小。

594. 前囟

1岁半左右开始闭合。

第3节 本月婴儿能力

595. 看的能力：注意力更集中

能有意识地注意某一件事

随着婴儿月龄的增长，婴儿注意力能够有意识地集中在某一件事情上，而在小婴儿阶段主要是非意识注意。有意识地集中注意，使婴儿学习能力有很大提高。注意是婴儿认识世界的第一道大门，是感知、记忆、学习和思维不可缺少的先决条件。婴儿的注意力也需要父母后天的培养。

如何提高婴儿的注意力

1）想让婴儿能够把注意力集中在某一件事情上，必须让婴儿处于最佳精神状态。通俗地说，就是要让婴儿在吃饱、喝足、睡醒、身体舒适、情绪饱满状态下，才容易集中注意力。

2）吸引婴儿有意识的注意力，要选择适合婴儿年龄的刺激物，这也是很关键的。如果给这个月的婴儿看字书，那无论如何也不会吸引婴儿的有意注意力。婴儿喜欢看色彩鲜艳的、对称的、曲线形的图形，更喜欢人脸和小动物的图画，喜欢看活动着的物体。如果父母从自己的好恶出发，不切实际地让孩子看一些东西，孩子就不能很好地集中注意力，也就不能达到学习的目的。

596. 听的能力：能听懂许多话的意思

婴儿更喜欢听妈妈的高频度的音调，喜欢听节奏感强、优美、声音适中的音乐。听的能力，是婴儿学习语言的基础，这个月的婴儿虽然还不会说几句话，但是却能听懂许多话的意思。婴儿就是靠听妈妈爸爸和周围人的说话，靠观察父母说话时的口形，靠父母在日常生活中，语言和动作的结合，靠妈妈日常和婴儿说话来学习语言的。婴儿不断积累词语，最终学会了用语言来表达，父母要懂得给婴儿创造语言环境的重要性。

宝宝/王震坤
和小狗玩得不错，但时间长了还是要找妈妈。

宝宝/王震坤
我和小狗谁更美。

这个月的婴儿，语言发育程度是参差不齐的，说话早的婴儿，已经能用语言表达简单要求了。如能很清晰地叫妈妈爸爸奶奶，会说吃吃，抱抱，饱饱，撒撒，拜拜，汪汪。

有的婴儿会说许多莫名其妙的词，父母也听不懂。这是婴儿语言学习中常见到的现象。当听到婴儿在嘀嘀咕咕说些莫名其妙的话时，妈妈要努力去领会孩子的意思，积极和孩子交流，并借机教给孩子正确的词语，这样能鼓励婴儿更多的发音。当婴儿嘀嘀咕咕说话时，父母不要在一旁嘲笑，这样会打消孩子说话的积极性，应该报以鼓励、赞许、参与的态度，使婴儿有更大的兴趣发音。

598. 玩的能力：开始想要伙伴

婴儿自己玩的能力增强了，安静的婴儿，能坐在那里玩很长时间的玩具。这个时期的婴儿不喜欢在商场购买的玩具，开始喜欢家里的东西，比如小梳子，妈妈的首饰盒，吃饭的小勺，妈妈做饭的锅碗瓢盆等。会走的婴儿，开始到处翻箱倒柜，把东西从箱子里拿出来，这比玩玩具更有趣。

这个月的婴儿喜欢找伙伴玩了，开始了最初始的社交活动。看到和自己差不多大的孩子，会很高兴，拉拉手，摸摸脸，很亲热的样子。这与前几个月有很大的区别了。前几个

宝宝/王震坤
身边有妈妈，有小狗陪着玩，真是幸福啊。

宝宝/王震坤

月，看到和自己差不多大的孩子，只是看看，笑笑，一会就没兴趣了。现在不同了，如果一个房间内有大人和孩子，婴儿就会走向孩子，去进行"交流"。如果有几个孩子在一起玩，他也会急着"入伙"，父母要给孩子创造这样的机会。现在家庭大多是三口之家，很少有机会接触孩子，这会扼杀孩子和人交往的欲望，变得不合群。多和孩子接触，也为以后上托幼机构打基础。

599 大人的影响

一个不满1岁的婴儿（男婴，差半个月过生日），他的爷爷是著名油画家，时常在支着的大画板上用画笔作画，婴儿从小就看爷爷作画。当婴儿在十一个多月会扶着东西走时，他扶着墙走到了爷爷的画室，拿起比他胳膊还长的画笔，在爷爷的大画板上涂来涂去，一副很认真的样子。哇，他在学着爷爷的样子作画呢！爷爷当然是异常兴奋了，尽管把爷爷的画上点了一个个大点子，爷爷也没有责怪孩子。

孩子的模仿能力是惊人的，所以说，婴儿周围人的一言一行，都影响着孩子，对婴儿有潜移默化的影响。父母一定要给孩子树立好的形象。不让孩子做的，首先自己不要做。婴儿不但能听懂父母许多话的意思，还喜欢听父母讲故事，念儿歌了。以前，婴儿只能听

与动作有联系的话，慢慢地，婴儿有了听故事、儿歌的能力了，这是婴儿不小的进步。父母要开发婴儿这一潜能，抽出几分钟的时间，给婴儿念段儿歌，讲个故事。把用奶瓶诱导睡眠转换为以讲故事诱导睡眠，妈妈可不要嫌浪费时间。

600. 让孩子自己爬起

婴儿在练习走步的过程中，会无数次地摔倒。父母如何面对摔倒的孩子，对孩子以后的性格有深刻的影响。在这一点上，东西方有着显著的差异。东方国家，尤其是我们中国，一家几口人，就围绕着这么一个宝贝，摔倒了，还是马上跑过去扶起孩子。

父母要下一下决心，婴儿摔倒时，让他自己爬起来。这是对婴儿真正的疼爱，从小培养孩子自己克服困难的毅力和能力。

601. 婴儿智能开发

遗传提供的是基础，生活体验造就的是精神与灵魂。早期教育的精髓不是灌输各种知识，而是聆听、指导孩子认识真实的世界。

遗传与孩子智力

婴儿的大脑发育是由哪些要素决定的呢？是先天的，还是后天的？是按照固定的模式呢？还是有千差万别呢，父母们越来越关心孩子的智力发育，都希望自己的孩子聪明绝顶。孩子智力不如人意，父母大多归于没有遗传好的基因。其实，大脑的发育是受很多因素影响的，遗传仅仅是一个侧面。我们应该用科学的态度来对待孩子的智力发育。

在过去的几十年里，科学家们认为人类大脑的结构是由遗传的模式决定的。近年来，神经学家研究发现，儿童早期的经历可极大程度地影响脑部复杂的神经网络结构。

3岁以前的大脑"格式化"完毕

视觉是大脑发育的起点，在婴儿生后几分钟内，当妈妈目不转睛地注视着孩子的时候，婴儿活跃的眼球会暂时停止转动，瞬间仅仅朝着妈妈的脸。这时小儿视网膜上的一个神经细胞就与其大脑皮层的另一个神经细胞联系起来，妈妈的面部影像就在婴儿大脑中留下永久的记忆。3个月时，婴儿视觉皮层的细胞联系达到高峰，两岁内大脑的每个细胞都与大约一万个其他细胞相连。3岁以后大脑就基本停止发育，大脑的复杂性和丰富性已基本定形，并且停止了新的信息交流，这时大脑的结构就已经牢固地形成了。虽然这并不意味着大脑的发育过程已经完全停止，但如同计算机一样，硬盘已基本格式化完毕，等待编程。

搂抱、轻拍、对视、对话、微笑的智力意义

被严重忽视的孩子，其脑部扫描图中负责情感依附的大脑区域根本没有得到发育。孩子幼时丰富多彩的生活经历，有利于大脑神经细胞间的复杂联系。在一个充满忧虑和紧张气氛家庭里长大的孩子，要比在充满爱心，欢乐欢乐气氛家庭里长大的孩子缺乏处理问题的方法，而且很容易被自身的感情压垮。相反，在充满爱心、气氛欢乐的家庭里长大的孩子，情感健全，处理问题的能力相对

较强。

　　科学家们确信，孩子的早期经历在他们的长远成长过程中发挥着重要作用。有关专家发现平素一些自然而又简单的动作，如搂抱、轻拍、对视、对话、微笑等都会刺激婴儿大脑细胞的发育。

第4节　本月婴儿营养需求

602. 营养需求原则

　　这个月龄婴儿营养需求和上月没有什么大的差别，每日每公斤体重需要供应热量110卡，蛋白质、脂肪、碳水化合物（糖）、矿物质、维生素、微量元素、纤维素的摄入量和比例也差不多。蛋白质的来源主要靠副食中的蛋、肉、鱼虾、豆制品和奶类。脂肪来源靠肉、奶、油。碳水化合物主要来源于粮食，维生素主要来源于蔬菜水果，纤维素来源于蔬菜，矿物质和微量元素来源于所有的食物，包括水。

603. 挑食婴儿注意补充营养

　　·对于不爱吃蛋肉的婴儿，应该多吃奶类，来补充蛋白质。

　　·对于不爱喝奶的婴儿，应该多吃蛋肉和豆制品，来补充蛋白质。

　　·对于不爱吃粮食的婴儿，奶比蛋肉能供应更多的热量。

　　·对于不爱吃蔬菜的婴儿，应该多吃水果，来补充维生素的不足。

　　·便秘的婴儿多吃含纤维素的食物和粗粮。

604. 在营养补充方面应该注意几点

　　豆制品。虽然含有丰富的蛋白质，但是所补充的主要是粗质蛋白，婴儿对粗质蛋白的吸收利用能力差，吃多了，会加重肾脏负担，最好一天不超过50克豆制品。

　　断奶但不断奶制品。快1岁了，结束以乳类为主食的时期，开始逐渐向正常饮食过度，但这并不等于断奶。即使不吃母乳了，每天也应该喝牛奶或奶粉。如果每天能保证500毫升牛奶，对婴儿的健康是非常有益的。

　　高蛋白不可替代谷物。为了让婴儿吃进更多的蛋肉、蔬菜、水果和奶，就不给孩子吃粮食的做法是错误的。婴儿需要热量维持运动。粮食能够直接提供婴儿所必需的热量，而用蛋肉奶提供热量，需要一个转换过程。在转换过程中，会产生一些不需要的物质，不但增加体内代谢负担，还可能产生一些对身体有害的废物。

　　不偏食。不偏废任何一种食物，是最好的喂养方式和饮食习惯。这就是合理的膳食结构，什么都吃，是最好的。蛋白质重要就只吃含蛋白质的食物是错误的做法。这个月龄的婴儿如果只是靠奶类供应蛋白质，会影响铁及其他一些矿物质的吸收利用，动物蛋白和油脂食物是吸收铁及其他一些矿物质及维生素（脂溶性维生素，如维生素A）的载体，如果只喝奶，就会导致贫血及一些矿物质和维生素吸收利用障碍。

宝宝/尚潘柔美
　　美美快1岁了，出生在北京，现在正是寒冷的冬季，穿得圆乎乎的，戴着暖洋洋的棉帽子。由于季节和环境因素的影响，同样月龄宝宝能力发展会呈现出差异。

宝宝/王震坤

宝宝1岁了，也出生在北京，现在正是春暖花开时节，坐在松软的草地上玩耍，好开心。

额外补充维生素。孩子1岁了，户外活动多了，也开始正常饮食了，是否就不需要补充鱼肝油了呢？不是的，仍应该额外补充，只是量有所减少，每日补充维生素A800IU，维生素D200IU。不爱吃蔬菜和水果的婴儿维生素可能会缺乏，粮食、奶和蛋肉中也含有维生素，但是由于烹饪关系，维生素C被大量破坏。生吃的水果可以补充维生素C，如果孩子不爱吃水果，要补充维生素C片。

第5节 本月婴儿喂养方法

605. 关于断奶的建议

· 一些妈妈准备在孩子1岁以后就断掉母乳，所以从现在开始就有意减少母乳的喂养次数，如果婴儿不主动要，就尽量不给孩子吃了。

· 晚上有吃奶习惯的，妈妈怕断奶困难，就尽量不给孩子夜间喂奶，即使是哭闹，也有意让孩子多哭一会，这是没有必要的。让孩子长时间夜啼是不好的，如果给孩子吃奶能使婴儿很快入睡，就应该给孩子吃奶。夜间吃奶没有什么危害，也不会造成以后断奶困难，如果孩子形成夜啼的习惯，就不好纠正了。

· 并不是说到了1岁以后就要马上断奶，如果不影响婴儿对其他饮食的摄入，也不影响婴儿睡觉，妈妈还有奶水，母乳喂养可延续到

1岁半。

· 有的婴儿1岁以后，即使不断奶，自己对母乳就不感兴趣了，可吃可不吃的样子，这样的婴儿是很好断奶的，不要采取什么在乳头上抹辣椒，贴胶布等硬性措施。

· 即使1岁还断不了母乳，再过几个月，也能顺利断掉母乳。婴儿到了离乳期，就会有一种自然倾向，不再喜欢吸吮母乳了。母乳少的，有的不用吃断乳药，婴儿不吃了，乳汁也就自然没有了。母乳比较多的，还需要吃断乳药。

606. 断奶前后宝宝饮食衔接

· 有的妈妈认为断乳了，就一点奶也不能给孩子吃了，尽管乳房很胀，也要忍，用吸奶器也无济于事。其实，如果服用维生素B6回奶，婴儿可继续哺乳，出现乳房胀痛时，还是可以让婴儿帮助吸吮，能很快缓解妈妈的乳胀，以免形成乳核。

· 断奶并不意味着就不喝牛奶了。西方国家，人几乎一生都要喝牛奶，我国民众也早已知道牛奶是补充钙和蛋白质的重要食物，牛奶的销量在逐年上升。所以，牛奶需要一直喝下去，即使过渡到正常饮食，这个月的婴儿每天还应该喝500~600毫升的牛奶。

· 最省事的喂养方式是每日三餐都和大人一起吃，加两次牛奶，可能的话，加两次点心水果，如果没有这样的时间，就把水果放在三餐主食以后。有母乳的，可在早起后、午睡前、晚睡前、夜间醒来时喂奶，尽量不在三餐前后喂，以

宝宝/尚潘柔美

宝宝扶着物体可以从站位蹲下来拾小球，这个动作能锻炼宝宝的平衡感。

宝宝/尚潘柔美
美美不但会拿着电话当玩具玩，还会真的拿起电话给家人打电话呢。

免影响进餐。

· 这个月婴儿可吃的蔬菜种类增多了，除了刺激性大的蔬菜，如辣椒、辣萝卜，基本上都能吃，只是要注意烹饪方法，尽量不给婴儿吃油炸的菜肴。随着季节吃时令蔬菜是比较好的，尤其是在北方，反季菜都是大棚菜，营养价值不如大地菜。能吃的水果种类也多了，和蔬菜一样，随着季节吃时令水果最好，柿子、黑枣等不宜给婴儿吃。

第6节 本月婴儿护理要点

607. 春季护理要点

春季是带婴儿进行户外活动的好季节。可以带孩子到稍远的地方游玩，但要注意安全。春季里，对于有过敏体质的婴儿来说，可能会出现咳嗽、喘息，有的婴儿会在手足等处，长出红色的小丘疹，这就是春季出现的湿疹。有明显的瘙痒感，不需要特殊处理。

608. 夏季护理要点

勿过多食用冷饮

冷饮是小儿喜欢的食品，一定要限制摄入量。过多摄入冷饮会引起小儿胃肠道疾病，也会伤害牙齿。冷饮一般要比胃内温度低

二三十度。胃黏膜受到过冷刺激后，黏膜血管强烈收缩，胃内分泌紊乱。胃酸、胃酶分泌锐减，使胃的消化、杀菌、免疫能力大幅度下降。儿童胃黏膜非常娇嫩，很易造成"冷食性胃炎"，出现腹胀、恶心、呕吐、消化不良等症。若冷饮不合格，还可能造成细菌性胃肠疾病。过多食用冷食还可能影响小儿牙齿发育，尤其是在换牙期。

食用熟食要小心

夏季蚊蝇较多，细菌容易繁殖。食用熟食一定要倍加小心，尽量不食用熟食，放在冰箱里的熟食要经过高温加热后再给孩子吃，打开真空包装袋的，存放时间不要超过72小时。食用剩饭时也是如此，即使是放在冰箱中，也要加热后再吃。冰箱不是消毒箱，冷藏室中的细菌同样可污染食品。

避免肠道传染病

夏季是肠道传染病的好发季节，如细菌性痢疾、大肠杆菌性肠炎等。注意饮食卫生，是阻断肠道疾病的有效方法。

避免蚊虫叮咬

尤其是到外游玩时，野外蚊虫有毒，小儿被咬后由于毒素作用，局部会出现严重的红肿，甚至发烧。另外，蚊虫也是传染病的传播媒介，没有接种过乙脑疫苗的小儿，更

宝宝韩盛泉
今天是宝宝的生日，爸爸妈妈要给他留张生日照，宝宝想把帽子脱下来。

易被传播上，即使是接种了乙脑疫苗也有被传染的可能。

防止日光性皮炎

夏季日光中紫外线指数大，应注意避光。尤其要注意对小儿眼睛的保护。配戴太阳镜一定要注意太阳镜的质量，劣质的太阳镜不但不能有效防止紫外线的辐射，反而会损害眼睛。涂抹防晒霜也要注意质量和防晒系数。

正确使用空调、电风扇

不要把室内温度调得太低，一般情况下，室内与室外温度之差不超过7摄氏度。夏季开窗睡觉时注意不要有对流风，空调的冷风口和电扇不要直接对着小儿吹，尤其在小儿出汗时更应远离风口。即使是有空调的房间，也要定时开窗通风一定的时间。

进入冷气开放场所时

室外是烈日炎炎，进入商场、游乐场、冷饮厅、麦当劳等带有空调的场所时，小儿汗毛孔突然关闭，会发生外感风寒，很易患感冒。要擦干身上的汗水，穿上长裤长袖衬衫，到室外后再换上短衣。这样虽然费事，却能避免小儿患病。

生瓜果、生菜中可能附有虫卵

吃进后可在人体中生长、繁殖，到秋季时，虫卵变成成虫，是小儿罹患肠虫症、胆道蛔虫症等的主要原因。小儿不宜食半生食品，如涮海鲜品、肉类等，吃半生的淡水海螺、螃蟹等可能感染上肺吸虫病。小儿手上和指甲缝中可存在蛲虫卵，通过口腔进入肠道使小儿患肠蛲虫症。

其他应注意的

·小儿夏季出汗多，适当增加盐的摄入；

·夏季日照时间长，晚间睡眠时间相对少，要让小儿午睡；

·因夏季炎热，小儿食欲差，但消耗不少，要摄入富含蛋白质的食物，以保证小儿生长需要；

·不要让小儿在烈日下玩耍，尤其是婴幼

宝宝/王震坤
宝宝手的动作多了起来。只有让宝宝多做，才能锻炼宝宝的动手能力。

儿；家长总是怕孩子着凉受风，往往给穿太多，不敢开窗，造成小儿中暑；

·任何饮料都不能代替白开水，多饮白开水既能补充水分，又没有色素、碳酸、糖精、香精等化学添加品。

609. 秋季护理要点

避免冷热不均

夏秋交替时节，气温不稳定，忽冷忽热，日温差比较大，很易感冒。由于小儿的体温调节中枢和血液循环系统发育尚不完善，不能及时调节体内和外界的急剧变化，很容易出现发热、咳嗽、流涕等感冒症状。不要过早给孩子加衣服，每天要根据天气变化给孩子增减衣服。

当孩子出汗时

1）当孩子已经出汗时，不要马上脱掉衣服，应该让孩子静下来，擦干汗水，再脱掉一件衣服；

2）不要把出汗的孩子放到风口处乘凉，更不能使用电风扇或空调等方法为孩子降热；

3）不要让孩子快速喝冷饮，应给孩子喝温白开水，这样不但可预防感冒，更重要的是对小儿胃肠道和肺部有益。

预防呼吸道感染

感冒是上呼吸道感染，气管炎、肺炎则

是下呼吸道感染，下呼吸道感染要比上呼吸道感染严重得多。让小儿到大自然中去锻炼，有氧锻炼是提高机体抵抗力的好方法。可大多数父母都是怕孩子冻着，很少有怕孩子热着的，早早就给孩子穿上厚厚的衣服，盖上厚厚的被子，天气刚刚有些凉意，就闭门闭窗，这无异于剥夺了小儿在大自然中锻炼的机会。

添加衣服方法

1）当秋季来临时，不要急于给孩子添加衣服，加上后就不好减掉了，因为天气一天比一天冷，只能是越加越多；

2）最好的办法是您与小儿穿一样厚薄的衣服，如果您静坐时不感到冷，小儿就不会冷。小儿虽然没有大人耐寒，但小儿始终

宝宝/尚潘柔美
宝宝一定能自己吃，妈妈相信宝宝，宝宝行，再来试试看。宝宝再次吃了起来。自己果然能。

宝宝/尚潘柔美
妈妈，我吃不了这个，快来帮帮我来呀！

是在运动状态，即使是睡着了也不会安静。

当孩子感冒时

1）当小儿患感冒时，最常见的症状是发热、流涕、喷嚏。呼吸道分泌物中有许多病毒和炎性细胞。流涕、打喷嚏是清除病毒及异常分泌物的有效途径。抗感冒药多数是针对发热、流涕、喷嚏症状的，服用感冒药后，症状减轻了，但呼吸道黏膜却干燥了，不但不能清除病毒，还可使细菌乘虚而入，发展致下呼吸道感染。所以，小儿感冒不要服用过多的抗感冒药。

2）抗生素不是治疗感冒药，90%以上的感冒是病毒感染，尤其是感冒初期，不要动辄就使用抗生素，这不但不能治疗感冒，还使孩子对抗生素产生耐药性，是药三分毒，当它对疾病没有治疗作用时，就只剩下副作用了。

3）多休息、多睡眠、多饮水，适当退热，注意护理是治疗感冒、预防下呼吸道感染的好方法。

有关秋季腹泻

秋季腹泻是由轮状病毒引起的感染，好发季节是秋冬。易发于两岁以内小儿，是流行较广的小儿传染病。秋季腹泻是传染病，患有秋季腹泻的患儿可从大便中排出大量的轮状病毒，可于感染后1—3天开始排出，最长可排6天。

预防秋季腹泻

1）父母处理完患儿大便后要彻底清洗手部、被粪污染过的物品，以免传播病毒。

2）在腹泻流行季节，不要接触患病儿，不要带孩子到人群多的场所玩耍。

3）要保持室内空气新鲜、流通。

秋初防痱

有的孩子在炎热的夏季没有患痱子，到了夏末秋初却生了痱子。夏季父母都比较注意预防，到了秋季，天气还不稳定，某一天，

气温可达夏季那样高，但这时父母已经不再给孩子勤洗澡，擦痱子粉了，结果就造成了夏季不得痱子，秋季得的现象。

1）虽然天气渐渐凉下来，也要坚持给孩子洗澡。通过不间断的洗澡，提高孩子对逐渐变凉的气候的适应能力。

2）不要过早给孩子添加过多的衣服，睡觉时也不要盖得过厚。

防咽炎

秋季湿度下降，空气逐渐变得干燥，小儿出汗减少，喝水也减少，大多不会主动要水喝，咽部干燥，在咽部长存的细菌就会繁殖导致咽炎、气管炎等，这是造成小儿易患咽炎的外在原因。

1）父母要督促孩子多喝水，饮料不能代替白开水，尤其含糖多的饮料。

2）注意室内湿度，可使用加湿器，调解室内湿度。

3）减少孩子之间相互感染的机会。

610. 冬季护理要点

预防流行性腹泻

秋末冬初季节，婴儿容易患病毒性肠炎，要注意预防。在腹泻流行时期，少去公共场所，不要接触患腹泻的婴儿。一旦出现腹泻，要及时补充水分。

男婴下身的清洗

一般小孩子大便后，家长都给孩子清洗屁股，这是正常的，但是对于小男孩，很多家长做得还很不够。在儿童期，阴茎的包皮都包着龟头，其内温度高、湿度大，易于细菌繁殖，引起炎症，而且还容易产生一些白色物质，这些物质叫包皮垢。包皮包盖龟头的地方为"藏污纳垢"之处，是主要的清洗部位。所以，家长要经常将孩子的包皮轻轻翻开，暴露出龟头，用洁净温水清洗。清洗时，动作要轻，忌用含药性成分的液体和皂类，以免

宝宝/尚潘柔美

宝宝/尚潘柔美
妈妈不理。宝宝停止哭声，把食物拿出来无奈地看着妈妈。

引起刺激和过敏反应。清洗后，要轻轻擦干，将包皮轻轻翻转回去。

也有部分男孩包皮口过紧或生来就很狭小，千万不能强行翻转，否则会引起外伤或引起嵌顿性包茎。对这样的孩子，除经常注意保持局部清洁、干燥外，应在4—6岁到正规医院泌尿科进行包茎手术。

女婴下身清洗

应该注意不要肛门和尿道处混合着洗，应该是先洗尿道口和阴道口处，后洗肛门处，一定要避免从后向前洗。擦屁股也一样，更要从前向后擦。

611. 免疫接种

满1岁时，可接种乙脑疫苗。

第7节 婴儿啼哭的护理

612. 夜啼

小儿夜啼俗称闹夜，是睡眠障碍的一种表现，引起小儿夜啼的原因很多，各年龄阶段有其不同的原因和特点。小儿夜啼虽然不是什么大病，但却困扰着许多父母。有的父母被小儿夜啼闹得精疲力尽，整夜不能安稳入睡，甚至三更半夜跑到医院。可往往是父母急得满头大汗，孩子到医院却高兴地满地跑，不哭了，也不闹了，这是为什么?

婴儿夜啼寻因：

娇惯所致

1）可能发生的情形：父母一贯迁就孩子，小儿一哭就摇、拍、哄，抱着孩子满屋走。久而久之，孩子把父母的"哄觉"当做自己的权利，无论你怎样疲惫不堪，孩子都是日复一日，变本加厉，哭闹的时间越来越长。

2）要改变孩子夜啼的习惯，讲起来容易，做起来可不容易。父母总是不忍心听着孩子的大声哭喊，最终还是妥协。有的医生认为，对这样的孩子，家长应该狠下心来，让孩子知道，半夜醒来哭闹什么也得不到，采取不予理睬的办法。

3）这样结果会怎样呢？

· 第一个晚上哭20分钟，第二个晚上哭10分钟，第三个晚上也许就不哭了。这样的结果令人满意，但这样的孩子太少了；即使有，可能也需要很长时间，才能慢慢不哭了。

· 孩子不但不停止哭闹，而且越哭越严重。对于找不到任何原因的夜啼儿，还是要拿出爱心来对待吧。耐心一点，再耐心一点，帮助孩子改变过来。如果是父母从小"惯的"，也不要从现在起突然不惯着了，用截然相反的态度对待孩子，慢慢来吧。

孤独而产生的焦躁感

1）夜啼是焦虑的外在表现

半岁至1岁半的孩子可能是由于孤独而产生焦虑，外在的表现可能就是夜啼。这样的孩子大多性格内向，胆小，惧怕陌生人，当夜幕降临或夜间醒来时，因感孤独而焦躁不安，大声哭闹。

2）解决的方法是什么？

· 坐在小儿的身边，小声不间断地说一些让小儿放心的话。如"宝宝不要怕，妈妈就在你的身边，放心睡觉吧"。

· 每日要逐渐减少安慰的时间，渐渐停止安慰。

· 如果长时间不能奏效，也只好铁石心肠了。索性不予理会，也许慢慢会好的。

绞痛样哭闹

1）表现的情形：小儿在夜间睡眠中突然发生剧烈哭闹，无论如何也不能安抚，哭闹时伴有四肢乱舞，打挺，身体卷曲，大汗，几乎近于尖叫，甚至歇斯底里。

2）导致绞痛样哭闹可能的原因是什么呢？

· 白天看了可怕的电视节目，入睡后常因噩梦而惊醒，哭闹不止；

· 被他人恐吓、打骂。这种可能性不大，但年轻保姆看的孩子不能排除这种可能；

· 睡前活动剧烈，过度兴奋；

· 受到刺激，如看病打针、接种疫苗、从较高处跌落。这样引起的一般都是偶尔一次夜啼。

宝宝：高锦华
今天是宝宝1岁生日，爸爸妈妈带宝宝照相留念。宝宝感受到这是快乐的时刻。

宝宝/尚潘柔美
宝宝喜欢趴着睡，还喜欢吸吮着大拇指睡，妈妈担心宝宝趴着睡是不是肚子痛或有蛔虫，担心宝宝总是吸吮着大拇指睡是不是不良习惯。妈妈不必担心，婴儿这样很正常。

3）怎么办?

当小儿出现绞痛样哭闹时，家长往往急得不知所措，大多会把孩子抱到医院。

· 不要让小儿看惊险的电视节目;

· 不要给小儿讲可怕的故事;

· 不要在小儿睡前吓唬孩子，如"快睡觉吧，不睡觉的话，大老虎就会吃你来了。";

· 睡前不要和小儿剧烈玩耍，以免小儿神经过度兴奋。

腹部不适哭闹

晚餐进食太多，品种太杂，进食不宜消化的食物。入睡后出现腹胀、腹痛，小儿哭闹不止。所以晚餐不要让小儿吃得过饱，不要吃煎、炸、烤的肉食品及黏糯食品。

蛲虫作怪

1）出现的情形: 小儿夜眠后不久，大约半小时到两小时，突然出现剧烈哭闹，打挺，屁股撅起来，用手挠肛门。

2）这是为什么呢? 当小儿安稳入睡后，蛲虫爬至小儿肛门皱折处或女婴外阴皱壁处排卵，使小儿感到奇痒而突发哭闹。

3）家长这样做:

· 可扒开肛门或女婴外阴查看是否有小白线虫蠕动。

· 也可用透明胶带纸轻轻在肛门周围沾一下，在光线下，可以看到蛲虫虫体。

· 若家长不能发现又高度怀疑是蛲虫所致

哭闹，可将蛲虫膏于小儿入睡后涂于肛门口，若小儿不再出现夜哭，就证明小儿患有蛲虫病，应给予驱虫治疗。

可能的疾病

小儿夜啼还可见于一些疾病，如佝偻病、缺铁性贫血、铅中毒、营养不良、肠套叠等。疾病性哭闹原因比较复杂，需要看医生，应及时找出原因，加以治疗。

613. 婴儿啼哭的细分

婴儿在说话

年轻的爸爸妈妈听到宝宝哭闹就焦急如焚，常常不知所措，有的抱着孩子又拍又晃，有的置之不理，有的一哭就喂奶，有的父母无端情绪烦躁，用最糟糕的心情和方式对待与你"说话"的宝宝。

实际上很简单，耐心听宝宝是怎么说的，你也和他说话，为他解决麻烦。

婴儿的啼哭分为两类

病因型啼哭和无病因型啼哭，表达的意思无非两种:"爸爸妈妈，我需要! "或者是"爸爸妈妈，我病了! "

婴儿不具备说话能力，用什么方式述说自己的要求和需要、不适与痛苦? 啼哭就是婴儿的语言，婴儿用这种特殊的语言和周围的人交流。年轻的父母可通过孩子的哭声了

宝宝/王震坤
宝宝能两手配合拿起比他的手大几倍的东西。宝宝已经会通过抱、抓、推、拉、捏等动作拿起东西了。

宝宝/韩宜珊
宝宝看到了长的和平常常见的狗狗最相似的动物——狼,感觉是老朋友了,因此非常兴奋。

解孩子,给稚嫩的小生命以关怀、爱护,帮助他们解决饥饿、不适、痛苦与疾病等问题。

啼哭可以反映婴儿各种生理功能和内脏器官的疾病,啼哭有着丰富的内涵,父母应仔细观察、体会。根据啼哭的性质、时间、伴随的症状、与体位的关系,以及不同阶段的啼哭,判断婴儿源何啼哭,是正常的生理啼哭,还是疾病性啼哭。

正常的啼哭对小儿是有益处的,表现在:

哭能加大肺活量,吸入更多的氧气,排出二氧化碳,有利于气体交换和血液循环。

哭是婴儿的一种运动的形式,哭能加快身体的新陈代谢,促进生长发育。

哭能促进神经系统发育,逐渐使婴儿形成条件反射。

哭能促进胃肠道的运动,增加食欲,帮助消化与吸收。

哭能促进精神意识的生长发育,增强智力。

哭能促进今后语言的发育。

哭能磨炼意志。

小儿啼哭有如此多的益处,是否就可对小儿啼哭置之不理,让他哭个够呢?不是,孩子的哭有正常的,也有异常的,引起小儿啼哭的原因很多,应根据不同的原因正确处理。

614. 婴儿多种哭法破译

无病啼哭:"爸爸妈妈,我需要"

无病啼哭大致有15种语言内容,详见第一章第13节。

疾病性啼哭:"爸爸妈妈,我病了"

1)阵发性剧哭:"肚子疼啊!"

阵发性剧哭就是一阵阵发作的剧烈哭闹,发作的间隔时间长短不一,每次发作的持续时间也长短不一,常伴有躁动不安。由于间歇时小儿嬉笑如常,有的父母就认为是孩子发脾气闹人,忽视了疾病的可能。当小儿发生阵发性剧哭时可能是急腹症,应及时看医生。

2)突发尖叫啼哭:"啊!我头痛欲裂!"

突发尖叫啼哭就是哭声直,音调高,单调而无回声,哭声来得急,消失得快,即哭声突来突止,很易被认为是受惊吓或做"噩梦"。突发尖叫啼哭可能是头痛的表达,是一种危险信号。

3)连续短促的急哭:"我喘不过气来。"

连续短促的急哭,其特点是哭声低、短、急,连续而带急迫感,好像透不过气来,同时伴有痛苦挣扎的表情,这是缺氧的信号。当小儿出现此种啼哭时,家长应解开小儿的衣领、裤带及各种束带,垫高肩部,使头略向后仰,颈部伸直,切莫紧紧抱着孩子。

4)小鸭叫样啼哭:"嗓子难受得不行。"

宝宝/尚潘柔美
宝宝会这样半蹲位了,这是宝宝平衡能力进一步发展的表现。

小鸭叫样啼哭顾名思义，哭声似小鸭鸣叫，若同时出现颈部强直，则应考虑是否有咽后壁脓肿，应把这种哭声与一般的声音嘶哑相鉴别。声音嘶哑是感冒引起的咽炎，喉炎，而咽后壁脓肿较危险，若脓肿溃破脓汁可堵塞呼吸道危及生命，故若出现小鸭叫样啼哭应及时就医。

5）呻吟低哭："我病得很重，没有力气大声哭。"

呻吟和啼哭有所不同，它不带有情绪和要求，似哭又似微弱的"哼哼"声，表现无助的低声哭泣，是疾病严重的自然表露，当小儿大哭大闹时很易引起家长的重视，但小儿在疾病过程中出现呻吟低哭，却往往被家长忽视。请尽快就医。

6）夜间阵哭："我的屁屁奇痒难受！"

小儿白天玩耍如常，入睡前还嬉笑，但入睡后不久（20分钟-2小时），出现一阵突然的哭闹，好像用针扎了一下，哭得突然，剧烈，这可能是蛲虫作怪。

7）夜间啼哭："我总睡不稳，缺钙！"

小儿夜间睡眠不安，如同惊吓一般，哭一会儿，睡一会儿，睡得很不安宁，很轻的动静就可引起小儿哭闹，小儿常呈睡状，闭着眼睛哭，同时出现肢体抖动，多是缺钙的表现。

8）嘶哑的啼哭："我嗓子是哑的。"

哭声嘶哑，呼吸不畅，一阵阵地哭伴咳嗽，声似小狗叫，发生的原因可能是咽喉炎。

9）阵发性啼哭伴屈腿："肚子总是疼！"

孩子表现阵发性剧哭，双腿屈曲，2-3分钟后又一切正常，但精神不振，间歇10-15分钟后再次啼哭，若再伴有呕吐，则肠套叠的可能性极大。

10）阵发性啼哭伴满床打滚："我的肚子剧痛。"

孩子阵发性剧哭满床打滚，额部出汗，面色发白，哭声凄凉，拒绝任何人触摸腹部。若欲上前触摸时，孩子惊恐万状，很可能是胆道蛔虫，肠套叠；若哭闹并不很剧烈，忽缓忽急，时发时止，无节奏感，又喜欢让揉肚子，则可能是肠蛔虫症，消化不良。

11）突发尖叫啼哭伴发烧，呕吐："我得了很严重的病！"

小儿突发尖叫啼哭同时伴发烧，喷射性呕吐，两眼发直，精神萎靡，面色发灰，可能患有脑膜炎等脑内感染性疾病。

12）突发尖叫啼哭伴阵发性青紫："我的脑子好像憋坏了！"

新生儿出生时有产伤或窒息史，APGAR评分低，当出现尖叫样啼哭同时伴有阵发性青紫，面肌及手足抖动时，应想到脑出血的可能及缺血缺氧性脑病。

13）连续短促急哭伴咳喘："你看看我的呼吸道坏成什么样子了！"

当小儿患肺炎、毛细支气管炎时，可表现连续短促的急哭伴咳嗽、喘憋、口唇发绀、鼻翼扇动等，还可伴发烧。

14）连续短促的急哭不能平卧，拒乳："我的心脏有毛病！"

患有先天性心脏病的小儿，哭闹时表现为连续的短促急哭，同时伴有不能平卧，喜欢让妈妈竖着抱起，头部放到妈妈的肩上，拒乳，还可表现口唇青紫，点头样呼吸等，表

宝宝/王震坤

明孩子心脏可能有病患，及时就医。

15）哭伴抓耳挠腮："我的耳朵！我的耳朵！"

小儿表现哭闹不安，夜间尤甚，同时伴抓耳挠腮，或头来回摇摆，不敢大声哭，多是急性中耳炎，外耳道疖肿或外耳道异物，若有脓性分泌物自耳中流出则更易诊断。

16）哭伴流涎："我嘴里疼得要命！"

本来很干净的孩子，变得流涎，下颌总是湿辘辘的，每当喂食时，引起小儿哭闹。检查一下小儿口腔是否有溃疡、疱疹、糜烂、齿龈肿胀等。

17）哭伴某一肢体不动："动不了的地方疼啊！"

小儿哭闹时多是四肢舞动，小手乱抓，小腿乱蹬，若小儿哭闹时有某一肢体不动，或家长触动某一肢体时引起孩子哭闹，则可能有关节、骨骼或肌肉病变，如关节脱位、骨髓炎、关节炎、软组织感染等。

18）排便性啼哭："屁屁疼得厉害。"

小儿排大便时啼哭，是由于肛门疾病引起，如肛周脓肿、肛裂、痔疮等；排尿时啼哭多由于尿道口炎症所致，男婴可由于包皮过长所致。

19）疝气小儿突发哭闹："我突然岔气了！"

患有疝气的小儿突发持续的剧烈哭闹，

宝宝/尚潘柔美

宝宝进入离乳期，可以一日三餐，还可以和大人一起上桌吃饭，要让宝宝自己动手，自己学习使用餐具，这样更能增加吃饭的乐趣。

宝宝/王震坤

这棵大树可真高耸！推推看，我把吃奶劲都使出来了，可是大树却纹丝不动。

应注意有无疝气嵌顿，需到外科就诊。

20）哭与维生素A中毒："补钙太多了，和缺钙一样难受！"

小儿出现夜惊，诊断缺钙，就开始补充鱼肝油。鱼肝油由维生素D和维生素A组成，但摄入过多的维生素A可引起中毒，表现为哭闹不安，多汗，类似缺钙。若忽视了维生素A中毒的可能，继续误认为是缺钙，继续补充鱼肝油，甚至加大剂量，出现维生素A中毒将不可避免。

第8节 其他常见护理问题

615. 异物隐患

孩子需要安全呵护

伸手抓物，把能抓到手里的东西放到口中，这是生命本能。直到3岁以前，婴幼儿没有明确的安全意识。从半岁到3岁这段时间，需要父母及社会高度关注，防范隐患，一些司空见惯的东西，可能就是幼小生命的杀手。

呼吸道异物最危险

呼吸道异物有两大类，一是食物类，二是非食物类。食物类中主要有果仁、豆类、果核、果冻、鱼刺、米粒等。非食物类中，主要有：玩具零部件脱落，宝宝服装上的纽扣及装饰物，商品上粘贴的各种标签，比较薄软的塑料包装袋，橡皮玩具底座的金属哨笛，玩具上的球珠、螺丝，铅笔上的软铁环橡皮头，曲别针等，只要婴儿能放入口里的，都可能成为异物，堵塞婴儿呼吸道，后果不堪设想。

门诊遇到的不幸事件

·玩具零件脱落进入咽部

女婴，8个月，玩具布娃娃上粘贴的塑料眼睛脱落，女婴吞入口中，堵住喉部，出现了面色发青，口唇紫绀，呼吸极度困难。由于女婴的母亲是医生，知道可能发生了呼吸道异物，立即用筷子压住舌部查看，结果看到喉咙已经被什么东西堵住了，正试图取出时，婴儿受到刺激，把堵在喉咙中的东西吞咽下去了。由于婴儿很快消除了紫绀和呼吸困难，妈妈认为是把异物咽入食道，两天后，从大便中发现了贴在布娃娃上的塑料眼睛。总算有惊无险，一场意外过去了。

·塑料薄膜蒙住口鼻

男婴，6个月，在玩耍中把塑料薄膜蒙在自己脸上，当妈妈发现时，孩子已经一动不动地躺在那里，经抢救，生命保住了，但出现频繁抽搐，四肢强直，窒息后脑损伤的症状。多么惨痛的教训！妈妈这样描述当时的情景：正是夏天，婴儿的一次性尿布上，有一层薄薄的塑料，婴儿比较胖，尿布疹比较厉害，妈妈怕尿布不透气，就把尿布下的那层薄薄的塑料撕了下来，随手就放在旁边了。婴儿睡着了，妈妈在厨房做饭。当再次回到房间时，发现婴儿还在睡，可走到跟前一看，婴儿口鼻上蒙着她撕下来的塑料袋，塑料袋上有一层白雾，慌乱取下蒙在孩子脸上的塑料袋，孩子脸色紫紫的，一动也不动，软软的，立即抱到医院。以后就是抢救治疗过程了。

·金属纽扣误入支气管

男童，两岁半，因剧烈咳嗽就诊，经X线检查，确诊为"支气管异物"，在取异物时，紧邻的降主动脉发生粘连溃破，出现大出血，一枚小小的金属纽扣，就这样夺走了孩子幼小的生命。这个病例经过了一段误诊过程，没有异物史，孩子最早的症状是咳嗽，按感冒气管炎、肺炎治疗半个多月，没有效果，开始发烧，咳嗽剧烈，到上级医院就诊，方得以确诊，但已经出现异物周围脓肿，脓肿导致周围组织粘连，最终损伤了血管，导致大血管破裂出血。这样的惨剧就在我们身边。

·果冻堵住喉咙

男婴，1岁零几天，因被果冻堵塞，急来医院。经抢救无效，又一个稚嫩的生命被异物夺走了。事情是这样的：妈妈在户外带孩子玩，邻居的孩子快3岁了，拿着果冻吃，1岁的孩子就伸手要。妈妈是这样喂的：把果冻上的塑料皮撕开后，把整个果冻对着孩子的

宝宝/王震坤

宝宝在给大家表演唱歌呢！

宝宝/王震坤

宝宝/王震坤

嘴,往里慢慢地挤,整个果冻进去了,吸到孩子的喉咙里,堵住了呼吸道,发生了窒息。此时妈妈应该马上把孩子倒立过来,拼命的拍足底和背部,其他人马上联系医院抢救。可妈妈不知道这样做,而是抱着孩子往医院跑,窒息时间太长了,失去了抢救机会。果冻造成呼吸道窒息的事件,我遇到好几次,现在想来心中还在隐隐作痛。

父母为孩子安全设第一道防线

· 父母为婴幼儿购物时,要仔细检查有无可能脱落的异物;

· 不要购买来路不明的劣质商品;

· 衣服、玩具再用过一段时间之后,应注意纽扣、部件等是否可能脱落;

· 不要给这么大的孩子吃瓜子、花生、豆粒等食品;

· 吃饭时不要和孩子嬉闹,以免把饭菜渣误吸到气管中;

· 吃鱼时,一定要注意防止鱼刺刺伤喉部,甚至气管;

· 不要给这么大的孩子吃果冻等黏稠食品;

· 孩子身边、孩子所在的空间都要安全第一,不能有丝毫的疏忽;

· 不要认为不可能,要时刻想到孩子身边是否存在发生意外事故的隐患。

616. 意外事故

意外事故的预防是非常重要的,前面已经谈过了呼吸道异物隐患,还有许多意想不到的事情可能发生。

可能的意外事故隐患

· 室内的取暖设备、电器设备、各种电门开关、易碎物品、易倒物体、热水、明火等,都要避免孩子触及。购买有防儿童开启装置的家用电器。电源插座和尖锐的桌椅拐角套上儿童保护套。

· 小的陈列柜,如果比较轻,有劲的婴儿可能会把它推倒,把自己压在下面。

· 爸爸放在烟灰缸里的未完全熄灭的烟头,可能会让孩子拿到手里,放到嘴里,不但会烫了孩子,还可能把烟灰吃进去。

· 爸爸吸着烟抱孩子,烫伤孩子的事情时有发生。吸烟对孩子的危害,还不仅仅是安全问题,婴儿被动吸烟,对孩子的健康危害也是很大的。所以,有孩子的家庭,最好不要吸烟。

· 卫生间里放着一盆水,婴儿如果掉进水盆里,如果水呛到气管就有发生危险的可能。所以,不要把有水的盆子放在地上。浴缸不要存水,要随时排尽。

· 卫生间的坐便器最好用防儿童锁锁上盖,防止儿童大头朝下跌入。

· 1岁的婴儿能把液化气缸瓶上的开关拧开,这无论如何也令人难以想象,可有的婴儿确实能办到。

· 烫伤是最令亲人心痛的,可偏偏容易发生,刚刚煮开的奶或粥,放在婴儿能够到的地方,婴儿就有可能把手伸进去抓,也会把锅扒翻,滚烫的奶或粥会烫伤孩子的皮肤。

宝宝/王震坤
宝宝已经有了行走的能力和愿望,可以用买进或者行走带锻炼宝宝行走。

宝宝/王震坤

· 把暖水瓶弄翻，这是在生活中经常发生的。

· 孩子误服药物、化学物品也是很常见的意外，一定要保管好。家用消毒剂、清洁剂、洗涤剂、杀虫剂等锁好避免儿童误服。

· 避孕药如果让婴儿误服了，是很麻烦的事，可婴儿误服避孕药的事却时有发生，一定要引起重视。

· 脑外伤是最令亲人担心的，可是防不胜防。从高处坠落以及高空坠物砸伤是脑外伤的主要原因。

父母要牢牢记住

你忽视了，就有麻烦找上来；你省事了，就要更费事；孩子大了，可仍然是婴幼儿，没有安全意识。安全是要父母来负责的，不要心存侥幸。消除婴儿身边意外事故的隐患，是父母的责任。

617. 踮着脚尖走

不到1岁的婴儿，刚刚学习走路，有的婴儿走得比较早，11个月可能就会独立走几步了，有的婴儿要到1岁半时才能独立走路。走路早晚，与婴儿智力没有直接的关系。

刚刚学会走路的婴儿可能用脚尖踮着走，这是很正常的。还有的婴儿开始走路时，右腿成"罗圈腿"，左腿好像拖拉着，像个"小拐子"，这也是正常的。随着婴儿走路的平稳，慢慢就纠正过来了，父母不必着急。

孩子学习走路是有个过程的，不可能上

来就走得那么好。不要动辄就认为孩子"腿不直，缺钙了"。又是照X光片，又是验血。刚刚学会走路的孩子就有笔直的小腿，走路很标准，这不大可能。

618. 吃饭问题仍然困扰着父母

对于一些父母来说，这个问题可能是个永久的话题。出生后食量就小的孩子，到了这个月龄，食量突然变大并不多见。父母为了让孩子多吃些，可以说是伤透了脑筋。几乎是什么办法都想了，就是没有效果。我们在实际工作中，也发现了这样的问题，父母来就诊，主述孩子不吃饭的很多。事实上，在这些"厌食"的孩子当中，真正由于疾病导致的，可以说是微乎其微。能称得上"厌食症"的，更是少之又少。绝大部分都由于父母在护理孩子中方法不当所致。

对于孩子吃饭问题，要有科学的态度，在认为孩子不吃饭时，首先要看一看孩子的生长发育如何，如果孩子身高体重正常，运动能力也正常，精神、睡眠都很好，不要总是强迫孩子吃更多的东西。这个月龄的婴儿，应该吃什么妈妈再也说了不算，孩子自己有主意了，妈妈在喂养上，要学会尊重孩子的选择了。

孩子更喜欢和家人共同进餐。单独喂饭不如放到餐桌边一起吃更好。更多的婴儿喜欢吃大人的饭菜，这是好事，可以节省妈妈做饭的时间，腾出更多的时间陪孩子玩。婴儿逐渐成了美食家，会品尝妈妈的手艺了。不用心做，就会罢餐。食量小的婴儿，对食物往往比较挑剔。

619. 婴儿非疾病性厌食

常见非疾病性厌食表现

镜头一：

妈妈端着饭碗，举着饭勺，两眼盯着孩

子的一张小嘴，企盼着孩子张开嘴，吃进去这勺饭；奶奶站在一旁，夸着宝宝是好孙子："只要把这勺饭吃了，奶奶就带你玩去。"

把吃饭当做一种交易，吃饭是被动的，是出去玩的条件，吃饭成了一种筹码。调查结果显示，有29%的父母使用食物来安慰孩子。有23%的父母用食物奖励孩子。有10%的父母将食物当做惩罚孩子的手段。这种做法，可以潜移默化地影响孩子对食物的好恶，从而影响孩子膳食营养摄入。

镜头二：

"快点逗啊！"这是妈妈在命令孩子爸爸。"宝宝快吃饭，爸爸给宝宝翻跟斗，吃完饭，爸爸让你骑大马。"

无论怎么折腾，宝宝仍然是对妈妈喂到嘴边的饭菜无动于衷。使得亲子游戏索然无味，爸爸和他玩，是在"取悦"宝宝，以换取宝宝吃饭，这饭不但变了味，游戏也失去了应有的乐趣。这让孩子隐隐约约感到，妈妈在耍手段，作践爸爸，只是为了这一小小的目的，爸爸在儿子心目中的形象显得如此渺小了。吃饭是很正常的事情，饿了就会想吃饭，不给吃孩子还不干呢！

镜头三：

刚刚学会走路的宝宝很有兴致地到处走着玩，妈妈手里端着饭碗，在后面追着喂饭，每当妈妈把饭勺送到孩子的嘴边，孩子都会

宝宝/王震坤
宝宝1岁生日，爸爸妈妈带宝宝到公园游玩，留下这组漂亮的照片。

摇摇头，往外吹气。对妈妈喂饭不屑一顾。

这种"填鸭式"的喂养方式，是导致宝宝非疾病厌食最常见的原因之一。吃饭本应该是对美味食品的品尝，是一种享受，反到因为妈妈的追赶成了一种令宝宝厌烦的负担。玩中吃，吃中玩，孩子根本没把吃饭当回事，孩子食而不知其味。不但影响孩子的食欲，不利于食物的消化吸收，还养成了不良的进餐习惯。

镜头四：

全家人坐下来准备进餐。"又是这一套，实在没有胃口。"爷爷的抱怨声。"你凑合着吃吧，不做饭还挑三拣四的。"奶奶不满意地嘟囔一句。妈妈站起来，打开冰箱看看有什么好吃的，没有，碗里的饭没有吃，"先放着，晚上我再吃。"爸爸一边看着报纸一边吃着饭菜，筷子不时夹到桌子上，妈妈在一旁唠叨，"吃饭也不好好吃！"对于妈妈的抱怨，爸爸没有任何反应。孩子剩下大半碗饭，"好孩子不剩饭，快吃了。""可妈妈也剩饭了。"一家五口，四口哑然。

父母以及孩子身边的亲人，对孩子的影响和熏陶是深远的。父母具备了良好的饮食习惯，还用费尽心机去教导孩子？即使使出浑身解术，也是徒劳的。身教永远大于言教。多想想自己做得如何，孩子吃饭的问题就好解决了。是谁在影响孩子吃饭，导致越来越多非疾病性厌食？说是孩子身边的亲人们，我认为并不为过。

镜头五：

妈妈夹起几片胡萝卜放到孩子碗里："胡萝卜最有营养，多吃眼睛明亮。"妈妈的话音未落，一句训斥又传到了孩子耳朵里："别老掉饭，注意点！"爸爸生气了。

有60%的父母在就餐时总是或经常提示孩子进食某种食物，或训斥孩子。但是，父母并不知道，提示后孩子服从的比率是40%，

强迫后服从的比率是30%。唠叨、强迫、惩罚只能使孩子对食物产生更多的抗拒。如果让吃饭变成一种责任，孩子对吃饭就没有了兴趣。还是让吃还原它本来的功能吧。

镜头六：

"我最不喜欢吃这个菜，你怎么又烧了！""肉吃多了对身体不好。看你的大肚子，还吃那么多的肉，你想得心脏病呀！""宝宝不要光吃肉，蔬菜里有很多维生素。"

爸爸的话对孩子传达了一种信息，菜不好吃，肉好吃。妈妈的话对孩子传达的信息是，吃肉是不好的，能得那么严重的病。孩子也许没有想这么多，但是，孩子有一点是能够感受到的，吃饭并不是令全家人愉快的事。父母应该知道孩子对食物的接受往往模仿父母，父母食入脂肪多的，孩子的食入量也多。父母应该给孩子传达"什么都好都要吃"的信息。

怎样才叫厌食

厌食指的是比较长时间的食欲减低或消失。食量减少至原来的1/2到1/3，且持续时间达2周以上。不能摄入每天所需的热量和营养物，阻碍了孩子的生长发育，使孩子失去了健康的体魄。引起厌食的主要因素有：

·局部或全身疾病影响消化系统功能，使胃肠平滑肌的张力降低，消化液的分泌减少，酶的活动减低。

宝宝/王塞诺
给好朋友发个短信吧。

宝宝/尚潘柔美
宝宝喜欢小动物。妈妈要保证孩子安全，不要让小动物抓伤宝宝。

·由于中枢神经系统受人体内外环境各种刺激的影响，使消化功能的调节失去平衡。

引起厌食的器质性疾病，常见的有：消化系统的肝炎、胃窦炎、十二指肠球部溃疡等。锌、铁等元素缺乏，微量元素锌缺乏会使孩子味觉减退而影响食欲。微量元素缺乏是厌食的因，也是不良饮食习惯的结果。

·长期使用某些药物如红霉素等，也可引起小儿食欲减退。

·长期的不良饮食习惯扰乱了消化、吸收固有的规律，消化能力减低。

事实上，由于疾病引起小儿"厌食"在临床中所占的比率是非常低的。不良的饮食习惯和喂养方式所导致的非疾病性"厌食"是最常见的。

这不叫厌食

·偶尔不爱吃饭：孩子每天的食量不可能一成不变，今天吃得少一点，明天吃得多一点都是很正常的现象。孩子的食欲也不会每天都像妈妈所期望的那样旺盛，今天可能很爱吃饭，明天可能就不那么爱吃了；这顿吃得还很香，下顿就把吃饭当儿戏，就是不想吃，这也是很正常的。孩子偶尔不爱吃饭不是厌食，如果妈妈把孩子偶尔不爱吃饭视为厌食，或带孩子看医生，或强迫孩子进食，或表现出急躁情绪，这不仅不能增进孩子的食欲，反而会引起孩子对吃饭的反感。

·短时食欲欠佳：感冒了，孩子的食量会有所减少；发热时孩子也不爱吃饭；胃部着凉或吃

了过多的冷食，因摄入过多食物或高热量食物摄入过多，导致孩子积食等等，都可能造成孩子短时间食欲欠佳，不能因此而认定孩子厌食。

·一段时间食欲不振：由于一些原因导致孩子在某一段时间内食欲不振，如在炎热的夏季，患胃肠疾病后导致消化功能不良，会使孩子在某一个阶段内食欲不振，这也不能视为孩子厌食。随着季节的转凉，消化功能的改善，孩子食欲会恢复正常的。

应对非疾病性"厌食"策略

·不要让孩子像羊吃草一样吃饭

父母一味地迁就孩子，让孩子边吃边玩，东游西荡，想吃就吃，不管是不是吃饭的时间，这样长久下去会严重影响孩子食欲。要让孩子养成良好的进食习惯，到了吃饭的时间和环境就产生条件反射，胃液分泌，食欲增加。把吃饭当成一种有序的事情，如饭前洗手、搬小椅子、分筷子等，有意识地造成一种气氛，让孩子感觉到吃饭也是一件认真愉快的事情。

·不让孩子过多吃零食，尤其是饭前

如果父母不限制孩子吃零食，血液中的血糖含量过高，没有饥饿感，到了吃饭的时候，就没有了胃口。过后又以点心充饥，造成恶性循环。要想解决孩子"吃饭难"，应该坚决做到饭前两小时不给孩子吃零食。零食不

能排挤正餐，应该安排在两餐之间，或餐后进行。

·按时按顿进餐

按顿吃饭。三正餐两点心形成规律，消化系统才能劳逸结合。

·节制冷饮和甜食

冷饮和甜食，口感好，味道香，孩子都爱吃，但这两类食品均影响食欲。中医认为冷饮损伤脾胃，西医认为会降低消化道功能，影响消化液的分泌。甜食吃得过多也会伤胃。最好安排在两餐之间或餐后1小时。

·膳食结构合理

每天不仅吃肉、乳、蛋、豆，还要吃五谷杂粮、蔬菜、水果。每餐要求荤素、粗细、干稀搭配，如果搭配不当，会影响小儿的食欲。如肉、乳、蛋、豆类吃多了，会因为富含脂肪和蛋白质，胃排空的时间就会延长，到吃饭时间却没有食欲；粗粮、蔬菜、水果吃得少，消化道内纤维素少，容易引起便秘。有些水果过量食入会产生副作用。橘子吃多了"上火"，梨吃多了损伤脾胃，柿子吃多了便秘，这些因素都会直接或间接地影响食欲。

·烹调有方

食物烹制一定要适合孩子的年龄特点。如断奶后，孩子消化能力还比较弱，饭菜要做得细、软、烂；随着年龄的增长，咀嚼能力增强了，饭菜加工逐渐趋向于粗、整；为了促进食欲，烹饪时要注意食物的色、香、味、形，这样才能提高孩子的就餐兴趣。

·睡眠充足、增加活动、按时排便

睡眠充足，孩子精力旺盛，食欲感就强。睡眠不足，无精打采，孩子就不会有食欲，日久还会消瘦。活动可促进新陈代谢，加速能量消耗。按时大便，使消化道通畅，促进食欲。

·吃饭环境，愉快又轻松

父母同孩子一起进餐，可营造一种和睦、轻松、愉快的氛围，好的情绪有助于调节

孩子植物神经系统和大脑摄食中枢的功能，促进消化酶的分泌和活性的提高。

·强迫孩子进食不可取

对确有厌食表现的孩子，如果是疾病所致应积极配合医生治疗。同时爸爸妈妈要给予孩子关心与爱护，鼓励孩子进食，切莫在孩子面前显露出焦虑不安、忧心忡忡，更不要唠唠叨叨让孩子进食。如果为此而责骂孩子，强迫孩子进食，不但会抑制孩子摄食中枢活动，使食欲无法启动，甚至产生逆反心理，拒绝进食，就餐时情绪低落。

·纠正不良饮食习惯

不良饮食习惯是导致厌食原因之一。比较常见的不良饮食习惯有以下几种：

饮食结构不合理：过多摄入高糖，高蛋白、高脂肪等浓缩食品可导致食欲下降。如巧克力、奶糖、果奶、奶酪、干奶片等。过多食入话梅、果冻及膨化食品可损伤脾胃。

暴饮暴食：有的父母见孩子喜欢吃的食品就毫无限制地让孩子吃个够。养成了暴饮暴食的不良饮食习惯。再有营养的食物也不能让孩子过量食入，孩子再喜欢吃，也要有所节制，要做到饮食有节，饥饱有度。

偏食、挑食：这是现代孩子常有的不良饮食习惯，孩子天生喜欢吃甜的香的，而不喜欢吃蔬菜和杂粮。尤其喜欢吃烧烤、油炸食品，过多食入烧烤类食物不但可能减低蛋白质的利用率，还有被感染上寄生虫的危险，且肉类中的核酸在梅拉得反应中，可产生基因突变物质，这些突变物质和烧烤环境中的3、4-苯等有致癌作用。很多孩子喜欢吃高热量的洋快餐，长此以往导致孩子营养不均衡。挑食和偏食对孩子的健康危害是很大的。

过多摄入冷食：小儿胃黏膜娇嫩，对冷热刺激都十分敏感，易受到冷热食的伤害，若小儿进食冷热不均，更易损害小儿胃肠道

功能。小儿非常喜欢吃冷食，往往是过食冷食，使胃肠道长期处于缺氧、缺血状态，致使胃肠道功能受损，出现一系列胃肠道功能紊乱症状，导致食欲下降，甚至厌食。

过多饮用饮料：孩子们普遍喜欢喝甜饮料、碳酸饮料、含可可粉饮料等，都可引起小儿腹部胀气，嗳气，消化不良，使孩子食欲减低

·不吃饭，要挟父母的手段

过分溺爱的孩子，往往会用各种方法来"制裁"父母，以不吃饭达到所需目的，是要挟父母的一种手段。尤其父母以"只要多吃饭，就可以……"助长了孩子的不良饮食习惯，把吃饭当作筹码，久而久之可导致孩子厌食，形成恶性循环。

·人为造成孩子咀嚼功能下降

在给孩子添加辅食时，怕孩子噎卡，过晚添加固体食物，使孩子的咀嚼功能没能得到充分锻炼。结果吃什么都囫囵吞下，碰到稍硬的食物，不是吐出就是含在嘴里。使孩子食欲降低。为了让孩子将食物咽下，就给他喂大量汤水，冲淡了胃酸，久而久之孩子食欲减退了。

<u>最后的总结</u>

疾病导致的厌食，要及时看医生。非疾病性厌食，可不是药物能够解决的，即使是

宝宝/尚潘柔美

有爸爸陪伴着，宝宝会很愉快地入睡。睡前的亲子游戏有利于宝宝睡眠。

医生，也不能解决孩子的吃饭问题。父母惹的祸，就要由父母解决。方法有了，原因找到了，不愁解决不了。问题就在于，父母是否认识到这一点。

620. 睡觉还是个问题

小小多动症

有夜啼习惯的婴儿，可能还会继续夜啼，哭的声音更大了，几乎使邻居都不能好好睡觉。这确实是个问题。如果孩子是闭着眼睛哭，就更不好哄了。有的孩子给吃的也不行，就是要哭够了才罢休。对于这样的婴儿，父母还是应该给孩子认真检查一下，是否有轻微的多动症（脑轻微障碍综合征）。这样的婴儿到了幼儿期，可能会发展成多动症，如果能够早期明确，早期干预，会减轻症状。但是，妈妈也不要看到这里，就很担心，给孩子对号入座，医生的诊断才是最可靠的。

肠套叠

如果婴儿过去一直睡得很好，突然有一天，出现阵发性的哭闹。哭闹时，孩子可能会拱着腰，或打挺；不哭时，比较安静，但是面色可能不像以前那样红润。停了十几分钟，再次重复哭闹。这时，要想到肠套叠的可能，及时看医生。

噩梦惊扰

从这个月开始出现夜啼，这样的婴儿多

宝宝/尚潘柔美
好美啊。

是夜间做了噩梦惊醒。不要怕惯坏了孩子而不理睬，这会使婴儿感到无助，哭啼更厉害，要马上把孩子搂在怀里，给孩子一种安全感，让孩子的恐惧心理消失。孩子白天时，受到一些刺激，如摔伤，打针，狗叫声，大人呵斥，异常响声等等，都会使孩子在夜间睡眠中惊醒而哭闹。有的孩子怕黑，半夜可能被尿憋醒，睁开眼睛看到漆黑一片，可能会哭闹，这时，妈妈上前安慰一下，或打开台灯，可能会使孩子安静下来。

不困不要逼孩子睡觉

睡觉晚的婴儿，可能到了11点还不能入睡。对于这样的婴儿，妈妈不要早早地把孩子弄到被窝。让孩子玩困了，再让孩子睡，以免养成不哄就不睡的习惯。白天让孩子少睡，如果午睡起得太晚，或傍晚又睡一觉，要进行睡眠时间调整。如果父母也喜欢晚睡，晚起，孩子睡晚些，对父母有利，否则孩子睡得早，起得就早。

有的父母可能会担心孩子睡得太晚，会影响孩子长个。只要能够保证充足的睡眠时间，就不会影响孩子身高增长的，当然孩子还是早睡些好，以不超过晚上10点为限。有的婴儿白天不爱睡觉，即使勉强睡了，也是一会就醒。这是精力旺盛的孩子，晚上孩子的睡眠质量很好，对于这样的孩子，也不必非要像其他孩子那样白天睡两觉。只要孩子精神好，生长发育正常，睡眠习惯是有个体差异的。不能认为一天睡14个小时的孩子，就比一天睡12个小时的孩子好。

孩子困了就会睡觉，孩子不困非哄睡不可，是导致孩子睡眠障碍的原因之一。有的婴儿开始喜欢听故事了。入睡困难时，妈妈不妨试一试。但半夜醒来的孩子，可不要讲故事。这会养成半夜听故事的习惯。半夜醒来，必须让孩子尽快入睡，把尿，换尿布，吃奶，搂抱等都行，不要和孩子玩。

621. 湿疹仍然不好

大多数婴儿随着乳类食品摄入的减少，饭菜的增加，湿疹会逐渐好转，基本上就消失了。但是，到了1岁，湿疹仍然不好的也有，有的婴儿还会因为吃海产品而加重，这样的婴儿多是过敏体质。

有的婴儿，到了这个月龄，湿疹表现开始变化，不再是面部了，转移到耳后，手足，肢体的关节屈侧或其他部位，这时的湿疹就叫"苔癣样湿疹"。除了过敏原因外，可能与缺乏维生素有关，在外用药物治疗的同时，应口服多种维生素。

622. 不良习惯可能就从这时养成

寻找安抚物

有吸吮手指习惯的婴儿，到了这个月龄，可能不再吸吮手指，而开始寻找安抚物了。婴儿用的枕巾，小毛巾被，布娃娃，绒毛小狗，都可能成为孩子的安抚物。孩子开始把这些东西，作为自己的安抚物，对这些东西产生某种依恋。

1）形式可以是多样的

·有的孩子喜欢搂抱着。

·有的孩子用手攥着。

·有的孩子放到嘴里吸吮或啃咬。

·有的孩子用它蹭身体的某一部位，如脸颊，手背等。

·有的孩子要闻着它入睡。

宝宝/温腾飞

2）猜测的原因

·有的医生认为是孩子缺乏母爱，通过安抚物自我安慰。这种说法不能得到认可，妈妈一直是母乳喂养，也一直陪着孩子睡觉，照样出现这种现象。

·有的认为，这样的孩子性格比较孤僻，内向。依赖安抚物的孩子，有的白天很活跃，也很快乐、好动。

3）父母该怎么办?

父母可以尽量避免孩子寻找安抚物。发现有这种倾向时，不能加以鼓励，如果孩子很喜欢绒毛小狗，就要有意把小狗拿走，换上其他玩具。不断更换孩子的用物，就可避免孩子寻找到安抚物。

吸奶瓶入睡

有的婴儿，不吸奶瓶就不能入睡。这对很小的婴儿来说是很正常的。到了这个月龄，仍然有这种习惯，要一下子改变过来，也不是件容易的事情。但是，妈妈要有这种意识，要在今后的日子里，想着这个问题，慢慢把这个习惯改过来。这没有什么技巧，靠的是耐心。不能强迫婴儿，如果强迫，不但不能使孩子改变这种习惯，可能会使孩子更加依赖了，孩子就有这种牛劲。

玩鸡鸡

这个问题，在前面的章节中谈过了。需要强调的是，不要对孩子玩鸡鸡加以赞赏，不要让孩子知道，父母及周围的人，都对他的小鸡鸡很感兴趣，很关注，是他的光荣。让孩子"忘记"他有小鸡鸡，是避免孩子玩小鸡鸡的好办法。如果大了，还这样，就会成为男孩手淫的雏形。

交叉腿综合证

有的女婴两腿夹得很紧，肌张力比较高，停止活动，面色发红，两眼凝视，片刻转为正常，妈妈看到这种情况时，及时抱起孩子，或转移孩子的注意力。这种情况多在睡醒后或入睡前发生。出现这种情况时，妈妈可在入睡前，和孩子在一起，给孩子讲故事，孩子睡醒后，及时给孩子把尿，更换尿布。要保持外阴清洁。如果任其发展，可能会成为交叉腿综合征的雏形，过去称为手淫。

打人——暴力的雏形

有的大人，会这样喜欢孩子：假装打孩子的小屁股，也会假装打别人，来逗孩子，这样不好。婴儿会模仿，举手打妈妈的脸。如果妈妈和周围的人，不但不反对，反而对着孩子笑，孩子就会认为这样很好，从小养成打人的习惯。长大了，可能会形成暴力倾向。

吓唬孩子——自闭症和孤独症的隐患

总是吓唬孩子，动不动就斥责孩子，或者夫妻之间关系紧张，总是吵闹打架，对孩子的心理影响很大，是导致孩子自闭症和孤独症的隐患。应该创造一个和睦幸福的家庭，让孩子在宽松和谐的气氛中成长。

娇生惯养——社会交往能力低下

什么都不让孩子自己做，一切都代劳，这会使孩子的社会交往能力低下。

第十三章

0-12月婴儿
疾病预防与康复护理

就育儿的医学科普书籍来说，应该选择重视婴儿喂养与生活护理，疾病预防与疾病家庭护理知识的书，也就是医生写给父母在家里的"这一块"应该怎么做的书。

第1节 新生儿常见疾病

623. 新生儿低血糖

医生和父母都认识到了新生儿低血糖对宝宝的危害，不再推迟喂奶时间。刚出生的新生儿就开始喂奶，发生低血糖的并不多了。但在早产儿中，发生低血糖的还是不少。

低血糖会引起宝宝不可逆的脑细胞损害！

之所以把新生儿低血糖作为疾病写出来，最重要的一点，就是新生儿低血糖会引起新生儿不可逆的脑细胞损害。避免新生儿发生低血糖是很重要的。

发生新生儿低血糖的原因有很多（疾病导致的低血糖需要医生诊断）。

低血糖的症状很不典型，也不好判断，缺乏父母可资判断的特异症状。

《女性月刊·妈妈宝宝》全科医生信箱咨询专家，
1999年6月~2000年5月

如果您的宝宝出现以下情况，不要忘了可能发生了低血糖

· 反应低下：所谓反应低下就是宝宝不爱活动，新生儿随着日龄的增加，觉醒状态时间逐渐延长，宝宝在清醒时，手足会不停地活动，面部表情也比较丰富。如果不是这样就要想到宝宝是否出问题了。

· 面色发白：新生儿面色总是红红的，即使肤色比较白，也不会像大孩子或成人那样。如果您感觉宝宝面色不太对劲，不要忽视，再看看其他方面是否有异常，也可尝试着喂奶，观察宝宝面色是否有改善。

· 出汗：新生儿汗腺不发达，显性出汗少，如果宝宝汗津津的，但面色却发白，要想到是否发生了低血糖，赶紧给宝宝喂奶或糖水。

· 吸吮无力：母乳喂养的妈妈对于宝宝的吸吮力应该是很敏感的。如果您感到宝宝吃奶无力，要想到低血糖的可能。

· 症状严重的有嗜睡、阵发性青紫、震颤等。出现这些情况，您可能会带宝宝看医生的，但已经太晚了。

父母要有这样的警觉

！ 如果宝宝出生后不爱吃奶、反应比较差，要及早给孩子喂糖水；

！ 不能让孩子持续睡4个小时以上，如果新生儿睡4个小时以上不醒来，一定要把孩子弄醒喂奶；

！ 早产儿更应该勤喂奶，如果早产儿持续睡2个小时不醒来，应该弄醒喂奶。如果不吃，也应该喂些糖水。

父母需要有这样一个概念

新生儿饿了会哭，但是如果发生了低血糖，就没有力气哭了，就会很安静的。早产儿更是如此。不要让新生儿很长时间不吃奶。

母亲有妊娠期糖尿病或孕前就有糖尿病时，新生儿容易发生低血糖，要避免低血糖发生。

新生儿黄疸是新生儿期比较常见的症状。父母有必要了解新生儿黄疸的有关问题。及时发现新生儿病理性黄疸是防止新生儿核黄疸的关键。

非疾病导致的新生儿暂时性黄疸

新生儿出生后，过多的红细胞碎裂，释放出大量的胆红素。而这时的新生儿，肝脏处理胆红素的能力比较低，过多的胆红素，使新生儿出现黄疸，这属于新生儿暂时性黄疸，医学上称之为生理性黄疸。

此类黄疸对新生儿没有危害。但对未成熟儿（早产儿）来说，应该注意有引起核黄疸的可能。

· 一般于生后2~3天出现黄疸；

· 首先出现在面部，慢慢可遍及全身；

· 黄疸程度比较轻，如果月子房中光线比较暗的话，不易发现；

· 于生后一周以后逐渐消退，最长不超过2周；

· 早产儿持续时间比较长，可延迟到生后4周；

· 宝宝没有任何不适症状。

暂时性黄疸不需要治疗，有的医生建议喝葡萄糖水，可减轻黄疸程度。早产儿如果黄疸程度比较重，可给光照疗法或其他退黄治疗。

以下症状必须看医生

父母如何判别宝宝黄疸是暂时性的还是疾病性的？根据多年的临床经验，我总结了几点需要带宝宝上医院的指征，供父母参考：

1）生后24小时之内出现的黄疸；

2）黄疸迅速加重；

3）一周后，黄疸不呈逐渐减轻趋势；

4）足月儿生后2周，黄疸仍没有消退；早产儿生后4周仍未消退；

5）精神欠佳，反应低下，不爱吃奶；

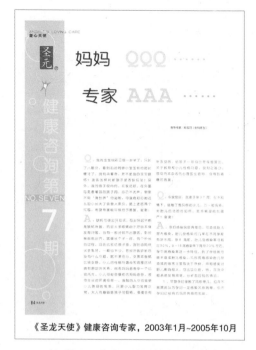

《圣龙天使》健康咨询专家，2003年1月~2005年10月

6）手足心黄疸比较明显，巩膜如同黄梨一般；

7）妈妈是O型血，爸爸是AB型、A型、B型血（新生儿血型为A型或B型）；

8）黄疸减轻后，再次加重了；

9）除了黄疸外，孩子嘴唇面色成紫红色；

10）早产儿，黄疸程度比较重；

11）有腹胀，大便发白，或陶土色；

12）脐部发炎；

13）有皮肤脓包；

14）孕期优生项目检查时，曾怀疑或诊断有宫内感染；

15）父母一方有肝炎病史，或肝炎病毒携带者；

16）皮肤黄疸色泽发暗，而不是鲜艳的金黄色，好像是暗铜色。

以上16条是必须上医院看医生的提示。但是，如果父母不能判定时，最好请医生到家里看一下，或父亲到医院找医生

《母子健康》名医答问专家，2003年4月~2004年4月

咨询一下，或请护士到家里抽血，拿到医院进行必要的化验。

疾病导致的新生儿黄疸

其实，疾病性黄疸的发病率是很低的，有些疾病性黄疸，几乎是万分之一，和父母谈了，只会让父母担心。尤其是正处在月子中的产妇，会增加她们的心理负担，对产妇的康复是不利的。只有几种疾病性黄疸有必要和父母谈一谈。

ABO血型不合溶血病

如果正好孕妇是O型血，丈夫是A型、B型或AB型时，就有发生母子ABO血型不合溶血的可能。有的医院对于有这种可能的孕妇，开始在孕期投用退黄疸药，搞得孕妇很紧张。而实际上，ABO血型不合的发生率并不高；在母子ABO血型不合中，也不是都发生溶血；即使发生了ABO血型不合溶血病，病情大多比较轻，大都成良性过程。只要出生后密切观察，一旦发生黄疸给予积极治疗，预后是良好的，父母不

要为此忧心忡忡。

母乳性黄疸

母乳性黄疸就是由于纯母乳喂养引起的黄疸。有早发的母乳性黄疸和迟发的母乳性黄疸。早发母乳性黄疸与暂时性黄疸（生理性黄疸）有时难以区别，没有诊断出来就可能慢慢消退了。

迟发母乳性黄疸的诊断依据是：在生理性黄疸消退过程中，黄疸再次加重，或生理性黄疸消退延迟。婴儿一般情况好，没有其他异常情况。

母乳性黄疸处理比较简单，停吃母乳1~2天，5~6天后黄疸减轻或消退。有的恢复吃母乳后，黄疸可再次出现；有的婴儿需要间断停母乳几次；有的停一次就可以了。

值得一提的是，在治疗母乳性黄疸时，存在着一种误解，认为婴儿发生了母乳性黄疸，就要彻底停止母乳喂养，而改为人工喂养，这是错误的。母乳性黄疸只需要停止母乳喂养24~48小时。如果黄疸消退不理想，可再次停喂一次。如果停喂母乳后黄疸没有明显消退，应该考虑诊断的正确性，是否是其他原因引起的黄疸。

推荐这样处理母乳性黄疸：多次少量喂奶；黄疸严重时，可停止母乳喂养2天以上；停喂母乳1~4天后，胆红素可明显下降。复喂母乳后，黄疸可有"反跳"，但不会超过原来的程度，随后日渐消退。一定不要回奶，停喂期间，要用吸奶器吸奶，保持乳汁的分泌，保证以后继续母乳喂养。

核黄疸

核黄疸会引起婴儿不可逆的神经系统损伤，这一后果会让父母很害怕。一旦怀疑自己的孩子有这种可能，就会吃不下，睡不着的。核黄疸是在黄疸很严重的情况下发生的，父母不会等到孩子黄疸程度如

此严重，才发生了核黄疸就诊的。父母需要做的就是不要把室内搞得很暗，白天一定要让自然光线照到婴儿房内。这样就能及时发现孩子的异常情况，避免由于未觉察严重的黄疸，导致宝宝发生核黄疸。

625. 新生儿头颅血肿

孩子出生几天了，妈妈发现宝宝的头顶上，偏左或偏右，有个软软的大包。几天后也没有明显的变化，还是软软的，触摸时，孩子也不哭，好像并不疼痛。包块下好像没有了颅骨，周围颅骨有些突出，这就是头颅血肿。

如果头颅血肿比较大，在吸收过程中，可能会加重生理性黄疸程度。

头颅血肿会慢慢消退，但速度是很慢的，有的要等上1~2个月，有的需要更长的时间。

血肿比较大时，可进行冷敷，一定不能用注射器抽吸里面的血液，这会增加感染的机会。而且，即使不抽，血肿最终会自行吸收的，所以没有必要冒这个风险。

《5种危情急救手册》发表于"妈妈宝宝网"，2000年1月

头颅血肿不会遗留神经系统后遗症，妈妈不必过分担心。

626. 新生儿湿肺

新生儿湿肺主要发生于剖腹产儿。新生儿出生后不久出现呼吸急促，医生听诊后，可能会告诉你，肺内有湿性锣音，不排除新生儿吸入性肺炎。这会让刚刚做妈妈的产妇着急，可能会使已经下来的奶水又回去了。其实，在怀疑新生儿吸入性肺炎的病例中，有一部分是新生儿湿肺。尤其是剖腹产儿，更应该考虑到这种可能。新生儿湿肺是良性过程，不需要任何治疗，几天后，肺内锣音会自行消失，不留任何痕迹。

627. 新生儿腹泻

新生儿感染性腹泻可由病毒、细菌、霉菌等微生物感染所致。

需要与腹泻相鉴别的情况

新生儿出生后24小时之内排出胎便，3~4天后转为正常的新生儿大便。母乳喂养儿大便多成金黄色，黏稠状，颗粒均匀，一天可达4~6次。牛乳喂养儿大便颜色比较淡，成浅黄色，可成形，也可成粘稠的大便，颗粒不太均匀，可见奶瓣。有个别新生儿，可排比较稀的大便，发绿，有时有些水分，次数可达7~8次，但并不是腹泻。

当新生儿发生腹泻时

如果大便中水分很多，便水分离，次数达10次以上，有臭味，应考虑新生儿患了腹泻，要及时到医院化验大便。

如果孩子精神好，父母仔细观察并没有发现其他异常情况，可只带大便到医院化验，不必带孩子同去。如果医生需要看孩子，再带孩子去也不晚。

一旦确定患了感染性腹泻，就要正规

接受医生的治疗。新生儿肠道内缺乏正常菌群，对致病菌的抵抗能力弱，不能靠自身抵抗消灭肠道内的致病菌，所以要听从医生的治疗。

628. 新生儿便秘

喂养与便秘

当孩子出现便秘时，应该首先从饮食结构、喂养方式、乳量是否充足等方面考虑，并进行纠正。引起便秘最常见的原因还是这些因素，而不是疾病。乳量不足时，肠道内缺乏残渣，无法产生粪便，就会出现便秘；乳量充足了，便秘也就缓解了。

《谁来保护稚嫩的生命？》发表于《中国妇女》，1997年6月

这是我第一次写医学科普文章。我是个临床医生，工作很忙，几乎没有精力坐下来写一篇科普文章，即便是写专业论文也要加班夜战。我写这篇文章是因为我和弟妹说起怎么避免她儿子身边异物危险。我看到太多活蹦乱跳的孩子，只是因为一个意外——气管异物而失去了刚刚开始的生命。这些意外都是可以避免的。弟妹说，那把这些写下来，发表在大众杂志上，让更多的人知道这些，能够帮助更多的人。

牛乳喂养与便秘

牛乳喂养儿容易发生便秘，大便可成条状、球状，不沾尿布，颜色发白。如果在新生儿期就发生了便秘，可喂果汁或加糖的菜水、鲜果汁等。

母乳喂养儿较少发生便秘，大便多不成形，粘在尿布上，不易清洗，金黄色，次数较多。母乳不足是造成孩子便秘最常见的原因，同时也导致孩子哭闹，睡眠时间短，总是想吃奶。添加奶粉后，便秘会减轻。如果仍有便秘，也可喂加糖的菜水、鲜橘子汁、蕃茄汁。

当新生儿没有胎便排出时

新生儿生后24小时仍没有排出胎便，应高度怀疑是否有肠梗阻。如果伴有呕吐，就更应警惕是否有先天肠管畸形，如先天性肠狭窄，先天性肠旋转不良，肛门狭窄等。需要看儿外科医生。

先天性甲状腺功能低下与便秘

从生后不久，就开始出现便秘，应注意排除先天性甲状腺功能减低（克汀病）。

先天性甲状腺功能减低的主要表现为：反应欠佳、嗜睡、吸吮力弱、少哭、哭声低哑、少动、皮肤干燥、黄疸消退延迟、腹胀等。

先天性甲状腺功能减低可引起智力低下，目前，我国大多数产院都开展了克汀病的筛查工作。父母不要拒绝这项检查，一旦怀疑有此种情况，不要犹豫，马上看儿内科医生。早期发现早期治疗可防止克汀病儿发生智力障碍。

便秘与先天性巨结肠

先天性巨结肠在新生儿期出现的主要症状是：胎便排除延迟。如果48小时没有胎便排出，同时出现腹胀、顽固的便秘，腹胀必须经过灌肠或服用泻药或塞肛栓才能使大便排出时，就要高度怀疑孩子是否

《不为父母注意的婴幼儿腹泻原因》发表于《女性研究》，1997年

那时专业人员写科普文章的人比较少，大多也比较拘谨，非常强调专业性，所以不要说读者，就连编辑和主编都觉得枯燥难懂。因为杂志面对竞争和市场转型，提出要我写非常实用、通俗易懂，而且不是通常医院里医生怎么诊断怎么治疗的内容。我写完以后，非常受欢迎，以后开始约而稿不断。

患有先天性巨结肠。

患有先天性巨结肠的孩子，症状出现的早晚和严重程度与结肠痉挛段的长短有关。痉挛段越长，出现的便秘症状越早，也越重。

值得注意的是，有的父母知道了先天性巨结肠这个病，当孩子出现便秘时，就害怕是患了巨结肠。实际上，先天性巨结肠的孩子，便秘是比较顽固的，不干预是很难自己排出大便的，一旦排出，量是比较大的，便秘的同时，会有明显的腹胀。

629. 新生儿呕吐

新生儿功能性呕吐常见的原因有：新生儿溢乳；喂养不当；分娩过程中吞咽过多的羊水。所谓功能性呕吐就是不需要治疗的呕吐。父母虽然不能鉴别孩子呕吐的原因，但能大体鉴别是疾病性呕吐，还是功能性呕吐。

新生儿疾病性呕吐主要见于：1）贲门松弛、贲门痉挛、幽门痉挛等原因；2）外科疾病引起的呕吐，如消化道畸形、消化道梗阻以及其他胃肠道疾病；3）内科疾病引起的呕吐。

引起新生儿功能性呕吐的几种情况

· 新生儿溢乳

多于吃奶后不久即发生。多从嘴边流出奶液；也有一大口吐出的；有的婴儿一觉醒来，吐出一口奶，有奶块，有时像豆腐脑似的，但不带胆汁样物。吐奶前后，婴儿没有任何不适感觉；吐后可以立即吃奶，精神好；不影响生长发育；一天可吐几次。

· 咽下羊水后的呕吐

常常生后就吐，开奶后呕吐加重，呕吐物中可有泡沫样黏液，咖啡色血性物。数天后把吞咽的羊水吐净后，呕吐就可消失。一般呕吐几天后，把咽下的羊水吐干净后，就停止呕吐了，持续时间比较短，一般4-5天。除了呕吐外，没有其他异常。与溢乳不同的是，吞入羊水后的呕吐，呕吐物中可有咖啡色的血性物和泡沫样的黏液；而溢乳吐出来的主要是白色的奶液。

· 喂养不当导致的呕吐

如果妈妈喂养新生儿的次数过于频繁，乳量过多；喂配方乳时，调配的浓度过高，频繁更换乳类品种，奶头孔过大，奶水过急过冲，喂奶后没有把孩子竖起来拍一拍，喂奶后就更换尿布等，都可引起新生儿呕吐。改变喂养方式，可缓解。

如果因喂养不当引起消化功能紊乱的话，可影响婴儿食欲，婴儿进食减少；腹胀不适，有时闹人；大便不正常，有酸臭味，奶瓣增多；呕吐前可能会出现不适，

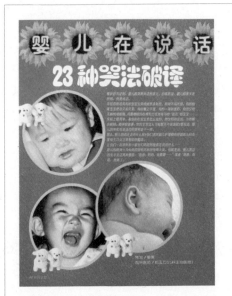

《婴儿在说话——23种哭法破译》发表于《女性月刊·妈妈宝宝》，1999年7月

我在新生儿科工作的时候，还没有实施母婴同室，所有新生儿都放在新生儿室统一管理。40多张新生儿床几乎没空过。4个医生和十几名护士24小时看护，每班是一名医生，两名护士。赶上有危重症、早产儿更加紧张，有时还要到产房参加新生儿窒息的抢救，工作量之大是可想而知的。就是这样和新生儿朝夕相处，让我真正熟悉了新生儿，他们有着不同的表情和动作，朝着不同的哭声和笑容，他们的生命也是多姿多彩的。因为熟悉他们，就会发现新生儿有着惊人的能力。新生儿的哭是一种语言。《婴儿在说话——23种哭法破译》一文发表后，中央电视台半边天栏目主持人打电话采访我，要做一期节目。但当时我没有孩子们各种哭的录音，也没有拍照各种哭的照片，没能完成节目录制。很遗憾，不然的话，早在8年前父母们就能看到了。

甚至痛苦表情；呕吐后，可能会出现轻轻的哼哼声，好像在呻吟。吃助消化药后好转，或减少喂食量使肠道休息，慢慢恢复肠道的消化功能。

630. 新生儿脐炎

新生儿脐炎是新生儿比较常见的疾病。导致新生儿脐炎常见原因：

·冬季出生的新生儿脐部包裹得比较严，不透气，容易发生脐炎；

·如果尿布把脐带盖上，尿液污染脐带，也容易发生脐炎；

·洗澡时脐带进水，没有消毒擦干，会使脐带发炎；

·如果脐带结扎得不够紧，或结扎时脐带根部留得过长，都会使脐带脱落延迟。脐带脱落延迟，也是引起脐带发炎的原因；

当发现脐带根部或周围发红，或脐窝内有分泌物、出血等情况时，要注意是否发生了脐炎。

新生儿脐炎，如果治疗不及时，可引发新生儿败血症。尽管发生率不高，一旦发生，对新生儿的危害是很大的，所以要高度重视。

为了预防新生儿脐炎，在护理中注意以下几点

1）不要紧紧地包裹脐带；

2）不要把尿布盖在脐带上；

3）不要让洗澡水污染脐带；

4）不要在脐带上涂龙胆紫；

5）每天洗澡后，用消毒棉棒沾消毒酒精进行擦洗。

如果发现有些红肿或分泌物，先用碘酒消毒，再用酒精脱碘；消毒时，一定不要只擦脐带表面，要把脐带里面擦干净，进行彻底的消毒。有的父母不敢这样做，只擦擦表面，这是无效的消毒。

6）即使有炎症也不能使用龙胆紫。

龙胆紫可以使脐部表面干燥，但脐带里面仍是湿的。涂上龙胆紫后，脐部表面干燥了，看似很好，但在脐部底下却有分泌物不能排出来，最终会化脓，加重脐炎。龙胆紫既不能起到预防脐炎的作用，也不能起到治疗脐炎的作用。定时用碘酒酒精消毒脐部（消毒要彻底，不能只是表面的），自由暴露，不做任何包扎，不要让尿布弄湿脐部，是预防和治疗脐炎的好办法。

631. 新生儿脐茸

新生儿脐炎后，或脐带脱落后，总有液体流出，在脐带脱落处，有红色的肉芽

长出，脐窝内总是湿乎乎的，可能发生了脐茸。

治疗脐茸局部用药是没有效果的。脐茸继发感染时，诊断为脐炎，治疗效果差，经久不愈，有的孩子已经几个月了，脐部还不干净，就应该想到是脐茸的可能。只有激光治疗，才能使经久不愈的脐炎得以治愈。

632. 新生儿脐疝

宝宝脐带脱落后，妈妈发现宝宝的肚脐一天天地鼓起来。用手指轻压时，发出咕唧咕唧的响声。慢慢地增大了，整个肚脐都向外鼓，有时看着发亮。孩子哭闹时、竖立着抱起来时、排大便时都可以使肚脐明显增大，安静状态或睡着时可变得小一些。这就是新生儿脐疝。引起新生儿脐疝常见原因是先天性发育缺陷。新生儿

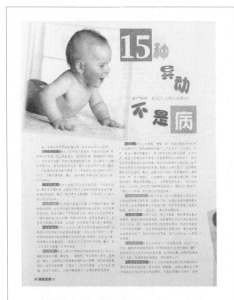

《15种异动不是病》发表于《女性月刊·妈妈宝宝》，1999年11月

新生妈妈看新生儿，会发现有许多新奇的表现和动作，有些让妈妈们兴奋，有些则让妈妈担忧或紧张，甚至匆匆抱到医院，却是一场虚惊。任何辨别？充满新奇的第一当妈妈的体验。

脐疝一般预后良好，多数有自愈倾向。女婴发生率高于男婴2~3倍。如果脐疝过大，可在医生指导下，施行胶布粘贴或钱币加压等措施。

633. 新生儿红斑

新生儿皮肤红斑是新生儿期常见的皮肤异常，洗澡后、受热、受凉、受到其他外界因素刺激时，都可出现皮肤红斑。表现为在正常的皮肤上，出现一片一片的红斑，不高出皮肤，红斑之间界限清晰，红斑上没有水疱、结痂等皮损。

新生儿红斑无须任何处理，可自行消失，不留任何痕迹。再次受到刺激时，可重新出现。出得快，消失得也快，婴儿可没有任何不适。

634. 婴儿迟发VK缺乏出血症

迟发VK缺乏出血症多发生在婴儿满二个月以后。出现以下症状时，结合婴儿为纯母乳喂养，未曾使用过VK，父母要想到这个病。

· 婴儿脐部出血。
· 鼻腔出血。
· 呕吐物中带血。
· 皮肤有出血点。
· 大便发黑。
· 腹胀（可能是消化道出血）。
· 婴儿突然面色发黄、呕吐、前囟门紧张，要想到可能发生了脑出血，应立即看急诊。

此病发病率不高，但很容易误诊。治疗比较简单，肌注VK1就能使出血停止，但如果发生了脑出血预后不好。建议纯母乳喂养的婴儿，可以常规服用VK1片，或肌注一针VK12毫克，能有效预防婴儿迟发VK缺乏出血症。

新生儿对霉菌的抵抗能力比较弱，很容易患鹅口疮。

妈妈如何预防新生儿鹅口疮

· 新生儿使用的奶具、水杯应该经常煮沸消毒。

· 不要在奶瓶中放置喝剩下的奶水；夏季最好也不在水瓶中放置喝剩的白开水。

· 要及时把奶瓶刷干净、控干。潮湿是生长霉菌最好环境。

· 尽管有漏奶也不要用厚厚的毛巾捂着奶头，要尽量保持奶头干燥，勤晾一晾奶头。

· 喂奶前用清水冲洗奶头。

· 不要用手揉完奶头后就给孩子吃，这也是感染的途径。手尽管洗得很干净，也可能会有霉菌。

患有鹅口疮的宝宝都有什么样的表现呢

患鹅口疮的婴儿，可能没有什么症状。

妈妈可以逗宝宝笑，这是很容易的，出生不久的婴儿尽管不会出声地笑，但也会张开小嘴露出笑的模样。当宝宝张口时，妈妈就可清楚地看到宝宝口腔黏膜情况了。如果发现宝宝口腔黏膜或舌面上附着有白色的、好像棉絮或豆腐渣样的东西，用棉签不易擦掉时，就可初步确定孩子患了鹅口疮。如果是口腔内沾了奶渍，用棉签轻轻擦拭或给孩子喝水，白色的物质就会消失或减少，那就不是鹅口疮了。

鹅口疮好治疗吗

宝宝患了鹅口疮，父母不必着急，鹅口疮是很容易治疗的。使用抗霉菌的药物后，24小时以后即可见效。常用的药物是克霉唑，250毫克/片，把一片药捻碎分成三份，分别于早中晚，喂奶前一个小时，把捻碎的药面放在一张干净的白纸上，轻轻倒到宝宝嘴中就可以了。

这可不是把宝宝治坏了

在治疗过程中，孩子可能会出现口腔疼痛，吃奶时哭闹，或不敢吸吮，婴儿吸吮力减弱。严重的，白色物消失了，口腔黏膜和舌面发红，婴儿几乎拒绝吸吮。这时可以把奶挤出来，喂给婴儿，这可不是把宝宝治坏了，是治疗中的正常反应，慢慢会好的。但这种现象不普遍。

需要提醒父母一点

有一点要注意，新生儿和小婴儿鹅口疮，治疗效果很显著，用药后即可见效，但很容易复发。所以要巩固治疗，一般用药2–3天见效，应该再巩固用药3–4天，总疗程1周，复发的可能性就小了。如果是反复的鹅口疮，要巩固治疗1周。在使用抗霉菌药物的同时，用消毒棉签沾苏打水清洗口腔，可加快治疗效果。

《顽皮与多动的差别》发表于《女性月刊·妈妈宝宝》，2000年3月

现在的孩子发育好，体能特别出色；现在的妈妈有文化，看了很多书，以前只是医生知道的专业名词她们知道不少。所以我不止一次听到妈妈咨询这个问题，各年龄段孩子都有，我于是写了这篇文章。

636. 新生儿眼炎

3个感染途泾

新生儿眼炎多是经阴道分娩感染而来，也可发生于宫内，或出生后感染。其感染的病原菌随着时代的发展而不断变迁，从链球菌到葡萄球菌，直至淋球菌。倘若经久不愈，就会造成泪囊堵塞，影响宝宝的视力。

淋球菌眼炎呈直线上升

新生儿眼炎的病因是病原菌感染，其治疗方法就是针对病原菌选用相应的抗菌眼药水。传统认为，新生儿眼炎主要是葡萄球菌，尤其是金黄色葡萄球菌感染，其次是溶血性链球菌感染。随着青霉素在临床中的广泛应用，这两类细菌得到了有效地控制，感染率下降。由于青霉素的普遍使用，随之产生了抗青霉素的耐药菌株。针对耐药菌株的产生，医药界又研制了抗耐药菌株的半合成青霉素，解决了治疗上的困难。近十余年来，由于淋球菌感染率的增加，新生儿淋球菌眼炎患病率呈直线上升。临床上多针对淋球菌感染，治疗新生儿眼炎。

感染菌谱新发现

近年来，有关专家最新研究成果对新生儿眼炎感染菌谱的认识提出了挑战。重庆医科大学儿童医院博士后导师吴仕孝教授采用细菌培养和聚合酶链反应两种方法检测了近2年125例新生儿结膜炎患儿标本，发现沙眼衣原体感染占51.2%，同时还发现患沙眼衣原体结膜炎的新生儿74%为经阴道分娩感染，其余为宫内感染。

637. 新生儿耳疾

耳前有小孔是怎么回事

有的新生儿刚生下来，就被发现外耳道口的前方或周围有一小孔，孔的大小一般不超过大头针帽。医学上把它称为耳前瘘管。这是胎儿在胚胎时期外耳形成过程中遗留下来的痕迹，多与遗传有关，可为一侧或两侧。

耳前瘘管如果不发炎，可以不治疗；可经常用75%的酒精棉棒由下向上擦试，挤出其内的积存物，尤其是洗澡后要把水挤出来，以免泡胀发炎。

新生儿中耳炎

由于新生儿咽鼓管与成人不同。新生儿比成年人更易患中耳炎。

新生儿咽鼓管的作用

1）咽鼓管是沟通咽部与中耳的管道，也是中耳腔与外界直接相通的唯一道路。

2）一般情况下，咽鼓管是关闭着的，只有在做吞咽动作或打哈欠时才有暂时的开放，开放时间不到2秒。

《不能绝对话理解智力测验的结果》发表于《女性月刊·妈妈宝宝》，2000年3月

这也是和头围囟门一样热门的问题。许多妈妈喜欢带着孩子去各种智能测评机构测验，有些结果很让人高兴，有些结果却让妈妈忧心忡忡。我从医学角度，对许多影响测验结果的因素给予分析。

《无药处方》发表于《女性月刊·妈妈宝宝》，2000年4月

婴幼儿，特别是新生儿肝、肾等器官发育尚不成熟，对药物的解毒能力低下，任何药物都可能会加重肝肾负担，都有可能影响正在发育的脑、脊髓、骨骼等。所以，对于婴幼儿来说，要尽量减少用药。3年前，我就借用《妈妈宝宝杂志》向新手爸爸妈妈呼吁，预防为主，当宝宝患病时，要发挥无药处方的作用。

3）咽鼓管的这种伴随吞咽动作时开时闭的作用，对于维持中耳与外界气压平衡，保持听力和鼓膜非常重要。

4）咽鼓管的开放使得细菌病毒也容易沿此管道进入中耳引起发炎。

新生儿为什么易患中耳炎

· 新生儿咽鼓管发育还不健全。

· 整个管腔又粗又短，而且比较平直。

· 来自鼻咽部的细菌很容易窜入中耳致使中耳发炎。

新生儿中耳炎的诱发因素

1）喂奶姿势不正确；2）溢乳；3）呛奶。

如何预防新生儿中耳炎

· 新手妈妈应该了解这方面的知识。

· 采取正确的喂奶姿势。

· 不要把新生儿的头部放得过低。

· 减少新生儿溢乳，一旦发生溢乳，要及时清理，防止流入耳内。

· 新生儿仰卧位时，注意防止奶液、泪水、洗脸水流入孩子的耳朵里。

· 及时治疗感冒及其他感染性疾病。

妈妈如何发现中耳炎

1）新生儿异常哭闹；2）用手抓耳朵；3）摇头；4）发烧。

第2节 婴儿高发疾病

638. 感冒

与感冒有关的资料

急性呼吸道感染占儿科门诊病人的60%以上，据WHO统计，世界范围内约有350万左右小于5岁的儿童死于肺炎，占小于五岁儿童总死亡率的28%。我国每年有35万左右小于五岁儿童死于肺炎，占全世界的10%。所以，21世纪仍把防止呼吸道感染作为预防儿童疾病提高儿童生存率的重要任务。

小儿为什么容易感冒

· 小儿鼻腔短，无鼻毛，后鼻道狭窄，黏膜柔嫩，血管丰富。

· 气管、支气管较成人狭窄，软骨柔软，缺乏弹力组织，支撑作用薄弱，黏液分泌不足，气道干燥，纤毛运动差，不能有效地清除吸入的微生物。

· 肺的弹力纤维发育差，肺内含血量丰富，而含气量相对较少，容易感染。

· 胸廓活动范围小，肺脏不能充分扩张、通气、换气，容易造成缺氧和二氧化碳潴留。

· 小儿肺活量小，各项呼吸功能的储备能力均比较低下，所以不但容易感染，还容易发生呼吸衰竭。

· 小儿呼吸道免疫功能低下，SigA、IgA、IgG含量低，肺泡的巨噬细胞功能不足，乳铁蛋白、溶解酶、干扰素、补体等的数量和活性不足。

被父母忽视的感冒原因

· 小儿已经睡着了，不管是在怀抱中、推

车中、自行车后座上、汽车座椅中，父母应该避免孩子受风。小儿睡觉时，遭受风的侵袭，是造成感冒的原因。

· 外面烈日炎炎，带小儿到超市，超市里空调开放，小儿满身的汗水很快就没有了。再给小儿吃些冷饮，从里到外都是凉的，结果小儿外感风寒。从凉爽的超市到闷热的户外，小儿又会风热感冒。

· 电风扇或空调风口直接对着小儿，也是小儿患感冒的原因。

· 睡觉前妈妈怕小儿受凉，盖得比较厚，小儿可能会出汗。当到了下半夜气温下降，妈妈也睡着了，孩子把被子踢光，结果受凉感冒。

· 托幼机构隔离困难，一个孩子感冒，很容易传播给另一个孩子。此起彼伏，感冒不断。加上管理不周，冷热不均，更易感冒。因此，集体生活的孩子感冒的几率高。

· 出汗后马上洗澡，也是感冒的诱因。要等到汗下去，或先用干毛巾擦干再洗澡。

父母如何自行判断婴儿的感冒症状

· 感冒症状轻重不一，小婴儿感冒症状并不是很重，出现高烧的比较少。较大的婴儿全身症状显著，常骤然起病，出现高热、咳嗽、奶量减少。如果体温过高可出现高热惊厥。因此要控制体温。婴儿感冒的同时，常常伴有呕吐、腹泻等胃肠道症状。

· 感冒病程一般3~5天，不超过一周。如果症状逐渐加重，应排除是否有其他疾病或合并了细菌感染。

· 六个月以前的婴儿，即使感冒了，症状通常也不会很重的，体温多不会很高，一般达到38℃，就算是很高的了。最主要的症状是流涕、鼻塞、打喷嚏。

· 夏初、夏末有两种特殊感冒：疱疹性咽峡炎、咽结合膜热。这两种起病急，病程相对长。

孩子感冒，提请父母注意

· 许多疾病，在疾病的初期类似感冒症状，应加以鉴别，比如流感、急性传染病早期、急性中耳炎等。

· 不要轻视感冒，如果服用药物3天症状无好转，应及时看医生。

《宝宝的冰箱综合征》发表于《妈妈宝宝》DM杂志，2001年10月

《宝宝冰箱综合征》写于两年前。当时发表在"妈妈宝宝网"的医护频道，因为网站办了一本直投杂志，所以转载到杂志上。那时网上文章大部分是转贴的或是抄袭拼凑的，"妈妈宝宝网"坚持原创，我很赞成，所以写了不少文章。没想到从稿件马上就被贴到别的网站，少数还署名，多数不署名。后来，就发现有人胡编乱抄，然后在其他网上、报纸上、杂志上甚至电视字幕上出现，错误百出，很寒心。

· 婴幼儿感冒父母最好不要自行给药，应看医生后遵医嘱用药。

· 小婴儿感冒多是由父母感冒传染的，所以家有小婴儿，父母要注意预防感冒。

小儿感冒，避免治疗过度

· 不要过多服用退热药：没有其他病症，感冒本身，婴儿并不会感觉很难受的，即使有些发烧，精神也不错，也不耽误吃奶睡觉，几天就会好转，不必过多服用退热药。

· 不必每次都吃感冒药：不必每次感冒都吃很多的药，有时根本不需要吃药，让孩子好好休息，保证睡眠，多饮水。

· 感冒发展成肺炎的并不多：好好护理，注意病情变化，由感冒发展成肺炎的并不多，不要动辄就使用抗生素。

婴幼儿感冒慎用抗菌素

· 如果带婴儿看医生，大多数医生会在处方中开抗菌素。这并不意味着您的孩子有细菌感染了。

· 医生主要是出于责任，做病原检查是比较困难的，有无细菌感染有时不好判断，很多时候医生开抗菌素不是因为确定孩子有细菌感染，而是预防性用药。预防性用抗菌素是滥用抗菌素的一种表现。

· 病毒感染后，对细菌的抵抗力就下降了。所以，在病毒感染后，有可能会继发感染，出于这些考虑，对前来就诊的感冒患儿，医生多开具抗菌素。

· 有的医生缺乏责任心，真的滥用抗菌素。

· 医生的做法让父母积累了经验，如果孩子再感冒，妈妈自己就会给孩子吃上抗菌素，由此造成了抗菌素的滥用。

我总是这样告诉家长

· 孩子刚一感冒，不要马上就吃抗菌素，除非有细菌感染的证据。

· 如果感冒发烧持续3天，到了第4天，还没有下降的趋势，问医生是否需要服用抗菌素。

· 出现了新的症状，如咳嗽，喘息，精神差等，问医生是否需要服用抗菌素。

· 如果没有细菌感染，没有必要预防性地使用抗菌素。

· 滥用抗菌素，只能使婴儿对抗菌素产生耐药性。如果真的感染细菌了，再使用类似的抗菌素效果就很差，就要再升级抗菌素的级别，结果是抗菌素越使用越高，对孩子只有害处，没有任何好处，家长应该认识到这一点。

帮助感冒孩子解决鼻塞

由于鼻塞，婴儿会出现吸吮困难。鼻子堵上了，只能靠嘴呼吸。可吸吮时，就不能呼吸，可不吃又饿，孩子就开始闹人。喂奶前，把孩子的鼻子清理一下，就能让孩子很好地吃一顿奶。

如果没有鼻涕堵塞，是鼻黏膜充血水肿导致的鼻塞，清理鼻道是没有效果的，在孩子的鼻根部热敷会使婴儿舒服的。

父母要学会观察病情

· 6个月以后的婴儿比较容易患感冒，症状也比较明显，发烧也往往比较高，孩子能力大了，对疾病的不适感觉灵敏了，会比小的时候闹人。小小的感冒，可以让父母几天不得安生，几夜不能合眼。为此，父母可能会频频带孩子看医生。及时看医生是对的，但是，父母也要学会观察孩子的情况。孩子闹人，体温高，并不能证明孩子病情重了。

· 感冒痊愈需要时间，大多数的感冒，要1周左右的时间。在这期间，家长的精心护理是必不可少的。

· 尽管孩子吃饭减少了，但也能吃进去，不呕吐，精神总的来说不错，没有出现感冒以外的症状，父母就要沉住气。不要一次次更换药物，过度治疗，又是打针，又是输液。这对治疗感冒无济于事，还要增加治疗上的痛苦。

· 家长不要自行更换和选择抗菌素，考虑更换一定要在医生指导下。不能频繁更换，起码要连续服用3天以后，认为确实对目前的感染菌无效时，才能更换。

· 自己更换抗菌素的父母，多是根据孩子过去有病时，吃了什么药有效，这次会再次选择，也有的家长会听取别人的意见，比如，同事、邻居或亲朋好友说，他们的孩子也是感冒，吃了什么药，效果非常好，家长就轻易采纳了非医务人员的建议，这是最不好的习惯。每一次、每一人的感冒都是不同的。

· 治病不是吃饭穿衣服，也不是购买家用产品，治病要建立在对病情正确判断的基础上，严格对症用药。药物不光能治病，也有副作用，也能致病。父母在为婴儿看病时，一定要认识到这一点。

· 只要诊断明确了，治疗并不困难。把治病搞得很复杂的原因，大多不是因为婴儿患了复杂难治的疾病，而是把治疗过程复杂化了。来来回回地换药，反反复复地换医院、换医生。简单的感冒咳嗽，没有必要兴师动众。

· 爱呼噜呼噜有痰的婴儿，一旦感冒，症状往往显得严重，痰更多了。医生听诊，十有八九会诊断为喘息性气管炎。如果发烧，可能会怀疑患了肺炎。父母最了解自己的孩子，孩子没病时，也是呼噜呼噜的。即使医生这样考虑，父母也不要着急，要更多向医生提供参考信息。

· 感冒好了，孩子可能会持续一段时间

保健周刊
BAO JIAN ZHOU KAN
2001年12月15日

冬季门诊咳嗽患儿为何爆满

进入冬季以来，儿科门诊量剧增，住院患者爆满，环心使用率比划了200%以上，这不是一所医院出现的情况。引起患儿增多的主要疾病是呼吸道感染(秋季腹泻)和呼吸道感染(腹泻)。门诊就诊的患儿中以咳嗽为主诉的占绝大多数，性脏重儿是咳泻占多数。

小儿咳嗽拖索着长须来无尽的烦恼，治疗咳嗽的药物繁不胜这，可其是厚让孩子的咳嗽，有的患儿咳嗽把药迫出来后，咳药用了一个又一个，不可哪一也不见愈，久治不愈的小儿咳嗽困扰着经营的妈妈，父母们是无心的都需要解决的多么恼。

患儿为什么会咳嗽

小儿咳嗽一般……

针对病因给予治疗

由……

■秦皇岛市妇幼医院新主任医师 郑玉巧

《冬季门诊咳嗽患儿为何爆满》发表于《中国食品报》，2001年12月15日

那一年，全国大大小小医院儿科几乎都在超负荷运转，罹患呼吸道感染和腹泻的患儿异常增多。2001年12月15日我这篇文章见报，十天后，《健康报》和中央电视台新闻联播也相继报道了小儿呼吸道感染和腹泻患儿发生率远远超过了往年。北京儿童医院儿内科就诊人数几乎翻了四倍。但是，把我当做"私人医生"的宝宝多数平安无事，少数患儿也很快得到我的帮助而好转，没有一人住院。

咳嗽。如果为此不敢停药，或一直使用抗菌素，对孩子是非常有害的，应该下决心把药停掉，除非有其他疾病。婴儿感冒时，会同时出现腹泻，可能是病毒侵袭了肠道，或由于感冒消化功能降低了。所以，感冒的婴儿食量减少时，不要硬逼着孩子吃，这样会增加孩子的肠道负担。

婴儿感冒的家庭护理

· 多休息、多饮水、注意呼吸道隔离、预防并发症。

· 监测体温，防止热惊。

· 让小儿保证充足的睡眠，补充足够的水分和营养。

· 注意病情变化，如果出现精神差、不爱吃东西、呕吐加重、嗜睡等症状时，及时看医生。

· 感冒是自限性疾病，病毒在体内有一定的生存期。一旦感冒都要持续一段时间，不要着急，病程会自然好转。

感冒引起的高热并不可怕（参见640条"发热"）

感冒发热是小儿机体对感染的微生物的一种反应，是保护性机制，有的父母把发热看成是疾病轻重的表征是不对的。发热高并不一定就是病情重。相反，发热轻并不一定就是病情轻。对于婴儿来说，一些气管炎、肺炎体温升高并不明显。所以不能把体温作为衡量疾病轻重的指标。

退热治疗也不能太急，大多数父母都想马上把体温降到正常，过量服用退热药。小儿出汗过多，机体体温调节中枢紊乱，甚至出现低温、电解质紊乱。所以，退热要缓慢进行，只要把体温控制在高热以下，防止热惊就可以了。

服用退热药时一定要注意水分和电解质的补充，口服退热要与物理降温交替使用。特别是婴幼儿，使用物理降温更好。

不能像成人那样给小儿"捂汗"。小儿的体温调节中枢不完善，汗腺发育也不完善，用"捂汗"的方法不但不能使体温下降，还会使体温骤升，出现高热惊厥。小婴儿，还会出现"蒙被综合征"，危及生命。发热时要少穿、少盖，增加散热。

炎热夏季如何防感冒

· 适当降低环境温度，不要让环境温度大于小儿的体表温度。

· 室内外温差要控制在7℃左右。

· 不要让小儿从热的环境突然到凉的地方。如果外面温度很高，小儿的汗毛孔和毛细血管都处于开放状态，突然进入冷的环境中可使小儿受到冷的刺激而感冒。

· 不要让小儿在穿堂风处久留，也不要让小儿在电风扇前或空调通风口前久留。

· 不要用凉水给孩子洗澡或擦澡，洗澡前

《宝宝轻松过冬》发表于《父母必读》，2003年2月

《父母必读》的编辑恽梅希望我为父母们喜欢的专栏"儿保医生手记"每期撰写稿件，把我在实际工作中常见的育儿问题写出来，帮助正在养育孩子的父母们。这种针对季节、节假日的文章我写过很多，都是提前两三个月就开始给妈妈"打预防针"。

先擦孩子身上的汗水。

· 足被称人体的第二心脏，足部受凉也可是感冒的原因之一，即使是炎热的夏季也要避免小儿蹚凉水，或光脚在凉的地面上爬。

· 受凉后鼻黏膜反射性的收缩，使鼻黏膜干燥，细菌和病毒经鼻黏膜侵入体内，感染后出现鼻黏膜的其他症状，流涕增加，这有利于病毒和细菌的流出，因此不要服用减少黏膜分泌的药物，如抗感冒药，小儿不适宜使用抗感冒药尤其是成人用的。

· 不要滥用解热镇痛药。热伤风退热困难，不要滥用解热镇痛药，以免小儿出汗过多，出现脱水，甚至虚脱。要适当补充水分和盐分。

冬季是上感的高发季节

随着天气转冷，小儿肺炎发病率逐渐上升，从12月到来年的3-4月份是肺炎的高峰期。尤其是春节前后，天气寒冷，家长都忙着张罗过节，亲朋好友聚集一堂，更加重了小儿罹患肺炎的危险。肺炎是年年防，年年是儿科医生重点治疗的疾病，发病率居高不下，尤其是在医疗条件比较差的地区，更为突出。

冬季是上感的高发季节。以环状软骨为界，环状软骨（男士喉结的部位）以上的呼吸道感染为上呼吸道感染，简称上感；环状软骨以下的呼吸道感染为下呼吸道感染，包括气管、支气管、毛细支气管、肺泡；毛细支气管以下的感染为肺炎。

肺炎与上感的鉴别

无论是上呼吸道感染还是下呼吸道感染，炎症都是发生在呼吸道，因此，有许多相似的症状和体征，容易误诊。上感和肺炎有一些相同的症状和体征，肺炎初期与上感无法区别，有的肺炎就是由上感发展而来。肺炎是儿科中常见的疾病，发病率比较高。过去，其死亡率很高，随着医疗水平、生活水平和保健意识的提高，近几年，其发病率有所下降，死亡率明显下降，但在一些贫困地区仍是5岁以下儿童死亡的主要原因。及时发现，及时治疗是很重要的。如何鉴别您的孩子是上感还是肺炎呢？除了要及时看医生外，您可从以下几方面来鉴别。

肺炎与感冒鉴别

表现	肺炎	感冒
发热	发热多在38℃以上，退热药效果不佳，发热可持续3天以上	发热多在38℃以下，持续时间短，退热药效果好
咳嗽	咳嗽或喘，且程度较重	咳嗽，一般较轻
呼吸	常引起呼吸困难	不会引起呼吸困难
精神	精神状态不佳，常烦躁、哭闹不安或昏睡	一般精神状态较好
饮食	食欲显著下降，不吃奶，或一喂奶因喘憋而哭闹不安	饮食尚正常，或吃奶略减少
睡眠	烦躁不安，嗜睡，欲睡不安，欲睡不能，迷迷糊糊	睡眠略有增加，除鼻塞外，不影响睡眠
治疗	抗感冒药无效	抗感冒药效果明显
玩耍	不爱玩耍，不耐烦，即使是平时最喜欢的玩具都把它扔掉	略显倦怠，但给喜欢的玩具还能够玩一会儿
听诊	把耳朵紧贴在宝宝胸部听到"咕噜"声	可听到清晰的呼吸音

自行药疗与就医的指证

当您的宝宝患呼吸道感染后，如果服药3天，症状没有好转，或精神、饮食差，不爱玩耍，应及时看医生。如果患病初期症状就比较重，就应立即看医生，不要自行服药，即使是感冒，每次的症状和预后也不都是一样的，对药物的反应也不都是一样的，不要因为和上次的症状差不多，就服上次的药物。

超过3天无效，还是继续自行用药，这是不对的，应及时看医生，或向医生咨询。实际上，看病比吃药更加重要，只有对症治疗，才能有效地控制病情，有的放矢，既减少药物给孩子带来的副作用，也减少服药给孩子带来的痛苦，同时也减少药源浪费，减少不必要的开支。

当怀疑孩子不是单纯上感时，就要及时看医生，不要自行加服抗菌素；如果确实是细菌感染，由于您选择的抗菌素有误，就会给医生的治疗带来麻烦，抗菌素还没有列为非处方药，父母不可以自行使用。

639. 咳嗽

小儿咳嗽给家长带来无尽的烦恼，治疗咳嗽的药物铺天盖地，可就是难止孩子的咳嗽，咳嗽剧烈时，孩子会把吃进的奶、饭和菜都一股脑地吐出来。输液、打针、吃药，食疗、理疗、雾化治疗，偏方一个又一个，可哪个也不灵验，久治不愈的咳嗽困扰着父母。

咳嗽是一种症状

咳嗽是一种症状，不是独立的疾病，咳嗽本身是一种保护性的反射动作。通过咳嗽，把呼吸道中的"垃圾"清理出来，痰就是所说的垃圾。

咳嗽需要治疗吗?

咳嗽是保护性反射，那咳嗽是一件好

事，是对气管的保护，就不需要止咳了。这种认识是片面的。这是因为：

1）当气管黏膜水肿、充血、有炎症时，即使没有垃圾，也会刺激咳嗽。

2）长期咳嗽，使咳嗽中枢持久处于高度兴奋状态。

3）咳嗽非常剧烈，影响孩子睡眠及日常生活质量。

所以，应该在治疗原发病的同时，积极止咳治疗。但止咳治疗不是简单服用止咳药，要分析咳嗽的原发因素，针对咳嗽原因治疗，才会收到好的效果。

呼吸道受到的伤害

整个呼吸道都可遭受各种外来因素的侵袭而发生病理变化。这种外来因素并不单纯是病毒、细菌，还可能是各种微生物、各种理化因素、环境因素等。

呼吸道黏膜受到侵袭后，大多数情况下，会随着病毒、细菌及各种微生物感染

《新妈妈哺乳六困扰》发表于《中国食品报》，2002年1月26日

妈妈给宝宝喂奶是很平常的事，似乎没有什么问题。但是，对于新手妈妈来说，可就不同了，不但有问题，有时问题还不小。在这里列举了母乳喂养的难题，是我在工作中不断总结出来的。现在，再回过头总结临床和咨询遇到的新妈妈哺乳的困扰，远远不止6个。

的消除而恢复。但有时呼吸道黏膜自身功能受到损伤，不能得到恢复，形成经久不愈的咳嗽。这就使再高级的抗菌素、再昂贵的止咳药，也难以消除咳嗽的症状，必须改善呼吸道黏膜本身的功能，咳嗽才能缓解。

经久不愈的咳嗽

疾病引起的咳嗽，应该重点治疗引起咳嗽的原发疾病，如感冒、气管炎、喉炎、肺炎、百日咳、过敏性咳嗽、心性咳嗽等。对于没有活动感染引起的咳嗽，不要长期使用消炎药，对咳嗽没有治疗作用，只能增加抗菌素的副作用，应该把重点放在对呼吸道黏膜的保护、对受损伤黏膜的修复上。

《宝宝喜欢的房间》发表于《健康博览》，2002年11月

宝宝不会用有声的语言告诉我么，什么样的房间才是他最喜欢、最舒服的。但有一点是肯定的，如果我们成人都感觉不舒服的环境，孩子一定也不舒服。就像我的一次出诊经历，我让婴儿的父亲、爷爷、奶奶，还有一个11岁的堂哥到婴儿住的房间待5分钟，问他们感觉如何，他们几乎是异口同声地说真受不了，太难受了，简直出不来气。婴儿在这样的环境里怎么能舒服呢？只有用哭来抗议。所以，至少我们自己要感到舒适，除此以外，还要考虑婴儿的一些特殊需要。

婴儿咳嗽是否导致肺炎

婴儿咳嗽并不像父母想象的那样严重，妈妈总是担心孩子可能患了肺炎，这种担心是没有必要的。

到了秋末冬初，有的婴儿就开始积痰，嗓子里总是呼噜呼噜的，妈妈抱着孩子，这种呼噜声，能传到妈妈的手臂上。

这样的孩子大多是比较胖，爱长湿疹，晚上或清晨出现咳嗽。有时是几声，有时是一大阵，如果刚刚吃完奶，或咳嗽剧烈时，会把吃进去的奶或饭全部吐出来，但把奶吐出去了，孩子反而看着舒服了，呼噜声暂时消失了，玩得也好，吃得也香，脸上还时时露出笑容，体温是正常的。这样的孩子，是没有什么大问题的。

但是，从来没有见过这种阵势的父母，肯定会把孩子带到医院。医生给孩子听听肺部，认真的医生还会让孩子透视甚至拍X胸片，化验末梢血象。折腾完了，可能会告诉你，孩子是气管炎，或喘息性支气管炎，不会诊断肺炎的。

婴儿患肺炎不会这样逍遥的，即使不发烧，孩子的精神会比较差，咳嗽往往是持续的，不会照常玩、照常吃、照常乐。

如果前一段患过感冒，曾经发烧，感冒后咳嗽一直不好，而且越来越重，孩子晚上睡觉出气很粗，有发憋的时候，吐出的奶里，会见到黄色的痰液，是合并了细菌感染，从上呼吸道感染发展到下呼吸道感染。如果有这样的过程，医生会作出喘息性气管炎的诊断。

典型病例

对经久不愈的咳嗽，可能一直要等到开春以后，嗓子里的痰才会减少，咳嗽也就随之减轻了。

曾有妈妈向我咨询，说她的孩子已经咳嗽有几个月了，打针输液都没有效果，吃了一大堆的止咳、消炎药，就是治不好，全家人都很着急。我就告诉这位妈妈，把所有的药物都停掉，如果正在给孩子吃鱼肝油，就继续补，但维生素A的量，要增到每日1800IU，维生素D的量增到每日400IU。同时吃维生素C，每日0.3克。室内湿度保持在45%左右，温度保持在18℃左右，每天开窗换气20分钟。不要因为冬季而间断洗澡和户外活动。不要给孩子穿得过多，和大人差不多就可以。每天睡觉前和清晨起床，用空手掌给婴儿拍背排痰，要在喂奶前进行。并告诉这位妈妈，不要当成有病的孩子捂着护着。随着天气的转暖，婴儿会不治而愈的，到了来年立秋入冬，仍要锻炼孩子的耐寒能力。长大了，就会慢慢好的。结果，妈妈这样做了，孩子一天比一天好，到了来年冬天，孩子已经1岁半了，没有再像去年那样。妈妈很是高兴。

要清理呼吸道分泌物

越小的婴儿越没有能力清理呼吸道中的分泌物，而这个时期的分泌物往往是最多的。尽管多次带孩子看医生，也没有什么好的办法，只是给孩子吃咳嗽药和抗生素。

婴儿的呼吸系统发育尚不成熟，咳嗽反射较差，痰液不易排出，如果一咳嗽，就给很强的止咳药，咳嗽虽然暂时得以缓解，但气管黏膜纤毛上皮细胞的运痰功能和气管平滑肌的收缩蠕动功能受到了抑制，痰液不能顺利排出，大量痰液蓄积在气管和支气管内，影响呼吸道通畅。所以，婴儿不宜选择中枢性镇咳药，也不适宜选择只有止咳作用、没有祛痰作用的止咳药。

640. 婴儿发热

发热是婴儿常见症状。婴儿第一次发热时，父母往往会非常紧张，这是很自

《饮食与宝宝视力》发表于《亲子》，2002年6月
　　因为给南方的育儿杂志写稿，经常有读者给我打电话咨询他们的孩子视力问题。日常饮食与宝宝视力就是一个很受关注的问题。我不是小儿眼科医生，但我知道现在孩子的视力问题是很严重的。为了写这篇文章，我查阅了很多这方面的书籍。

然的。发热是父母能感到的，它是一种症状，是什么原因引起的发热，父母不知道，这使得父母更加着急。此时，孩子快快退热，成了父母最大的心愿。这就使得一些父母忽视了疾病本身，而把重点放在了退热上。

当孩子发热时，希望父母有这样的认识

·发热是一种症状，不是一个独立的疾病，它是疾病的外在表现。

·当婴儿发热时，首先应该考虑是什么原因引起的，对于父母来说尽管不易做到，但要有这方面的知识。

·许多疾病都可表现出发热。单纯的退热治疗，是治标，不是治本。

·对于小婴儿来说，非疾病状态也可发热。

·婴儿不同于成年人，对发热有更大的耐受性。如果一个成年人体温达到39℃时，会非常难受，但婴儿却可能还很精神。

·半岁以后的婴儿发热时，可导致"高热惊厥"。惊厥阈值低的婴儿，即使体温不是很高，也会出现热惊厥，称为"复杂性热惊厥"，对于这样的婴儿，控制体温就显得格外重要了。

·婴儿体温调节中枢发育不完善，散热能力差，对退热药物反应差。因此，物理降温对于婴儿是重要的退热方法。

·"捂"是导致婴儿高热不退的人为因素。

·选择退热药物，不是越贵越好，打针也并不是退热最快的。

婴儿对发热有更大耐受性

婴儿对发热有更大的耐受性。所以不能根据婴儿的表现揣测是否发热，也不能用手摸一摸，应该用体温计进行测量。

测量体温时应注意的几点

·测量前，要把体温计甩到35℃以下。

《婴儿头围和囟门常见的问题》发表于《健康娃娃》，2002年12月

现代父母都非常重视孩子的智力发育，大脑是智力的基础，孩子的脑袋成了父母们格外关注的部位。父母把头围、囟门视为脑部发育的象征，非常重视。这固然是件好事，面对体检的数值，往往会因为一点点的差异引起父母的焦虑。其实，有时是完全没有必要的。本来孩子并没有什么病，却因为一次测量结果，使得父母为孩子做没有必要的检查和治疗。我在临床工作中时常遇到这样的问题。

·把金属头放在腋窝中间。

·如果婴儿有汗，要用毛巾把腋窝擦干。

·婴儿体温受这些因素影响：吃奶时，吃奶后半个小时以内，哭闹时，出汗时等。测量时，要避免这些因素的影响。

发热消耗体能

有的婴儿即使体温很高，精神也比较好。但发热是消耗体能的，要让婴儿多睡觉，多喝水，少活动。室内空气新鲜，通风好，室温不能过高。不要给孩子穿得过多，发热的婴儿一定要少穿，少盖，增加散热。

退热治疗是治标，不是治本

退热治疗几点提示

·发热是疾病的一种防御机制，对身体具有保护作用。

·父母不能把退热视为对疾病的治疗。

·不要总是千方百计寻找"好"的退热药。

·把体温降下来，就认为治好了疾病是错误的认识。

激素退热不可取

父母最重视的是退热，这就使得一些医生使用激素退热。激素配合退热药使用，可以使体温很快下降，作用时间可达1-2天，有时还会使体温过低。虽然体温下降了，也只是治标，没有治本，还会掩盖疾病的症状。如果是单纯的感冒，也许就此好了，感冒症状也随之减轻了，父母也高兴。然而父母没有想到，这样会减低婴儿自身对疾病的抵抗能力，感冒一次，婴儿就对所感染的病毒产生免疫能力；如果随便使用激素，会降低这种能力。因此，父母们不要为了快速退烧，让医生使用激素类退热药，对基层医生，也应该进行监督，拒绝随意给孩子使用激素类药物，一定要掌握激素类药物使用指征。

物理降温很重要

婴儿体温调节中枢发育不完善，散热能力差，对退热药物反应差。因此，物理降温对于婴儿是重要的退热方法。

过去最常使用的酒精浴物理降温法，已经被提出质疑，认为不如温水浴安全。对于婴儿，不适宜使用酒精浴，用温水就可以。可以用温水给婴儿擦浴，也可以给婴儿放在温水中洗浴，水温应该比体温低1～2℃，才能起到降温作用。这种降温方法可反复多次使用。

少盖，甚至不盖，脱掉衣服，也是物理降温的一种方法，主要是增加散热。当您的孩子发烧时，千万不要忘记物理降温。

"捂"是导致婴儿高热不退的人为因素。父母一定不要捂孩子，婴儿是不能靠捂汗降温的，只能越捂越烧，最终导致高热惊厥。这一点，做父母的要牢牢记住。

正确选择退热药

·没有最好的

退热药的作用都差不多，没有最好

《宝宝不吃饭妈妈惹的祸》发表于《圣龙天使》，2003年1月

条件好了，食品丰富了，一个孩子，吃什么都吃得起，孩子愿意吃什么有什么，可有些孩子的食欲就是不好，把父母惹得不得了。为什么孩子们不爱吃饭，真的有这么多厌食的孩子吗？我认为在很大程度上不是孩子的问题，关键是父母。

的。使用退热药，只是为了减轻发热带给孩子的不适，避免体温过高对婴儿的伤害，保护婴儿大脑（高热时，可用凉水枕），防止高热惊厥。在服用退热药的同时，还要治疗引起发热的疾病。

·贵的不一定是最好的

退热药不是越贵越好，对你的婴儿有效的退热药，就是最好的选择。

·打针并非是退热最快的

打退热针，不一定是最好的给药途径，也不一定很快达到退热效果，与口服退热药起效时间差不多多。而口服退热药不会给孩子带来打针的疼痛，避免打针的副作用，也减少对婴儿的刺激（有时，高热的婴儿，受到打针的刺激，剧烈哭闹，导致惊厥发生）。

·喂药困难可选肛门用药

呕吐或服药哭闹喂药难的，选择肛门用药，也是很好的。起效很快，婴儿也没有痛苦。能口服的就不要打针。

·最好选择镇静止惊退热药

婴儿选择退热药，最好选择有镇静止惊作用的。不宜选择阿司匹林退热片、小儿APC退热片，安乃近就更不能选了。可以选择扑热息痛、鲁米那等退热药。

·不要只看商品名

在选择非处方退热药物时，不要只看商品名，要看其中所含的有效成分。选择中药退热也是不错的考虑。

令父母惊恐万状的小儿高热惊厥

半岁以后的婴儿，发热时，可导致"高热惊厥"。惊厥阈值低的婴儿，即使体温不是很高，也会出现热惊厥，称为"复杂性热惊厥"。

预防高热惊厥几点措施

·体温超过39℃时，要积极降温。

·最快的降温方法是物理降温。

·药物往往不能很快奏效。有时，还没等

《清理鼻塞小技巧》发表于《父母必读》，2003年4月

　　不但新生儿容易发生鼻塞，婴幼儿也常常发生鼻塞。还有各种呼吸道系统疾病导致的鼻塞。鼻塞尽管是一个症状，但由于鼻道是婴幼儿进行呼吸的最主要通道，一旦发生鼻塞，就会阻碍婴儿呼吸，尤其是吃奶时，不能再借助口腔呼吸过孩子就会烦躁甚至拒乳。因此，父母学会处理鼻塞是非常有必要的。我曾经看过婴用品公司出品的关于婴儿护理的录像带，也看过电视上播放的关于婴儿护理的节目，都告诉父母使用棉签来清理鼻腔。我认为，对于新手爸爸妈妈来说，使用棉棒给孩子清理鼻腔，是比较危险的。在临床工作中曾遇到这样的情形，父母用棉棒，甚至用棉子乘孩子入睡时为孩子清理鼻腔。结果导致鼻腔损伤，严重的造成出血。通过十几年的研究尝试，我发现，用布捻子清理婴儿鼻腔是最安全的，效果不错。有的父母问，如果孩子鼻腔内有鼻痂，用布捻子就不能清理，只用棉棒或镊子。实际上，如果鼻痂比较硬，用棉棒也很难清理，因鼻痂与鼻黏膜比较牢固，如果用镊子清理，容易导致鼻黏膜损伤。其实，只要经过鼻痂及时清理鼻腔，就不会形成较硬的鼻痂。布捻子既适宜父母操作，又比较安全，还能随时随地处理，即使孩子睡着也能使用。

到发挥药效，孩子已经发生了热惊。

· 一旦发现婴儿高热，首先要物理降温，配合药物降温。

可避免的高热惊厥

· 包得过严、过多

　　有的父母，一发现孩子发烧，就不知所措，把孩子包得严严实实，急忙往医院跑。可没等到医院，或者刚刚抱到医院，打开包被，还没等用药，就发生惊厥了。这时，父母还会错误地以为，幸亏把孩子抱到医院来了，在家里抽了，就更麻烦

了。其实，父母不知道，如果不是把孩子包得这样严往医院跑，而是首先在家给孩子物理降温，再吃退热药，然后再把孩子抱到医院来，很可能就不会发生抽搐这一幕了。

· 用退热药后不观察

　　妈妈带宝宝看完病，打了退热针，就急急忙忙回家，这是不对的，一般医生也不会允许家长这么做。但如果赶上患儿多，一时疏忽了，忘记告诉家长要观察一会，等到体温下降后，再离开医院。可能没等离开医院，或在回家途中，或刚刚到家，孩子就可能发生惊厥。父母就会急忙返回来，医生可能会把患儿留下观察或住院。

· 简单感冒因热惊住院

　　原本比较简单的感冒，因处理不当，孩子可能会发展到热惊而住院。住院后，无论什么病，首先要做必要的常规检查，并行静脉给药。这又使孩子遭受扎静脉针的痛苦。如果发生院内患儿间交叉感染（如肺炎，肠炎等），那就更麻烦了，使简单的感冒变得如此复杂。

· 打退热针也不能立竿见影

　　父母应该了解，打了退热针，不会立竿见影，体温就此下降的，至少要等20分钟。在退热药起效前，物理降温是必不可少的。

· 有高热惊厥史的孩子

　　有高热惊厥史的婴儿一定要积极控制体温，选用有镇静止惊作用的退热药物。小儿鲁米那是比较好的选择，退热作用和缓持久，4-6个小时服用一次，能有效控制高热惊厥。

· 复杂热惊儿

　　频繁发生热惊或体温不是很高时就发作惊厥的婴儿，在退热的同时，可使用水合氯醛灌肠或口服（在医生指导下使用）。即使知道是发热引起的惊厥，也要

看医生，排除其他原因所致的惊厥。

引起婴儿发热的常见疾病

新生儿脱水热

新生儿发热最常见的原因是脱水热。这主要是由于新生儿的体温调节中枢还不成熟，散热能力差，很容易受环境温度的影响。当环境温度过高时，新生儿就不能进行自我调节了。

脱水热表现

· 体温升高。
· 尿量减少。
· 口唇及皮肤干燥。
· 面色发红。

脱水热应对方法

这种发热，使用退热药物是没有效果

《扩大化治疗如此普遍》发表于《亲子》，2003年4月

文章发表后，有位读者给我打电话，向我咨询她的孩子是不是有这个问题。她告诉我，孩子生下来不久，就开始有病，几乎每个月都要上医院，每次医生都开很多的药，药是越吃越多，病却好得越来越慢。只要一感冒就得输液，连打针都不管用，还要输好药，每次有病都得花上几百，孩子也遭罪。为此，孩子父母经常发生争执，你埋怨她，她埋怨你，相互争执不下，因为孩子总是有病，整天提心吊胆，少了很多快乐的时光。因为是外地读者，我没有看到孩子，不能确定是否扩大化治疗的结果。但我身边亲眼见到扩大化治疗的病例太多了。

的，物理降温是最好的。最主要的物理降温方法是散热。

· 打开婴儿包被。
· 脱掉衣服，只穿一件背心。
· 勤喂白开水。
· 放到比体温低1~2℃的水里进行水浴降温，能很快降低体温。
· 新生儿不宜使用药物降温。

夏季热病

在炎热的夏季，婴儿可以患夏季热病。

夏季热病特点

· 发生在夏季。
· 发热无汗。
· 口渴喜饮。
· 尿比较多。
· 发热是主要表现。
· 体温可持续不退。
· 午前轻，午后重。
· 天气凉爽时，体温自然下降。

夏季热病应对方法

可使用空调调节室内温度，适宜的温度，会使患有夏季热病的婴儿保持正常体温。

出疹性发热

从来没有发过热的婴儿，突然发热时，没有任何症状，持续发热，可能是出疹性发热（也称为婴幼儿急疹）。这是婴儿期一种特殊疾病，由病毒感染引起。

出疹性发热特点

· 突然发热，没有什么伴随症状。
· 婴儿哭闹、食量减低。
· 初期皮肤见不到皮疹，热退疹出是出疹性发热的特点。

典型的婴儿出疹性热病例

镜头一：吃药没效果

父母很着急，会马上抱孩子到医院看医生。但吃了医生的药，没有什么效果，还是发热，父母就更着急了，不知道孩子患了什么病。缺乏经验的医生也不容易做出诊断。

镜头二：热退疹出

发热持续3~4天后，体温会一下子降到正常，或仅仅有些低热。但随之而来的是皮肤出现了红色的小丘疹，从面部、耳后、颈部到躯干相继出现比较均匀的小红疹。

镜头三：皮疹出来后

随着皮疹的出现，有的婴儿会因为皮肤轻度瘙痒而闹人。有的婴儿没有什么症状，精神很好，食量也增加了。

以上三个镜头就是典型的出疹性发热全过程。

出疹性发热应对方法

·无须治疗

出疹性发热是自限性疾病，无须治疗，到时候会自然痊愈。发热高的，可以适当服用退热药或采取物理降温。

·不要一个劲地跑医院

新手父母没有经验，发热时着急，出疹更着急。如果有经验的医生告诉了父母，父母就会比较放心，如果父母不了解这个病的特点，就会一个劲地跑医院。

·皮疹出来就预示病好

出了皮疹，就预示着这场病已经接近尾声了，已经好了，出了皮疹，也不用吃药，2~3天就会慢慢消退的。

病毒感染性发热

病毒感染性发热特点

·一般多呈体温持续升高症状。

·退热效果不显著。

·尽管体温比较高，婴儿精神并不差。

·但孩子会很闹人，使得妈妈很着急，会使用各种退热方法，但往往是不灵验的。

·妈妈会一趟越地跑医院。

·医生或维持原来的治疗，或开一种新的药物。

·如果正巧换了一位医生，或换了一家医院，吃了新开的药物，体温下降了，父母就会认为这位医生或这家医院的医术高，这往往是碰巧的事。

·不到病程，体温就是不降。到了病程，体温就自然而然地下降了。

病毒感染性发热应对方法

·到目前为止，没有非常有效的抗病毒药物，多是等到自然病程的结束，疾病也就好了。就像成人感冒一样，如果不继发细菌感染，单纯的感冒，不吃药，休息休息，多喝点水，也会不治而愈的。

·婴儿感冒也是一样，也有自然病程。当然，婴儿机体抵抗力弱，很容易造成机会感染，适当的治疗是必要的。

·父母要了解病毒感染的特点，了解其自然病程，带孩子看病的目的，应该是让医生看一看是否合并了其他病症。如果合并了其他病症，要及时给予相应的治疗，如果没有其他病症，还是原来的病毒感冒，就不要吃更多的药物，打针输液更是没有必要的。如果为此而使用高级抗菌

《宝宝补微推荐食谱》发表于《亲子》，2003年4月

微量元素已经成了家喻户晓的营养素。父母们为了孩子的健康成长，不惜花钱购买各种微量元素药物和营养品。有没有更好的补充方法呢？不用说，食补是最理想的。我不是营养学家，一贯主张养孩子粗一点，从来不推荐正常儿童吃营养保健品，所以，从医生的角度写食补，写从食物中摄取丰富的营养素，是这篇文章的主题。

素，那就更是错误，父母一定不要强求医生这样做。

· 如果继发了细菌感染，必须使用有效的抗菌素，退热药即使临时把体温降下来了，也只能维持几个小时，体温会再次升高。

641. 腹泻

几乎所有的婴儿都有过腹泻病史

婴幼儿腹泻病是小儿四大常见病之一，每个年龄段的小儿，都有患腹泻病的可能，在儿童期，尤其是婴幼儿期，腹泻病的发生率是很高的，1岁以内的婴儿腹泻病的发生率就更高了，几乎所有的婴儿都有过腹泻病史。

婴儿腹泻，父母着急有道理

婴儿腹泻，最令父母着急，如果一天拉稀十几次，甚至二十几次的话，妈妈就不用做别的事情，忙还不必说，婴儿腹泻多是"哗啦"一下，几乎是从肛门中蹿出来，每一次，妈妈的心都会针刺样的痛。孩子少吃一口，妈妈都怕孩子营养不良，这一泡泡的稀便，怎能不让妈妈心痛呢。

从医学角度考虑，腹泻确实对婴儿的健康有极大的危害。不要小瞧几泡稀，其中含有大量的电解质和水分，这些物质的丢失，对婴儿体内环境影响是很大的，电解质是维系人体血浆容量必不可少的，是维持体内酸碱平衡的物质基础，水对人体的作用就更重要了。所以，婴儿腹泻所丢失的不是一口饭所能补充的，妈妈的着急是有道理的。

婴儿腹泻，父母应该注意的十点

· 引起婴儿腹泻原因有多种，应加以辨别，只有针对病因进行处理，才能有效控制病情。

· 药物不是治疗腹泻病唯一有效的方法。

· 止泻药不能治疗所有的腹泻，应该有针对性。

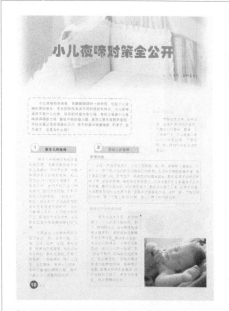

《小儿夜啼对策全公开》等25篇文章收录于《妈妈宝宝新概念》，2002年4月，昆仑出版社出版

· 防重于治。

· 科学的护理对阻止腹泻是必不可少的。

· 食疗在婴儿腹泻治疗中是很重要的。

· 补充水、电解质比服用止泻药重要得多。

· 一定不要动辄使用抗菌素，这是导致治疗失败的主要原因。在给腹泻婴儿服用抗菌素时，应该有充分的理由。

· 辨别出类似腹泻病的"非腹泻"。

· 处理腹泻病，应该是迅速补充丢失的水和电解质，短期快速止泻。

妈妈逐条做

1）腹泻病的病因鉴别，针对性处理

这是很重要的。引起婴幼儿腹泻原因有多种，应加以鉴别。只有针对病因进行治疗，才能有效控制病情。

当然，病因鉴别不是父母所能为的。但是，父母要认识到这一点的重要性。当您的孩子腹泻时，要问一问孩子腹泻的原因，不要自行购买治疗腹泻的药物，尤其是抗生素和止泻药。

并不是所有的腹泻都需要服用抗生素。抗生素是对因治疗，必须针对引起腹泻的病原菌选择。如果没有感染，就不需要抗生素。不同的病原菌要选用不同作用的抗生素。

止泻药是对症治疗，也不是所有的腹泻都可以服用止泻药。严重感染性腹泻控制感染是第一位的，在感染没有控制前，是不能使用止泻药的。

由此可见，腹泻的病因鉴别，针对性治疗是非常重要的，这不单单是医生的事，父母也应该了解。

2）药物不是治疗腹泻病唯一有效的方法

婴儿发生腹泻，父母马上会使用药物。药物的来源可能有三个：（1）有的是到医院开的；（2）有的是在药店购买的；（3）有的是上次腹泻时，没有吃完的药物。而对其他方面的处理，往往就忽视了。这可能就是治疗失败的原因。治疗腹泻的药物换了一种又一种，就是不管事。事实上，药物不是治疗腹泻病唯一有效的方法。应该采取综合措施：

· 补充丢失的水、电解质，纠正酸碱紊乱

婴儿由于腹泻丢失了电解质，血浆晶体渗透压降低，肠腔内的水分不但不能吸收，还会有水分析出，如果只喝水，就不能吸收，出现喝水拉水现象。这时如果能口服电解质（口服补液盐），不但会使水分吸收，还能吸收补充的电解质，即纠正了水、电解质紊乱，还起到了止泻作用。

· 单纯吃止泻药效果是不好的

如果不注意饮食调理、饮食卫生和大便管理，单靠止泻药是不行的。

如果出现了脂肪泻，就要减少油脂食物的摄入，适当控制饮食。

如果出现了饥饿性腹泻，就要加强喂养，控制饮食会使腹泻加重，单服用止泻药效果是不佳的。

如果出现了菌群失调（大多是抗菌药物所致），就应该调整肠道内环境，才能恢复肠道内正常菌群，缓解腹泻。

3）止泻药不能止住所有的腹泻

止泻药不能治疗所有的腹泻，当你的婴儿出现腹泻时，不要仅仅盯住止泻药，换了一种又一种，药吃了一大堆，不但白白花钱，孩子还受罪。腹泻时间长了，孩子会很快消瘦下去，出现营养不良、抵抗力减低，易患其他疾病。腹泻处理不得当，会给父母和孩子带来很多痛苦，在实际生活中，这种现象并不少见。

· 细菌感染性腹泻

在使用有效抗生素的前提下使用止泻药。不消灭肠道内引起腹泻的致病菌，单服用止泻药是没有效果的。

当婴儿患感染性腹泻时，大便多见黏液样、脓性、带血、绿色稀水样。大便常规检查多有异常，如可见白细胞、红细胞、脓细胞等。婴儿可有发烧、精神差、呕吐、纳差等症状。

· 病毒感染性腹泻

缺乏有效的抗肠道病毒的药物，尽管如此，单纯服用止泻药也难以有效控制腹泻。病毒性腹泻最常见的是秋季腹泻。

秋季腹泻好发于秋末冬初季节。婴儿可有发烧，大便常规可正常或见少许白细胞，大便可成绿色、淡黄色、白色稀水样、蛋花汤样、稀米汤样。大便以水为主，可迅速丢失大量水分，短期出现脱水症状。治疗的关键是补充水分和电解质。

止泻药不但不能奏效，还可能增加肠道负担，表现为吃药拉药。妈妈一旦发现孩子吃进去止泻药（如泻速停，中药汤色）都拉了出来，就不要再服用了，肠道根本就不吸收药了，止泻药已经不能起到药效了，只能增加肠道负担。这时应该以补充水分电解质和调整肠道功能为主，也可吃肠道黏膜保护剂。

· 饥饿性腹泻

止泻药是没有效果的，必须调整饮食结构。母乳不足添加辅食或牛乳。

· 消化不良性腹泻

也不应该单纯服用止泻药（对食物消化不了，对药物吸收也同样不好），治疗、护理应该以助消化为主，调整饮食结构。

· 肠道菌群失调

单用止泻药也是无效的，应该服用围生态制剂，使肠道恢复正常菌群结构。

4）防重于治

对婴儿疾病的预防，并不像想象的那样到位。究其原因是：不知道如何预防；意识不足；方法不当；观点不对。这是普遍问题。

具体到对婴儿腹泻病的预防，我有如下建议：

! 紧把病从口入关

提到病从口入关，父母想到的就是卫生问题。关于这个问题，父母常常会说"我们非常注意卫生"。医生不怀疑这一点，父母会做得很好。但是，父母所说的卫生是狭义的，指的仅仅是"干净"。应该更广义地认识卫生这个问题，这是预防腹泻病的重要环节，这一关包括方方面面。

! 父母要有效洗手

每次给婴儿换尿布后、喂奶前、给婴儿冲奶前、给婴儿喂饭前、给婴儿做饭前……都要洗手。洗手方法很重要，要使用肥皂和流动水（有效的洗手）。

! 婴儿排泄物妥善处理

婴儿腹泻后，要及时把排泄物处理干净，阻断再感染途径，这是很重要的。

! 餐具、炊具不要水淋淋

给婴儿做辅食的餐具（菜板、刀叉、过滤纱布或漏网、榨汁机、各种容器等）用后晾干，用前清洗、消毒（对于6个月以前的婴儿是必须的）。

! 食物的放置有讲究

冰箱内放置的食物（冬季保存时间不能超过72小时，夏季保存时间不能超过24小时）必须煮沸后食用。煮沸后，不能再装入原来的容器中食用，要更换一个干净的容器。在常温下放置的剩奶，不能超过4个小时，夏季不能喝常温放置的剩奶。夏季如果剩奶没有及时倒出，再使用时，不能把剩奶倒出后，用开水涮一涮就使用，一定要煮沸后再使用。夏季不能给婴儿喝放置24小时以上的白开水，果汁要即做即吃。

! 辅食添加有技巧

开始添加辅食时，从小剂量开始，逐

《OFFICE LADY的无药处方》发表于《女性大世界》，2003年3月

时尚女性读者非常能接受新观点，比如不用常规药物，而寻找取自植物或食物的新型药物或治疗方法。我把给身边亲朋好友的无药处方的实际例子介绍给读者，大受欢迎。

渐增加，一种一种地添加辅食，等到适应后，再加另一种辅食。添加新的辅食后，只要出现腹泻，马上停止，待腹泻消失后再试着重新添加，但添加的剂量，要比上次减少一半。注意：不要同时停止其他已经添加的辅食。孩子不吃时，一定不要硬逼着孩子吃，孩子非常喜欢吃的东西，不要没有限制地让吃个够，父母要做到心中有数，觉得孩子已经吃够了，再吃就会太多（大部分婴儿饱了都会主动不吃了，但食欲非常好，食量大的婴儿，有时需要父母适当控制），就不要再喂了。爱吃的食物，也不能上顿下顿都吃，或连续几天都是一样的，这也会使孩子腹泻的。

！妈妈嚼饭给孩子，错！

千万不要给孩子嚼饭，这可以导致婴儿腹泻。有的妈妈怕饭热烫着孩子，喜欢用舌头尖舔一舔，试试温度，这是不好的习惯，还有的妈妈喜欢啄一下奶嘴，尝一尝奶的温度，这更不好。成人口腔内的细菌对于婴儿来说，可能就是致病菌。

！不能吃的不要吃

不适合这个月龄吃的食物，不要给孩子吃。便秘的婴儿没有医生建议，不能擅自使用泻药。

！腹泻流行时更应注意

在腹泻病流行季节，尽量少接触其他孩子，少带孩子到病儿集中的医务场所，少到公共场所，一定不能接触患有腹泻的孩子。这一点，父母不要不好意思，为了对孩子负责，要拒绝患有腹泻病的孩子到家里串门，如果带孩子到别人家里串门，一旦得知他们的孩子正在腹泻，要马上离开。

5）科学的护理对防治腹泻是必不可少的

一旦婴儿发生腹泻时，父母应该认识到这样一点：药物不是治疗腹泻的唯一方

《容易被遗漏的九大健康问题》发表于《清洗世界》，2003年3月
保护性注射乙肝疫苗、宫颈刮片检查、孕前牙病、无症状菌尿、睡眠障碍、疲劳综合征、维生素不足与过度补充、钙流失等生活中比较容易遗漏与错误对待的问题。现在我周围有一些非常注意自己健康状况的有文化的时尚白领，常常向我咨询亚健康问题和预防医学问题，提前预防和保护自己和家人的健康。

法，也不是最有效的办法，应采取综合的治疗措施。

关于禁食疗法

·基本被否认

对于婴儿腹泻，过去沿袭的禁食疗法，已基本被否认，至少不能长时间禁食。

·父母不能决定

是否需要禁食，要由医生来决定，父母不应该自行决断。

·时间有严格限制

即使是禁食，其时间也是有严格限制的，不是一说禁食，就是一直禁下去。对于单纯的婴儿腹泻，大多不需要禁食。即使禁食，也多不超过6~8个小时。

·一般采取的饮食策略

适当延长喂哺间隔时间。

适当减少喂哺剂量（对于吃得少的婴儿，只要婴儿想吃，就不要限制）。

《夏季给宝宝的20条医生提要》发表于《亲子》，2002年8月

对宝宝日常生活护理，以及疾病预防都与季节有着密切的关系。夏季需要预防腹泻、蚊虫叮咬、皮肤划伤、热伤风等疾病。

减少食物种类；改变烹饪方法（如把米粉干炒后再吃，把鲜奶多煮沸几次，弃去上面的奶皮）等。

· 禁食会导致不良结果

不轻易禁食。禁食的结果，可能会使婴儿出现饥饿性腹泻；可能会使孩子出现脱水和电解质紊乱；可能会使孩子出现营养不良（长时间禁食或长时间控制饮食）。没有医生嘱咐，父母不能对腹泻婴儿实行禁食或饥饿疗法。

6）食疗在婴儿腹泻治疗中是很重要的

食疗在治疗婴儿腹泻中的作用，有时是与用药并驾齐驱的。食疗具体方法包括以下内容：

· 稀释奶液

6个月以内的婴儿无论是什么类型的腹泻，都不要停止母乳喂养，但乳母要少吃油脂大的食物，喂奶前30分钟到一个小时，喝一杯温开水，以稀释奶液。牛乳喂养的婴儿，可以加大水的比例。如果腹泻前喂纯乳，腹泻初期可把牛奶配成4：1、3：1、2：1。

· 减少脂肪

如果婴儿有脂肪泻，就尽量给婴儿吃前一部分的母乳，前一部分的母乳中，含较多的蛋白质，后一部分的母乳含较高的脂肪，不利于腹泻儿的消化。牛乳喂养儿，可把奶煮沸，去掉上面的奶皮，降低脂肪含量，成为脱脂奶。

· 焦米粉

前面提到的炒米粉，也是有效的食疗法（但不适合4个月以前的婴儿）。把米粉放在文火上炒，直到米粉变焦黄。每次取适量焦米粉，加少量的水和糖煮沸后食用。

· 藕粉

藕粉也可作为腹泻时的食疗，把藕粉放入水中溶开，加适量糖煮沸后食用。

· 胡萝卜汤

将胡萝卜洗净，切成丝或小块，加水煮烂，过滤去渣后饮用，饮用时，可加水或米汤。

· 苹果泥

用勺刮成泥状直接喂，也可煮后捣成苹果泥，加几滴高粱酒后食用。

7）补充水、电解质比服用止泻药重要得多

脱水危及婴儿

婴儿腹泻时丢失水和电解质，导致婴儿脱水、电解质紊乱、酸碱失衡，这是危及腹泻婴儿生命的最主要原因。所以，婴儿腹泻治疗的重点是及时补充足量的水和电解质，而不是单单服用止泻药。

补液是关键

孩子一旦发生腹泻，尤其是水分含量多、次数多、量大的腹泻，要不失时机地喂口服补液。吐出去不怕，只要吐得少，喝得多，就能达到补充液体的目的。这一关键问题，往往不能引起家长的重视。这种现象，在基层医院也常被忽视。服用口服补液，不但能及时补充丢失的水和电解质，还有止泻作用。

正确使用口服补液

· 正确使用口服补液是治疗婴儿腹泻的关键一环。

· 一定要严格按照说明书或医生的嘱咐配制口服补液。

· 用温开水冲，也可加米汤。

· 如果婴儿没能把冲的口服补液一次喝完，剩下的不要用开水烫或煮沸加热，温一温就可以了。但存放时间不能超过12小时。所以一次要少冲，争取都喝完，尽量不喝剩下的补液。

· 给孩子喂口服补液不能一下让孩子喝很多，以免引起呕吐，要频频地喂，一点点地喂，就像静脉输液一样，不断地补充。

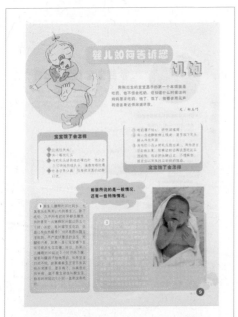

婴儿如何告诉你饥饱发表于《亲子》，2002年9月

刚刚出生的新生儿就会吸吮，就知道饿了哭，吃饱了睡。新手宝宝妈妈不必太担心。妈妈的乳汁是否足够宝宝吃，宝宝会告诉妈妈。

· 如果婴儿不喜欢吸吮，可用小勺一点点地喂，这需要很大的耐心。如果能避免静脉补液，再辛苦父母也应该坚持。

8）不要动辄使用抗菌素

乱用抗菌素治疗婴儿腹泻是导致治疗失败的主要原因。婴儿肠道内非致病菌群数目少，还没有建立正常的菌群系统，肠道内环境不稳定，容易被外界因素破坏，一旦内环境遭到破坏，不易恢复。所以，保护婴儿肠道内环境是很重要的。

腹泻婴儿应用抗生素要注意：

· 要有充分的理由。

· 要在医生指导下使用。

· 要在有细菌感染证据时，选择抗菌素。

· 根据感染病原菌正确选择抗菌素的种类。

· 不能长期使用抗菌素。

· 不要轻易使用两种以上的抗菌素。

· 不要轻易使用抗菌力很强的广谱抗菌素。

· 有些医生，只要是腹泻，就使用抗菌素是不对的，父母要提醒医生注意，父母有权利对医生的治疗提出质疑。父母有这方面的知识，发生疑问时，不要顾虑，这是对孩子负责。腹泻婴儿乱用抗菌素的现象是普遍存在的，应引起父母的注意。

9）辨别出类似腹泻病的"非腹泻"

婴儿腹泻病需要治疗，但有时尽管婴儿大便看起来不正常，并不能就此认为婴儿患了腹泻病。当父母发现孩子大便有些问题时，不要忘记非腹泻情况。

出现"非腹泻"的几种情况

· 母乳喂养的婴儿大便次数多，也比较稀，这不是腹泻。

· 母乳喂养儿的大便可能会随着母亲的饮食有所改变。

某一天，由于乳母吃凉了；

某一天，由于乳母吃油腻了；

某一天，由于乳母外出回来后马上给孩子

喂奶了；

某一天，家里来客人，乳母喝了带冰饮料；

某一天，乳母参加聚会，喝了几杯啤酒，到家就给饥饿的宝宝喂奶；

……

某一天，由于这样和那样的原因，婴儿大便可能会出现一些改变，不要马上就认为是婴儿腹泻了，马上就吃药，上医院打针，要等一等，看一看，是否由乳母造成，或许拉一次两次就很快好转了。

· 在添加辅食过程中，婴儿的大便可能会有所改变，大便变得发稀，发绿，有奶瓣，次数偏多，这不是腹泻病，可能是对新加的辅食不适应。减少辅食量或停止添加，会很快好转的。

当婴儿出现"非腹泻"时

· 不要急于服用止泻药。

· 不要服用抗菌素。抗菌素有可能破坏肠道内环境，引起伪膜性肠炎，引起真正的腹泻病。

10）处理腹泻病：应该是迅速补充丢失、短期快速止泻

· 婴儿大便是多变化的。怀疑腹泻，首先要化验一下大便常规，向医生询问，注意观察，明确诊断后，正确选用药物。

· 婴儿一旦患了腹泻病，应该迅速补充丢失的水分和电解质。

· 迅速补充丢失的水分和电解质，不但降低了发生危险的可能性，还能起到止泻的作用。

· 短期快速止泻也是非常必要的，如果治疗方法正确，能够快速收到治疗效果。如果让婴儿拉的时间长了（老百姓常说的"肠子拉滑了"），就给治疗带来困难，婴儿也会出现营养不良。

预防秋季腹泻，父母必须做到

· 秋季腹泻预防是关键

秋季腹泻是由轮状病毒引起的感染，好发季节是秋冬。易发于2岁以内小儿，是流行较广的小儿肠道传染病，几乎每年都有不同程度的流行趋势。如果赶上大流行，婴幼儿几乎难逃劫难，集体机构可"全军覆没"。预防是关键，父母要明白这个道理。

· 患病儿粪便中可排出轮状病毒

秋季腹泻是传染病，经粪口传播，也可通过气溶胶形式经呼吸道感染而致病，所以，做好肠道隔离和呼吸道隔离是很重要的，患有秋季腹泻的患儿可从大便中排出大量的轮状病毒，可于感染后1-3天开始排出，最长可排6天。父母认识到了这点，就知道如何避免宝宝被感染上轮状病毒了。要远离患病的孩子。病儿父母给的食物不能让宝宝吃。不要让宝宝接触有感染病毒可能的东西。在秋季腹泻流行季节，不要带孩子到人群多的场所玩耍。

· 当您的宝宝已患了秋季腹泻

父母处理完患儿大便后要彻底清洗手部、被粪污染过的物品，以免造成粪口

《治病治出来的药源性疾病》发表于《妈妈宝宝》DM，2001年1月

　　不正确使用药物，过分依赖药物，每次生病都吃很多药，甚至几种相同作用的药物同时吃，过度使用抗菌素等，都有引发药源性疾病的危险。新手爸爸妈妈千万不要做给宝宝使用药物的催化剂。

《宝宝告别感冒专家指导全公开》发表于《妈妈宝宝》DM，2001年9月

　　婴儿生病，最常见的是感冒发烧拉肚子，如何让宝宝少感冒，不感冒，感冒了如何护理宝宝，使宝宝早日康复，本文从实际出发帮助新手爸爸妈妈们。

传播。

　　要保持室内空气新鲜、流通。

　　最重要的是要及时补充丢失的水分和电解质，可购买口服补液盐。只要在疾病的初期，使用口服补液盐，配合其他治疗，就会免除住院，不但解除了孩子的痛苦，还节约了医疗开支。

642. 便秘

　　真正的便秘是大便干硬，排出困难，排便次数减少。有时，干硬的粪便擦伤肠黏膜，大便可带血或黏液，排便时可有疼痛。婴儿因疼痛而拒绝排便，使大便更加干燥。这个问题，婴儿护理中已经多次提及了，这里作个总结。

便秘的主要原因是饮食因素

　　引起婴儿便秘的原因主要是以饮食因素为主的。疾病引起的是很少见的，如先天性巨结肠症，发病率是很低的。

　　在便秘的婴儿中，以人工牛乳喂养儿为多见。这与食物成分有关。本来牛乳喂养就容易导致婴儿便秘；如果再给孩子吃钙片，大便就会更坚硬，难以排出。牛乳喂养儿，如果不早期添加果汁和菜水，就容易出现便秘。所以，牛乳喂养的婴儿，出了满月，在生后第二个月，最迟也要在生后满2个月，从第三个月开始添加果汁和菜水。

　　母乳喂养儿出现便秘的不多，相反，多是大便次数多，不成形。总是黏黏糊糊的，很少能见到一条条成型的大便。有的婴儿一天可拉4~5次，甚至6~7次。在没有添加辅食时，有的婴儿撒尿、放屁都会带出大便来。妈妈每次换尿布，都能看到尿布上沾点稀屎，往往被妈妈认为是腹泻。

　　有老人的家里，可能会建议吃些"婴儿素""婴儿安"之类的药物，这是没有必要的，相反，这些药不能随便给孩子吃。在大城市或正规医院里，不会卖这种药物，医生也不会建议吃这类药物的。婴儿素中可能含有不宜婴儿服用的磺胺，如果这些药物过期变质了，还可能会导致婴儿类似亚硝酸盐中毒的症状。

有便秘家族史的婴儿

　　母乳喂养儿，大便次数多，稀的非常多见，出现便秘的少。但有家族便秘史的，即使是母乳喂养，婴儿也会便秘。如果是牛乳喂养，便秘就更厉害了，纠正起来往往是比较困难的。

　　对于这样的婴儿，妈妈就掌握这样的原则：只要婴儿能够排出大便，妈妈就不要总是担心孩子的大便。尽管间隔时间长些；大便并不是很硬；排便时，婴儿也没有痛苦表情；有些使劲，也不损伤肛门；孩子精神也很好。

不要一天不拉就使用开塞露，这样反倒会使婴儿产生依赖性，不用开塞露，就不拉，就等着妈妈打开塞露。婴儿也喜欢不费劲地排便，结果便秘就更重了。妈妈不但很麻烦，总用开塞露，对婴儿肛门也会造成损伤。所以，不要轻易使用开塞露。

食量小的婴儿

食量小的婴儿，肠道内的余渣也少，大便自然也就少了，这样的婴儿，虽然几天才排大便一次，并不是便秘。排便并不费劲，大便也不硬，孩子精神好，体重增加也很正常，就不能认为是便秘，只是吃得少，大便也少。这样的婴儿就不需要处理，长大了，胃容量增加了，饭量增加后，大便也就多了。

纠正婴儿便秘的方法

·纠正婴儿便秘的方法，以改善饮食结构，训练排便习惯，加强运动为主。

·不宜使用泻药。使用泻药，使肠子蠕动加快，如果出现异常蠕动，有可能引起肠套叠，这可是比便秘严重的病。可能会使孩子遭受手术，甚至危及婴儿的生命。如果需要使用，一定要在医生指导监督下使用。妈妈可千万不要擅自使用。如果泻药吃多了，或选择错了，可能会导致婴儿腹泻。吃长了，还会引起对泻药的依赖。

·给便秘的婴儿进行腹部肌肉按摩，能够促进肠蠕动，有利于大便排出。

·饮食护理。在牛奶中加些白糖，也可使大便变得软些。果汁、菜水等有润肠作用，碳水化合物使大便成酸性，大便会软些，容易排泄。所以，对于便秘的婴儿可以早添加粮食类辅食。

第3节 婴儿常见疾病

643. 毛细支气管炎

80%以上的病例发生在1岁以内

毛细支气管炎是婴幼儿期肺炎的一种特殊类型，是婴儿期比较严重的呼吸道疾病，多发生于几个月龄的婴儿，主要表现是喘憋。在我国北方地区，该病多发生于冬季和初春，南方则多发生于春夏或夏秋。发病高峰集中在1-6个月的婴儿，80%

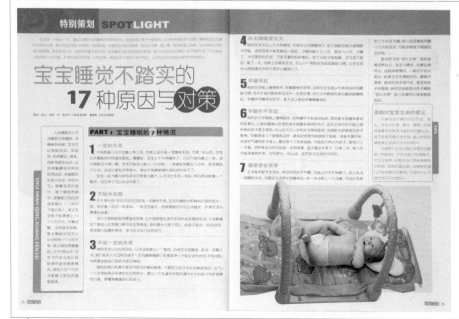

以上的病例发生在1岁以内。男女婴儿发病率差不多，但男婴病情多比较重。

该病初期表现主要是感冒症状，2、3天后，出现咳嗽、喘息，一般于发病6、7天症状进一步加重，出现明显喘憋。这时，一般父母不再坚持在家里治疗，即使在半夜，也会因婴儿呼吸困难而看急诊。

到医院后，医生会立即收住院治疗，但即使住院治疗也难以在短期内使病情好转。这是毛细支气管炎的特点：就是发病7天左右病情最重，喘憋达到高峰；病程10天以后，症状逐渐减轻。

使用抗菌素无效

引起毛细支气管炎的病原菌多是呼吸道合胞病毒，使用抗菌素无效。缺乏有效的抗病毒药物，主要靠自然病程。即使在疾病初期住院治疗也不能缓解病情，父母也不必因为没有及时住院而后悔，病程就是这样发展的。如果喘憋严重，就需要住院治疗；如果喘憋不严重，可以在家中治疗。

有的婴儿本来病情不是很重，住院后因静脉输液，婴儿拼命哭闹，反而会使病情加重，倘若合并院内交叉感染，会使病情进一步加重。所以，如果不需要住院治疗，不要为了安全而提前住院，这对婴儿没有任何好处。

父母应该做的

· 多给孩子喝水稀释痰液。

· 定时拍背帮助孩子排痰。拍背的方法：妈妈把手握成空心状，一下一下，有节奏地拍婴儿的背部。拍右侧背部时，让婴儿左侧卧位。拍左侧背部时，让婴儿右侧卧位。这样能够帮助婴儿排出气管内的痰液。

· 室内空气要新鲜，温度不能太热，一般保持在18℃左右就可以，这样才能保证适宜的湿度。冬季如果室温过高，就难以保持适宜的湿度。

· 不要给孩子穿得过多，那样会阻碍呼吸

《宝宝意外事故的预防措施》发表于《女性月刊·妈妈宝宝》，1999年12月

作为儿科医生，我尽管见过很多危重病症，也无数次面对孩子的死亡，但由于大人们一时疏忽就断送了孩子宝贵的生命，仍然使我久久不能平静下来。我把两位妈妈时隔久远的不幸告诉正在养育孩子们的父母们，提请他们要引以为戒。告诉他们，虽然这种意外发生的可能性很小，一旦发生了，就是百分之百的不幸。

运动。毛细支气管炎是婴儿期比较严重的疾病，但家长不要着急，一般会安全度过高峰期，病情逐渐好转。

644. 流行性感冒

全国每年约有10亿感冒患者，大多数是普通感冒，病情轻，有自限性。但流行性感冒是一种严重的感冒，它与普通感冒不同，应加以区别。

流行性感冒与普通感冒的区别

流行性感冒简称流感，是流行性感冒病毒引起的急性呼吸道传染病。其特点是传播力强，常成地方性流行，当人群对新的流感病毒变异株尚缺乏免疫力时，可酿成世界性大流行，突然发生，迅速传播。主要表现为突发高热、头痛、全身酸痛、乏力、咳嗽、咽痛等。

普通感冒可由各种病毒引起，如柯萨奇病毒，艾可病毒，鼻病毒，合胞病毒，腺病毒，还可由肺炎支原体及一些细菌引起，散在发病，不造成地方性流行，症状轻，一般起病鼻咽部局部症状明显，但全身症状较轻。

流行性感冒和普通感冒区别

	流行感冒	普通感冒
病原	流感病毒	多种病毒
发病	突然	一般
症状	重，全身症状明显，有高热、畏寒、头痛、背痛、四肢酸痛、疲乏、咽痛、干咳、眼结膜充	轻，全身症状轻，局部症状主要有流涕、鼻塞、咽痒、轻微头痛
发热	高热，婴幼儿可有严重的高热惊厥性	无发热或中度发热
季节	有严格季节性，北方多发生在冬季，南方多发生在冬季和夏季	无明显季节性，全年散在发生，冬春季节发病较高
合并症	可合并肺炎，心肌炎等严重合并症	合并症少见，轻
预后	死亡率高	预后良好
治疗	无特异性治疗	无特异性治疗
预防	流感疫苗	无特异疫苗

流感流行最大特点为突然发生和迅速传播。一般沿铁路或公路沿线蔓延，先城市后农村，先集体后散居。人口集中的地区、人口拥挤的场所传播极快。世界性大流行可在短期内爆发。

流感的预防

注射流感疫苗是预防流感的最有效措施。流感疫苗自应用以来，对降低发病率起到了一定的作用。北京市自1996年首次应用流感疫苗以来，经过4年的观察，证明能起到很好的保护作用，疫苗保护率在80%以上。每年要在流感高发期，一般是在秋末冬季到来之前进行接种。

接种方法

灭活疫苗：婴儿皮下注射灭活疫苗2次，每次0.5–1毫升，相隔6–8个月，每年秋后加强一次。接种后两周，抗体上升至最高峰，4–5个月后降至三分之一，一般一年

后消失，有效保护时间为半年至一年。

减毒活疫苗：用鼻腔喷雾法，每侧0.25毫升，保护期也为半年到一年。

隔离

对患者隔离消毒。病儿应在家休养，托幼机构发病人数多时，可就地隔离休养，减少散播机会。居室宜独住，空气新鲜，阳光充足。

呼吸道分泌物要妥善处理，不要乱扔乱放。患儿用具要煮沸消毒。病儿离室后，打扫室内卫生，通风换气。勤用肥皂水洗手。

流行季节少带儿童去人多拥挤的公共场所，少去病人集中的地方诊病。加强身体锻炼，多到户外活动，经常用冷水洗手洗脸，增加耐寒能力。居室每日开窗数次，通风换气。有流行疫情时，让小儿停课，不去托幼机构。

药物预防

甲型：金刚烷胺，接触病毒后立即

《宝宝止咳药怎么选》发表于《母子健康》，2004年4月

咳嗽是一种症状，几乎所有的孩子都经历过咳嗽，对于经久不愈的咳嗽，妈妈如何在医生指导下选择止咳药呢？

服用。1-9岁每公斤体重每日4毫克，分两次口服。病毒唑也有预防作用。九岁以上每次0.1毫克，每日2次，保护率可达50-70%。另外，中草药如板兰根、大青叶、金银花对流感病毒也有预防作用。据专家报道，茶叶中的儿茶素具有抑制流感病毒活性的作用，坚持用茶叶水漱口可预防流感。绿茶预防效果最好。

流感治疗

流行性感冒和普通感冒目前都没有特异性治疗，抗病毒药的治疗效果有限，副作用比较大，主要是对症治疗。目前市场上销售的感冒药有50多种，加上同药异名和各种剂型的不同，总共有100多种。虽品牌较多，但化学药主要是四类，即解热镇痛、抗病毒、抗过敏、镇咳等组成的复方制剂。这类复方药虽组方或剂量有所差异，但没有本质区别。

目前医学上尚没有特效、安全的杀病毒药物，因此对感冒和流感的治疗，主要是

休息、保暖、多喝开水、房间多通风消毒，对症治疗减轻症状，抗感冒药的早期应用对患者的康复和合并症的预防有帮助。

645. 热伤风

热伤风多发生在炎热的夏天。由于过热而患感冒。热伤风的诱因仍然是受凉，只是热在前，是先决条件，而受凉是后决条件。热伤风由于体温调节中枢与血液循环中枢调节失衡，对药物的反应欠佳，加上环境温度高，不易散热，所以热伤风退热治疗比较困难。

小儿为什么易患热伤风？

· 体温调节中枢不完善

小儿与成年人不同，小儿皮肤比较薄嫩，皮下脂肪少，肌肉也不发达，而皮下的毛细血管却非常丰富，体温调节中枢和血液循环调节中枢都尚未发育完善，对体温的调节功能比较差，不能随着外界环境的变化而迅速发生相应的变化。

·毛细血管开放，汗毛孔闭合

在炎热的夏天，小儿的毛细血管始终处于开放状态，汗毛孔也始终处于开放状态，敞开散热，这样就使体温调节中枢和血液循环调节中枢失去平衡。当受到冷风刺激(如穿堂风、电风扇、空调、大气气温骤降等)，汗毛孔突然闭合，以减少散热。但是开放的毛细血管没能及时收缩，血流的速度仍然很快；

·汗毛孔开放，毛细血管闭合

在炎热的夏季突然遇冷后，汗毛孔没有及时关闭，仍然持续开放，向外散热，而毛细血管却遇冷收缩，血流缓慢，进一步使原本不协调的体温调节中枢与血液循环中枢失衡加重。皮肤抵御病毒和细菌的力量下降，终使小儿感冒，甚至患气管炎、肺炎。预防小儿热伤风的方法，详见P351"炎热夏季如何预防感冒"章节的有关内容。

《腹泻的护理误区》发表于《亲子》，2004年1月

几乎所有孩子都经历过腹泻，在临床工作中常常遇到这样的情况：爸爸妈妈忧心忡忡，因为宝宝一拉就是一两个月，父母心疼孩子，到处寻医问药，化验大便的单子一大把，治疗腹泻的药物一大堆。究其原因，与护理有很大的关系，在护理腹泻孩子方面，存在不少误区。

婴儿惊厥（抽筋、抽风、惊风）是婴儿时期中枢神经系统器官或功能异常的一种紧急症状。

引起婴儿惊厥常见的原因

·高热

多见于6个月龄以后。6个月以前发生惊厥，即使婴儿有高热，也不能轻易考虑是良性的高热惊厥，一定要排除中枢系统感染，如婴儿化脓性脑膜炎，病毒性脑炎等。良性高热惊厥多发生在急性呼吸道感染，体温骤升达39—40℃以上。惊厥停止后，神志恢复正常，不引起脑部损害，脑电图暂时出现慢波，以后正常。惊厥者若有癫痫家族史，日后有可能会转为复杂性热惊或癫痫。

·中枢神经系统感染

仅次于高热惊厥，除体温急骤升高外，多数在惊厥发生前后有昏睡、嗜睡、谵妄或昏迷症状。常见的疾病有：各种脑炎、脑膜炎、中毒性痢疾、败血症等。

·非中枢神经系统疾患

可发生在各个年龄，惊厥发作前后往往体温不高，但常伴有智能落后。

中枢神经系统功能异常（如原发性癫痫）、各种中毒（如一氧化碳中毒、农药或杀虫剂中毒、植物或食物中毒等）、脑外伤（婴儿坠落）亦可表现惊厥。

婴幼儿某些营养素缺乏所致的病态常与惊厥症状相似，如维生素D缺乏、低血钙症等。

婴儿惊厥治疗

引起小儿惊厥的原因很多，要根据小儿的病史及惊厥发作情况，其他伴随的症状，结合各种检查，综合分析，才能做出病因诊断。小儿惊厥属于急症，需要看医生，住院治疗。

第十三章

0~12月

婴儿疾病预防与康复护理

647. 护理不当导致的婴儿复感

"小儿患病是父母的过错"，这话有一定的道理，正因为小儿在生理和解剖上存在着薄弱环节，才应该倍加注意，科学护理是防病不可缺少的。父母如何避免护理疏忽导致宝宝生病呢？

季节交替的护理错误

在季节交替时节，气温不恒定，忽冷忽热。如果小儿不能及时增减衣服，就会冷热不均，很易感冒。小儿活动量大，如果过早添加衣服，孩子就会出汗，汗毛孔敞开，血液流动增快，散热功能加强，加速散热。由于小儿的体温调节中枢和血液循环系统发育尚不完善，不能及时调节体内和外界的急剧变化，当秋季的凉风吹来时，小儿调节失去平衡，出现发热、咳嗽、流涕等感冒症状，如果抵抗力低或治疗不及时，可发展成气管炎，肺炎等。

《冷热不均制造感冒》发表于《父母必读》，2003年

说冷热不均制造感冒并不过分。如果父母能够保证孩子在相对恒定的环境温度下生活，不要捂着孩子，也不要冻着孩子，宝宝就不会频繁感冒。

父母不要制造这样的情景

常常看到母亲穿着无袖连衣裙，爸爸穿着短袖衫，孩子却穿着长袖长裤毛线衣。不会走的婴儿在妈妈的怀中抱着，接受妈妈的体温。"自由"行动的幼儿不停地蹦蹦跳跳，活动量很大，常常是满身大汗。

医生的话

·婴幼儿自身产热能力差，视情况给孩子多穿一层单衣是可以的。但没有理由让孩子穿得和父母差一个季节（父母穿夏装，孩子穿春装）。

·由炎热的夏季到秋季，气温不恒定，忽冷忽热，特别是一天之中温差较大，往往是早晚凉爽，正午也许就闷热，太阳灼人。如小儿不能及时增减衣物，就会造成凉热不均，易患感冒。

·北方四季分明，气温变化大，在季节交替时节，随天气变化给孩子增减衣服可以说是一门技巧，掌握好了，孩子患感冒的几率就会大大减少。能够避免孩子患病，父母不会怕麻烦的。

父母应该这样做

·早晨起来时，看一下天气，和前一天作下比较，如果没有大的变化，就不要轻易给孩子增减衣服。增加衣服最好是早晨起床时决定好。

·天气由暖变冷时，不要急于给孩子添加衣服，加上后就不好减掉了，因为天气一天比一天冷，只能是越加越多，到了真正的寒冷季节，就没有加的了。最好的办法是：您与孩子穿一样厚薄的衣服，您静坐时不感到冷，孩子就不会冷，小儿虽然没有大人耐寒，但小儿始终是在运动状态，即使是睡着了也不会安静。

·天气由冷变暖时，也不能急于给孩子减衣服，可根据您自己的感受，比您自己稍晚几天减衣服，如果您没有因为减掉衣服而感到冷，再给孩子减也不迟，但要比您少减一件单衣。

·掌握"春捂秋冻"原则，再根据天气预报、气温变化、您自己的感觉，有计划地给孩子增减衣服。不要随心所欲，想给孩子穿什么就穿

《哪些宝宝病随着秋风起》发表于《亲子》，2001年

生活在北方的孩子们，到了深秋季节，腹泻病、感冒、气管炎、肺炎、流感会侵袭到孩子。如何通过预防措施降低宝宝患病率是爸爸妈妈需要掌握的。

什么，更不能听孩子的，孩子穿什么式样是次要的，不要为了给孩子穿一件漂亮的却与季节气候不适宜的衣服。

· 当孩子已经出汗时，不要马上脱掉衣服，应该让孩子静下来，擦干汗水，等到孩子不再是汗流浃背时，脱掉一件衣服，再放孩子去玩。

· 不要把出汗的孩子放到风口处凉快，更不能使用电风扇或空调等方法为孩子降热，也不要让孩子快速喝冷饮等食品，这样会使孩子敞开的汗毛孔迅速闭合，造成体内调节失衡，引起感冒。

· 应该让孩子喝温白开水，这样不但可预防感冒，更重要的是对小儿胃肠道和肺部有益。

· 外出遇到天气突然转冷，孩子受到风寒侵袭，回到家中，让孩子喝上一碗红糖姜水，可有效预防感冒。

如何阻止上感的进一步发展

· 护理不当是患病的触发因素

感冒是上呼吸道感染，气管炎、肺炎则是下呼吸道感染，下呼吸道感染要比上呼吸道感染严重得多。上呼吸道感染可发展为下

呼吸道感染。小儿呼吸道感染一般情况下都是因为父母护理不当造成的，因此父母要高度重视并采用正确的护理方法。

· 让宝宝到大自然中去锻炼

有氧锻炼是提高机体抵抗力的好方法，可大多数父母都是怕孩子冻着，很少有怕孩子热着的，早早就给孩子穿上厚厚的衣服，盖上厚厚的被子，天气刚刚有些凉意，就门窗紧闭，这无异于剥夺了小儿在大自然中锻炼的机会，这样孩子怎么能够适应寒冷的冬季呢？孩子没有耐寒锻炼，长大了身体抵抗力也是薄弱的。

· 患了感冒，切莫治疗过度

当小儿患感冒时，不要服用过多的抗感冒药，这是预防发展到下呼吸道感染的方法之一。这是因为：

1）90%以上的感冒是病毒感染；

2）感冒最常见的症状是发热、流涕、喷嚏。在呼吸道分泌物中有许多病毒和炎性细胞，流涕、喷嚏是清除病毒的有效途径；

3）抗感冒药多数是针对流涕、喷嚏症状的，还有就是退热作用，当服用感冒药后，症状减轻了，但呼吸道黏膜却干燥，不但不能清除病毒，还可使细菌乘虚而入，发展致下呼吸道感冒；

4）就像不严重的咳嗽，尤其是痰多时不宜服用镇咳药是一个道理。

· 其他应注意的

多休息，多睡眠，多饮水，适当退热，注意护理，勤看医生是治疗感冒，预防下呼吸道感染的好方法。

648. 牛奶引起的婴儿腹痛

牛奶与婴儿腹痛有什么关系

· 最新研究表明，牛奶是引起新生儿腹痛的最主要原因。

· 在出现腹痛的婴儿中，大约70%婴儿腹痛与喝牛奶有关。

· 意大利医学家做过试验，在发生腹痛的婴幼儿中，改饮豆奶或饮用去掉致敏蛋白的特殊牛奶后，多数婴儿腹痛会不治而愈，当再次喂普通牛奶后，腹痛又再次发生。

· 有试验表明，如果婴儿对牛奶过敏发生腹痛，母乳喂养的妈妈饮用牛奶后，其中的过敏成分也可通过乳汁传给婴儿，婴儿同样会出现腹绞痛。

· 美国圣路易斯安那大学医学院安东尼教授等研究发现：牛也会感染细菌或病毒等微生物。感染后产生免疫性抗体，这些抗体分布到牛身体组织中，其中也包括乳腺组织。牛奶中也就自然带有这些抗体，婴儿喝了含有这些抗体的奶以后，可能就会发生腹痛。

是不是所有的婴儿喝了有致敏蛋白的牛奶都会发生腹痛呢？

并非所有的婴儿都会如此。这种现象多发生于过敏性体质的婴儿。有过敏体质的婴儿消化系统不足以将牛奶中的抗体代谢分解，当这些抗体被免疫系统识别成抗原时，即引发出一系列免疫反应症状，其中包括腹痛。

对于这样的婴儿怎么办

· 母乳喂养儿是很容易解决的。妈妈不要喝牛奶就可以了。

· 如果是牛乳喂养儿，当确定婴儿发生牛奶过敏性腹痛时，可换一换奶粉的种类。

· 我国还没有脱致敏成分的特殊牛奶，进口奶粉中有这种特殊的奶粉。

如何确定婴儿牛奶性腹痛

· 引起婴儿腹痛的原因有不少，如消化不良、肠炎、肠功能紊乱、肠套叠等，要医生加以鉴别。

· 当婴儿出现腹痛，找不到其他原因，没有其他疾病情况，就要想到牛奶的问题。

· 如果妈妈来回变换孩子的体位，或是给孩子揉肚子，孩子会哭得更厉害，躺着时会把两腿卷屈在胸前或腹前，屁增多，每次放屁后会安静一会儿，但不久又会因腹痛而再次哭闹，没有呕吐，排除了肠套叠，要想到牛奶性腹痛的可能。

简单的鉴别要点

婴儿饥饿时，哭闹是比较有节奏的，用手碰一碰嘴边，就会使哭闹停止。婴儿想让妈妈抱时也会哭闹，但很容易哄好的。

消化不良引起的腹痛常常伴有纳差、少食、腹胀、大便奶瓣酸臭味。

肠炎引起的腹痛伴有大便异常。肠功能紊乱引起的腹痛多喜欢让妈妈按揉腹部。

典型的肠套叠患儿多有呕吐，阵发性腹痛，间歇期间如常，多发生在比较胖的孩子，男孩发病率偏高。果酱样大便是肠套叠的典型大便改变。但当出现这种大便时，多表示病情严重。早期诊断最重要，肠套叠属儿外科急症，如果误诊可引起肠坏死，严重者可危及婴儿生命。因此，当婴儿出现腹痛时，要高度警惕肠套叠的可能。典型的肠套叠诊断并不困难，但婴儿肠套叠症状多不典型，容易误诊。首先要想到肠套叠的可能，及时请外科医生会诊。

649. 暑热症

婴儿为何发生暑热症？

6个月以后的婴儿，活动量增加，代谢率增高，产热增多。但是，这么大的婴儿中枢神经系统发育尚不成熟，汗腺发育也不足，出汗少，不易散热。基于以上原因，在炎热的夏季，尤其是南方和中部地区，往往是盛夏酷暑，天气异常炎热，尤其是在气候闷热，没有一丝凉风的时候，如果父母不注意给孩子避暑，婴儿就有发生暑热症的可能。

暑热症都有什么表现呢

暑热症多发生在6个月至3岁的婴幼儿。

发热

主要表现是不规则的长期发热，体温波动于38-40℃，发热特点如下：

· 体温的高低与气候有关：气温越

高，孩子的体温越高；天气越闷热，孩子体温越高；天气稍有凉爽，孩子的体温就有所下降。

·高烧无汗：孩子体温虽然很高，但周身却没有多少汗液，可能仅在额头上有微微的汗水，可以说是干烧。

口渴、多饮、多尿

体温高时，一天可喝掉1000毫升以上的水，排尿达20次以上。即使这样喝，孩子的口唇也是干的。如果不给孩子喝水，婴儿可能会出现烦躁不安。

病初似感冒

起病初期出现类似感冒症状，如流涕、喷嚏、鼻塞等。

其他表现

体温过高时，可有嗜睡、惊跳等症；

发热时间过长时，可以出现消化不良、食欲降低、面色发白、消瘦无力等症。

辅助检查可正常

尽管发热不退，到医院做血、尿、便、胸透等检查时，可能没有异常发现。有的淋巴细胞可以轻度增高。

暑热症的转归与护理

·有少数孩子可连续2、3个夏季都发生暑热症，但症状会逐年减轻。所以，如果您的孩子今年发生了暑热症，来年的夏季来临之前，妈妈可以事先做些预防。可给孩子服用些预防暑热症的中药，有条件的把孩子移到凉爽的地区。

·暑热症可持续1、2个月。气候炎热地区可持续3、4个月。所以，在孩子发热期，父母精心的护理是非常重要的。

·原则上不使用退热药物。

·如果是母乳喂养儿，不要在此期间断母乳。给孩子吃富含蛋白质、容易消化、热量高、营养丰富的饮食。

·室内要通风。

·每天给孩子洗温水浴，水温要比孩子体温低3-4℃。每次在浴盆中浸泡20-30分钟，水

要相对多些。但要注意安全，不要让水灌到孩子的口里和耳朵里。一定不能只让孩子自己在水里玩，成人不能离开孩子。

《围产儿重度窒息病因探讨及预防》《新生儿重度窒息并多脏器功能衰竭的防治》（摘要）收录于《第四届全国围产新生儿研究学术会议论文汇编》，1994

我国新生儿科起步比较晚，围产医学也相对落后。新生儿重度窒息可导致多脏器损伤，可遗留永久的神经损伤，上世纪90年代初，这个问题还很严重。

· 由于生活水平的提高，城市家庭中大多有空调、冷风机、电风扇等制冷设施，居住环境也比较好，拥挤家庭少了，室内通风也都很好，发生暑热症的机会不多了，但此症并非彻底没有了，在炎热的夏季，父母还是要注意预防的。

650. 婴儿脱水热

婴儿发生脱水热的内在因素

· 神经系统发育尚不成熟。

· 体温调节中枢发育也不完善。

· 汗腺没有完全发育，不能通过出汗带走体内的热量，主要靠物理对流散热。

婴儿发生脱水热的外在因素

· 在炎热的夏季。

· 室内温度过高。

· 小婴儿被包裹得很严，体内的热量不能散发出去。

· 没有补充足够的水分。

父母如何判断婴儿脱水热

· 存在发生脱水热的外界因素。

· 无名原因的发烧，体温可高达40℃以上。

· 烦躁不安、口唇干燥、尿少、面色发红。

工作中常遇到的病例

就诊时父母怕宝宝受风着凉，都是把孩子紧紧地包裹着，几乎是不透一丝风，车里开着暖风空调，就诊前，体温还是正常的，到了医院，一测体温，让父母大吃一惊，体温竟达到了40℃，孩子发生了脱水热。

冬季里也同样会发生脱水热，有的书上把冬季的脱水热，叫闷热综合征。冬季里，尤其是没有取暖设备的家里，妈妈怕孩子冻着，不但把孩子搂在自己的被窝里，还用手臂紧紧地把孩子搂在怀里。孩子的脸也被蒙在妈妈的怀里。结果，半夜里孩子发生了闷热综合征，出现体温升高，面色潮红，呼吸急促，烦躁不安等症状。

无论是在炎热的夏季，还是寒冷的冬季，婴儿都有发生脱水热的可能。新手父母要注意避免环境温度过热，注意补充水分，婴儿一旦发生脱水热，应立即打开包裹散热，补充水分。降低室内温度，但不能马上就把窗门打开，温度降得过快，对婴儿也是不利的。在冬季，可以在室内洒些水，把卧室门打开。不但新生儿会发生脱水热，几个月的小婴儿也会发生的，父母在护理中要加以注意。

651. 头部受伤

婴儿易遭受头部伤

婴儿头部受伤多是由于从高处坠落下来所致。婴儿头大而重，身体相对小且轻。当婴儿从高处坠落下来，或不小心跌倒，或受到硬物撞击，大多是头部着地。所以，婴儿很容易遭受头部外伤。

预防婴儿头部受伤要点

· 不要让孩子一个人独自玩耍。

· 去除孩子周围的不安全因素。

· 不要忘记孩子没有自控能力。

· 孩子没有自我保护能力，需要父母的呵护。

· 保姆看护的孩子，父母要时常嘱咐注意孩子的安全。

· 向看护人讲明这个道理：看护中不慎致使孩子受伤，千万不要隐瞒，一旦发生脑内伤，隐瞒就会贻误诊断，造成严重后果。

父母如何应对婴儿头部摔伤

· 需要立即上医院的情形

1）外伤严重，需要手术缝合。

2）出血较多，父母先用干净的布压住伤口，减少出血。

3）神志不清，应及时把孩子抱到医院，在去医院途中，要避免颠簸。

4）摔下后，孩子没有马上就哭，似乎有片刻的失去知觉，不哭不闹，面色发白，把孩子抱起时，感觉到孩子有些发软。无论有无其他异常，都应该到医院看医生。

5）父母尽管没有发现异常，但感觉孩子不像往常了，心存疑虑，不能确定孩子是否有内伤，要相信自己的直觉，毫不犹豫地带孩子看医生。

· 想到脑内伤的可能

孩子头部受伤后是否有问题，不能仅仅看表面现象。颅脑受内伤不一定能很快表现出来。比如硬膜下血肿，可以在外伤后的数天、数周、甚至数月后才出现相应症状。所以，如果孩子从高处跌落下来，尽管孩子没有任何异常，也不要掉以轻心。

1）密切观察，及时发现异常情况。

2）让孩子保持安静，密切观察孩子是否有不正常表现。如有无呕吐、精神不振、惊跳、嗜睡、肢体运动异常等；

3）婴儿可能只会表现出嗜睡、烦躁、易惊、拒食、不易察觉的肢体小抽动。

如果时间长了，父母可能会忘记摔伤的事情，把出现的不典型症状误认为是感冒或胃肠道疾病，倘若父母没有向医生提供头部外伤的病史，医生也恰好没有询问，就有可能误诊。所以，有过头颅外伤的孩子，一旦出现异常情况，父母不要忘记向医生说明，以便医生根据父母提供的病史，分析是否有脑内伤的可能（参见第七章第8节有关内容）。

652. 婴儿倒睫

3、4个月的婴儿，面部开始变得圆圆的，两颊开始丰满，颧骨显得很高，眼睛被挤得弯弯的，总像是在微笑，是非常可爱的娃娃脸。

但是，就在这时，可爱的宝宝开始流泪了，两眼总是泪汪汪的，早晨起来，

还会有眼屎。明亮好看的大眼睛让眼屎一遮，难看了，孩子还不时用小手揉一揉。

这时，妈妈可能会认为孩子患了结膜炎，在药店买了眼药水，可滴了几天，没

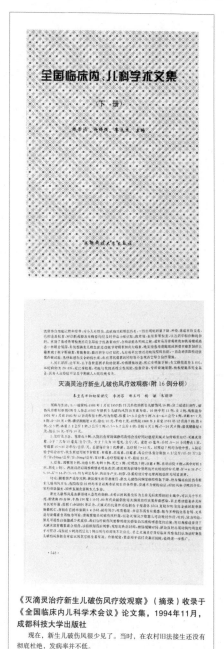

《灭滴灵治疗新生儿破伤风疗效观察》（摘录）收录于《全国临床内儿科学术会议》论文集，1994年11月，成都科技大学出版社
现在，新生儿破伤风很少见了。当时，在农村旧法接生还没有彻底杜绝，发病率并不低。

第十三章 0~12月 婴儿疾病预防与康复护理

有什么效果。妈妈就要想到，是倒睫引起孩子流泪了。

如果医生证实了是倒睫所致，可能会建议做手术，或父母怕睫毛扎坏了孩子的眼睛，也向医生提出手术。但做这样的决定还为时过早。实际上婴儿的睫毛很软，不会因为倒睫而刺伤孩子眼睛的，不要急于手术，随着婴儿的长大，这种倒睫现象会逐渐消失。极个别真正的倒睫，也要等到孩子大一点再手术好。因为小的时候不好确定是否能自然消失，所以不要急于手术。

653. 肛周脓肿

新生儿容易发生臀红，由于新生儿皮肤薄嫩，很容易破损，细菌通过破损皮肤侵入皮内组织，发生臀部感染。一旦发生臀部感染，就有可能发生肛门周围脓肿。

婴儿排便时哭闹，更换尿布时，一旦碰到脓肿处，就会引起疼痛。患有肛周脓肿的婴儿拒绝换尿布，只要妈妈一打开尿布，婴儿就会大哭。

肛门周围脓肿如果不及时处理，会引起肛瘘，给婴儿造成极大的痛苦，如果细菌侵入血中，还会引起败血症。所以，当有臀红时，妈妈要随时观察婴儿臀部是否有感染。一旦发现感染，要及时治疗。预防臀红的方法在新生儿护理一节中介绍过，请参阅。

654. 口腔疾病

婴儿期口腔感染比较常见的有疱疹性咽峡炎、溃疡性口腔炎、手足口病。

婴儿口腔疾病的主要症状

呕吐、发热、流口水、不吃东西，尤其是不能吃固体食物。婴儿口腔疾病严重时，最喜欢喝的母乳，也会拒绝。妈妈把奶头送到孩子嘴里，刚一吸吮，可能就会

把奶头吐出来，大声地哭，哭得很伤心，还会打挺地哭。本来很乖的孩子，把妈妈闹得没有办法，到了晚上更是哭闹，孩子又饿又不敢吃。

妈妈不知道孩子口腔有病之前是很害怕的，往往认为得了什么大病，急忙跑到医院，当医生告诉妈妈，孩子口腔出了问题，或者诊断为疱疹性咽峡炎，或诊断是溃疡性口腔炎，妈妈可能有些不相信。心想：嘴里小小的地方感染，孩子能这么重，烧得这么高，有的婴儿体温会到40℃。呕吐也厉害，滴水不进，肯定不会这么简单。

医生解释后，妈妈相信了，取了药回到家里。可药物根本就喂不进去，连奶都不吃，怎么能吃进去药呢，这位医生忽视了这一点，口腔有病的婴儿是不会乖乖地吃药的。疱疹长到咽部，如果不溃破，还能够咽东西，一旦溃破，即使不咽东西，也会感到火辣辣的疼，咽东西就更疼了，婴儿怎能不哭不闹呢？

有感染，唾液分泌增加，可因为嗓子疼，又不敢吞咽，就会流口水。所以，患口腔疾病最典型的症状是流口水。

口腔疾病的就医和家庭护理

引起口腔溃疡的病原菌多为金黄色葡萄球菌，引起疱疹性咽峡炎的病原菌是病毒，这两种病原菌侵袭体内后，都会引起婴儿全身中毒症状，高热不退。

疱疹性咽峡炎属于自限性疾病，一般病程是1周左右，发热可持续3、4天，如果不合并细菌感染，可自行痊愈。没有特效药物治疗，但一周左右就能自愈，不要给婴儿喂口服药，局部涂药也没有什么意义，只能给孩子带来疼痛，就不要折腾孩子了。婴儿不敢吸吮，用小勺给孩子一点点喂奶，一定要喂凉一些的，热会使孩子

疼。如果喂冰糕，孩子会喜欢吃，冰糕能减轻病痛，但对于没有吃过冰糕的婴儿，不能过多喂，会使婴儿肚子不舒服，或者腹泻。

溃疡性口腔炎需要使用抗菌素，在控制感染之前，婴儿持续高烧，由于服药困难，多采取口腔局部涂药，但有时难以奏效，孩子不吃不喝，又高烧，只能静脉使用抗菌素。

还有一种病毒感染性疾病，也能引起口腔病变，叫手足口病。和疱疹性咽峡炎症状有些相似，病程经过也差不多。不同之处是在手、足心长出水疱样丘疹，有的在臀部也会长出疱疹。手足口病也是自限性疾病，不需要特殊治疗，一周左右能自行痊愈。

如果婴儿体温过高，有发生高热惊厥的可能，所以要注意控制体温。婴儿不能口服用药，可以使用退热栓，退热效果好，还免除打针给孩子带来的疼痛。

婴儿也可以患牙龈炎，牙龈炎也多是细菌感染所致，表现高烧，牙龈红肿，严重者牙龈成绛紫色，牙龈出血，如果满口牙龈都发炎了，婴儿刚刚萌出不久的乳牙，都有可能松动。婴儿根本不敢进食水，多需要静脉使用抗菌素，这时要想到口蹄疫。

655. 婴儿耳病

婴儿期容易患耳病，尤其容易患中耳炎，还有外耳道炎、外耳道疖肿等。

婴儿容易患耳病的原因

婴儿的耳咽鼓管是又短又粗，还呈水平位，当婴儿感冒咽部发炎、流泪、吐奶、呛奶时，奶水容易经耳咽管进入中耳，可引起婴儿化脓性中耳炎、外耳道发炎、外耳道疖肿等。如果婴儿总是枕在潮湿的枕头上（爱出汗的婴儿，汗液把枕头弄湿了；爱吐奶的婴儿，奶液流到婴儿的耳朵底下），还可引起婴儿耳后湿疹。

婴儿耳病很容易漏诊

无论是外耳，还是中耳，只要发炎，都会引起疼痛。尤其是中耳炎，在没有穿孔以前，疼痛是很剧烈的。从外观上也看不出来，所以，妈妈也想不到，更发现不了婴儿患了中耳炎。

耳膜穿孔影响宝宝听力吗

中耳炎导致耳膜穿孔时，疼痛会突然消失，孩子也不哭了，但细心的妈妈会发现，孩子耳朵里流出了黄色的液体或脓性分泌物。

在没有穿孔前做出诊断，穿孔的可能性就小多了。如果医生告诉妈妈孩子是中耳炎，耳膜已经穿孔了，父母会很着急的。那还了得，孩子耳膜穿孔了，听力一定受到很大影响，还不聋了。

妈妈不必有这样的担心。婴儿和成人不同，即使骨膜穿孔了，也能够长好，不会造成耳聋的。当然，如果能早期发现，及时治疗，不让发生骨膜穿孔是最好的。穿孔了毕竟有过损伤，总不如不受损的好。

预防漏诊父母很重要

当您的婴儿感冒后，出现哭闹，或发烧，哭闹，找不到其他病因，就要想到是否患了中耳炎。想到了，就会及时带孩子看医生，也会提醒医生检查一下，是否患了中耳炎。

不要小瞧父母的作用，有些疾病就是在父母的提醒下，诊断出来的。因为父母与孩子朝夕相处，最了解孩子。如果父母肯定孩子不正常，医生即使暂时没有发现，也会很重视父母的看法，做详细的检查。

父母如何发现婴儿耳病

外耳发炎或疖肿，妈妈只要能够想

到，就能看出来。有外耳炎症的，只要触碰到孩子的耳朵，婴儿就会哭闹，把孩子放到枕头上，孩子就哭闹。父母就要仔细查看一下了，是否耳朵发炎了，是否头皮上有疖肿，是否有肿大的淋巴结。

中耳炎在穿孔前是很疼的，但是婴儿哭闹得也许并不是很剧烈。这并不是婴儿不太疼，也不是婴儿感觉不到，而是婴儿不敢大声剧烈地哭。一哭，中耳内的压力就会增高，就会使已经发炎的耳朵更疼，所以婴儿就小声地哭。但是妈妈能感觉到，孩子是比较痛苦的，是真的难受地哭。这只有与孩子朝夕相处的妈妈才能够体会到，妈妈能解读孩子的特殊语言，尤其是哭和身体语言。

656. 婴儿常见皮疹

皮肤疾病需要视诊

婴儿出皮疹是比较常见的，但无论出现什么样的皮疹，父母都不能自行做出判断。就是向有经验的医生咨询，医生没有亲眼看到皮疹的样子，也很难作出准确的判断。所以，一旦孩子出了皮疹就要看医生。

在这里谈一谈常见的婴儿皮疹，目的是让父母了解皮疹的有关知识。看病时，医生和父母讲了一些病症，但如果赶上病人比较多，医生可能不会很详细地解释；即使解释得比较清楚，可回到家里，可能忘记了大部分；这时根据医生的诊断，翻翻书，对父母还是很有帮助的。

婴儿尿布疹

最常见的是尿布疹，尿布上的尿紧贴着婴儿的皮肤，被尿布遮盖的部分不透气，容易发生尿布疹，女婴更易得尿布疹。

避免得尿布疹的最好办法

打开尿布晾一晾臀部，这在温暖的季节是容易做到的，在孩子下面放一块大的防水尿布，在孩子屁股下，再放一块小尿布，让孩子光着屁股，就能很好地预防尿布疹。如果要裹上尿布，用清水洗净，在臀部涂上鞣酸软膏或其他矿脂保护层，可有效防止尿布疹。不要用肥皂或其他洗涤品洗孩子的臀部，清洗尿布时也要避免使用刺激性强的洗涤品。不要让孩子睡电热毯，室内温度也不要太热。孩子出汗，尿布里又热又湿，就容易患尿布疹。

有尿布疹时，不适合使用纸尿裤了，尤其是夏季。晚上很乖的婴儿，可持续很长时间不醒来吃奶，尿湿了尿布也不闹，妈妈和孩子睡得很香，妈妈很满意，可孩子却患了尿布疹。尿布疹并不可怕，妈妈没有必要为了尿布疹，半夜起来给孩子换尿布，妈妈睡不好，孩子也不高兴，甚至会由于换尿布时，把孩子弄醒了，孩子哭很长时间。睡前换厚一点的尿布，在孩子的臀部涂上矿脂防护层，就能有效防止尿布疹。尿布疹严重时，皮肤破损，会发生细菌感染，一旦感染，要及时看医生。

婴儿湿疹

婴儿湿疹，民间称为"奶癣"、"奶疮"、"胎毒"、"湿毒"等，是婴儿常见的皮肤疾病。婴儿湿疹与婴儿本身的体质有一定的关系，过敏体质的婴儿爱患湿疹，有消化功能紊乱的婴儿也爱长湿疹或皮疹，有的婴儿是因为对乳类过敏而长湿疹。

婴儿湿疹的三种类型

同是婴儿湿疹，可有不同类型的皮损表现。妈妈也发现了这一点，自己孩子的湿疹和别的孩子的湿疹好像不一样，别的孩子用的湿疹药物，效果很好，可是到了自己孩子这里，效果就不那么好了。这其中的原因之一，就是湿疹的类型不同。都有哪几种类型呢？

主要是三种，最常见的是湿润型：这

样类型的湿疹，多发在比较胖的小婴儿身上。湿疹好发部位是头顶、额部、两脸颊部，分布比较对称，仔细看一看，发生湿疹的地方，可见到红斑、小丘疹、小包，还常常有糜烂、结痂，总体看上去湿润，有渗出。另一种类型常见于身体较瘦、营养状况比较差的婴儿身上，属于干燥型。主要皮损表现是皮肤发红，可见丘疹，有糠状鳞屑，看起来像是往下掉白皮似的，没有渗出，是干巴巴的样子。妈妈用手摸一摸，皮肤显得粗糙、发干。第三种就是脂溢型的，好发于头皮、两眉间，眉弓上，有淡黄色的、透明的脂溢性渗出。看起来油乎乎的，又显得很脏，本来孩子白净的小脸上，长出这样的湿疹，显得很不协调。

婴儿湿疹的护理与用药

婴儿湿疹的主要症状就是瘙痒。所以，有湿疹的婴儿总是显得很烦躁，用小手不断地蹭脸，手的动作不协调前，用胳膊在脸上擦来擦去的。如果天气热，或室内温度高了；给孩子穿得过多；尤其是冬季里，室内空气不流通，房间内潮热潮热的，有湿疹的婴儿就更严重了，痒得厉害，半夜里闹得不能睡觉。孩子有湿疹了，妈妈就要让孩子凉爽些，会使孩子舒服些，湿疹也不那么痒了。

刚刚长湿疹时，一定要带孩子看医生，让医生分析一下是什么类型的。因为湿疹的类型与治疗有关，不同类型的湿疹选择不同的外用药物，会取得较好的治疗效果。如果把药物选择反了，治疗效果就不理想。因此，在疾病初期，父母不要自行买湿疹药膏或者听别人介绍的药品和偏方。湿润型湿疹可采用局部湿敷或涂用安抚性温和无刺激的，又具有收敛保护作用的药物，而不宜使用洗剂，霜剂或软膏类

《新生儿ABO溶血病筛查》收录于《全国临床内儿科学术会议》论文集，1994年11月，成都科技大学出版社
这是我毕业后做的第一个科研课题，曾获得了市科技进步二等奖。

药物。干燥性湿疹可选用含有激素的乳膏类药物，也可用炉甘石洗剂收敛止痒。脂溢性湿疹可用一些霜剂。

湿疹能否治愈

结痂较厚的，涂上鱼肝油或氧化锌软膏，或用甘油使结痂软化，慢慢脱落，不能硬性揭下痂皮，那样会损伤孩子的皮肤。湿疹一用上药物就明显好转，停止使用药物，湿疹就很快复发。这让妈妈们很是为难，长期用药怕有副作用，不用药孩子又很难受。这就是湿疹的特点。湿疹很严重的婴儿，对治疗药物的反应会越来越不敏感，湿疹比较轻的，用药效果很好，但不能彻底治愈。但妈妈也不要着急，湿疹最终都能痊愈，一般4-5个月后会好转，一岁左右基本消失。极个别婴儿持续时间很长，多是有严重过敏体质的孩子。再严重的湿疹皮损也不会留下瘢痕，父母不要担心，湿疹消失后，孩子的皮肤能恢复得很好，就像没有患过湿疹一样。

婴儿玫瑰疹

也称幼儿疹，有的书称为急性热性发疹性疾病。本病由柯萨奇病毒B引起，多见于婴儿，冬春季节多见。

婴儿玫瑰疹往往是回顾性诊断

没有患过病的婴儿，突然发热，体温高达39℃时，父母会很着急，会急忙抱孩子去医院。医生检查后，可能会告诉父母，孩子可能是感冒，再仔细询问，医生会说，孩子咽部发红，但没有扁桃体发炎肿大。肺部听诊没有异常，血象淋巴细胞偏高，其他可能是正常的，细心的医生可能会摸一摸孩子的枕后，告诉家长，孩子枕后有肿大的淋巴结。有经验的儿科医生，根据这些情况，可能会和家长说，孩子是病毒感染，会烧3-4天，如果皮肤出了皮疹，体温就会退的。医生疑诊您的孩子

患的是婴儿玫瑰疹。在没有出皮疹前，医生只能是疑诊，不能完全确诊，婴儿玫瑰疹往往是回顾性诊断，当皮疹出来时，就意味着孩子的病已经好了。

婴儿玫瑰疹典型的症状就是"热退疹出"，在没有出疹前，持续高热，又不能确诊是什么病之前，父母会很着急的。如果医生没有告诉家长，出了皮疹体温降到正常，病就好了，即使体温正常了，因为又有皮疹出来，父母可能会更加着急，把孩子抱到医院，孩子出疹性疾病总是让父母害怕的，恐怕是麻疹，孩子留下满脸的麻子，那还得了。尽管打了麻疹疫苗，妈妈也不放心，如果还没有打，妈妈就更着急了。

与其他常见皮疹的鉴别

有经验的医生，如果能详细和家长讲清楚，父母可能就不会这么着急了。皮疹常首先发于颈部，以后向躯干肢体蔓延，皮疹广泛对称，鼻部、颊部、肘膝关节以下，尤其是手脚不发生皮疹。皮疹很小，红色，周围有红晕，很像麻疹或风疹。婴儿玫瑰疹，不用药物治疗，婴儿也多没有痒感，即使有也比较轻。几天后很快消退，最长不超过5天，多于2天后就逐渐消退。如果医生想到是这个病，不给孩子使用抗菌素是非常好的。

风疹发烧比较低，多是发烧当天或第二天就出现皮疹。麻疹发烧很高，多于发烧第四天出疹，出疹时，体温更高，可高达40℃。偶可类似猩红热或荨麻疹，猩红热多见于较大孩子，于发烧第二天或第三天出现皮疹，同时有扁桃体肿大化脓，杨梅舌或草莓舌，血象白细胞和中性粒细胞增高。荨麻疹很少有发烧，瘙痒很厉害，时隐时现是其特点。

本病也应该与药疹相鉴别，高烧的

孩子肯定要吃药，药物也可引起皮疹。但是，鉴别不清时，这样处理：出了皮疹，不发烧了，就可以停药观察；如果是药物疹，停药后也就慢慢消退了。

痱子

热就要出汗，出了汗就长痱子，所以预防和治疗痱子的关键，就是不要让婴儿热着，出汗了，要及时洗去汗液。少穿衣服，夏季小婴儿最好不穿衣服，盖上肚子就可以了。室内保持通风凉爽，勤洗澡，不把孩子捂得满身是汗，孩子就不易出痱子了。痱子不是什么病，不需要治疗，不热了，把汗洗干净了，痱子自然就消失了，也不会再长了。

为什么不赞成使用痱子粉呢？一是在使用时，粉末可能会吸到孩子的呼吸道，作为刺激性异物，刺激呼吸道内膜。其二是，出痱子的原因就是热，出汗，擦在身上的痱子粉，很快就会被汗液浸湿，成了痱子膏泥，粘在皮肤上，对皮肤的刺激是比较厉害的，同时使皮肤呼吸受到痱子粉的堵塞，根本就起不到防痱的作用了。

657. 蒙被综合症

不容忽视蒙被综合症的危害

蒙被综合征大多是途中发生的。主要是：1）在就诊途中；2）在去娘家挪窝的途中；3）在去朋友家做客的途中；4）旅途中等。这种情况并非只见于新生儿，也可见于小婴儿。严重的蒙被综合症可危及婴儿的生命。千万要引起家长的重视。一旦发生了，可能就是家庭的一场灾难。

真实的病例

有这样一个病例，孩子40多天，妈妈带孩子到娘家去了，可是，到了娘家，打开婴儿包裹，父母傻眼了：孩子面色发紫，呼吸微弱，满头是汗。急忙又抱到医院，但没有抢救过来，孩子永远地走了。夫妻反目成仇，奶奶也闹着要孩子，灾难就这样降临在这个曾经充满欢乐的家庭里。

更多病例

来医院就诊的患儿中，本来就是一般

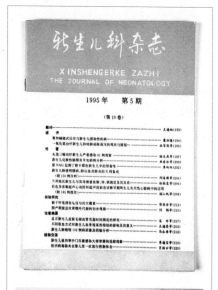

《预防早产儿硬肿症若干措施探讨》发表于《新生儿科》，1995年5月

这个论文获得了在美国召开的第21届国际新生儿会议大会交流资格。在发达国家，硬肿症几乎见不到，书上也没有此病。现在，我国城市和富裕农村也基本没有了，当时，我采取的一些预防措施，使在我院出生的早产儿硬肿症发病率降至零。

的感冒，但打开包裹时，孩子已经呼吸衰竭了。本来是看脐带脱落情况来了，可打开包裹，孩子已经高烧达40℃多了。

发生蒙被综合症的后果

蒙被综合症的后果难以预料，轻的仅仅是满头大汗，发烧；重的呼吸急促；严重的可出现呼吸衰竭；更严重的出现缺血缺氧性脑病，出现不可逆转的脑损伤。

父母无论带孩子到哪里，在任何时候都要做到：

· 一定要把孩子的口鼻露出来，严寒的冬天更要谨记。

· 时刻想着看一看孩子的情况。

· 孩子的呼吸是否均匀。

· 孩子的面色是否正常。

· 把手伸到孩子的口鼻跟前，试一试孩子呼吸是否正常。

· 孩子不会因为面部透点气，就受风的，不要把孩子的脸蒙得严严实实的，再次强调冬天或天气恶劣的情况更要注意。

· 没有发生的事情，总认为不会发生，一旦发生了，那就晚了。没有哪位父母会故意蒙上孩子的口鼻，蒙被综合症的发生都是无意中发生的。

658. 营养不良性贫血

营养不良性贫血主要包括缺铁性贫血和巨幼红细胞性贫血（主要是维生素B12缺乏）。婴儿期发生营养不良性贫血的并不少见，主要是缺铁性贫血，巨幼红细胞性贫血比较少见。

缺铁性贫血

多见于6个月以后的婴儿，6个月以前发生的主要是婴儿生理性贫血，但是，未成熟儿在很早就可发生营养不良性贫血。

饮食不当导致贫血

人体内的铁主要来源于食物。食品中含铁最高的是黑木耳、海带和猪肝等，其次是瘦肉类、蛋类和豆类。蔬菜、粮食中的铁吸收率比较低，仅为1％，肉类食品中的铁吸收率比较高，可达10％-22％。如果植物和肉类同时摄入，可增加植物中铁的吸收率。但是，牛奶和蛋则起不到这种作用。蛋本身所含的铁，吸收率也比较低，但蛋中铁的含量是比较丰富的，所以，蛋也是婴儿补铁的重要食物。维生素C、维生素A有促进铁吸收作用，而茶和咖啡则影响铁的吸收，尤其是茶叶中的鞣酸遇铁形成鞣酸铁复合体，可使铁的吸收减少75％，所以，婴儿不宜喝茶。在我国南方一些地区，有给婴儿喝凉茶解暑的习惯，这不但会影响孩子的睡眠，也会影响铁的吸收，引起缺铁性贫血。

婴儿体质与贫血

出生体重越低，体内铁的总量越少，发生贫血的可能性越大。胎儿经胎盘输血给母体、双胎间输血、分娩中胎盘血管破裂、脐带结扎时间长短等都可影响新生儿体内铁的含量。

早产儿比足月儿对铁的需要量大，足月儿一年如果需要补铁156毫克，早产儿就需要补充276毫克，如果不及时补充会发生贫血。所以，早产儿的母亲，一定要重视孩子铁的补充。

乳类食品、添加辅食与贫血

乳类食品中铁的含量是极其低下的，母乳中铁的含量比牛乳和羊乳高些，但也与乳母饮食习惯有关，如果乳母饮食中缺乏含铁食物，母乳中铁的含量也会相对减少的。

生后6个月的婴儿，如果不及时添加辅食，储存的铁用完后，就会发生贫血。人工喂养儿，要注意配方奶中铁的含量，在没有添加辅食前，喂强化铁的配方奶。母乳喂养儿，6个月以后，如果没有及时添加辅食，也有发生贫血的可能。

1岁以内的婴儿生长迅速。储存的铁基本上用于补充血容量的扩充。如果有慢性失血，就会发生缺铁性贫血。有学者认为，1岁以内的婴儿，每日摄入未经煮沸的鲜牛奶超过如果1000毫升（2斤纯鲜奶），有的婴儿可能出现慢性肠道失血。所以，1岁以内的婴儿最好不吃鲜牛奶，吃配方奶更好。

早期发现贫血

如果出现了贫血，婴儿会面色发黄，口唇缺乏血色。但是，婴儿轻度贫血不易被家长发现。一旦婴儿出现烦躁不安，对周围事物不感兴趣。妈妈抱着时，不是很欢，总是喜欢依在妈妈的怀里，吃奶和饭都不是很香，虽然不厌食，但看起来对吃没有什么兴趣的样子。妈妈可考虑是否有贫血，请医生检查一下。

缺铁性贫血一旦确诊，治疗是比较简单的。多吃含铁的食物，服用补铁剂治疗。

婴儿巨幼红细胞贫血

婴儿期体内维生素B12的储存比较多，而需要量又比较少，因此，婴儿发生巨红细胞贫血的比较少。婴儿期发生巨幼红细胞贫血的多是由于母亲缺乏维生素B12，导致婴儿体内维生素B12储存不足；出生后又是纯母乳喂养，母乳中的含量也极低。

婴儿期发生巨幼红细胞贫血时，多有典型的神经系统表现，但是其表现并不一定与贫血程度一致。其表现，主要是表情呆滞，对周围反应极不灵敏，目光发直，少哭不笑。原来会笑的孩子，现在不笑了，就要想到发生巨幼红细胞贫血的可能。

659. 母源性疾病

孕期大补

为了生一个聪明健康的小宝宝，孕期大补特补，山珍海味，生猛海鲜，高蛋白

《主动脉夹层动脉瘤误诊3例》收录于《中华误诊学博览》，1998年11月，中国中医药出版社

我是中华误诊学会特约编辑。敢于面对误诊说真话，善于总结经验教训，才能不断进步。

高营养，水果蔬菜样样齐全，却忘记了科学的膳食结构，又缺乏必要的运动，结果导致巨大儿，增加了产伤和窒息缺氧的风险，增加了剖腹产率，延长了婴儿第一次哺乳时间。母亲高血脂，高血糖，小儿脂肪细胞数目增加，为未来的小胖子心血管疾患播下了危险的种子。

化妆品影响

母亲年轻漂亮，免不了浓妆淡抹。工作了一天，妈妈回到家，亲吻一下宝宝的小脸蛋，小宝宝再回敬给妈妈一个吻，真是幸福极了。可天长日久，妈妈的唇膏、面部护肤品一点点被小宝贝接受，其中的铅、雌激素、香料、色素进入小儿体内，会引起慢性铅中毒、性早熟等病症。

增智助长品的诱惑

市场上琳琅满目的儿童增智助长品让家长们应接不暇。谁不想让自己的孩子聪明高大呢？且不说那些产品有无伪劣之嫌，即便是真品正品，吃多了吃滥了，非但不会使孩子越来越聪明高大，反而会干扰孩子的正常生理功能，出现依赖性。聪明高大不是"吃"出来的，病可是能吃出来。

清热解毒成惯例

孩子吃的喝的应有尽有，妈妈还嫌宝宝吃得少。父母过夏天，宝宝还穿着春天的衣服，生怕冻着孩子。结果孩子躁动不安，不思饮食，这时着急的妈妈第一想到的就是宝宝"火大"或"积食"，需要清热解毒。清热解毒药成了孩子的必备药，同时伤了孩子稚嫩的脾胃和肝肾。

高营养，高上加高

没有哪位妈妈嫌自己的孩子胖的，总觉得自己的孩子不如人家的孩子胖。等到孩子成了名副其实的胖墩儿了，为时已晚。孩子不但要承受肥胖带来的诸多不便和疾病，还要走上漫长而又艰辛的减肥之路。妈妈们

要记住，胖不是健康的象征，还会缺乏微量元素，缺钙，贫血等。肥胖还会使孩子过早患上"小儿成人病"。合理的膳食结构最重要，吃得清苦一点，粗一点。

生活环境不"卫生"

这里所说的不卫生可不是"脏"的意思，是广义的卫生。如：室内空气是否清新，温度湿度是否适宜，有无有害气味和有害物品，豪华的装饰是否是绿色环保型材料，大理石的放射性是否超标，室内灯光是否影响孩子休息等。

衣服多上加多

在门诊，我常常看到孩子们满头大汗，满脸通红，把听诊器伸到衣服里，背心衬衣甚至棉衣都是湿的。这要是换了大人准会说"热得真让人难受"。孩子不会说，就只能哭，越哭越热，越热越哭，妈妈却全然不理会孩子的痛苦，还在给孩子捂，怕把孩子"闪"着，着凉感冒。孩子要到大自然中去，抵御大自然的侵袭，提高自身抵抗能力对孩子们是何等的重要。

第4节　婴儿期其他疾病

660. 脑性瘫痪

最不幸的是孩子自己

脑性瘫痪的发病率虽然很低，一旦被确诊，就会给全家蒙上极大阴影，陷入痛苦之中。人们都知道，脑性瘫痪就意味着孩子智力低下，甚至生活不能自理，这对父母将是怎样的打击！

不要放弃希望

过去认为，脑性瘫痪是没有办法治疗的。随着医学的发展，对脑性瘫痪早期诊断、早期干预、早期治疗都有了新的进

展，可使患儿通过治疗接近正常智力，能够胜任日常生活，甚至能参加体力劳动，具备自己养活自己的能力。

治疗的关键是早发现

对脑性瘫痪的治疗，关键是早期发现。发现越早，越有希望。早期发现的关键在于父母，和孩子朝夕相处的是父母，在孩子还没有表现出典型的脑性瘫痪之前，就能够诊断出来，并进行全方位的干预和治疗，是挽救脑瘫孩子的关键所在。发现孩子异常的蛛丝马迹，必须靠父母密切的观察。如果能在生后3个月以前，作出脑瘫的诊断，治疗成功的希望就大大增加；如果能在生后6个月作出诊断，也是非常有希望的。

如何能早期发现呢？

· 父母首先要排查引起脑瘫的病因

如果有引起孩子发生脑瘫的病因，父母就要细致入微地进行观察，早期发现异常。能够引起脑瘫的病因有哪些呢？

1）窒息：这里所说的窒息，并不单单指的是新生儿出生时的窒息，还包括胎儿宫内窒息（胎儿呼吸窘迫综合症）、胎儿宫内发育迟缓引起的慢性缺氧。

2）宫内感染：如巨细胞包涵体、风疹病毒、弓形虫感染等。

3）脑先天发育畸形：如小头畸形（狭颅症）、脑积水、脑贯通畸形等。

4）遗传因素：家族中有类似病人，出生过畸形的孩子等。

5）围产期异常：如生产过程中发生的缺血缺氧性脑病后遗症、脑出血后遗症、核黄疸后遗症等。

6）高龄产妇、有习惯性流产史、孕早期接受X线照射、接受过有毒物质等。

7）其他异常情况。

如果有上述这些情况，父母要对孩子

《妊高征产后血压变化及相关因素探讨》发表于《中国妇幼保健》，2000年1月

这是我到内科后作的第一个科研课题。妊娠高血压综合征产后遗留高血压问题，国内外都存在广泛的争议。这些特殊人群的高血压介于产科和内科之间，被严重忽视。这个课题得到河北省高血压防治中心马淑平主任重视。在我院陈妍华院长的大力支持下，获得了省科技成果，市科技进步一等奖。

进行密切监测，早期发现脑性瘫痪的蛛丝马迹，仔细观察婴儿的表现。

出生6个月以内的婴儿，出现以下情况时，要去医院作进一步检查。但是，偶尔一次出现，不要过于担心，持续出现时，就要警惕了。当孩子出现什么情况，预示着不正常呢？

· 少哭、少动、少吃

3个月以内的婴儿，睡眠时间较长，但觉醒状态时，肢体自发运动很多，眼神灵活，哭声响亮，吸吮有力。可疑脑瘫的婴儿，肢体的自发运动很少，总是呈嗜睡状态，即使觉醒时，眼神也是迟钝的，哭声微，缺乏抑扬顿挫，声音比较直，听起来让人感觉不那么悦耳。吸吮没有力量，节奏感不强，吸吮和吞咽动作不协调，容易呛奶。

· 肌肉张力低下或过高

婴儿出生后，肌张力多是稍微偏高的，如果把婴儿襁褓打开时，婴儿的肢体会迅速地屈曲拥抱。换尿布时，要想把孩子的肢体伸直，包裹起来，感觉孩子的小胳膊，小腿是满有劲的。如果感觉婴儿的肢体柔软无力，就要考虑是否异常。但是，如果婴儿身体很硬，尤其是满月以后的婴儿，受到刺激肢体就非常硬，就是医学称的肌张力增高，也不是正常的，也要及时看医生。

· 异常的姿势

在新生儿一章中，描述过新生儿正常的姿势，如果感觉孩子姿势不对劲，要仔细观察，是否有脑瘫的先期表现。

婴儿的上肢应该是向前屈曲的，如果上肢向后背屈，或经常向后旋，或总是伸直，就有可能是异常的。爸爸托住婴儿腋下，试图让婴儿站立，如果下肢紧张伸直，两腿交叉，妈妈试图把孩子交叉的两腿掰开，但感觉孩子的腿很硬，就是肌张

力很高，也有可能是异常的，如果孩子像一摊软泥似的，也不能认为是正常的。过软或硬都有可能是异常的。

· 对外界缺乏反应

快3个月的婴儿，大多能认识妈妈的脸，见到妈妈时，会发出会心的笑，如果逗一逗孩子，还会出声地笑。如果孩子反应迟钝，对外界好像没有什么反应，也要高度警惕，即使不是脑的问题，也要进一步排除是否有耳聋或视力障碍。

· 发育能力与月龄明显不符

6个月以后的婴儿，脑瘫早期表现一般是比较好发现的，主要是运动功能的低下。如不会翻身；妈妈托住孩子腋下，让孩子站立时，婴儿不能站立，也不会跳跃；不会用单手拿物；不会坐等。总之，孩子的发育能力，与月份明显不符，各项指标都落后于同月龄的孩子。

父母不要草木皆兵

脑瘫的早期发现是很重要的，但家长也不能过于紧张，看孩子的一举一动都不正常，总是忧心忡忡的，吃不好，睡不香。这会影响父母对孩子的养育兴趣，对孩子是很不公平的，仔细观察是对的，但变得神经质，就不对了，也会极大伤害孩子。有怀疑，及时看医生，经医生检查后，如果一切都是正常的，就应该放心了，不要背包袱。

661. 髋关节脱位

髋关节脱位的发生率1‰以下，女婴是男婴的5-8倍，单侧脱位比双侧脱位多见，左侧比右侧多见。

髋关节脱位在新生儿期不容易诊断出来，主要靠医生在体格检查时发现。父母在护理中很难发现。

髋关节脱位越早期治疗预后越好，治疗也比较简单，婴儿并不痛苦。但是，

如果发现晚了，或到了会站、会走才被发现，不但给治疗带来困难，也给婴儿带来痛苦，可能会因此影响孩子走路。因此，早期诊断是很重要的。在做健康检查时，提示一下医生，看一看孩子有无髋关节脱位或髋关节发育问题，这是很重要的。

另外，有先天性髋关节脱位倾向的婴儿，如果把婴儿的下肢伸直包裹，就可能使婴儿失去髋关节自然复位的机会，导致新生儿髋关节脱位发生率增高。这是非常值得父母注意的。

662. 锁骨骨折

锁骨骨折是产伤性骨折中最常见的一种，也容易被忽视。其表现和臂丛神经损伤差不多，也是患侧上肢不动或少动。但是，臂丛神经损伤多没有疼痛。当妈妈发现孩子有一侧上肢不动，或少动时，被动搬孩子的上肢，引起孩子哭闹时，要想到可能有锁骨骨折，及时请医生检查。

663. 胸锁乳突肌血肿

胸锁乳突肌血肿属于产伤。婴儿出头时困难，强力牵拉所致。胸锁乳突肌被拉伤，出现血肿。血肿吸收激化，出现一个较硬的包块，致使受伤的一侧胸锁乳突肌挛缩。婴儿表现为头向患侧倾斜，下颌和面部转向腱侧。一般于出生后1周出现症状，严重者表现为斜颈。治疗需要医生指导，父母不要自行处理。

664. 臂丛神经损伤

在分娩过程中，如果臂丛神经受到损伤，会出现臂丛神经所支配的肌肉发生麻痹。在新生儿体检时，有时能够发现这种损伤，但误诊和漏诊的情况也不少见。

妈妈如何发现宝宝臂丛神经损伤呢？

· 拥抱反射消失

当您打开包裹，或刺激新生儿足底时，新生儿会迅速地把两上肢伸起，紧接着是两上肢屈曲，抱在胸前，紧握双拳。

《围产期干预对妊高征高血压转归远期随访观察》发表于《高血压》，2002年6月

这是又一个关于产后高血压的科研课题。获得省科技成果证书，市科技进步一等奖。

这就是拥抱反射，臂丛神经损伤后，新生儿这种拥抱反射就消失了。

· 臂丛神经受损伤的胳膊特殊表现

被损伤的一侧上肢，往往是垂于体侧，上臂（挨着躯干的）内收，内旋，前臂（肘关节以下的）旋前，肘部微屈，肩不能外展。

第二种情况妈妈不好判断，但患侧拥抱反射消失，妈妈是很容易判断的。这时，妈妈应该想到有臂丛神经损伤的可能。

当您打开包裹给孩子患尿布时，孩子一侧上肢不能举起，或根本就不动，或动作很小时，就要想到您宝宝的臂丛神经可能受到损伤，及时找医生看。一旦确诊，就应该由医生给予治疗。

665. 婴儿斜视

婴儿斜视该重视的月龄

生下来几个月的婴儿，眼睛常常是一会内斜，一会外斜。3个月以后的婴儿，眼睛就逐渐稳定下来了。但如果到了6个月以后，婴儿的眼睛看起来还是有内斜或外斜，就应该重视起来了。

婴儿缘何斜视？

1）两眼视力一强一弱

这是最常见的原因。由于一只眼睛视力比较弱，另一只眼睛视力比较强，婴儿就用视力强的那一只眼睛看物体，就是人们常说的"吊线"，就像打枪瞄准或做木匠吊线似的，总是用一只眼睛看东西，另一只眼睛就废用了。视力遵循"用进废退"的原则。

2）眼肌功能失调

3）眼睛屈光不正

父母发现宝宝斜视怎么办？

一旦发现孩子有斜视，就应该及时看医生，进行纠正。如果顺其自然，年龄越大越不好治了。这是因为，斜视的婴儿，两只眼睛不能协调地聚焦到物体上，两只眼睛就会分别看到不同的物体影像，即重影。孩子不能分析这是怎么回事，在这种情况下，大脑就会自动地学会去忽视和压抑一只眼睛的视觉，长期下去，大脑就失去了对那只眼的支配能力。结果，那只眼睛就这样失明了。因此，及早纠正斜视是很重要的，是保护婴儿视力所必须做的。父母一旦怀疑孩子有斜视的可能，就要带孩子看眼科医生。

怎样看出宝宝斜视

有一种方法可以初步看一下孩子是否有斜视。在灯下，看孩子两个眼仁里的灯影，如果灯影总是落在两个眼仁中间的黑色部位的同一个地方，眼睛就不存在斜视的可能。如果灯影不能落在两个眼仁的同一个地方，就有可能存在斜视。婴儿眼睛的调节能力差，有时看上去好像是不正常，好像有"对眼"，也就是人们常说的"娃娃眼"。这多出现在孩子看较近距离物体、凝视一件物体时所表现出来的。如果发现这种情况，父母可把物体放在离孩子远一些的地方，观察孩子是否还有"对眼"的现象。"对眼"是婴儿观看近距离物体所表现出来的。不是异常现象。

666. 幽门狭窄

幽门狭窄是由于胃部幽门的环行肌肥厚，使幽门的管腔狭窄，胃的下端与肠道通畅性发生了问题，食物不能顺利通过，出现不全梗阻现象，表现为呕吐。这是婴儿期常见的一种外科疾病。

发现困难

有的婴儿出生后不久就开始溢乳，溢乳的程度不同，有的就是吐奶，但并没有病，属于生理性溢乳。幽门狭窄，妈妈能够看到的症状就是呕吐，这就给父母发现本病带来了困难。幽门狭窄的婴儿，大多是在出生后2–3周开始出现呕吐，如果出生后就有溢乳的孩子，到了2–3周出现幽门狭窄的呕吐，很容易被忽视，以为是生理性溢乳加重了。

幽门狭窄与生理性溢乳的鉴别

幽门狭窄典型的呕吐是发生在出生后2–3周，呕吐在吃奶后几分钟即吐，由一般性呕吐发展至喷射性呕吐。剧烈时，可以喷出去几尺以外，看起来很吓人，甚至可由口腔和鼻孔中喷出。但是，不管是多么严重的呕吐，都只是吐奶液，不会有胆汁和肠内容物。慢慢地，呕吐次数少了，但每次呕吐出的量却增多了，将几次吃的奶几乎都吐了出来，还有大量的乳凝块，就像豆腐脑似的，有酸味。孩子吐得厉害，但是并不影响吃，饥饿感明显，尽管很能吃，由于都吐了出来，拉的并不多，还可能出现便秘。腹部肿物父母不易看到，更不易摸到。

尽量早期诊断

本病的早期诊断不容易做到，初期多认为是生理性溢乳，等到出现营养不良或脱水时，诊断就容易了，但有营养不良时，接受手术就比较困难了，由于呕吐严重，通过喂养也难以纠正营养不良状态，就要通过静脉营养了。

所以，早期作出诊断，最起码要在出现营养不良前做出诊断。当您的孩子有吐奶现象时，要监测孩子体重增长情况，如果增长不理想，就要考虑孩子吐奶，有可能不是生理现象，请医生检查，提供确切的依据，协助医生早期做出诊断。一旦确诊，就要手术治疗。

《妊娠高血压产后血压转归与围孕产期干预关系探讨》
发表于《中国妇幼保健》，2001年4月

对孕妇进行妊高征的早期干预，对有合并妊高征倾向的孕妇给予早期干预，对合并妊高征的孕妇给予早期治疗，并进行产后跟踪治疗。降低了妊高征的发生率和产后高血压遗留率。

667. 先天单纯性喉喘鸣

先天单纯性喉喘鸣，可于出生后即出现症状，但多数是在出生后数周出现喘鸣音的。

引起喉喘鸣的主要原因是由于喉软骨软化，可能与妊娠期营养有关。

父母能够观察到的现象

· 喉鸣多为高调的、鸡鸣样的。

· 也有的是低音调的震颤声。

· 一般在吸气时发生，但并不是总这样的。

· 婴儿在安静或睡眠时喘鸣会消失。

· 有时也与体位有关，一般在俯卧时可使喉鸣减轻，在仰卧时明显。

· 啼哭或烦躁时喘鸣加重。

· 除了喘鸣，婴儿没有发育异常，哭声是正常的。

宝宝喉喘鸣父母怎么办

单纯喉喘鸣可以自行消失，不需要治疗，一般可持续到半岁到一岁半。

如果喘鸣比较严重，甚至呼气时也很明显，影响婴儿呼吸，要看五官科医生。排除喉、气管发育异常。

是否由于先天佝偻病所致，是否需要给予治疗量的鱼肝油和钙剂，要看医生，不要自行决定。

668. 先天性心脏病

先天性心脏病的发生率为千分之一左右。先心病在新生儿期不易诊断，除非是很严重的先心病。

出现以下情况时，父母要带孩子看医生

· 喂养困难

孩子在吃奶时，总是吃几口就停下来，休息一会，停下来时，婴儿呼吸比较快，妈妈把婴儿的头部放到胳膊上时，感觉到随着婴儿的呼吸，一颤一颤的，好像在频频点头（称为点头样呼吸）。当婴儿把奶头吐出来，妈妈马上又把奶头放入婴儿口中，会使婴儿烦躁，拒绝吸吮。

但要排除以下两种情况：鼻塞所致的呼吸道不畅；奶水太冲，以至于婴儿来不及吞咽，而把奶头吐出来。如果是这样，当婴儿把奶头吐出来时，奶水会喷出很远。

· 点头样呼吸

这是先心病典型的呼吸，婴儿随着呼吸节律，有规律地点头，尤其妈妈抱在怀里时，感觉很明显。

· 面色发白

婴儿的面色是比较红润的，即使很白的婴儿，也能看到白中透出的红色，而先心病的孩子，面色往往是缺乏血色的白，缺乏光泽，比较灰暗。

· 反复感冒咳嗽

反复患感冒、气管炎或肺炎，经常咳嗽，胸片显示肺纹理增粗，治疗效果不明显，要考虑是否有先心病的可能。

· 体重增长不理想

婴儿体重增加缓慢，没有腹泻等其他异常情况。

出现以上几种情况时，应该怀疑是否有先心病。

父母不要惊慌

在健康检查时，医生发现孩子有心脏杂音，但是不能确定是否有心脏病，需要6个月以后，或1岁以后再复查，这会让父母陷入深深的痛苦之中，在没有排除先心病以前，父母是不会开心的。可能会处处小心翼翼，不敢有丝毫大意，不敢让孩子做户外活动，怕把孩子冻着，给孩子捂得严严的。有一点风吹草动，父母就心惊胆战。

心脏杂音不是确定婴儿先心病的唯一体征，有很大一部分是功能性的，随着组织解剖性闭合，杂音即可消失。医生让你过几个月再带宝宝来复查，就是基于这个原因。

遇到这种情况，父母不必过于紧张，一切都按正常儿护理。到时候复查就是了。如果父母不能自拔，很是痛苦，就到有权威的医院给婴儿做心脏彩超，能使父母放下心来。不管怎样，在没有明确诊断之前，父母要按正常婴儿护理孩子，这才是正确的。

早期发现是很重要的，有的先心病越早治疗越好。但是，父母也不能总是疑心自己的孩子有先心病，如果医生为孩子做了详细的检查，确定没有先心病，就要放心了。

669. 婴儿痉挛症

婴儿痉挛症是儿科癫痫病中一种特殊类型，主要发生在1岁以内的婴儿，一般容易发生在8-9个月的婴儿，偶可发生在生后3-4个月。

早期诊断最重要

婴儿痉挛症发病率并不高，但患有婴儿痉挛症的孩子，如果不及时治疗，可遗留神经系统后遗症，主要表现为智力低下，所以早期诊断、早期治疗是很重要的。痉挛症患儿脑电图有特异性表现，出现节律紊乱的高尖波。一旦出现典型的婴儿痉挛症特异脑电图形，诊断并不困难。但婴儿痉挛症的症状不易被家长发现，这是造成误诊的主要原因。

父母可以及时发现

妈妈可以根据以下情况，初步判断孩子可能不正常：

妈妈抱着孩子时，婴儿头突然向前，就像点头一样。在点头的同时，两上肢屈曲向前，成拥抱状。如果妈妈这时能够看到孩子的面部，就会感觉到孩子面无表情，眼神呆滞，片刻间对外界无反应。十几秒钟或几十秒钟后恢复正常，几分钟之内可连续发作数次。这样的发作，一天可

有几次到十几次，有的可间断发生，大多数是越来越频繁。上述发作，幅度是比较小的，但婴儿在发作时，全身肌张力有变化，妈妈抱着孩子时，会有所感觉，妈妈多是凭借这种异常感觉发现问题的。

婴儿自己玩耍时，即使发作，也不易被发现，躺着时就更不易被发现了。如果妈妈看到正在玩耍的孩子，突然有片刻停止活动，就要注意观察、分析了。婴儿躺在床上，四肢多是高举舞动，如果妈妈发现孩子的肢体突然有片刻的静止，也要想到是否正常。把孩子抱在怀里，感受一下，是否有短暂的肢体抽动和点头，及时向医生介绍情况，描记脑电图，及早发现婴儿痉挛症。

670. 阴囊肿大

引起婴儿阴囊肿大的原因，主要是鞘膜积液和腹股沟斜疝。

腹股沟斜疝和鞘膜积液相鉴别的简易方法：

妈妈在换尿布时，发现孩子的阴囊两侧不对称，一边大一边小，小的那侧并没有什么异常，阴囊皮色一般是比较黑的，有皱摺。大的一侧往往比对侧皮色浅些，少皱摺，好像发亮，还有些透明，如果用

市级科学技术进步奖二等奖，1994
科研项目名称是新生儿ABO溶血病的筛查。

纸卷成一个纸筒状，扣在肿大的阴囊上，在纸筒的对面用手电筒照射，阴囊像灯一样的亮，是透光的。这就是鞘膜积液。如果是腹股沟斜疝，就不会透光，不像灯一样亮，而是见到暗影。

婴儿鞘膜积液多于生后就出现，一般不需要治疗，大多数能自然消失，即使很大，也不要抽液，那样会增加感染机会。是否需要手术治疗，要听取专科医生意见，一般要等到两岁以后决定。

腹股沟斜疝，在婴儿期，如果没有嵌顿，不是巨大疝，医生也不会建议手术的。

671. 血管瘤

有的血管瘤，在婴儿一出生时就被发现了，有的生后几天，甚至更长时间才发现或长出来。无论是生后就发现，还是以后发现，父母都不必着急。血管瘤是由新生的血管组成的良性肿瘤，有些血管瘤是完全可以自行消退的。

不急于手术的血管瘤

在1岁以前，血管瘤可能会长大。有的长得比较慢，或没有明显的变化；有的长得比较快，但多数不超过3公分。只要不是长在非常重要的部位，如眼部、口腔内等，增长速度也不是很快的，不是巨大的血管瘤，都不必急于手术。血管瘤有自行消退的可能，自行消退的血管瘤可仅留下发白的皮肤。

高出皮肤的血管瘤

高出皮肤的血管瘤，要注意防止血管瘤溃破出血。洗澡时要小心，不要让婴儿抓破，如果血管瘤在婴儿容易够到的位置，要注意保护。血管瘤增长速度很快时，要及时看医生。血管瘤一旦溃破出血，不要自行处理，要及时到医院。

最常见的血管瘤有三型：有鲜红斑痣、单纯性血管瘤、海绵状血管瘤。

鲜红斑痣也叫"毛细血管扩张痣"、"焰色痣"、"葡萄酒痣"。好发于面部、颈部，单侧的多，偶见对称的。一般是出生时即存在，呈暗红色或青红色斑片。与皮肤呈水平状，界限比较清晰，痣的形状不规则。用食指和中指压住痣，两指同时向两边分开，痣色变淡或色褪。鲜红斑痣数年内可能自行消失，有的可永远存在。

单纯性血管瘤也叫"草莓状血管瘤"、"毛细血管瘤"。草莓斑刚开始出现时，通常是一片苍白区，过了一段时间后，很突然地在苍白区域内长出一块深红色的突出的斑块，看上去很像草莓，从小变大，可以生长一年左右，以后逐渐停止下来。

苍白区的时候，有时没有被父母发现。多是在出生数月后，在婴儿的脸蛋、脖子、头皮或其他部位见到鲜红色圆形或分叶形的瘤，摸起来比较柔软，用手指压不能褪色，比皮肤高出来。这种类型的血管瘤，父母往往比较紧张，高出皮肤的血管瘤软软乎乎的，好像一碰就会破损出血的。其实，5岁之内，这种血管瘤都有自行消失的可能，所以父母不要急于治疗。当然比较大的，或医生认为需要做手术的，父母要尊重医生的诊断和治疗。这种血管瘤，因为它高出皮肤，容易受到摩擦，注意不要让孩子抓破，给孩子洗澡时，也要格外注意。

海绵状血管瘤也是高出皮肤的红色瘤，但隆起更明显，压的时候，就像挤压海绵，能够被压缩。此型瘤生长比较快，当生长到一定程度时，多能停止生长，数年后可自行消退。

不管什么类型的血管瘤，都要看皮肤科医生，因为有自愈的可能，在选择治疗时机时，要谨慎从事。

672. 血友病A

传男不传女

血友病A是先天遗传性疾病，属连锁隐性遗传。是血浆中缺乏第八因子，遗传基因在X染色体上，妈妈传递，儿子发病是其特点。妈妈不使女儿发病，但可使女儿成为致病基因的携带者，女儿长大后，再生育时，也可能生育出有病的儿子或携带基因的女儿。

幼童期表现出病症

患有血友病的孩子，出生后，可表现为脐带出血，或渗血不止，但慢慢都会停止。待到婴儿学爬，学走路时，磕伤皮肤，出现出血不止的现象。但是，婴儿期发病的并不多见，一般都是在儿童期，活动量比较大，可出现关节腔出血，肌肉组织出血，皮下淤斑，或外伤后出血不止。诊断有赖于实验室检查。

家族病史调查

现在大都是一个孩子，如果携带血友病的母亲（也是独生女）生下一个女儿，刚好又把致病基因传给了女儿，但是女儿并不发病，这个女儿长大后，恰好生了一个儿子，这个儿子就有可能是血友病患者。这时要进行家系调查，否则不容易查出有血友病的家族史。所以，当您的孩子有出血现象时，查不出其他原因，别忘了血友病。

673. 智力低下

智力低下的种种原因

引起智力低下的原因有很多，先天遗传因素有先天愚型、小头畸形（狭颅症）、脑贯通畸形、脑积水；代谢障碍损伤大脑所致的苯丙酮尿症、半乳糖血症等；宫内受感染，如风疹病毒、弓形虫、巨细胞包涵体、疱疹病毒、人乳头瘤病毒、梅毒等引起胎儿感染；分娩过程中窒息后的脑损；重症黄疸所致的核黄疸；早产儿；脑外伤后遗症，脑部疾病；抢救过来的危重患儿等等，都可出现智力低下，还有原因不明的低智儿。

早期干预的意义

比如苯丙酮尿症的发生率是很低的，但早期诊断是防止患儿智力低下的关键。所以，一旦怀疑本病，就要积极干预，按照医生的医嘱，吃特定的饮食，会大大降低智力低下发生的可能。

智力低下的康复

过去认为，脑细胞一旦受到损害，是永远不能恢复的，是不可逆的。脑细胞和神经细胞是不能再生的。随着科学和医学的进步，医学家们不断创造奇迹。脑瘫的手术治疗，刺激脑细胞再生的药物，脑细胞活化剂等的使用，对低智儿的功能训练

省科委授予省级科技成果证书，市级科学进步一等奖，2000
科技成果项目名称是：妊高征产后血压变化及相关因素探讨。

等等，都在不同程度上，为低智儿带来了福音。

父母的特殊付出

尽管如此，低智儿的父母还要靠自己的努力，帮助孩子康复。低智儿的家长，担负着常人难以想象的艰辛劳动和心理压力。只有父母首先战胜自己，孩子才能得到最好的关怀。

还需要嘱咐父母的是，遇到这种情况，不要互相埋怨，没有哪个父亲或母亲愿意自己的孩子有病。不要互相指责，没有任何时候像现在这样需要父母同舟共济，齐心合力面对困难，帮助孩子，把不幸降低到最低限度。

正视现实，越早越好

小婴儿在没有和其他孩子接触前，还感觉不到差异，父母受到的打击可能还不那样强烈。随着孩子不断长大了，出现了比较，出现了竞争，上学后的学习成绩，升学、工作等等情况发生了明显变化。到了这个时候，父母所面临的就不单单是辛苦了，更多的是心理压力和精神折磨。所以，在婴儿小的时候，父母要正视孩子智力低下的问题，抓紧时间治疗，加强干预和训练，这时的一分付出，会得到以后的十分回报。让孩子能够生活自理，能够自食其力，能够有所作为。

典型病例

尽管医生告诉家长孩子的真实情况，但父母往往是不愿相信，总是看自己的孩子没有什么问题。有一位妈妈带着3岁的孩子看病，我告诉她孩子智力低，妈妈很不高兴，说孩子很聪明，她一下班回家，孩子就会冲她笑，非常高兴，孩子也认识很多人。我告诉她，对于3岁的孩子，只会见到妈妈笑是不够的。我理解做父母的，哪个母亲不看自己的孩子可爱，但是正视现实，是挽救智力低下儿的关键，越早越好。如果医生认为您的孩子应该早期干预，加强训练，或需要特殊治疗和训练，不要犹豫，早行动比晚行动要好。

生育第二胎的风险

关于是否再生第二胎的问题，也是困扰父母的又一难题。没有哪个父母不害怕再次生育的结果。做医生的理解这些父母，但有时也难以给父母一个满意的答复。这不像生产商品，父母孕育的是人，是复杂的生命。况且有些不明原因的疾病，就更难下结论了。

比如说先天愚型这种病，就很难判断再次生育后发生的几率。先天愚型也叫21-三体综合征，就是说在第21对染色体上多了一条，是染色体发生了畸变，其发生率与生产年龄有密切的关系，35-39岁的孕妇，是0.4%；40-44岁是1.2%；45岁以上是4%。可见，初产年龄越大，发生率越高。

再次生育先天愚型的危险率，35-39岁是1/150，40-44岁是1/40。就是说，150位35-39岁妇女生育了先天愚型的孩子，他们的二胎中，会有1例是先天愚型患儿。40位40-44岁妇女生育了先天愚型的孩子，他们的二胎中，会有1例是先天愚型患儿。可见年龄越大，生育先天愚型的几率越高。高龄产妇最好做羊水穿刺检查，进行产前诊断。

第5节　婴儿用药与治疗

674. 扩大化治疗现象

治疗带给孩子的负面反应不容忽视

有位妈妈这样说："现在好像没有什么好药，吃了也不管事，我家孩子咳嗽都快三个月了，跑遍了医院，看遍了专家，几乎用遍了所有的药，整天吃药、打针、输液，幼儿园去不了几天，什么药也不灵。"这种情况抱怨并不少见。患儿真的得不到有效治疗吗？是治疗不足？还是治疗过度？小小的身体能否承受这么多的药物？

治病救人是医生的天职，杜绝医源性疾病是医生的天良，这是我从医以来最深刻的体会。治病往前稍稍迈一小步就是致病。人们更多追求的是对疾病的治疗效果，而往往忽视由于治疗所带来的一些负面反应。对于孕妇和婴儿来说，这个问题更不容忽视。

在临床工作中，遇到更多的是父母请求给孩子开好药，开贵药。一个小病，父母可能会不断地看医生，从普通医师看到专家。用药不断升级，父母不断寻找好药、新药、贵药。复感儿或慢性咳嗽儿的父母甚至抱怨，他们孩子已经没有什么可吃的药了，也没有什么好办法。真的是这样吗，是治疗不足？还是治疗扩大？显然是治疗扩大。

父母和医生的片面做法

有些家长是医生下医嘱的催化剂，本该吃药就可治疗的疾病，非要打针；本该打针就可解决的问题非要输液。

医生鉴于风险难当，也就顺势而为，药量越用越大，药价越用越贵，药质越用越高，新药出来就用，广告药更是走俏。家长没想到药物的副作用，更不会考虑可能已经埋下了"药源性疾病"的隐患。

正确对待药物，不要扩大化治疗

· 应该选用经过较长一段时间临床应用，证明是安全有效的，不会造成药源性疾病的药物。

· 除了针对疾病适应症外，不可忽视药物副作用。有很多人只注重药物疗效，忽视药物副作用。

· 治病与致病有时只是一张纸，捅破了，可能会由治病而导致另一疾病的发生。这方面的例子有很多，在自疗盛行的时候更应引起人们的警惕，防患于未然。

· 并不是说孩子不能打针输液，而是强调真正需要时再接受打针、输液。

· 作为儿科医生，对待孩子，确实应该有

更大的责任感和爱心，站在孩子的角度，站在父母的角度，更多为孩子着想，面对患儿，不要仅看疾病，而忘了他还是一个可爱的孩子。为孩子解除病痛，并把治疗带来的痛苦和药物副作用降到最低限度，这是儿科医生的天良。

· "头痛感冒和发烧，阿司匹林来一包。"用这句顺口溜为小儿用药，忽视了药品可能带来的不良反应。20世纪七、八十年代，使用阿司匹林引起"瑞氏综合征"在北美高发，其致死率达到30%左右。为此，在儿童服用的阿司匹林包装上标出警告。除此以外，阿司匹林还能引起胃肠道刺激、延长出血时间、过敏反应、哮喘等。

· 安乃近的不良反应更加显著，1977年该药已从美国市场上撤出，1987年，安乃近被我国列为儿童禁忌药。27个国家已禁用或限用安乃近。

· 发烧是机体对疾病做出的正常反应。发烧使体内的一些酶和细胞的活性增强，使机体的防御能力增加。体温在38℃以下时，不会对孩子造成损害。不要急于使用退热药。物理降

省科委授予省级科技成果证书，市级科学进步一等奖，2002
科技成果项目名称是：围产期干预对妊高征血压转归远期随访观察。

温、多饮水是安全有效的降温措施。

· 家长要避免心急乱用药。病毒性感染（如病毒性感冒等）所致的发热多为自限性的。有些医生和家长一遇孩子发烧就给孩子盲目服用抗生素，造成抗生素滥用，不仅对孩子身体不利，使病原体耐药性增加，也加大了医药费用。

675. 输液带来的隐形伤害

输液变得越来越普遍

在小儿疾病治疗中，输液是很普遍的给药方法，人们也乐意接受。即使在个人诊所里，医生也常常给患儿输液。这种途径给药，作用迅速，可使用较大剂量。扎针时，仅仅是进皮时痛一下，在输注过程中，基本上没有痛的感觉，没有肌肉注射后的长时间痛。所以，在某种程度上，人们更乐意接受输液。在基层医院里，只要患者要求，医生就会同意，对于小儿来说，如果发烧两天不退，父母一着急，就会要求输液，即使在比较大的医院里，医生也多不拒绝家长要给孩子输液的要求，这样一来，输液变得越来越普遍。

输液就这么好吗？

大部分家长认为，输液比吃药效果来得快，全不顾患的是什么病。

工作中遇到的典型病例

孩子腹泻，在地段医院打针不见好转，孩子精神反而越来越差，有的甚至输液也无效。这是为什么哪？道理很简单，腹泻是肠道疾病，肌注抗菌素（甚至用青霉素）先吸收入血，再到肠道作用，效果当然不如直接肠道给药好。若是非感染性腹泻，肌注抗菌素就更无效了，采用灌肠疗法要比输液打针有效得多。况且，腹泻对小儿的危害主要是丢失电解质和水分，口服补液盐是补充电解质的重要措施。经口腔补充丢失的液体，比输液具有更大的优势。

输液并非是阳光一片

为了孩子，也为了家长，我们需要了解输液这种常规治疗方法，在给人们带来方便的同时，也会给孩子带来伤害。

！血管被开放，血管与外界相通

输液是有副作用的。输液就意味着血管被开放，可引起静脉炎、输液反应；输液时往往用药量过大，若不是病情所需，则加重婴幼儿或孕妇的肝肾负担；婴儿的肝肾发育尚不完善，解毒功能较弱，容易受到药物的损害，孕妇肝肾已经负担过重，药物的解毒工作加大了肝肾负担，对母婴构成危害。

输液就是打开了静脉，使血管与外界相通，这无疑增加了感染的机会，如果对针刺部位消毒不彻底，可能会把细菌带入血液。这种情况尽管不是很常见，也会发生，至少有这种隐患。

！感染机会增加

操作过程不规范，增加了感染的机会。护士是比较重视输液局部消毒的。如果护士在输液时，没有按照常规进行消毒，父母有权向护士提起质疑，并请护士暂时停止输液，经过正规消毒后再进行。

正规的消毒方法是：

在孩子输液部位的下方，铺一块无菌巾，护士在操作车上的消毒盆中洗手，擦干。用碘酒首先消毒，以穿刺部位为中心，向外逐渐扩大消毒面积，一般需要3厘米×3厘米的范围，然后，用酒精脱碘，也是从穿刺部位的中心向外周扩延。取下输液针上的套管，进行穿刺。如果是穿刺头部，有头发的地方，必须用刮刀刮干净，有的婴儿头部有湿疹结痂，也有的婴儿头部有奶痂，输液时尽量避开，如果必须在此部位，应该先用甘油浸泡，待痂软后，轻轻去掉，再进行消毒。

！难以避免的输液反应

静脉输液时，药物或液体中可能存在某种致热源。药物、液体、配液时有污染物等，都可能作为致热源进入患儿体内。致热源进入体内后的结果，就可引起输液反应。

输液反应常识

输液反应程度有轻有重：轻者，停止输液后，就会消失，有的需要使用抗过敏药；重者可危及孩子的生命。

输液反应的最初反应是冷感，但这种感觉只有年长儿和成人才能感觉，婴儿即使有这种感觉，也不会表达。冷感过后是寒战，输液反应的寒战是比较明显的，患者发生无法控制的颤抖，牙齿咬得咯咯响，身体蜷缩到一起，四肢紧紧抱向躯干，不停颤抖，盖几层被子也不能使寒战缓解。一旦不颤抖了，就开始发烧，体温可高达39-40℃，这时患者开始燥热，要把身上的被子都拿掉。

婴儿输液反应特点

婴儿缺乏这些典型的输液反应，多是表现面色口唇青紫，皮肤发花，反应差，由于高热而发生惊厥。如果不能及时发现输液反应，有致热源的液体一直往孩子体内输注，孩子会由于颤抖而发生喉头痉挛，这是很危险的。

孩子输液时父母应该做的

输液反应多发生于输液后的10-20分钟内，所以父母应该密切观察孩子，不能是护士把液输上了，妈妈就以为是万事大吉了，不是奶着孩子睡觉，就是和同室的患儿妈妈聊天。医生护士不会站在孩子跟前看着，也不能依靠医生护士巡视，一刻不离孩子的只有父母。所以当孩子输液时，父母一定要目不转睛地看着孩子，同时兼顾着输液瓶里的液体和滴数。也要观察，扎针的部位是否鼓包了，是否有渗液。一但怀疑有输液反应，应该及时把护士医生叫到孩子身边，及时处理。

不要忘记药物热的可能

输液时，也有发生药物热的可能。孩子因为发烧输液，主要的药物是抗菌素，可抗菌素已经用了1周，甚至十来天了，孩子的体温仍然不降，也找不到感染灶。肺部炎症也消失了，扁桃体也不肿大发红了，腹泻也好了。但就是因为发烧而不敢停药。这时，就应该考虑是否发生了药物热。

引起药物热最常见的药物就是抗菌素，而发烧时，多认为是有细菌感染，又不敢停用抗菌素，所以，抗菌素引起的药物热，就容易被这样拖延了。如果医生能想到这个问题，果断地把抗菌素停掉，孩子的体温可能会慢慢地下来。所以，当孩子因为感染输抗菌素，感染控制了，但体温一直不正常时，应该想到药物热。

输液导致静脉炎

如果液体中药物浓度过高、有刺激强的药物、输液速度过快时，在输液部位，血管发红，触摸时疼痛，可能发生了静脉炎，如果不严重，过一段时间会好转。如果比较严重，很长时间都不能恢复，疼痛消失了，但静脉会很显露。与其他部位相比，静脉增粗，静脉表面不光滑，疙疙瘩瘩的。这就是静脉炎的结果。

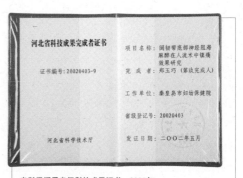

省科委授予省级科技成果证书，2002年
科技成果项目是：阔韧带底部神经阻滞麻醉在人流术中阵痛效果研究。

输液速度不要太快。如果是刺激性的药物，输液局部发红，孩子痛得闹人时，要及时找护士和医生处理。或把速度放慢，或稀释液体浓度，减小对静脉的刺激。

针眼感染

静脉输液的地方，针眼发红，是针眼感染造成的，应该用碘酒酒精进行消毒，再次输液时，要避开这个部位。发红的针眼在炎症消退期，会发痒，不要让孩子挠。要用碘酒酒精消毒止痒。

输液不当带给孩子的不良后果

静脉输液是给药的主要途径，也是治疗疾病的主要手段。但是，凡事都有正反两方面。输液能够治病，但如果输液不当也会导致疾病。

·异常哭闹

护士为小儿输液时，小儿会因疼痛而哭闹，但扎针后，小儿多能安静下来，有的还可安然入睡。如果小儿在输液过程中哭闹不止，不要仅仅认为孩子是因为有病或由于扎针，应考虑到是否由输液不当所致，向护士医生询问，是否输液速度过快、液体量过多？

患有胃肠道疾病的小儿，如果在输液过程中发生呕吐，很容易认为是胃肠道疾病本身的症状，不容易发现输液不当导致的问题。实际上，如果输液过多或液体浓度不适宜，也可引起患儿呕吐。

·头痛

在输液过程中，如果患儿述说头痛，不要只考虑疾病本身，要想到是否由于输液不当所致。这种情况多见于比较消瘦、营养不良的小儿。是由于静脉补液浓度过高，或速度过快，电解质比例不适宜等导致颅内压增高所致，不会用语言表达头痛的婴幼儿，则表现为哭闹和烦躁不安，甚至用手拍打自己的头部。

·多汗、多尿

输入过多的低张力液，可导致小儿出现多汗、多尿和皮肤黏湿等症状。这主要是由于血液渗透压降低，液体不能维持在血液和间质内，故以尿和汗的方式排出。严重者可出现意识障碍、视力模糊等症状，由于输入低张溶液，使血液渗透压降低引发颅内压升高所致。患儿由于视力模糊经常闭合双眼，检查可发现其定向力丧失，大一点的儿童可有谵语。

·发热、口渴

输入含钠过多的高张力液，可使血液呈高张状态，组织和细胞均处于缺水状态，会产生脱水热。另外，皮肤血管收缩，不排汗，使体热不能外散，也会出现发热症状。中枢神经系统对体液渗透压的改变极为敏感，会产生强烈的口渴感。由于血液呈高张状态，细胞内水分渗出细胞外，故细胞明显失水，表现为皮肤黏膜干燥，不排汗。

·水肿

输入过量液体，会使血液和组织液增加，发生水肿。平卧位的患儿于眼睑、头部和四肢等疏松组织处表现的水肿最为明显。血容量增加，使心脏负荷加重，为减少回心血量，保护心脏，产生心血管反射，使皮肤血管收缩，表现为面色苍白。严重者可出现心率加快和奔马律，这是由于容量增加，回心血量增多，心脏为加大排血量出现代偿性心率加快，使心音快而不深，形成奔马律。

·呼吸困难和肺部啰音

输入液体过量时，心脏负担过重，还可导致左心衰和肺水肿，此时患儿肺内有大量粗糙啰音和喘鸣音，表现呼吸急促、口周青紫、鼻翼扇动、点头样呼吸。此时，应立即停止输液进行抢救。

肌肉注射是临床治疗的主要手段。主要是臀部肌肉注射，防疫针多注射于上臂的三角肌。肌肉注射药物在治疗疾病的同时，也会给婴儿带来隐形伤害。

6个月以后的婴儿易患感冒、气管炎、肠炎等病，难免接受肌肉注射，有的是临时打一针退热针，有的是连续打消炎针。

信服打针的父母和喜欢给孩子打针的医生，不但会连续打消炎针，就连退热药，也喜欢肌肉注射，这就给本来有病痛的孩子又加上了注射痛。有些医生很喜欢给孩子肌注抗生素（青霉素、先锋霉素、庆大霉素、林可霉素、小诺霉素等），往往连续打好几天。

肌肉注射会给孩子带来以下不良反应

·注射局部疼痛

臀部肌肉注射后，婴儿会感到注射局部疼痛、发胀，刚注射完，孩子往往感觉打针的部位火辣辣的痛，下肢不敢活动。一但碰到打针的地方，会使疼痛加重。

·对打针的恐惧

会说话的孩子到医院看病，一提打针，就坚决反对，宁愿输液也不打针。打过一针的婴儿，当再次看到打针的护士或看病的医生时，即使不打针，也会一见医生护士就哭。大一点的婴儿，一到医院就开始哭，甚至看到医院的门口，还没有进去，就开始哭，如果没有打过针输过液的婴儿，是很少有这样表现的。

·成了夜哭郎

婴儿不会见到商场就哭的。可见到医院，见到穿白大衣的就哭。这就是打针带给婴儿的恐惧，有的婴儿，甚至会为此做噩梦，在半夜醒来，连续几个晚上都让父母不得消停。有的成了夜哭郎。

·接受多次肌肉注射时，注射部位可能会出现局部包块、腿痛、不能站立或行走。有的孩子，在一次注射后也有可能出现上述情况。多是由于一次注射药物过多。或注射了难以吸收的药物，如脂溶性维生素D或A。出现的肿块，一般为鹅卵石大小，按压时婴儿因疼痛而哭闹。

肌肉注射后妈妈应该做的

·可以给孩子进行局部湿敷，把毛巾放在热水中浸湿，放在注射处，毛巾凉后取下，每次可敷10分钟左右，一天2~4次。也可以切一片土豆，贴在包块注射部位，帮助药物吸收，也有很好的消肿止痛作用。要注意一点，在热敷时，不要发生烫伤。

·如果注射局部出现红肿，温度高于正常皮肤，疼痛很厉害，孩子发烧、烦躁等，应该考虑是否有注射局部感染，要及时看医生。

避免伤及孩子的坐骨神经

臀部有坐骨神经走行，在进行臀部注射时一定要避开。正确的注射部位是臀部外上限1/4方块内上三角区内。以下做法可能会损伤坐骨神经：

·注射部位不正确。

·深浅度不适宜。

·注射时，孩子哭闹不安，父母没有抱住，针在肌肉内发生变动。

·孩子神经走行变异。

·注射青霉素、先锋霉素或药量很大时，即使部位正确，也有发生坐骨神经被侵润的可能。

如何发现坐骨神经损伤

·孩子会拒绝活动注射侧下肢。

·活动下肢时，孩子就会哭闹。

·会站的孩子，站立时，可能用一只脚站着，损伤的一只脚只是脚尖着地。

·会走的孩子，会出现跛行。

怀疑有坐骨神经损伤时

·要及时看医生。

·最好到另一家医院，如果在注射的这家医院，医生往往怕担当责任，在诊断上比较保守，延误诊断，错过治疗时机。

· 损伤初期，适当限制患侧肢体活动；

· 一周后进行理疗和功能训练。

避免臀部肌肉挛缩

婴儿的臀部肌肉是逐渐发育成熟起来的。在未发育成熟前，以下情况可导致局部肌肉发育受到影响造成臀部肌肉挛缩：

· 经常接受肌肉注射。

· 一次连续接受长时间的注射。

· 注射刺激性强的药物。

· 注射的药物吸收很差，大部都没有吸收，聚集在注射局部。

· 青霉素和先锋霉素等水溶解的粉针，如果注射量比较大，或注射时间比较长，药粉没有完全吸收，只是水被吸收了。

· 注射部位浅，有一部分注射到脂肪组织时，更易发生这种情况。

病例介绍

曾经有一不满周岁的患儿就发生了臀部肌肉挛缩。孩子要学走路了，妈妈发现宝宝好像一条腿长，一条腿短，短的那条腿很明显地用脚尖走路。父母仔细查，发现臀部有一个明显的凹陷，在凹陷处，能触到一个比较大的硬块。经询问，小儿经常肌注青霉素，几乎每个月都打几天针。外科医生诊断为臀部肌肉挛缩，纤维包裹。手术切除了包块，把包块切开后，包块里面，包的是白色的粉末，就是青霉素药粉。这种情况在早期不易被发现，等到孩子会走以后，父母发现孩子走路步态不对了，才被发现。

两点忠告

肌肉注射在治疗疾病的同时，可能会导致一些异常情况。没有必要，不要经常给孩子打针。

我并不同意用输液代替打针，应该根据治疗需要，选择治疗方法。能口服给药的就不要肌肉注射。

677. 药源性疾病

医生和父母都有责任帮助孩子们躲避"药源性疾病"。人们更多追求的是药物的短期疗效，新奇特贵，药量越用越大，药价越用越贵，药质越用越高，新药出来就用，广告药更是走俏。家长没有更多地想到药物的副作用，更不会考虑到可能已经理下了"药源性疾病"的隐患。尤其是儿童和孕妇更应该重视这个问题。

贵药？新药？好药？

药越贵越好，新药一定是最好的药，这是大多数人的心理，让我们逐一加以讨论。

· 好药？

好药是什么标准？我认为，能够最有效地控制疾病的发展，副作用最小，不导致药源性疾病，价格适中的药应该算是好药。

就拿小儿退热药来说，对于婴幼儿，小儿鲁米那是最理想的退热药，它降温过程平缓；小儿出汗相对少，水分和电解质丢失少；能有效控制小儿热惊；副作用少，小儿略有睡眠增多，但这正是小儿需要，患病后休息有利于疾病的恢复，也避免哭闹惊厥；价格便宜。

· 贵药？

有的贵药一方面是药的质量好，还有另一方面可能是广告费用和推销费用太多。再者，能治疗您本身疾病的药才是真正意义上的药。不能离开治病谈药品的价格，以药品价格论"英雄"是非常片面的。

· 新药？

新药是经过研究，动物实验，临床试验开发出来的，疗效上优于传统药物，也克服了许多副作用。但新药也有不好的地方，那就是临床试验时间往往短暂，没有经过长期的临床验证，与传统的药物比较有更大的冒险性。

父母要正确对待药物

· 药物不是时装，不能求贵求新。

· 应该选用经过较长一段时间临床应用，证明是安全有效的，不会造成药源性疾病的药物。

· 用药前，除了针对疾病适应症外，不可忽视的是药物的副作用。有很多人注重药物的疗效，而忽视药物的副作用。

· 在说明书上写着详细副作用的不敢用，没有表明副作用或笼统含糊的却敢用，这是不正常的。只注重药物疗效的宣传，而忽略副作用，这是用药大忌。

· 治病与致病有时只是一张纸，捅破了，可能会由治病而导致另一疾病的发生。这方面的例子有很多，在自疗盛行的时候更应引起人们的警惕，防患于未然。

678. 哺乳期安全用药

哺乳期的妈妈能否服药？服用某种药物的妈妈能否继续哺乳？

这个问题从理论上讲是比较容易回答的，但在实际工作中以及针对具体问题就有些棘手了。一些药物对乳儿的影响缺乏临床对照，甚至连动物试验也缺乏，没有定论。医学这门科学不同于其他领域，有很多的禁区，在患者身上是不允许试验的。若是从理论上认为对乳儿有影响的药物，绝对不会再验证，可能仅仅停留在理论上，即使是动物实验有了定论，但和人类还是有一定差别的。

影响乳汁中药物浓度的因素

· 血-乳屏障。

· 血液和乳汁间药物浓度。当血浆中的药物浓度降低时，乳汁中的药物又会返向转回到血浆中。因此，有些对乳儿有影响的药物，可根据药物在乳汁中的浓度安排哺乳时间。

· 药物的分子量。分子量小的易于进入乳汁中。

· 与蛋白质结合的亲和力。亲和力低的容易进入乳汁中。

· 溶解性。脂溶性高的药物乳汁中含药浓度就高。

· 离子化程度。非离子化程度高的易于进入乳汁中。通常，母乳中的药物含量

很少超过母体用药剂量的2%，其中仅有一部分被乳儿吸收。因此，一般情况下，不至于对乳儿造成明显的危害。只有少数药物对乳儿有肯定的危害。

乳母服用药物的原则

· 用药应具有充分的指征。

· 尽量选用进入乳汁少的、对乳儿影响小的、对乳母疗效高的药物。

· 调整服药与哺乳时间，让医生根据药物的半衰期来调整药物与哺乳的最佳间隔时间，一般用药时间选在刚刚哺乳结束。距下次哺乳相隔4小时以上。要避开乳母血浆中药物浓度最高峰哺乳。

· 检查乳儿血药浓度，当乳母用的药物剂量较大或时间较长时，可定期检查乳儿的血药浓度。超过乳儿耐受浓度时应及时停乳。

· 若不能证实乳母用的药物对乳儿是否安全时应果断停乳或在不影响疗效的前提下更换药物。

· 乳母服用乳儿能使用的药物时不必考虑对乳儿的影响。

不要因妈妈吃药而停喂母乳

药物的影响是一时的，在没有明确定论乳母所服用的药物对乳儿有影响时，不要轻易停止母乳喂养。在医生指导下，乳母是可以安全用药的。

679. 婴幼儿禁用药物

有的家长认为小儿就是比成人的体重小，成人吃的药只要减量就行了，这是不对的。给孩子使用药物最好请教医务人员。

小儿肝肾功能尚不成熟，肝脏解毒功能弱，肾脏的排毒功能也差，在药物使用上，小婴儿不同于年长儿，儿童更不同于成年人。所以大多数的成人用药，都不能用于小儿。

小儿并不是成人的缩影。小儿对药物的反应、代谢、药物作用的靶器官、副作用、对药物的耐受性等等都有其特点。在

成人身上轻微副作用，在小儿身上可能就是毒性反应，如抗菌素中的氨基糖甙类、喹诺酮类、磺胺类、氯霉素等，对小儿都有不同的危害。

1）氨基糖甙类可引起小儿耳聋，肾脏功能损伤。

2）喹诺酮类可引起小儿软骨发育障碍。

3）磺胺类可引起小婴儿黄疸，肾脏功能损害。

4）氯霉素可引起灰婴综合征，粒细胞减少症。

5）一些感冒药小儿也不能随便服用，如银翘片、感康、康必得、速效感冒胶囊等成人感冒药。

6）还有镇静助眠药；解热镇痛药(扑热息痛可以)；抑酸剂；泻药；氯霉素滴眼液不宜长期使用；滴鼻净等。

7）风油精虽然没有什么严重的副作用，但小儿很容易弄到眼睛里或口中。

即使是曾经用过的小儿药，这次与上次有相同的症状，服用时也要小心。因为，在您看来相同，却可能是不同的病。小儿许多种传染病在发病前期都类似感冒的症状，但是有经验的医生却能从一般中鉴别出不同点，及时发现其他病症。

成年人可通过自己的感觉，初步鉴别出自己这次患病与以往是否一样，是重还是轻；可小儿科是哑科，即使小儿会叙述，也大多不够准确。虽然妈妈、爸爸与孩子朝夕相处，也很难成为孩子的疾病专家。有病看医生，这是小儿科的特点，不但要看，而且还要勤看，因为小儿病情变化较快，可以小时计算疾病的变化。非处方药是自疗药，小儿在使用非处方药时，缺乏自疗这个环节，仍然是"他"疗，要慎之又慎。

680. 钙、VD缺乏症候群

人们普遍把佝偻病叫做"缺钙"。如果诊断某一孩子患有佝偻病，家长会很着急的，但如果诊断"缺钙"，家长似乎不会那么紧张。

佝偻病的全称叫维生素D缺乏性佝偻病，是小儿常见病。由于家长认识上的提高，大多数父母对佝偻病本身已经有了足够的认识，佝偻病的发病率有了显著下降，严重佝偻病患儿已经很少见了。但关于佝偻病方面的一些问题，有些家长还存在着一些模糊认识。家长都知道要给孩子"补钙"，也知道要补充鱼肝油，也知道通过晒太阳预防佝偻病。但到了自己孩子身上，遇到一些实际问题时，就不那么明白了，可能还会出现一些错误的认识，尤其是在使用药物方面。

佝偻病就是"缺钙"吗？

维生素D缺乏性佝偻病主要是由于体内维生素D不足，致使钙、磷代谢失常，是一种慢性营养性疾病。"缺钙"是继发于维生素D不足，也有部分小儿是单纯摄钙不足，或两者兼而有之。也就是说VD不足，摄钙不足，或两者兼有，都可导致佝偻病，而最常见的是VD不足。把佝偻病称为缺钙是不恰当的，容易引起人们的误解。由于这样的误解，在没有医生指导下，一些家长十分重视补钙，给小儿吃各种各样的钙，而不补充足量的VD，结果是无效补钙。相反，补钙过多，不能有效利用，从大便中排泄，不但浪费药源，还导致小儿便秘，影响胃肠道功能，造成小儿厌食。

佝偻病小儿血钙低吗？

这是不全面的认识，VD缺乏可导致两种情况，一种是VD缺乏性佝偻病，以骨骼改变为主要表现，血钙可在正常范围或偏低；一种是VD缺乏性手足搐搦症，多见于

6个月以内的小婴儿，以血钙低为主要表现。这主要是由于VD缺乏时，甲状旁腺代偿性分泌也不足，不能使低血钙恢复，出现低血钙表现。因此，患佝偻病时血钙不一定低。

佝偻病的骨骼后遗畸形可通过治疗消失吗？

通过治疗，骨骺的X线改变可逐渐消失，但出现的骨骼后遗畸形，如X型腿、O型腿、鸡胸等不能恢复，但可随着下肢骨的生长延长，胸大肌的发达，畸形部分地被掩盖。畸形严重者需要手术矫形。因此，预防佝偻病是很重要的。

只要补充足量的VD和钙剂就不会患佝偻病了吗？

对于绝大多数（95%以上）VD缺乏性佝偻病来说是这样的，但对于少数非营养性VD缺乏性佝偻病则不然。经过常规预防或治疗仍不见效的佝偻病，应考虑特殊原因造成的佝偻病，如家族性低磷血症、远端肾小管性酸中毒、VD依赖性佝偻病、肾性佝偻病等。

多汗、烦躁、易惊、枕秃是佝偻病特异性表现吗？

诊断小儿是否患有佝偻病，仅依据临床表现，其准确率是很低的。哪一个表现都不是特异性的，正确诊断必须源自对病史资料、临床表现、血生化检测结果和骨骺X线检查的综合判断。血清25-（OH）D在早期即明显降低，是可靠的诊断标准。

单纯"补钙"并不能预防和治疗佝偻病

佝偻病的病因是VD不足致使钙、磷代谢失常。小儿佝偻病最主要的原因是VD不足，钙摄入不足是次要的，因此单纯补钙是不能预防佝偻病的。

补鱼肝油制剂预防佝偻病也有讲究

服用鱼肝油预防佝偻病，主要是由于鱼肝油中含有VD，而补充足量的VD才能有效预防佝偻病。鱼肝油制剂有几种不同的配方：

淡鱼肝油。如橙汁鱼肝油中含VD只有11单位，含VA达77单位，如果每天需补充400单位的VD，VA的摄入量远远超过了生理需要量，服用的量也比较大，因此不宜用橙汁鱼肝油预防佝偻病。同样，乳白鱼肝油也是淡鱼肝油，也不宜用作预防性用药。如果你只是给小儿每天服用几滴淡鱼肝油，是不能起到预防佝偻病作用的。

应该补充浓缩鱼肝油制剂。浓缩鱼肝油制剂因VD与VA比例不同，而有不同剂型。2∶1剂型含VA10000单位，含VD5000单位；如果按每天补充VD400单位，则补充VA为800单位，没有超过规定的小儿每日应补充的VA量，不会造成VA过量或中毒。3∶1剂型含VA1800单位，VD600单位。10∶1剂型含VA10000单位，VD1000单位，不适宜小儿服用。

纯VD制剂。也比较适宜补充每天的生理需要量，如WHO组织推荐的浓缩VD胶丸，每丸含VD为10万单位，小儿从出生后两周开始服用，每月一丸可预防佝偻病。

还有，补充VD要注意，滴剂容易发生氧化而失去作用，要注意避光，盖子要拧紧，即使用不完，也要每个月更换一瓶。多晒太阳是获取VD的好途径，不要忘记取之于自然的天然太阳能。

两种VD缺乏症的治疗

VD缺乏性佝偻病的治疗，以补充足量的VD为主要措施。VD缺乏性手足搐搦症的治疗，以补充足够的钙剂为主要措施，但当病情稳定后，也要在补充足够钙的基础上补充VD。由于肝肾功能障碍导致的佝偻病，应补充活性VD，如罗钙全。普通VD不能有效预防佝偻病的发生。

关于维生素D缺乏性手足搐搦症

人们比较熟悉维生素D缺乏性佝偻病，对维生素D缺乏性手足搐搦症，还比较陌生。本病绝大多数见于婴儿期，多见于6个月以下的婴儿，故又称婴儿性手足搐搦症。6个月以内婴儿生长发育快，需要钙较多，若饮食中供应不足，维生素D缺乏时容易发病。近年来，由于母孕期摄取了足够的维生素D和钙，出生后的喂养很好，能够及时补充维生素D和钙剂，婴儿性手足搐搦症的发生率已逐年下降。

其发病原因与佝偻病相同，但佝偻病主要是骨骼改变，而本病骨骼改变不严重，主要是血清钙离子降低。本病发病多在春季，这是因为入冬后，婴儿很少直接接触阳光，维生素D缺乏达到顶点，春暖花开季节，婴儿开始到户外，接受了阳光的直接照射，体内的维生素D骤增，血磷上升，钙磷乘积达到40，大量钙沉积于骨，血钙暂时下降，而促使发病。主要的显性症状就是无热惊厥，手足发生节律性抽动的多见于较大婴儿，6个月以内主要是全身抽搐。

一旦发生婴儿维生素D缺乏性手足搐搦症，有发生喉痉挛的可能，应该住院治疗。

681. 缺锌

父母常遇到的问题

在实际工作中，咨询锌缺乏问题的父母不少。主要是由于孩子不爱吃饭，或体重身高增长不理想，基层医生认为可能是锌缺乏，就建议补充锌。这时家长就开始疑惑了：孩子为什么缺锌？每天应该补充多少锌？补到什么时候为止？应该怎样进行食物补充？

有的医院儿童保健科开展了头发微量元素的测定。当婴儿到医院做健康体检时，保健医生会让孩子做头发的微量元素测定。大多数父母都会欣然同意的，花钱父母是不会心疼的，剪点头发对孩子也没有什么痛苦，还知道孩子是不是缺乏什么营养，父母当然不会反对。

但是，当化验结果出来时，对数值的解释往往是比较困难的。发微量元素的正常值范围很大，偏高或偏低，父母都会问个究竟。如果同时有几种元素缺乏，到底是都补呢？还是一样一样补？应该先补哪一种？补多少？补多长时间？哪种品牌好？这一连串问题，有时并不能得到很好的答复或正确的处理。

宝宝为什么会缺锌

锌是人体内的微量元素，是人体内必需元素之一。锌作为多种酶的主成分参与各种代谢活动，锌经由小肠吸收。引起锌缺乏的主要原因是入量不足、吸收不良、丢失过多和遗传缺陷。

宝宝缺锌会怎么样

缺锌的主要表现是厌食、矮小、性成熟障碍、免疫功能低下、皮疹及脱发等。

是否像补钙一样，每个宝宝都需要常规补锌吗？

近年来，对锌缺乏有了普遍认识，父母也了解了许多关于锌缺乏问题，尽管还不像对钙缺乏那样普遍，给孩子补锌的家长越来越多了。

婴儿期是否需要像补充维生素D和钙那样常规补充锌呢？目前权威性机构和专家还没有这样的结论。也就是说，在没有诊断锌缺乏病之前，不需要预防性补充锌剂。

人初乳中锌的含量比较高，母乳喂养的婴儿不易锌缺乏。随着月龄的增加，开始添加辅食，蛋黄、瘦肉、鱼、动物内脏、豆类和坚果类含锌较丰富，从辅食中婴儿也能摄取锌。人工喂养的婴儿，多以配方奶喂养，配方奶中多配有锌元素，也有强化锌奶粉，所以婴儿期没有必要补充锌剂。

关于缺锌诊断的几点提示

· 诊断锌缺乏，不能仅靠临床症状和体征，还要有实验室诊断。

· 发锌仅可作为慢性锌缺乏的参考指标。头发受生长速度、环境污染、洗涤方式及采集部位等多种因素影响。

· 血锌可反映孩子目前体内锌的情况，但血锌测定值也受到一些因素的影响，对测得的值要做具体分析。要把影响发锌和血锌测定值的因素充分考虑进去，再对其测得的数值进行判断。要请正规机构检测和有经验的医生判断，不要轻信保健品推销机构的检测。

· 发锌与血浆锌的含量没有密切的关系，发锌不能代替血锌，也不能表明孩子目前体内锌的情况。所以，父母不要为孩子化验头发锌值偏低，就大补特补锌，这会造成锌中毒。

· 由此可见，锌缺乏的诊断并不是很随便的。

影响血锌测定值的因素

· 采集血样放置时间的长短会影响血锌的测定值。如果采集后立即测定，血锌值比较稳定。采集后放置时间偏长，测定值就会偏高。

· 取血时，如果有溶血现象，血锌值会增高。

· 还要注意标本不要被含锌的物质污染，如橡皮塞中含锌。

· 血锌也受食物的影响，如果近期食入含锌高的食物，血锌也会增高。

影响发锌测定值的因素

· 宝宝头发生长的时间；

· 宝宝头发生长的速度；

· 宝宝头发采集的部位；

· 宝宝头发洗涤方法；

· 环境的污染情况。

典型病例

孩子8个多月，因为不爱吃辅食，化验发锌低，就补充锌，每天10毫克，一直吃了2个多月。妈妈听同事说："锌吃多了也会中毒。"妈妈不敢继续吃了，可又不放心，毕竟化验不正常啊。医生建议给孩子化验血锌，可妈妈舍不得给孩子抽血，再化验一次发锌吧。结果比上次还低。妈妈不知怎么办好了。

补锌也有时间和量的限制

锌的补充，也要有量和时间的限制。不能把锌认为是营养药，没有什么副作用，可以放心大胆给孩子吃。

父母要知道，营养药补多了照样会中毒。维生素不可缺少，补多了也会中毒，如维生素D中毒，维生素A中毒等。矿物质过量补充也同样会引起中毒。而且，补充一种元素时，会影响另一种元素的吸收和利用。如过量补锌会影响铁的吸收，补铁时也会影响锌的吸收。长期补充锌元素，不但会引起锌中毒，还会因为影响铁的吸收而导致婴儿缺铁性贫血。

不能明确诊断是否缺锌时

如果医生认为您的孩子缺锌，孩子也有缺锌的症状，但没有化验血，不能明确诊断时，可试验性给予锌剂。6个月以下婴儿，每日补充锌3毫克，6个月以上婴儿，每日补充锌5毫克，也可按照公斤体重计算，0.5毫克/公斤体重。最大量不能超过10毫克。连续补充不能超过3个月。

明确诊断缺锌时

如果确诊是锌缺乏症，可以补充到1.5毫克/公斤体重/日。或6个月以下婴儿每日6毫克；6个月以上婴儿每日10毫克。最长疗程是3个月。补充锌后，要注意铁的缺乏。

682. 如何选择OTC药物

为了让妈妈做好家庭保健，大病到医院，小病自己看，特别介绍非处方药的有关知识。

什么是非处方药

非处方药是指经国家批准，不需要凭执业医师或执业助理医师处方，消费者即可按药品说明书自行判断、购买和使用的药品，也称OTC药品(Over-The-Counter)。在没有医生或其他医务工作者指导的情况下，治疗轻微的疾病。

值得提醒的是，不是所有症状，所有疾病都可以"自己诊断，自我用药"的。同时也要认识到，包括非处方药在内的所有药物都有某些副作用。

如何正确选用非处方药品

1）自我判断症状。通过自己获取的信息和拥有的常识，对自己的症状进行自我判断，如您自觉鼻塞、咽痛、周身不适、体温高于正常，您可能会判断患了感冒而自行选用抗感冒的药物。

2）正确选用药品。可查看所购药品详细使用说明书，也可在购买时向药剂师询问。

3）查看药品包装，不能购买三无产品，不要购买包装破损或封口已被打开过的药品，更不要购买过期产品。

4）使用时详细阅读说明书。严格按说明书中标示的剂量使用，切不可超量使用，一定要看说明书中注明的禁忌药。如果您有说明书中所列禁忌症，切莫侥幸使用。还要注意药物说明书中的注意事项，如服药时应禁食的东西、服用时间、服用方法等都要细细读懂。

5）注意保管好药品。通常需放置阴凉干燥通风处，有些需放置低温处的一定要遵照要求放置。

6）自我药疗3天后症状仍不见缓解或减轻，应及时看医生。

7）药品不要放在小孩可以拿到的地方。

683. 家庭OTC药箱：小儿必备退热药

并不是一天24小时都可随时随地买到药品，而患病却不分时间。尤其是深更半夜患病，就更是麻烦，临时购买药品，很不方便，最好是家中备些常用药品。备什么药好呢？

发热是一种防御机制，但高热可损害机体和引起并发症，如小儿高热惊厥。所以小儿发热须积极处理，除用物理降温外，还应使用退热药。但退热药只是对症治疗，治标不治本，不能解除疾病原因，而且高热或持续发热不退是严重疾病的信号。因此，使用退热药的同时，还应使用治疗疾病的药物，连续3天仍不退热应看医生。

可备用的药有：扑热息痛、小儿鲁米那、小儿退热栓、百服宁、泰诺、泰诺林、小白退热口服液、柴胡饮、小儿退热口服液等。

最佳必备药及使用方法

1）扑热息痛：适用于2岁以上小儿，根据年龄不同选择不同剂量。一般情况下，2-3岁5-100毫克；4-6岁100-150毫克；7-9岁150-200毫克；11-12岁200-250毫克；12岁以上，250-500毫克。轻度发热38℃以下，选择较小剂量；中度发热38℃-39℃，选择中间剂量；高热39℃以上选择大剂量。扑热息痛规格有两种，500毫克/片、300毫克/片。

2）小儿鲁米那：尤其适用于婴幼儿。除有退热作用外，还有止惊作用。可预防小儿高热惊厥，价格便宜，疗效好。一般情况下，半岁前半片，以后每天1片。即3岁小儿可服3片，可根据发热程度加减剂量。

3）小儿退热栓：当小儿高热，使用退热栓，有很好的退热效果，使用退热栓时，要注意放置方法。把外包装去掉，小儿取侧卧位，暴露肛门，缓缓推入退热栓直至全部进入肛门。

其他备选商品药还有：日夜百服宁、泰诺、泰诺林、康利诺等。可按照说明书使用。

<u>使用退热药时应注意以下几点</u>

· 退热药，顾名思义，发热才需服用。有的家长怕小儿发热，在小儿不发热时也给服用退热药，以便预防发热，这是不对的。当小儿不发热时，服用退热药，小儿出汗过多，丢失过多电解质，造成低体温，失盐失水出现虚脱，甚至休克。

· 小儿发热不同于成人，不要忘记物理降温，尤其是婴幼儿，物理降温速度快，副作用少，优于药物降温。

· 小儿汗腺不发达，不易"发汗"，切莫给小儿多穿多盖"捂汗"，这样不但不能降温反而使小儿体温聚升，甚至造成高热惊厥。

· 服用退热药间隔时间一般不超过4-6小时。当体温降至正常或较前下降后，也应4小时后测量体温，及时发现小儿体热，不要等到小儿再次出现高热时方服用退热药，以免出现高热惊厥。

· 服用退热药时，药物剂量可灵活掌握，中度发热按说明书推荐剂量，高热或超高热时可适当增加剂量，中度以下发热可减少剂量。

· 小儿发热一定要频饮水，稍增加食盐摄入量，饮料不能代替白水。

684. 小儿OTC解暑药

夏季小儿火大，有些家长认为应该给孩子吃一些清热解暑药，这是没有必要的。预防小儿"上火"、中暑、风热感冒，关键是生活上的预防。

夏季宝宝清热解暑药主要是一些中成药，中国第一批非处方药。

没病不吃药是永恒的原则

小儿身体各脏器发育尚不成熟，无论是什么药都有不同程度的副作用，没病不吃药是永恒的原则。有的家长认为夏季小儿火大，应该常规给孩子吃一些清热解暑的药，这是没有必要的。父母应该从生活上照顾宝宝，要让孩子平安度过炎热的夏

季，需要父母的细心照料，而不是服用什么预防药。

685. 预防接种的常见问题

刚刚出生的新生儿就开始接种防疫针了。预防接种已经成了小儿出生后必不可少的项目。不给孩子进行预防接种的父母几乎没有，每个家长都面临着预防接种问题，虽然不算是什么大问题。但是，困扰父母的小问题还是不少的。在这里就和父母们谈一谈比较具体的常见问题。

关于乙肝疫苗

母亲是乙肝病毒携带者的新生儿

如果母亲是乙肝病毒携带者，父母常会担心宝宝是否能够阻断母婴传播。这一点父母不要担心。正规的产院对阻断母婴乙肝病毒传播的问题都是很重视的，会给您的孩子进行最好的预防。出生后会立即给您的宝宝注射高效价免疫球蛋白。注射的量和次数与母亲的情况有关。这要根据母亲当时的情况来分析。只注射高效价乙肝免疫球蛋白还不行，出生24小时之内还要接种乙肝疫苗，也有的产院是在出生后一个月接种第一针乙肝疫苗。不管是什么方法，最终目的都是阻断母婴传播，妈妈就根据分娩产院的方法为宝宝接种就行了。

乙肝疫苗的常规接种方法

乙肝疫苗全程接种最常用的方法是0、1、6，第一针算0，第二针是1，就是与第一针相隔一个月，第三针是6，就是与第1针相隔6个月。父母不要忘记了。如果忘记了，全程免疫不能按时完成，就不能达到免疫效果。

每个月看一下免疫接种手册

在免疫接种手册上都标明着下一次预防接种的时间。每个月都应该看一下，是否需要打预防针。有的地段，到时候会电

话通知您。但是，孩子的事情，父母最好自己想着。这是最保险的。

乙肝疫苗接种后的反应

乙肝疫苗和高效价乙肝免疫球蛋白注射后，在注射局部一般不会有什么异常反应，注射后前3天，注射局部可能有轻微的疼痛，孩子可能会哭闹。如果局部有红肿，要注意是否接种针眼处有感染。没有接种后的全身反应。

三针乙肝疫苗成分都是一样的

出了满月的孩子不要忘记打第二针乙肝疫苗。其实，第几针乙肝疫苗都是一样的成分，有的父母以为是不一样的，认为一盒3针，固定是一个疗程的药。其实不然，这3针都是一样的。所以，没有必要一起买3针，会给储存带来麻烦。乙肝疫苗必须保存在2-8℃的条件下。如果停电，家里的冰箱就难以保持恒定的温度，会发生疫苗变质，所以最好不要自行储存乙肝疫苗。

关于卡介苗

新生儿出生后要接种卡介苗。接种初期没有任何反应。

卡介苗引起的寒性脓肿

有的孩子，在接种后很长一段时间，有的可在出生后2个月，注射局部出现寒性脓肿。就是注射局部有个脓包，脓包周围没有红、肿、热、痛。虽然有个脓包，孩子也不哭不闹，触之也无痛感。这时，父母往往不知道是接种卡介苗引起的，会抱孩子到医院看病。其实父母不必带宝宝上医院。这种寒性脓肿不需要任何处理，要让其慢慢地消退。

父母需要注意的事

·千万不要把寒性脓肿碰破，碰破了，不好愈合，也有继发细菌感染的危险。如果不溃破，慢慢就干巴消失了。溃破了，就会流脓，给护理带来麻烦。洗澡时最容易把脓包碰破。如果脓包破了，有继发感染的可能。

·继发感染后，局部就会出现红、肿、热、痛，严重时，婴儿可能会发烧。这时就需要看医生了。

·出生后3个月复查卡介苗接种效果。有的地区小儿3岁后复查。接种卡介苗后没有全身异常反应。

关于维生素K

有的产院，为了预防新生儿自然出血症和婴儿迟发性VK1缺乏出血症，会给出生的婴儿注射维生素K1。维生素K不算是免疫预防针，但对于预防出血症是有效的，尤其是有肝脏疾患的婴儿，就更有意义。

新生儿自然出血症多表现为脐带出血和消化道出血。严重的有发生脑出血的危险。母亲有肝脏疾病的，给新生儿注射维生素K还是很有必要的。迟发性VK缺乏多发生于纯母乳喂养儿，尤其是母亲有肝脏疾患时，多发生在2、3个月的婴儿。

维生素K多是注射在臀部，要求注射部位深。如果注射浅了吸收不好，注射部位可能会有包块。但没有其他异常反应。

关于麻痹糖丸

满2个月时要吃小儿麻痹糖丸。这就不像打针了，麻痹糖丸需要父母自己喂，父母可要当心，麻痹糖丸是很重要的预防项目。

在没有预防方法前，小儿患麻痹症是很可怕的。好好的孩子，患了小儿麻痹，就成了残疾儿。有了麻痹糖丸，几乎消灭了小儿麻痹症。这对孩子们来说是非常幸运的。

现在还不能说小儿麻痹症在这个地球上绝迹了，还要认认真真地给孩子接种。因此，喂这个糖丸是要重视的。

喂麻痹糖丸父母需要注意的事情

·麻痹糖丸不能用热的水溶化，一定要用冷开水溶化；

·不能用奶或饮料溶化喂服，也不能用母乳喂服；

· 服疫苗后，4个小时之内不要喂母乳，以免杀灭疫苗；

· 最好是整个放到孩子的嘴里，让糖丸在孩子的嘴里慢慢化开。这样是最好的，放到小儿嘴里，1分钟左右给孩子喝少量水。

· 要在喂奶后1个小时服，以免孩子溢乳时，把糖丸吐出来；

· 喂完糖丸后，也不要喂很多的水；

· 如果孩子有溢乳现象，吃完糖丸后，一定不要让孩子哭闹。也不要折腾孩子，防止溢乳。

· 爱流口水的孩子不要直接把糖丸喂到孩子嘴里，要用小勺化开，让孩子喝下去，以免随着口水流出来；

· 如果没能成功地把糖丸喂给孩子，一定要及时找预防科的医生，寻求解决办法；

· 麻痹糖丸要连续服三次，分别在生后满2个月、满3个月、满4个月，不要忘记；

· 服麻痹糖丸，孩子没有明显的异常反应。个别婴儿可能出现低热、恶心、呕吐等轻微症状，也有个别孩子发生腹泻，多于2、3天自行消失，不需要处理。

关于百白破三连疫苗

宝宝满3个月时，开始接种百白破三联疫苗。

接种后可能会出现的几种反应

· 接种百白破疫苗后，局部可有疼痛，有时发红，但2、3天后就可消失；

· 有的婴儿在接种局部出现硬结，1、2个月能自行消退；

· 第一次接种时，小儿一般不出现全身异常反应，偶有发生低热，1、2天就正常了。不影响吃奶，精神也一直不错；

· 接种第二针和第三针时，有的孩子会有明显的全身反应，于接种的当天或第二天出现发热，体温可达38℃左右，伴有哭闹、吃奶减少、睡眠不安、闹夜等，但多于1、2天后退热。

疫苗反应的处理

· 多给孩子喝水，不用药物治疗，可自行好转。

· 如果高热或持续不退，要看医生，是否

有疾病状况。

· 如果在接种疫苗前，孩子就有轻微的感冒，接种后，会使感冒症状加重。在这种情况下，不要擅自给孩子吃药，要看医生，告诉医生接种疫苗的情况。

· 在使用药物时，考虑对免疫的影响，以免使预防针失效。

· 百白破疫苗也是连续三次接种，三针分别在婴儿生后满3个月，满4个月，满5个月

关于麻疹疫苗

满8个月时接种麻疹疫苗。接种麻疹疫苗后可出现全身反应，主要是发热，可于接种后6-12小时出现，一般不超过38℃，不需要特殊处理。有的孩子于接种后出现皮疹，1、2天后自行消退，不需要处理。

关于流脑疫苗、乙脑疫苗

乙脑疫苗，流脑疫苗都是预防季节性传染病的，所以都是在传染病高发期来临前进行接种。流脑是秋末冬初开始接种，乙脑是在春季开始接种。

6个月以内的小婴儿，有来自母体的抗体。所以，6个月以内的婴儿即使正值接种季节也不需要接种。要等到6个月以后才能进行接种。为了安全起见，大部分地区都是在1岁以后才开始接种。

是否需要推迟接种？

如果孩子有轻微的感冒、腹泻，精神很好，不影响吃奶，没有其他疾病，可如期接种预防针。但是有下列情况之一时，要向后推迟接种：

1) 发热；

2) 严重的吐泻；

3) 慢性疾病病史，如先天性心脏病、慢性肾病；

4) 有抽搐病史、脑神经发育异常等神经系统疾病；

5) 严重的过敏体质；

6) 正在患传染病；

7) 免疫低下或免疫缺陷；

8) 不明原因的哭闹、拒乳、精神欠佳，正在查找病因时。

<u>MMR三联疫苗是否需要接种？</u>

什么是MMR三联疫苗

MMR三联疫苗是由麻疹、流行性腮腺炎、风疹三种疫苗联合在一起的复合疫苗。

是否有必要接种MMR三联疫苗？

在我国，MMR三联疫苗还没有纳入计划免疫行列，但在一些大城市，MMR三联疫苗也被广泛使用。在国外的一些国家，MMR三联疫苗已经按计划对儿童进行接种。

曾经有不少父母向我咨询，孩子必须接种MMR三联疫苗吗？这个问题很难给出肯定的答复。在此做些分析，帮助父母做出选择。

MMR三联疫苗有益的三个方面

·作为免疫接种项目对儿童的健康呵护是肯定的。在预防传染病上，疫苗功不可没，MMR虽然未列入计划内免疫项目，也不能否认它的功效。

·麻疹还没有绝迹，仍该进行免疫。

·腮腺炎虽然不是严重的传染病，但毕竟还是不患的好。风疹是比较轻的传染性疾病，但可导致胎儿畸形，女婴接种意义重大。风疹的患病率减低本身也对孕妇有很大的保证。这是接种MMR三联疫苗的益处。

MMR三联疫苗存在的三个问题

·麻疹已经有了计划免疫程序，不必非通过三联疫苗获得免疫。

·腮腺炎病毒存在着亚型，感染其他类型的腮腺炎病毒也可引起腮腺炎。因此，尽管接种腮腺炎疫苗，仍有可能患病。

·从优生方面考虑，风疹疫苗对女婴比较重要，对男婴来说，就显得不那么重要了。

鉴于以上分析，我的建议是结合婴儿的具体情况听取当地预防保健医生的建议。

MMR三联疫苗与孤独症

我国儿童孤独症发生率不低，随着MMR三联疫苗的广泛应用，会不会使我国儿童孤独症的发生率增加，引起了医学界的重视，但尚没有定论。

来自国外的小资料

加拿大流行病学家Spitzer博士及儿科学家Goldbloom博士研究称，他们对近两年来出现的所谓"孤独症流行"的情况予以高度关注，并认为孤独症增多与应用活疫苗，特别是与MMR三联疫苗之间可能存在相关性。当他回顾了英国2000例儿童孤独症的资料后，才相信了这种可能；为此，来自9个国家的著名流行病学家最近在伦敦举行会议，确定了一项大规模研究计划，该研究旨在阐明近10年来儿童孤独症发病率呈指数上升的原因。研究人员将对最近确诊为孤独症的3500名儿童，评估病史并与7000名对照组儿童做比较，这项研究约需5年。

附录一 婴儿身高增长曲线图（男婴）

0－3岁男童身高百分位曲线图

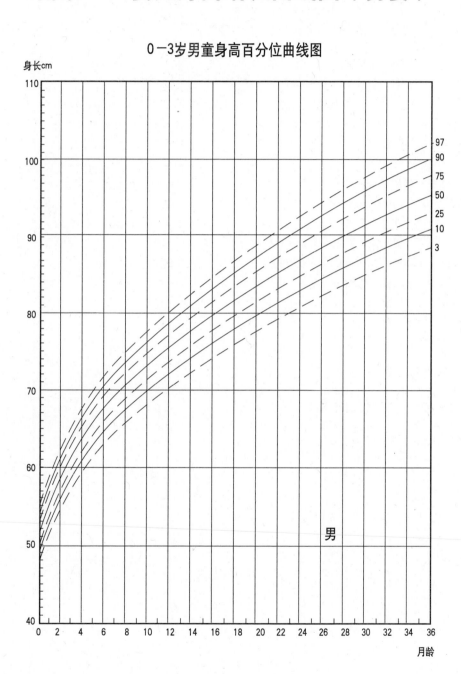

附录

附录二 婴儿身高增长曲线图（女婴）

0-3岁女童身高百分位曲线图

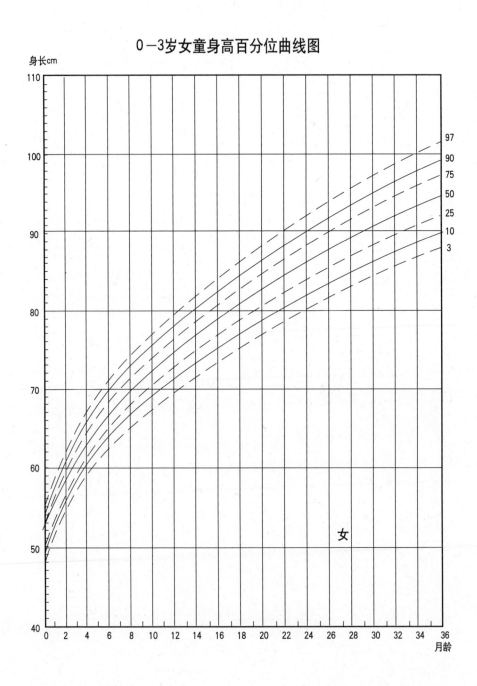

附录三　婴儿体重增长曲线图（男婴）

0－3岁男童体重百分位曲线图

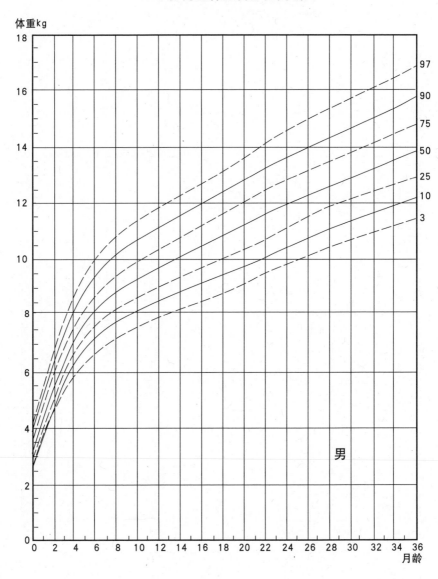

附录四 婴儿体重增长曲线图（女婴）

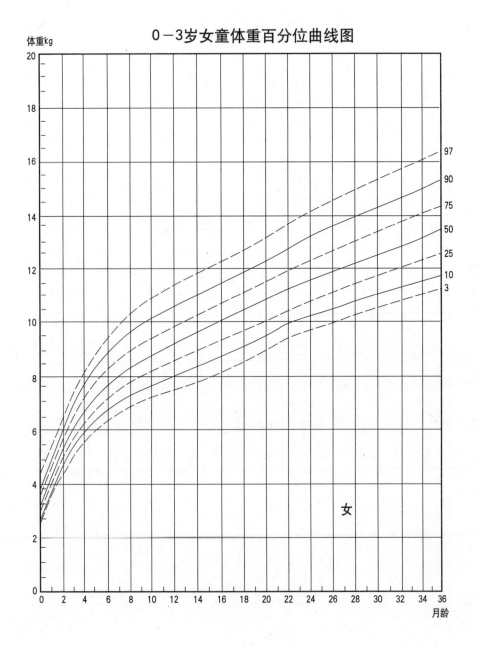

0-3岁女童体重百分位曲线图

附录五 婴儿头围增长曲线图（男婴）

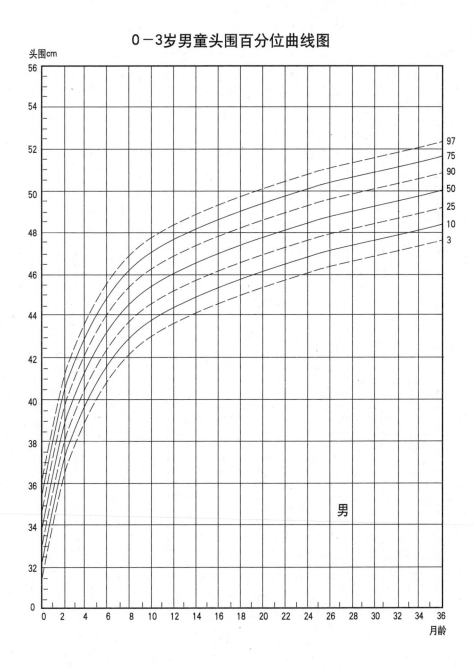

0－3岁男童头围百分位曲线图

附
录

附录六 婴儿头围增长曲线图（女婴）

0−3岁女童头围百分位曲线图

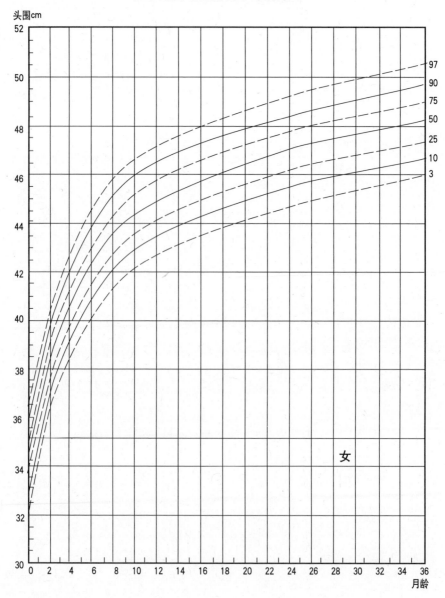

附录七　婴儿家庭常备药箱

工　具	体　温　表
消毒外用药品	消毒棉签、2.5%碘酒、75%酒精
创伤外用药品	2%红药水、1%紫药水双氧水、高锰酸钾粉
眼科外用药	利福平眼药水、红霉素眼药膏
防臀红或皮肤皱摺糜烂外用药	鞣酸软膏、氧化锌软膏
烫伤外用药	京万红、绿药膏、烫伤膏
退热药	小儿鲁米那、含有扑热息痛（乙酰氨基酚）的退热糖浆或药片，小儿退热栓（肛门用药）
治疗腹泻药物	思密达、小儿泻速停
微生态制剂	整肠生、乳酶生
助消化药	多酶片、健胃消食片
止痒药	炉甘石洗剂、肤轻松软膏
感冒药	小儿感冒片、感冒颗粒、双花口服液（冲剂）、双黄连口服液（冲剂）
去痰止咳药	川贝枇杷膏、川贝止咳糖浆、喉枣散、急支糖浆、甘草合剂
抗菌素	阿莫西林（阿莫仙）、罗红霉素、欣可诺
维生素	维生素AD、维生素C、维生素B
解痉药	莨菪片
抗过敏药	扑尔敏
钙剂	各种钙片

附录八 乳母服用药物时的哺乳方法表

药物种类	代 表 药	办 法
解热镇痛药	阿司匹林	暂停哺乳
抗精神病药	氯丙嗪	忌哺乳
抗精神障碍药	百忧解	忌哺乳
抗神经系统用药	抗癫痫药等	不忌哺乳但应观察,
抗组胺药	息斯敏	根据药物说明决定是否哺乳
止咳祛痰平喘药	甘草、茶碱	继续哺乳
拟胆碱药	毛果云香碱	慎用
抗胆碱药	阿托品	慎用
降压药	不同的降压药有不同的要求	根据厂家建议
强心药	地高辛	可继续哺乳
抗心律失常药	美西律	可继续哺乳
补血药	右旋糖苷铁	慎用
利尿药	氯噻嗪	可继续哺乳,但减少乳汁分泌
消化系统用药	助消化药	可继续哺乳
治疗溃疡药	有的可以使用	部分慎用,根据厂家建议
止吐药	与药物种类有关	慎用或禁用,看说明
止泻药	与药物种类有关	部分不宜哺乳
导泻通便药	巴豆除外	可继续哺乳
激素类	避孕药	认为可继续哺乳,但应监测乳儿情况
雌激素	乙烯雌芬	不宜继续哺乳
肾上腺皮质激素	地塞米松、强的松	部分可继续哺乳,部分慎用,依说明
糖尿病用药	胰岛素等	应减少用量,监测乳儿血糖
甲状腺疾病用药	他巴唑,硫氧嘧啶	对乳儿进行甲状腺功能监测
抗菌素类	青霉素类	可继续哺乳
抗菌素类	头孢菌素类	可继续哺乳
抗菌素类	大环内酯类	可继续哺乳
抗菌素类	氨基试类	部分忌用,使用时注意菌群失调
抗菌素类	喹诺酮类	慎用或忌用
抗真菌药	克霉唑、斯皮仁诺	慎用或忌用
磺胺类	复方新诺明	不宜哺乳
抗结核药	雷米封等	部分不宜哺乳,使用应定期查肝功
呋喃类	呋喃坦定	暂停哺乳
抗病毒类	病毒唑、乌环鸟苷	禁用
杀虫类	驱蛔灵、肠虫清	服药三天内暂停哺乳
降脂类	他汀类和贝酸类	禁用
减肥药	各种	禁用

附录九　婴儿预防接种程序表

月　龄	接种疫苗	备　注
出生后	卡介苗（初种）、乙肝疫苗（第一针）	母亲是乙肝病毒携带者，注射高效价乙肝免疫球蛋白
满1月	乙肝疫苗（第二针）	早产儿体重达2.5公斤后方开始接种疫苗
满2月	麻痹糖丸疫苗（第一次初免）	可能有轻微发热或恶心，少见
满3月	麻痹糖丸疫苗（第二次初免）、百白破疫苗（初免第一针）	可能有轻微发热
满4月	麻痹糖丸疫苗（第三次初免）、百白破疫苗（初免第二针）	可能有轻度或中度发热
满5月	百白破疫苗（初免第三针）	可能有中度发热
满6月	乙肝疫苗（第三针）	局部可有疼痛
满7月	没有计划免疫针	可根据当地要求接种其他疫苗但要弄清疫苗种类和作用，不明白时，向当地防疫部门咨询
满8月	麻疹疫苗（初免）	可能有发热
满9月	没有计划免疫针	可根据当地要求接种其他疫苗但要弄清疫苗种类和作用，不明白时，向当地防疫部门咨询
满10月	没有计划免疫针	可根据当地要求接种其他疫苗但要弄清疫苗种类和作用，不明白时，向当地防疫部门咨询
满11月	没有计划免疫针	可根据当地要求接种其他疫苗但要弄清疫苗种类和作用，不明白时，向当地防疫部门咨询
满12月	乙脑疫苗（初免2针）	可能有发热

附录十　小儿OTC解暑药

药名	成分	剂量	服药前症状	适应症	注意事项
小儿感冒颗粒冲剂	广藿香、菊花、连翘、大青叶、板蓝根、地黄、地骨皮、白薇薄荷、石膏	<1岁 12g/天 1-3岁 24g/天 4-7岁 36g/天 8-12岁 48g/天 早、晚分次服	发热重、恶寒轻、有汗但热不退、头痛鼻塞、咳嗽、口渴咽红	清热解表 风热感冒	服药24小时后症状仍无改变，应去医院
小儿感冒口服液	同上	<1岁 10ml/天 1-3岁 20ml/天 4-7岁 30ml/天 8-12岁 40ml/天 早、晚分次服	同上	同上	同上
小儿热速清口服液	柴胡、黄芩、板蓝根、葛根、金银花、水牛角、连翘、大黄	<1岁 7.5ml/天 1-3岁 15ml/天 4-7岁 30ml/天 8-12岁 45ml/天 早中晚分三次服	发热头痛、咽喉肿痛、鼻塞流涕、咳嗽、便秘	风热感冒清热解毒利咽	体温在38℃以上，服药后24小时症状无明显改变，看医生
小儿热速清颗粒冲剂	同上	<1岁 1包/日 1-3岁 1.5包/日 4-7岁 3包/日 8-12岁 5包/日 早中晚分三次	同上	同上	同上
金银花露	金银花	<7岁 40ml/天 >7岁 90ml/天 早晚分两次	周身起痱、多汗、口干、有中暑之症状	痱毒、暑热、口渴、暑湿、感冒清热解毒	有痱毒感染、脓疮，体质虚弱忌服
金银花合剂	同上	30ml/天分三次服	同上	同上	同上
导赤丸	连翘、黄连、关木通、玄参、天花粉、赤勺、大黄、黄芩、滑石、栀子	每次一丸 每日两次	口舌生疮、咽喉疼痛、口干、尿黄、大便秘结	口腔炎、咽喉炎 清热泻火、利尿通便	1岁以内小儿慎服
风热感冒冲剂	板蓝根、连翘、薄荷、荆芥穗、桑叶、芦根、菊花、苦杏仁、桑枝、六神曲	3-7岁 1/3袋/次 <7岁 1/2袋/次 每日三次	咽喉肿痛、发热有汗、鼻塞、头疼、咳嗽多痰	咽喉炎、风热感冒 蔬风清热、利咽解毒	饮食要清淡，不宜食用生冷辛辣食物，多喝白开水，小于3岁以下小儿忌服
板蓝根颗粒冲剂	板蓝根	5克/次 每日四次	咽喉肿痛、流涕	病毒性感冒清热解毒	不可长期服用
双黄连口服液	金银花、黄芩、连翘	3-7岁 5毫升/次 7岁以上10毫升/次 每日两次	咳嗽、发热咽痛	病毒感冒清热解毒	3岁以下小儿慎服
藿香正气口服液	陈皮、白芷、茯苓 等	3-7岁 3毫升/次 7岁以上 5毫升 每日两次	头昏脑胀、腹部胀痛、恶心、呕吐泄泻	胃肠型感冒中暑解表化湿	忌食生冷，引起过敏性皮疹停服，3岁以下小儿慎服
藿香正气颗粒冲剂	同上	3-7岁 1/3袋/次 大于7岁 1/2袋/次，每日两次	同上	同上	同上
藿香正气胶囊	同上	3-7岁 1粒/次 7岁以上 2粒/次 每日两次	同上	同上	同上
六神丸	牛黄、珍珠、麝香、冰片、蟾酥、雄黄	1岁每次1粒 2岁每次2粒 3岁每次3粒 4岁每次4粒 5-8岁每次5粒 9-15岁每次8粒 每日2次	咳嗽、多痰、惊吓、皮肤疖疮、咽喉肿痛	气管炎、咽炎、皮肤感染、痱积清热解毒	不可超量服用

附录十一 婴儿疾病预防与康复护理细目

以下细目用于第十三章。

参考文献

    本书写作过程中，参阅了专业必备书《实用新生儿学》和《儿科学》，同时还参阅了大量相关著作。因本书的科普特点，写作中没有作原文引用，在此说明并请谅解，本书作者深表谢意。为明确参考来源，特此开列如下：

    有关婴儿潜能开发的内容，参考了北京协和医院鲍秀兰教授著的《塑造最佳的人生开端》；

    有关婴儿预防接种的内容，参考了西安医科大学潘建平教授主编的《儿童保健学》。

    其他内容还参阅了如下文献：

上海医科大学陈珠教授主编的《内科学》；

上海医科大学王淑贞教授主编的《实用妇产科学》；

北京医科大学刘家琦、李凤鸣教授主编的《实用眼科学》；

中山医科大学杨绍基教授主编的《传染病学》；

上海第二医科大学张志愿教授主编的《口腔科学》；

中国康复研究中心乔志恒、范维铭教授主编的《物理治疗学全书》；

复旦大学杨秉辉教授主编的《全科医学概论》；

全国专家编写组余元勋教授等主编的《中国遗传咨询》；

湖北医科大学郭玉德教授主编的《现代小儿耳鼻咽喉科学》；

美国南加利福尼亚大学William·Sears医学博士著，王士先译的《夜间育儿》。

后 记

　　感谢我尊敬的前辈，妇产科专家刘玉兰老师、儿科专家张春瑞老师、儿科专家张孝萱老师、小儿神经内科专家叶露梅老师、小儿内分泌专家鲍美珍老师、小儿血液病专家王琦老师。在我20年临床和研修工作中，他们广博的专业知识、精湛的医术、出色的人品，都给予我极大的帮助和影响。我成长为一个受众人欢迎和信任的医生，还能为医学科普写作做点贡献，我把这当做对他们的回报。

　　感谢我的丈夫，尽管他的工作也很忙，但他总是挤出时间，从国外专业网站和国外原版专业书籍中为我查询、翻译或购买有关最新医学的资料，包括英、日、法语的。没有他的帮助，我就不能更多地掌握国际医学进展。

　　感谢秦皇岛市妇幼医院院长陈妍华女士的关怀与支持。她一贯支持我抓临床业务，还支持我抓科研，鼓励我用科研成果和专业知识服务于大众。

　　感谢田甜女士所做的文字修改，她逐字逐句修改了全部书稿数遍。没有她的修改，甚至可以说就不可能有这本书的出版。

　　感谢为本书提供照片的所有亲朋好友，感谢全国各地的读者和网友们，感谢孩子的爸爸妈妈们，把小宝宝可爱的形象提供给我，展现给大众。没有这些照片，就不能生动地反映出中国宝宝发育的真实情景。